아름다운 샘
A~ssam

기본기를 다지는
문제기본서 하이 매쓰

Hi Math

수학 Ⅱ

이창주 지음

[기본+유형]

- 교과서 개념을 다지는 **기본편**
- 학교 시험 완벽대비 **유형편**

아름다운샘

[아쌤 Hi] 검수 및 검토하신 선생님들

【서울】 권경택, 김도훈, 김명후, 김세철, 김영재, 김정효, 김태연, 박성철, 박정선, 박정한, 박준열, 서동혁, 송경섭, 양해조, 유민정, 유영호, 윤인영, 이재웅, 이창환, 장석진, 정효석, 최하나

【인천】 김성수, 김성욱, 정승기, 차승훈

【경기】 구대우, 김대성, 김대용, 김선덕, 김선옥, 김성현, 김영규, 김윤경, 김장현, 남재일, 박민서, 박종회, 신명섭, 오태경, 이대영, 이선미, 이창범, 이한진, 이한철, 임봉환, 장 민, 장순식, 장용준, 정근욱, 정순모, 홍영표, 홍인기

【대전】 강준규, 고지훈, 김덕한, 김선아, 김성운, 김윤태, 김태규, 김홍래, 박교석, 박교현, 박상신, 박수연, 성진욱, 손지원, 양상규, 오완균, 우홍제, 원종혜, 유재율, 이관희, 이광열, 이주호, 이준상, 이찬복, 임성묵, 임지혜, 정대영, 조용호, 차기원, 최고은, 최원제, 최의설, 최종민, 홍승완

【충남】 임봉철, 최원경

【충북】 강명헌, 김대호, 김선경, 김재광, 김재원, 김정태, 김종화, 김혁수, 김혜연, 김호경, 노은경, 노은미, 박순제, 박시현, 박형근, 백원재, 변남균, 송기복, 신유리, 양세경, 염명호, 오동근, 오일영, 오현진, 원정호, 이정환, 이혜리, 이흔철, 임동윤, 임재석, 장난영, 장도리, 장효식, 정선혜, 조연화, 조영의, 조윤정, 주혜진, 한상호, 함종화

【울산】 곽석환, 김병섭, 김수영, 김윤근, 남성일, 문준호, 성수경, 송병근, 이길호, 이민혁, 조용득

【경남】 강현숙, 김동재, 김일용, 남창혁, 박건주, 박영남, 박임수, 박찬국, 배종진, 손봉기, 송창근, 오주영, 유지민, 윤성욱, 이광호, 이희경, 정성목, 조주영, 주기호, 차현근, 탁언숙, 한희광, 허정민, 홍주연, 황정욱

【경북】 김병진, 김희열, 윤기원

【광주】 정다원

【전남】 김은경

【전북】 강성주, 고석채, 고은미, 김민수, 김순기, 김 억, 김용철, 김전수, 김종오, 김종호, 김차순, 문 욱, 박일용, 박종화, 박충기, 반석구, 서준석, 안영엽, 이경근, 이희진, 임태빈, 장미현, 정미라, 조효진, 최재완, 홍대의

[아쌤 Hi] 검토하신 선생님들

【서울】 고수환, 구수해, 김도규, 김병규, 김순태, 김효건, 민병조, 박주완, 배재형, 백은화, 선 철, 신우진, 양철웅, 오종훈, 우미영, 유승우, 윤여균, 윤재춘, 윤현웅, 이경주, 이상훈, 이창석, 이창용, 임규철, 임노길, 임다혜, 정진우, 조영혜, 주종대, 지광근, 차현남

【인천】 김국련, 김용근, 김지원, 김태윤, 장효근, 정효진, 조성철, 최수빈

【경기】 김양진, 김유성, 김지윤, 문재웅, 송명준, 윤희용, 이명희, 이승천, 이승현, 전종태, 정윤교, 정장선, 조 욱, 최경희

【강원】 전대윤, 최수남

【대전】 김귀식, 김명구, 김중만, 박연실, 양상규, 오완균, 윤석주, 장윤희, 황재인

【세종】 조성윤

【충남】 김보람

【충북】 채주병

【부산】 김성빈, 김영해, 김 훈, 이경덕, 최재원, 최재혁

【울산】 김용래

【경남】 김민채, 김재현, 권병국, 배종우, 우하람

【대구】 구정모, 김영배, 김지영, 이태형, 최진혁

【경북】 이성국, 정효진

【광주】 구남용, 임태관

【전남】 강춘기, 편기석, 함영호

【전북】 김병화, 김성혁, 성준우, 안형진, 양형준, 유현수, 이춘우

아쌤 Hi 시리즈

❖ 아쌤 Hi Math

- 수학(상)
- 수학(하)
- 수학 I
- 수학 II
- 확률과 통계
- 미적분
- 기하

❖ 아쌤 Hi High

- 수학(상)
- 수학(하)
- 수학 I
- 수학 II
- 확률과 통계
- 미적분

아름다운 샘
A~ssam

기본기를 다지는

문제기본서 하이 매쓰

Hi Math

수학 Ⅱ

수학의 자신감

역시! 믿고 보는 아샘 하이매쓰와 함께...

◇ **대표저자**: 이창주(前 한영고, EBS·강남구청 강사, 7차 개정 교과서 집필위원), 이명구(한영고, 수학의 샘, 수학의 뿌리-3점짜리 시리즈, 전국 모의고사 집필위원)

◇ **편집 및 연구**: 박상원, 윤원석, 전신영, 박호형, 강은홍, 장혜진, 정흥래

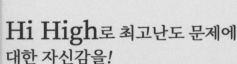

◇ **일러스트 출처**: 1쪽_좌, 2쪽, 3쪽_상, 4쪽_상, 본문_좌측 상단, 본문_우측 상단 designed by freepik.com

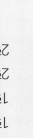

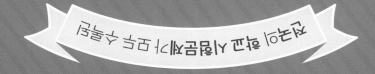

아~름다운 샘
A~ssam

Hi Math
수학 Ⅱ

“아름다운 샘 Hi Math는?”

Hi Math의 특징

01 개념기본서 「수학의 샘」과 연계된 문제기본서

개념기본서 「수학의 샘」에서 익힌 수학적 개념을 적용하여 문제 연습을 할 수 있는 문제기본서입니다. 단원의 구성과 순서가 동일하여 「수학의 샘」의 개념과 「Hi Math」의 문제를 연계하여 공부할 수 있습니다.

02 수학의 기본을 다지는 문제기본서

처음으로 문제집을 공부하거나 기본기가 부족하다고 생각하는 학생을 위한 교재입니다. 기본 연산의 충분한 반복 연습, 알기 쉽게 체계적으로 분류된 유형별 문항 연습이 가능합니다.

03 기본 문제 수가 많은 문제기본서

이 교재의 구성은 [개념 정리] + [기본 문제] + [유형 문제] + [쌤이 시험에 꼭 내는 문제]입니다. 특히, [기본 문제]를 많이 수록하여 확실하게 개념 이해를 할 수 있도록 하였습니다.

04 내신 성적 2등급까지 책임지는 문제기본서

학교 시험 및 모의고사 등에 자주 출제되는 문제들을 분석하여 그 문제들을 위주로 수록한 교재입니다. 효율적인 문제 유형별 해법을 제시하여 시험 대비에 적합하며 시험에 대한 자신감을 갖게 합니다.

수학의 기본 실력을 탄탄히 쌓아 고등 수학에 자신감을 가질 수 있도록
기본 개념을 많이 연습할 수 있는 문제
학교 시험을 완벽 대비할 수 있는 문제
들을 수록하여 충분히 문제 연습을 할 수 있도록 만든 문제기본서입니다.

Hi Math의 구성

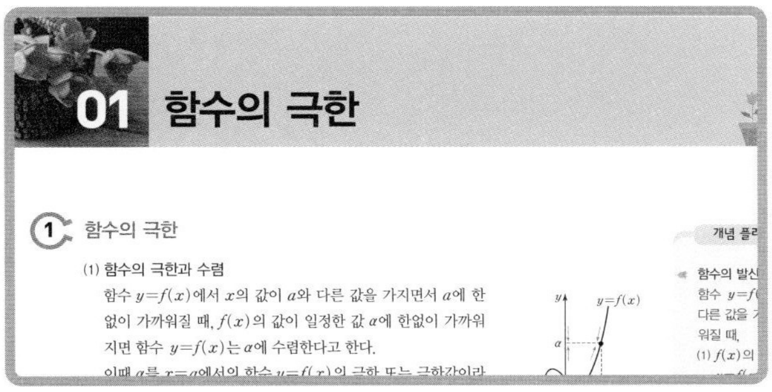
01 함수의 극한

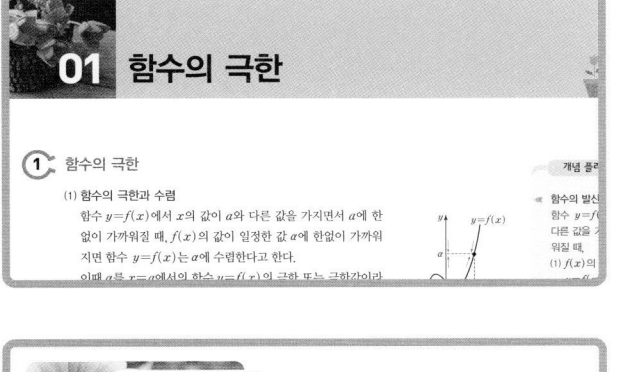

1 함수의 극한
(1) 함수의 극한과 수렴
함수 $y=f(x)$에서 x의 값이 a와 다른 값을 가지면서 a에 한없이 가까워질 때, $f(x)$의 값이 일정한 값 α에 한없이 가까워지면 함수 $y=f(x)$는 α에 수렴한다고 한다.

● 개념 정리
교과서 내용을 꼼꼼하게 분석하여 각 단원의 중요 핵심 개념을 한눈에 볼 수 있도록 정리하였습니다. 보충설명이 필요한 부분은 개념플러스에서 추가하여 제시하였습니다.

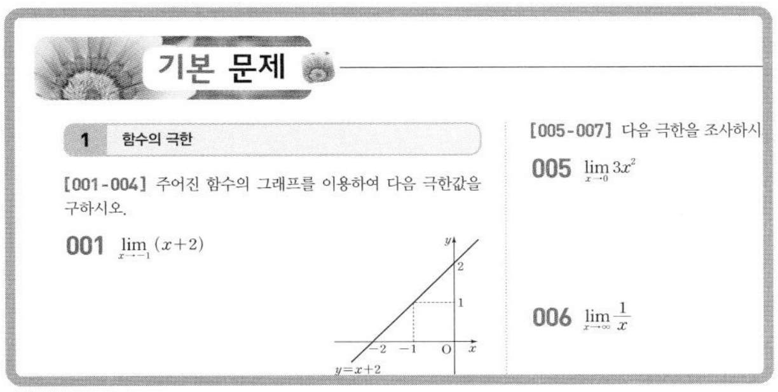
기본 문제
1 함수의 극한
[001-004] 주어진 함수의 그래프를 이용하여 다음 극한값을 구하시오.
001 $\lim_{x\to -1}(x+2)$
[005-007] 다음 극한을 조사하시
005 $\lim_{x\to 0}3x^2$
006 $\lim_{x\to\infty}\frac{1}{x}$

● 기본 문제
수학의 기본을 다지는 계산 문제, 개념 이해 문제입니다. 단원의 핵심 개념에 해당하는 문제들을 충분히 반복 연습할 수 있도록 많은 문제들을 수록하였습니다.

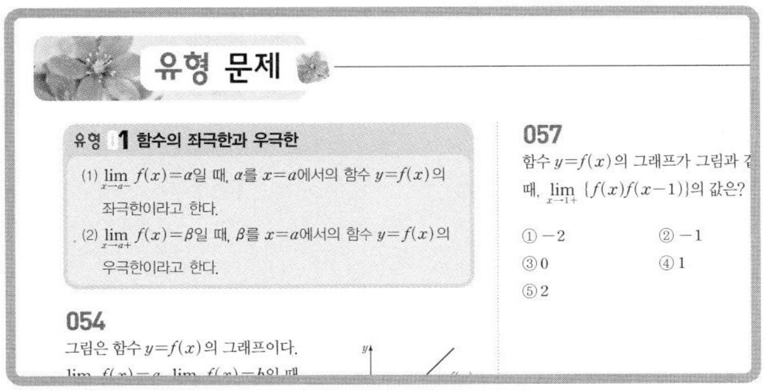
유형 문제
유형 1 함수의 좌극한과 우극한
(1) $\lim_{x\to a-}f(x)=\alpha$일 때, α를 $x=a$에서의 함수 $y=f(x)$의 좌극한이라고 한다.
(2) $\lim_{x\to a+}f(x)=\beta$일 때, β를 $x=a$에서의 함수 $y=f(x)$의 우극한이라고 한다.
054
그림은 함수 $y=f(x)$의 그래프이다.
057
함수 $y=f(x)$의 그래프가 그림과 같
때, $\lim_{x\to 1+}\{f(x)f(x-1)\}$의 값은?
① −2 ② −1 ③ 0 ④ 1 ⑤ 2

● 유형 문제
학교 시험의 출제 경향을 치밀하게 분석하여 그 유형을 분류한 후, 해법을 제시하였습니다. 다양한 문제를 연습할 수 있도록 구성하였고, 시험에서 출제 비율이 높은 문항에는 '중요' 표시를 하였습니다.

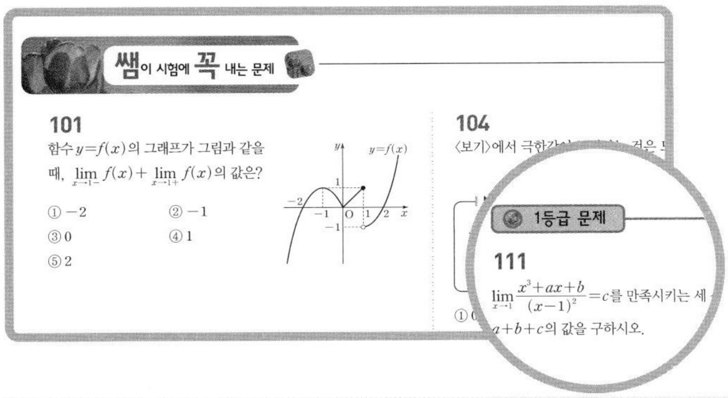
쌤이 시험에 꼭 내는 문제
101
함수 $y=f(x)$의 그래프가 그림과 같을 때, $\lim_{x\to -1-}f(x)+\lim_{x\to 1+}f(x)$의 값은?
① −2 ② −1 ③ 0 ④ 1 ⑤ 2
104
〈보기〉에서 극한값이
1등급 문제
111
$\lim_{x\to 1}\frac{x^3+ax+b}{(x-1)^2}=c$를 만족시키는 세
$a+b+c$의 값을 구하시오.

● 쌤이 시험에 꼭 내는 문제
학교 시험에 꼭 나오는 단골 문제들을 선별하여 구성하였습니다. 자주 출제되는 유형의 문제들을 집중적으로 풀어 볼 수 있도록 하였고, 만점을 위한 '1등급 문제'도 수록하였습니다.

차례

• [ ]은 기본 + 유형 + 쌤꼭의 문항 수입니다.

01 함수의 극한 [53 + 47 + 12] ······ 005

02 함수의 연속 [40 + 45 + 12] ······ 021

03 미분계수 [40 + 46 + 12] ······ 037

04 도함수 [60 + 53 + 12] ······ 053

05 접선의 방정식과 평균값 정리 [38 + 47 + 12] ······ 071

06 증가 · 감소와 극대 · 극소 [45 + 54 + 12] ······ 087

07 도함수의 활용 [40 + 45 + 12] ······ 105

08 부정적분 [50 + 48 + 12] ······ 121

09 정적분 [44 + 47 + 12] ······ 137

10 정적분의 응용 [40 + 48 + 12] ······ 153

11 정적분의 활용 [33 + 59 + 12] ······ 169

01 함수의 극한

제 목		문항 번호	문항 수	확인
기본 문제		001 ~ 053	53	
유형 문제	01. 함수의 좌극한과 우극한	054 ~ 059	6	
	02. 함수의 극한값의 존재	060 ~ 062	3	
	03. 합성함수의 극한	063 ~ 065	3	
	04. 절댓값, 가우스 기호를 포함한 함수의 극한	066 ~ 068	3	
	05. 함수의 극한에 대한 성질	069 ~ 071	3	
	06. $\frac{0}{0}$ 꼴의 극한	072 ~ 077	6	
	07. $\frac{\infty}{\infty}$ 꼴의 극한	078 ~ 080	3	
	08. $\infty - \infty$ 꼴의 극한	081 ~ 083	3	
	09. $\infty \times 0$ 꼴의 극한	084 ~ 086	3	
	10. 미정계수의 결정	087 ~ 089	3	
	11. 다항함수의 결정	090 ~ 095	6	
	12. 함수의 극한의 대소 관계	096 ~ 098	3	
	13. 함수의 극한의 활용	099 ~ 100	2	
쌤이 시험에 꼭 내는 문제		101 ~ 112	12	

01 함수의 극한

1 함수의 극한

(1) 함수의 극한과 수렴

함수 $y=f(x)$에서 x의 값이 a와 다른 값을 가지면서 a에 한없이 가까워질 때, $f(x)$의 값이 일정한 값 α에 한없이 가까워지면 함수 $y=f(x)$는 α에 수렴한다고 한다.

이때 α를 $x=a$에서의 함수 $y=f(x)$의 극한 또는 극한값이라 하고, 기호로

$\lim_{x \to a} f(x)=\alpha$ 또는 $x \to a$일 때 $f(x) \to \alpha$

와 같이 나타낸다.

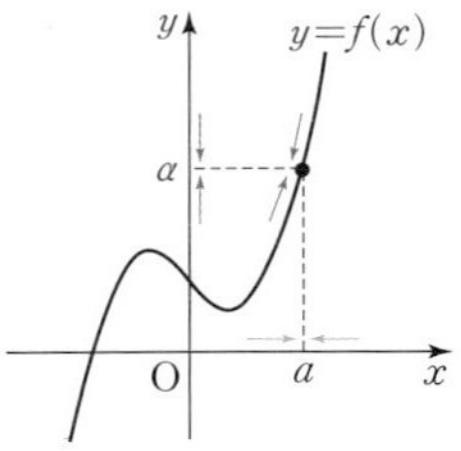

(2) 좌극한과 우극한

$x \to a-$일 때 $f(x)$의 값이 일정한 값 α에 한없이 가까워지면 α를 $x=a$에서의 함수 $y=f(x)$의 좌극한이라 하고, 기호로

$\lim_{x \to a-} f(x)=\alpha$ 또는 $x \to a-$일 때 $f(x) \to \alpha$

와 같이 나타낸다.

$x \to a+$일 때 $f(x)$의 값이 일정한 값 β에 한없이 가까워지면 β를 $x=a$에서의 함수 $y=f(x)$의 우극한이라 하고, 기호로

$\lim_{x \to a+} f(x)=\beta$ 또는 $x \to a+$일 때 $f(x) \to \beta$

와 같이 나타낸다.

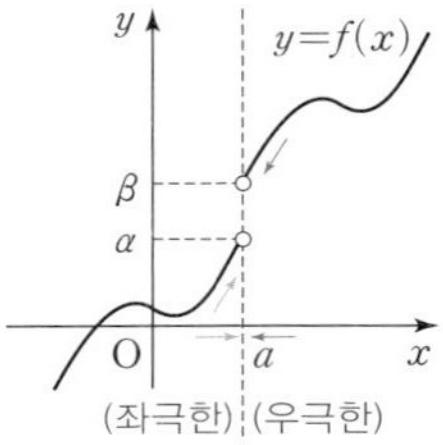

2 함수의 극한에 대한 성질

$\lim_{x \to a} f(x)=\alpha$, $\lim_{x \to a} g(x)=\beta$ (α, β는 실수)일 때

(1) $\lim_{x \to a} \{cf(x)\}=c\lim_{x \to a} f(x)=c\alpha$ (단, c는 상수이다.)

(2) $\lim_{x \to a} \{f(x) \pm g(x)\}=\lim_{x \to a} f(x) \pm \lim_{x \to a} g(x)=\alpha \pm \beta$ (복부호 동순)

(3) $\lim_{x \to a} \{f(x)g(x)\}=\lim_{x \to a} f(x) \lim_{x \to a} g(x)=\alpha\beta$

(4) $\lim_{x \to a} \dfrac{f(x)}{g(x)}=\dfrac{\lim_{x \to a} f(x)}{\lim_{x \to a} g(x)}=\dfrac{\alpha}{\beta}$ (단, $\beta \neq 0$)

3 함수의 극한의 대소 관계

두 함수 $y=f(x)$, $y=g(x)$에서 $\lim_{x \to a} f(x)=\alpha$, $\lim_{x \to a} g(x)=\beta$ (α, β는 실수)일 때, a에 가까운 모든 x의 값에 대하여

(1) $f(x) \leq g(x)$이면 ➡ $\alpha \leq \beta$

(2) 함수 $y=h(x)$에 대하여 $f(x) \leq h(x) \leq g(x)$이고 $\alpha=\beta$이면 ➡ $\lim_{x \to a} h(x)=\alpha$

참고 $f(x)<h(x)<g(x)$이고 $\lim_{x \to a} f(x)=\lim_{x \to a} g(x)=\alpha$일 때도 $\lim_{x \to a} h(x)=\alpha$가 성립한다.

개념 플러스

- 함수의 발산

함수 $y=f(x)$에서 x의 값이 a와 다른 값을 가지면서 a에 한없이 가까워질 때,

(1) $f(x)$의 값이 한없이 커지면 함수 $y=f(x)$는 양의 무한대로 발산한다고 한다.
⇨ $\lim_{x \to a} f(x)=\infty$ 또는 $x \to a$일 때 $f(x) \to \infty$

(2) $f(x)$의 값이 음수이고 그 절댓값이 한없이 커지면 함수 $y=f(x)$는 음의 무한대로 발산한다고 한다.
⇨ $\lim_{x \to a} f(x)=-\infty$ 또는 $x \to a$일 때 $f(x) \to -\infty$

- x가 a보다 작으면서 a에 한없이 가까워지는 것을 $x \to a-$, x가 a보다 크면서 a에 한없이 가까워지는 것을 $x \to a+$로 나타낸다.

- 극한값이 존재하기 위한 조건

$\lim_{x \to a} f(x)=\alpha$
$\Longleftrightarrow \lim_{x \to a-} f(x)=\alpha$이고 $\lim_{x \to a+} f(x)=\alpha$ (단, α는 실수)

- 함수의 극한에 대한 성질은 $x \to a-$, $x \to a+$, $x \to \infty$, $x \to -\infty$일 때도 모두 성립한다.

- 수렴하는 분수함수의 극한

(1) $\lim_{x \to a} \dfrac{f(x)}{g(x)}=\alpha$이고, $\lim_{x \to a} g(x)=0$이면
⇨ $\lim_{x \to a} f(x)=0$ (단, α는 실수)

(2) $\lim_{x \to a} \dfrac{f(x)}{g(x)}=\alpha$이고, $\lim_{x \to a} f(x)=0$이면
⇨ $\lim_{x \to a} g(x)=0$
(단, $\alpha \neq 0$인 실수)

기본 문제

정답 및 해설 002쪽

1 함수의 극한

[001-004] 주어진 함수의 그래프를 이용하여 다음 극한값을 구하시오.

001 $\lim_{x \to -1} (x+2)$

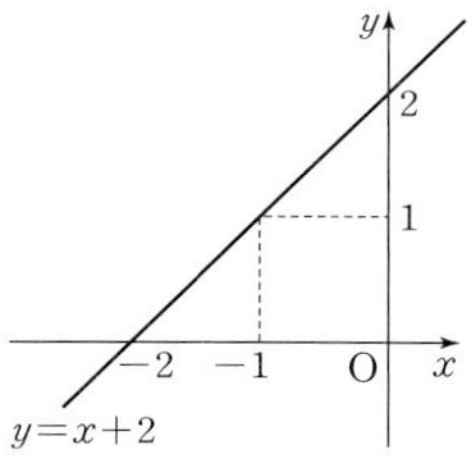

002 $\lim_{x \to 3} (x^2-4)$

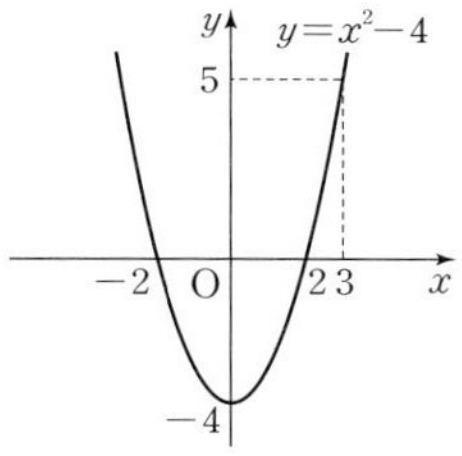

003 $\lim_{x \to 3} \sqrt{2x+3}$

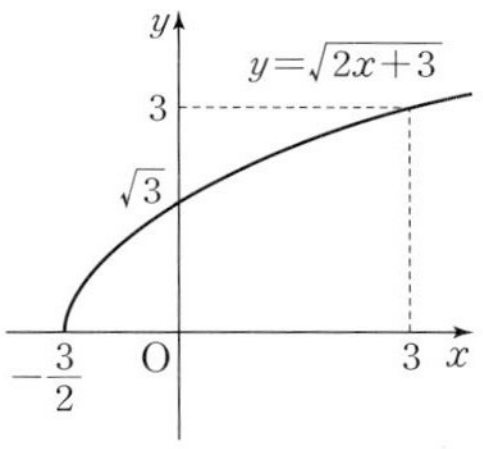

004 $\lim_{x \to -1} \frac{1}{x^2}$

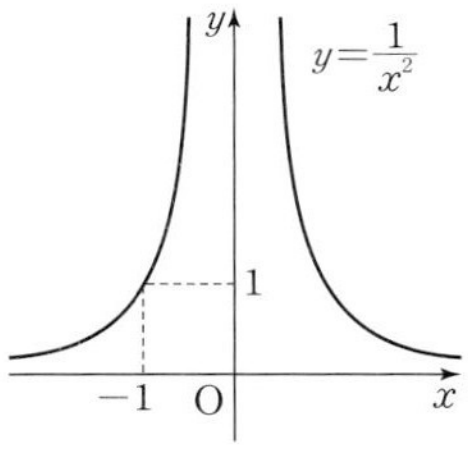

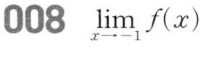

[005-007] 다음 극한을 조사하시오.

005 $\lim_{x \to 0} 3x^2$

006 $\lim_{x \to \infty} \frac{1}{x}$

007 $\lim_{x \to -\infty} x^2$

[008-011] 함수 $y=f(x)$의 그래프가 그림과 같을 때, 다음 극한을 조사하시오.

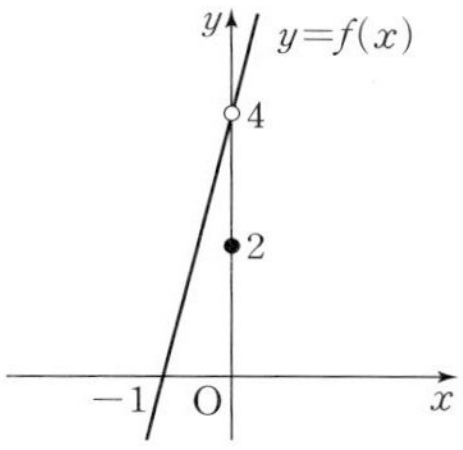

008 $\lim_{x \to -1} f(x)$

009 $\lim_{x \to 0} f(x)$

010 $\lim_{x \to \infty} f(x)$

011 $\lim_{x \to -\infty} f(x)$

기본 문제

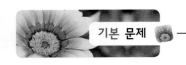

[012-015] 함수 $f(x)=\begin{cases} x^2-2x-1 & (x\neq1) \\ 0 & (x=1) \end{cases}$ 에 대하여 다음 극한을 조사하시오.

012 $\lim_{x\to0} f(x)$

013 $\lim_{x\to1} f(x)$

014 $\lim_{x\to3} f(x)$

015 $\lim_{x\to\infty} f(x)$

2 좌극한과 우극한

[016-023] 함수 $y=f(x)$의 그래프가 그림과 같을 때, 다음을 구하시오.

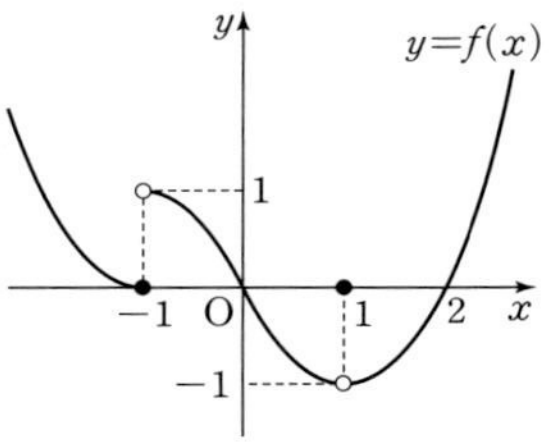

016 $\lim_{x\to-1-} f(x)$

017 $\lim_{x\to-1+} f(x)$

018 $\lim_{x\to-1} f(x)$

019 $f(-1)$

020 $\lim_{x\to1-} f(x)$

021 $\lim_{x\to1+} f(x)$

022 $\lim_{x\to1} f(x)$

023 $f(1)$

[024-025] 함수 $f(x)=\begin{cases} 3x+1 & (x\geq1) \\ -3x+1 & (x<1) \end{cases}$ 에 대하여 다음 극한값을 구하시오.

024 $\lim_{x\to1+} f(x)$

025 $\lim_{x\to1-} f(x)$

[026-028] 다음 극한값을 구하시오.

026 $\lim_{x\to 0+}\frac{|x|}{x}$

027 $\lim_{x\to 0-}\frac{|x|}{x}$

028 $\lim_{x\to 2+}\frac{x-2}{|x-2|}$

3 함수의 극한에 대한 성질

[029-032] $\lim_{x\to 1}f(x)=3$, $\lim_{x\to 1}g(x)=-2$일 때, 다음 극한값을 구하시오.

029 $\lim_{x\to 1}\{3f(x)\}$

030 $\lim_{x\to 1}\{f(x)+g(x)\}$

031 $\lim_{x\to 1}\{f(x)g(x)\}$

032 $\lim_{x\to 1}\frac{f(x)}{g(x)}$

[033-035] 다음 극한값을 구하시오.

033 $\lim_{x\to 2}(3x-1)$

034 $\lim_{x\to 1}(3x^2-2x+5)$

035 $\lim_{x\to -1}\frac{x^2-3x}{2x+1}$

4 $\frac{0}{0}$ 꼴의 극한

[036-039] 다음 극한값을 구하시오.

036 $\lim_{x\to 1}\frac{(x-1)(x+3)}{x-1}$

037 $\lim_{x\to 2}\frac{x^2-5x+6}{x-2}$

038 $\lim_{x\to 2}\frac{x^3-8}{x-2}$

039 $\lim_{x\to 1}\frac{\sqrt{x}-1}{x-1}$

5 $\frac{\infty}{\infty}$ 꼴의 극한

[040-043] 다음 극한을 조사하시오.

040 $\lim_{x\to\infty}\frac{2x+1}{x^2-1}$

041 $\lim_{x\to\infty}\frac{2x^2-3x+1}{x-2}$

042 $\lim_{x\to\infty}\frac{2x^2+x+3}{x^2-1}$

043 $\lim_{x\to\infty}\frac{2x^2-3x+4}{3x^2+5x-1}$

6 $\infty-\infty$ 꼴의 극한

[044-047] 다음 극한을 조사하시오.

044 $\lim_{x\to\infty}(x^2-x)$

045 $\lim_{x\to\infty}(\sqrt{x^2+1}-x)$

046 $\lim_{x\to\infty}(\sqrt{x^2+3x}-x)$

047 $\lim_{x\to\infty}\frac{1}{\sqrt{x^2+x}-x}$

7 함수의 극한의 대소 관계

[048-050] 모든 실수 x에 대하여 함수 $y=f(x)$가 $4x\le f(x)\le 2x^2-x+3$을 만족시킬 때, 다음 극한값을 구하시오.

048 $\lim_{x\to1}4x$

049 $\lim_{x\to1}(2x^2-x+3)$

050 $\lim_{x\to1}f(x)$

8 미정계수의 결정

[051-053] 다음 식을 만족시키는 상수 a의 값을 구하시오.

051 $\lim_{x\to1}\frac{8}{ax-1}=4$

052 $\lim_{x\to0}\frac{2x}{x+a}=2$

053 $\lim_{x\to2}\frac{ax-6}{x-2}=3$

유형 문제

정답 및 해설 004쪽

유형 01 함수의 좌극한과 우극한

(1) $\lim_{x \to a-} f(x) = \alpha$일 때, α를 $x=a$에서의 함수 $y=f(x)$의 좌극한이라고 한다.

(2) $\lim_{x \to a+} f(x) = \beta$일 때, β를 $x=a$에서의 함수 $y=f(x)$의 우극한이라고 한다.

054

그림은 함수 $y=f(x)$의 그래프이다.
$\lim_{x \to 1+} f(x) = a$, $\lim_{x \to 1-} f(x) = b$일 때, $a-b$의 값을 구하시오.

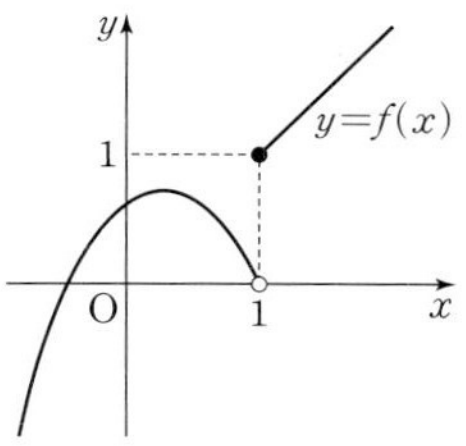

055

중요

함수 $y=f(x)$의 그래프가 그림과 같을 때, $\lim_{x \to -1-} f(x) + f(0) + \lim_{x \to 1+} f(x)$의 값은?

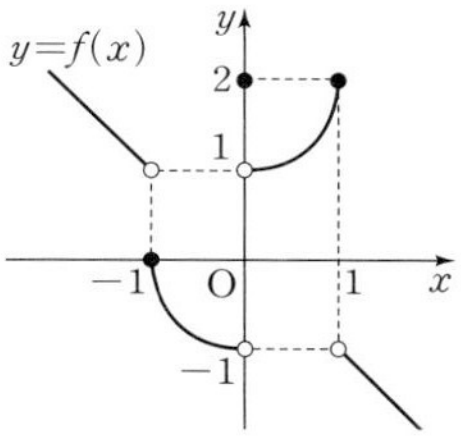

① -2　② -1　③ 0　④ 1　⑤ 2

056

정의역이 $\{x \mid -1 \le x < 3\}$인 함수 $y=f(x)$의 그래프가 그림과 같을 때, $\lim_{x \to -1+} f(x+2)$의 값은?

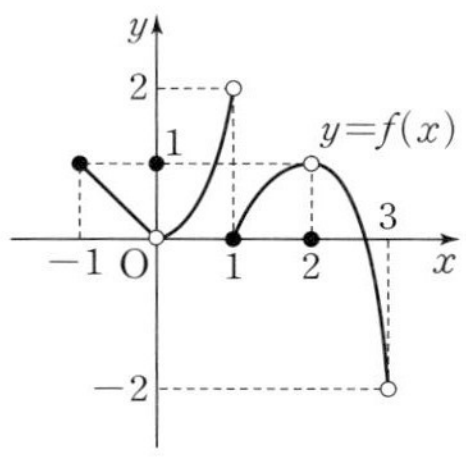

① -2　② -1　③ 0　④ 1　⑤ 2

057

함수 $y=f(x)$의 그래프가 그림과 같을 때, $\lim_{x \to 1+} \{f(x)f(x-1)\}$의 값은?

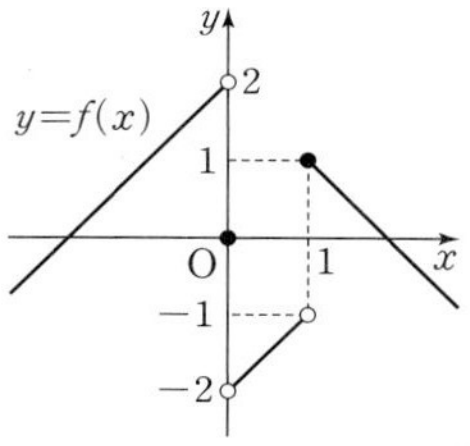

① -2　② -1　③ 0　④ 1　⑤ 2

058

함수 $f(x) = \begin{cases} -(x-1)^2+3 & (x>1) \\ x+3 & (x \le 1) \end{cases}$에 대하여
$\lim_{x \to 1-} f(x) + \lim_{x \to 1+} f(x)$의 값을 구하시오.

059

중요

함수 $f(x) = \begin{cases} x^2-2x+a & (x \ge 1) \\ -x+b & (x<1) \end{cases}$에 대하여
$\lim_{x \to 1+} f(x) = 4$, $\lim_{x \to 1-} f(x) = -2$일 때, $a+b$의 값을 구하시오.

(단, a, b는 상수이다.)

유형 02 함수의 극한값의 존재

(1) $\lim_{x \to a-} f(x) = \lim_{x \to a+} f(x)$이면 극한값 $\lim_{x \to a} f(x)$가 존재한다.

(2) $\lim_{x \to a-} f(x) \neq \lim_{x \to a+} f(x)$이면 극한값 $\lim_{x \to a} f(x)$가 존재하지 않는다.

060

함수 $y=f(x)$의 그래프가 그림과 같을 때, 〈보기〉에서 극한값이 존재하는 것만을 있는 대로 고른 것은?

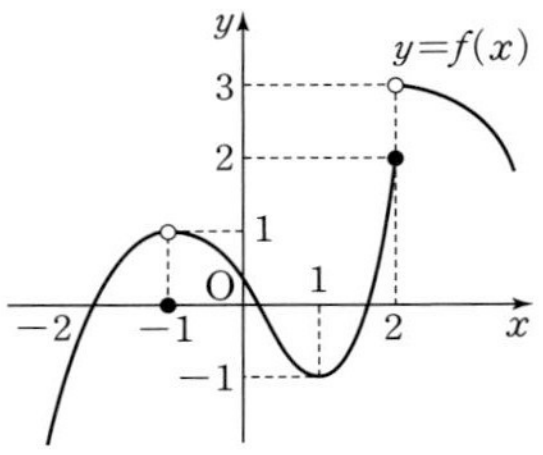

보기

ㄱ. $\lim_{x \to -1} f(x)$

ㄴ. $\lim_{x \to 1} f(x)$

ㄷ. $\lim_{x \to 2} f(x)$

① ㄱ ② ㄴ ③ ㄷ

④ ㄱ, ㄴ ⑤ ㄴ, ㄷ

061

함수 $f(x) = \begin{cases} -x+k & (x<2) \\ x^2-4x+4 & (x \geq 2) \end{cases}$에 대하여

극한값 $\lim_{x \to 2} f(x)$가 존재하기 위한 상수 k의 값은?

① 1 ② 2 ③ 3

④ 4 ⑤ 5

062 (중요)

함수 $f(x) = \begin{cases} x^2+a & (x \geq -1) \\ x^2-x-2a & (x<-1) \end{cases}$에 대하여 $\lim_{x \to -1} f(x)$의 값이 존재하기 위한 상수 a의 값을 구하시오.

유형 03 합성함수의 극한

두 함수 $y=f(x)$, $y=g(x)$에 대하여

$\lim_{x \to a+} g(f(x))$의 값을 구할 때는 $f(x)=t$로 놓은 후

(1) $x \to a+$일 때 $t \to b+$이면 $\lim_{x \to a+} g(f(x)) = \lim_{t \to b+} g(t)$

(2) $x \to a+$일 때 $t \to b-$이면 $\lim_{x \to a+} g(f(x)) = \lim_{t \to b-} g(t)$

(3) $x \to a+$일 때 $t=b$이면 $\lim_{x \to a+} g(f(x)) = g(b)$

063

함수 $y=f(x)$의 그래프가 그림과 같을 때, $\lim_{x \to 1+} f(f(x))$의 값을 구하시오.

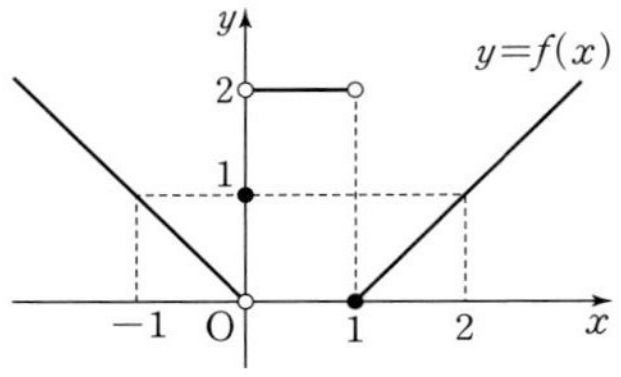

064 (중요)

두 함수 $y=f(x)$, $y=g(x)$의 그래프가 그림과 같을 때, $\lim_{x \to 1-} f(g(x)) + \lim_{x \to -1+} g(f(x))$의 값을 구하시오.

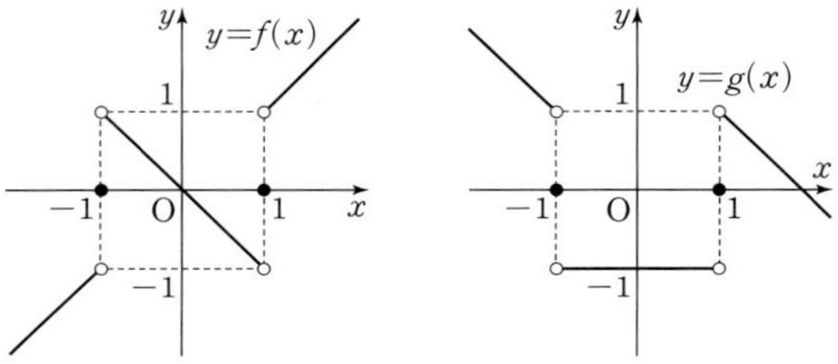

065

함수 $f(x) = \begin{cases} x-4 & (x \geq 0) \\ -2 & (x<0) \end{cases}$에 대하여

$\lim_{x \to 0-} f(f(x)) - \lim_{x \to 4+} f(f(x))$의 값을 구하시오.

유형 04 절댓값, 가우스 기호를 포함한 함수의 극한

(1) 절댓값 기호를 포함한 함수의 극한 ⇨ 절댓값 기호 안의 식의 값을 0이 되게 하는 x의 값을 기준으로 구간을 나누어 좌극한과 우극한을 구한다.

(2) 가우스 기호를 포함한 함수의 극한 ⇨ $[x]$가 x보다 크지 않은 최대의 정수일 때, 정수 n에 대하여
$n \le x < n+1$이면 $\lim_{x\to n+}[x]=n$, $\lim_{x\to n-}[x]=n-1$

중요
066

두 극한값 $A=\lim_{x\to 0+}\frac{1-x^2}{1+|x|}$, $B=\lim_{x\to 0-}\frac{1-x^2}{1+|x|}$에 대하여 $A-B$의 값을 구하시오.

067

$a>1$일 때, $\lim_{x\to 1}\frac{|x-a|-(a-1)}{x-1}$의 값은?

① 1　② $\frac{1}{2}$　③ 0　④ -1　⑤ -2

068

$\lim_{x\to 2+}[x+2]=\alpha$, $\lim_{x\to -2-}[x-2]=\beta$라 할 때, 두 실수 α, β에 대하여 $\alpha+\beta$의 값을 구하시오.
(단, $[x]$는 x보다 크지 않은 최대의 정수이다.)

유형 05 함수의 극한에 대한 성질

$\lim_{x\to a}f(x)=\alpha$, $\lim_{x\to a}g(x)=\beta$ (α, β는 실수)일 때

(1) $\lim_{x\to a}\{cf(x)\}=c\lim_{x\to a}f(x)=c\alpha$ (단, c는 상수이다.)

(2) $\lim_{x\to a}\{f(x)\pm g(x)\}=\lim_{x\to a}f(x)\pm\lim_{x\to a}g(x)=\alpha\pm\beta$ (복부호 동순)

(3) $\lim_{x\to a}\{f(x)g(x)\}=\lim_{x\to a}f(x)\lim_{x\to a}g(x)=\alpha\beta$

(4) $\lim_{x\to a}\frac{f(x)}{g(x)}=\frac{\lim_{x\to a}f(x)}{\lim_{x\to a}g(x)}=\frac{\alpha}{\beta}$ (단, $\beta\neq 0$)

중요
069

두 함수 $y=f(x)$, $y=g(x)$가

$$\lim_{x\to 3}\{2f(x)+3\}=7,\ \lim_{x\to 3}\{3g(x)-f(x)\}=4$$

를 만족시킬 때, $\lim_{x\to 3}\{f(x)-g(x)\}$의 값을 구하시오.

070

다항함수 $y=f(x)$에 대하여 $\lim_{x\to 0}\frac{f(x)}{x^2}=3$일 때, $\lim_{x\to 0}\frac{f(x)-x^2}{f(x)+x^2}$의 값을 구하시오.

071

두 함수 $y=f(x)$, $y=g(x)$가

$$\lim_{x\to\infty}f(x)=\infty,\ \lim_{x\to\infty}\{f(x)-g(x)\}=3$$

을 만족시킬 때, $\lim_{x\to\infty}\frac{f(x)-4g(x)}{3f(x)+g(x)}$의 값을 구하시오.

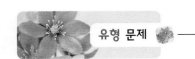

유형 06 $\frac{0}{0}$ 꼴의 극한

(1) 다항식 ⇨ 분모, 분자를 인수분해한 다음 약분한다.
(2) 무리식 ⇨ 근호가 들어 있는 쪽을 유리화한 다음 약분한다.

072

$\lim_{x \to -2} \frac{x^2+x-2}{x^2+3x+2}$의 값을 구하시오.

073 (중요)

$\lim_{x \to 0} \frac{\sqrt{1+x}-1}{x}$의 값은?

① -1　② $-\frac{1}{2}$　③ 0
④ $\frac{1}{2}$　⑤ 1

074

$\lim_{x \to -1} \frac{x^3+x^2+x+1}{\sqrt{x+10}-3}$의 값을 구하시오.

075

다항함수 $y=f(x)$에 대하여 $\lim_{x \to 1} \frac{2(x^4-1)}{(x^2-1)f(x)}=2$일 때, $f(1)$의 값을 구하시오.

076 (중요)

함수 $y=f(x)$에 대하여 $\lim_{x \to 4} f(x)=5$일 때,

$\lim_{x \to 4} \frac{(x-4)f(x)}{\sqrt{x}-2}$의 값을 구하시오.

077

두 함수 $f(x)=x^2$, $g(x)=2x-1$에 대하여

$\lim_{x \to 1} \frac{(f \circ g)(x)-(g \circ f)(x)}{x^3-x^2-x+1}$의 값은?

① $\frac{1}{2}$　② 1　③ 2
④ 4　⑤ 6

유형 07 $\frac{\infty}{\infty}$ 꼴의 극한

① 분모의 최고차항으로 분모, 분자를 각각 나눈다.

② $\lim_{x \to \infty} \frac{c}{x^n}=0$ (n은 자연수, c는 상수)임을 이용한다.

③ $x \to -\infty$일 때, $x=-t$로 놓으면 $t \to \infty$임을 이용한다.

078

〈보기〉에서 옳은 것만을 있는 대로 고른 것은?

보기

ㄱ. $\lim_{x \to \infty} \frac{3x+1}{x^2+2x-3}=3$

ㄴ. $\lim_{x \to \infty} \frac{2x^2}{3x^2-1}=\frac{2}{3}$

ㄷ. $\lim_{x \to \infty} \frac{\sqrt{x^2+1}+x}{2x}=1$

① ㄱ　② ㄱ, ㄴ　③ ㄱ, ㄷ　④ ㄴ, ㄷ　⑤ ㄱ, ㄴ, ㄷ

079

$\lim_{x \to -\infty} \frac{3+2x}{\sqrt{4x^2-1}+\sqrt{x^2+5}}$의 값을 구하시오.

080 (중요)

함수 $y=f(x)$에 대하여 $\lim_{x \to \infty} \frac{f(x)}{x}$의 값이 존재할 때, $\lim_{x \to \infty} \frac{4x^2+5f(x)}{3x^2-f(x)}$의 값을 구하시오.

유형 08 $\infty-\infty$ 꼴의 극한

무리식 ⇨ 근호가 들어 있는 쪽을 유리화하여 $\frac{\infty}{\infty}$ 꼴로 변형한다.

참고 다항식 ⇨ 최고차항으로 묶는다.

081

$\lim_{x \to \infty} (\sqrt{x^2+x}-\sqrt{x^2-x})$의 값을 구하시오.

082 (중요)

$\lim_{x \to \infty} \frac{\sqrt{x+5}-\sqrt{x+3}}{\sqrt{x+1}-\sqrt{x}}$의 값을 구하시오.

083

$\lim_{x \to -\infty} (\sqrt{x^2-5x}+x)$의 값은?

① $\frac{1}{2}$　② 1　③ $\frac{3}{2}$　④ 2　⑤ $\frac{5}{2}$

유형 09 $\infty \times 0$ 꼴의 극한

통분 또는 유리화하여 $\frac{\infty}{\infty}$, $\frac{0}{0}$, $\infty \times c$, $\frac{c}{\infty}$ (c는 상수) 꼴로 변형한다.

중요
084

$\lim_{x \to 0} \frac{1}{x}\left(1-\frac{2}{x+2}\right)$의 값은?

① $-\frac{1}{2}$ ② 0 ③ $\frac{1}{2}$
④ 1 ⑤ $\frac{3}{2}$

085

$\lim_{x \to 1} \frac{16}{x-1}\left(\frac{1}{4}-\frac{1}{x+3}\right)$의 값을 구하시오.

086

$\lim_{x \to \infty} x\left(\frac{1}{2}-\frac{\sqrt{x}}{\sqrt{4x+1}}\right)$의 값을 구하시오.

유형 10 미정계수의 결정

(1) $\lim_{x \to a} \frac{f(x)}{g(x)}=\alpha$ (α는 실수)일 때, $\lim_{x \to a} g(x)=0$이면 $\lim_{x \to a} f(x)=0$이다.

(2) $\lim_{x \to a} \frac{f(x)}{g(x)}=\alpha$ (α는 0이 아닌 실수)일 때, $\lim_{x \to a} f(x)=0$이면 $\lim_{x \to a} g(x)=0$이다.

(3) $\frac{\infty}{\infty}$, $\infty-\infty$ 꼴일 때, 극한값을 구하는 방법에 따라 식을 변형하여 극한값이 존재함을 이용한다.

중요
087

$\lim_{x \to -1} \frac{x^2+ax+b}{x+1}=3$이 성립할 때, 두 상수 a, b에 대하여 $a+b$의 값을 구하시오.

088

$\lim_{x \to 1} \frac{x-1}{\sqrt{x^2+a}-b}=2$일 때, 두 상수 a, b에 대하여 ab의 값은?

① 6 ② 7 ③ 8
④ 9 ⑤ 10

089

$\lim_{x \to \infty} (\sqrt{x^2-kx}-x)=-\frac{1}{2}$일 때, 상수 k의 값을 구하시오.

유형 11 다항함수의 결정

두 다항함수 $y=f(x)$, $y=g(x)$에 대하여

$\lim\limits_{x\to\infty}\dfrac{f(x)}{g(x)}=\alpha$ (α는 0이 아닌 실수)이면

⇨ ($f(x)$의 차수)=($g(x)$의 차수)이고

$\alpha=\dfrac{(f(x)\text{의 최고차항의 계수})}{(g(x)\text{의 최고차항의 계수})}$

참고 x에 대한 다항함수 $y=f(x)$에 대하여

$\lim\limits_{x\to a}\dfrac{f(x)}{x-a}=k$ (k는 상수)이면

⇨ $f(a)=0$이므로 $f(x)=(x-a)g(x)$

090

다항함수 $y=f(x)$가 다음 조건을 만족시킬 때, $f(2)$의 값은?

(가) $\lim\limits_{x\to\infty}\dfrac{f(x)}{3x+1}=1$ (나) $\lim\limits_{x\to1}f(x)=1$

① 1 ② 2 ③ 3 ④ 4 ⑤ 5

091

다항함수 $y=f(x)$가 $f(-1)=-1$, $f(2)=-1$, $\lim\limits_{x\to\infty}\dfrac{f(x)}{x^2-1}=2$를 만족시킬 때, $f(-2)$의 값을 구하시오.

092 (중요)

다항함수 $y=f(x)$가 다음 조건을 만족시킬 때, $\lim\limits_{x\to-1}f(x)$의 값을 구하시오.

(가) $\lim\limits_{x\to\infty}\dfrac{x^2-3}{f(x)}=\dfrac{1}{3}$ (나) $\lim\limits_{x\to-2}\dfrac{f(x)}{x^2-4}=2$

093 (중요)

삼차함수 $f(x)=ax^3+bx^2+c$가

$$\lim_{x\to\infty}\frac{f(x)-2x^3}{3x^2}=-1,\ \lim_{x\to-1}\frac{f(x)}{x+1}=12$$

를 만족시킬 때, $\lim\limits_{x\to2}\dfrac{f(x)-9}{x-2}$의 값을 구하시오.

(단, a, b, c는 상수이다.)

094

다항함수 $y=f(x)$가 $\lim\limits_{x\to\infty}\dfrac{f(x)}{x^3}=0$, $\lim\limits_{x\to0}\dfrac{f(x)}{x}=5$를 만족시킨다. 방정식 $f(x)=x$의 한 근이 -2일 때, $f(1)$의 값을 구하시오.

095

삼차함수 $y=f(x)$에 대하여 $\lim\limits_{x\to-1}\dfrac{f(x)}{x+1}=12$, $\lim\limits_{x\to2}\dfrac{f(x)}{x-2}=6$일 때, $f(4)$의 값을 구하시오.

유형 12 함수의 극한의 대소 관계

두 함수 $y=f(x)$, $y=g(x)$에서
$\lim_{x\to a} f(x)=\alpha$, $\lim_{x\to a} g(x)=\beta$ (α, β는 실수)일 때, a에 가까운 모든 x의 값에 대하여

(1) $f(x)\le g(x)$이면 ⇨ $\alpha\le\beta$

(2) 함수 $y=h(x)$에 대하여
$f(x)\le h(x)\le g(x)$이고 $\alpha=\beta$이면 ⇨ $\lim_{x\to a} h(x)=\alpha$

중요

096

함수 $y=f(x)$가 임의의 양의 실수 x에 대하여

$$\frac{3x^2+5x}{x^2-2x+3}<f(x)<\frac{3x+1}{x}$$

일 때, $\lim_{x\to 1} f(x)$의 값을 구하시오.

097

함수 $y=f(x)$가 임의의 양의 실수 x에 대하여

$$x<(2x^2+x+2)f(x)<x+3$$

을 만족시킬 때, $\lim_{x\to\infty} xf(x)$의 값은?

① $\frac{1}{3}$　② $\frac{1}{2}$　③ 1　④ 2　⑤ $\frac{5}{2}$

098

함수 $y=f(x)$가 모든 실수 x에 대하여 $2x+3<f(x)<2x+7$을 만족시킬 때, $\lim_{x\to\infty}\frac{\{f(x)\}^3}{x^3+1}$의 값을 구하시오.

유형 13 함수의 극한의 활용

① 구하는 선분의 길이 또는 넓이 등을 식으로 나타낸다.
② 극한의 성질을 이용하여 극한값을 구한다.

099

그림과 같이 x축 위의 점 $\mathrm{A}(-1, 0)$과 직선 $y=x+1$ 위의 점 $\mathrm{P}(t, t+1)$ $(t>-1)$이 있다. $\lim_{t\to\infty}(\overline{\mathrm{AP}}-\overline{\mathrm{OP}})$의 값은? (단, O는 원점이다.)

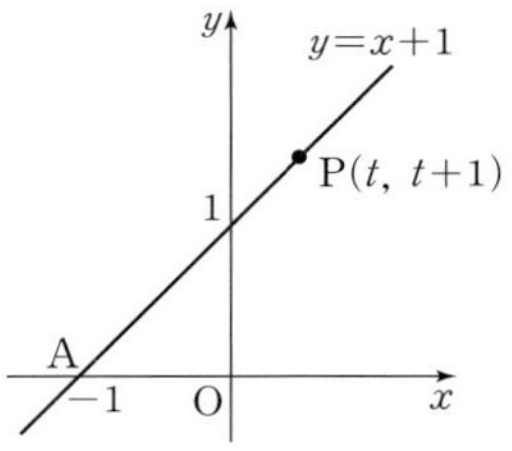

① $\frac{1}{4}$　② $\frac{\sqrt{2}}{4}$　③ $\frac{1}{2}$　④ $\frac{\sqrt{2}}{2}$　⑤ $\sqrt{2}$

100

그림과 같이 함수 $y=-ax^2+a$의 그래프와 x축으로 둘러싸인 부분에 정사각형이 내접하고 있다. 이 정사각형의 넓이를 $S(a)$라 할 때, $\lim_{a\to\infty} S(a)$의 값을 구하시오. (단, $a>0$)

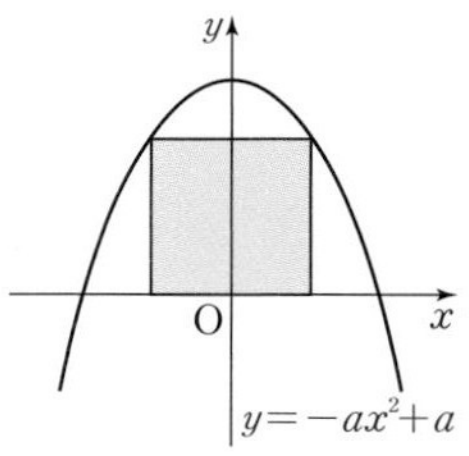

쌤이 시험에 꼭 내는 문제

정답 및 해설 009쪽

101

함수 $y=f(x)$의 그래프가 그림과 같을 때, $\lim_{x\to 1-} f(x)+\lim_{x\to 1+} f(x)$의 값은?

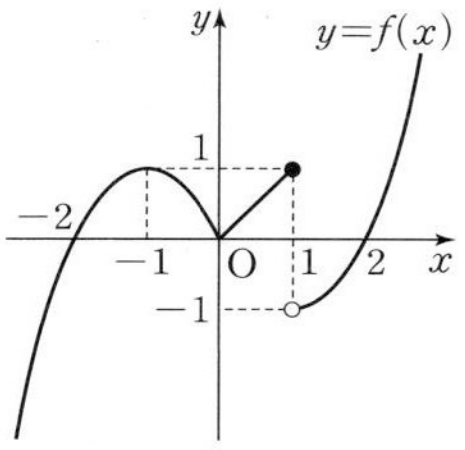

① -2 ② -1 ③ 0 ④ 1 ⑤ 2

102

함수 $f(x)=\begin{cases} x+2k & (x<2) \\ 4 & (x\ge 2) \end{cases}$ 에 대하여 $\lim_{x\to 2} f(x)$의 값이 존재하도록 하는 상수 k의 값을 구하시오.

103

함수 $y=f(x)$의 그래프가 그림과 같을 때, $\lim_{x\to 0+} f(f(x))+\lim_{x\to 0-} f(f(x))$의 값을 구하시오.

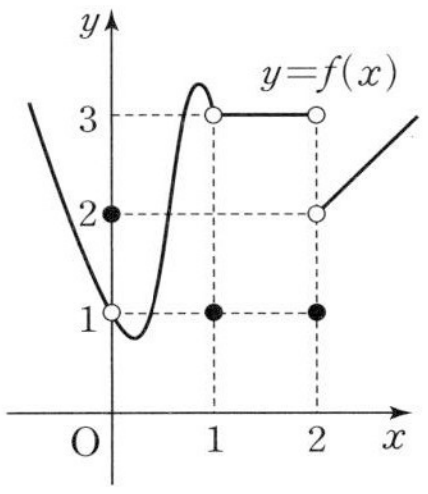

104

〈보기〉에서 극한값이 존재하는 것은 모두 몇 개인가?

(단, $[x]$는 x보다 크지 않은 최대의 정수이다.)

보기

ㄱ. $\lim_{x\to 3-} \dfrac{x-3}{|x-3|}$ ㄴ. $\lim_{x\to 1} \dfrac{x^2-1}{|x-1|}$

ㄷ. $\lim_{x\to 2} [x]$ ㄹ. $\lim_{x\to 1+} [1-x]$

① 0개 ② 1개 ③ 2개 ④ 3개 ⑤ 4개

105

$\lim_{x\to 2} \dfrac{x-2}{x-\sqrt{3x-2}}$ 의 값을 구하시오.

106

$\lim_{x\to 2} \dfrac{x^2-4}{x^2+ax}=b$가 성립할 때, 두 상수 a, b에 대하여 $a+b$의 값을 구하시오. (단, $b\neq 0$)

107

$\lim_{x \to -2} \dfrac{\sqrt{x^2-x-2}+ax}{x+2}=b$가 성립할 때, 두 상수 a, b에 대하여 $a+b$의 값은?

① $-\dfrac{3}{4}$ ② $-\dfrac{1}{2}$ ③ 0

④ $\dfrac{1}{2}$ ⑤ $\dfrac{3}{4}$

108

함수 $f(x)=\dfrac{ax^2+bx+c}{x^2+2x-3}$가 $\lim_{x \to \infty} f(x)=6$, $\lim_{x \to 1} f(x)=4$를 만족시킬 때, 세 상수 a, b, c에 대하여 $a^2+b^2+c^2$의 값을 구하시오.

109

이차함수 $y=f(x)$의 그래프가 그림과 같다. $\lim_{x \to 2} \dfrac{f(x)}{x-2}=8$일 때, $\lim_{x \to -2} \dfrac{f(x+2)}{x+2}$의 값을 구하시오.

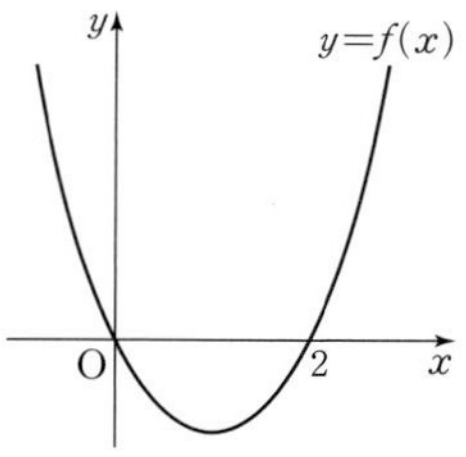

110

두 함수 $y=f(x)$, $y=g(x)$에 대하여

$$\lim_{x \to 1} \frac{f(x)-x}{x-1}=0,\ \lim_{x \to 1} \frac{x^2-1}{g(x)-4}=2$$

일 때, 함수 $y=h(x)$가 $x>1$인 실수 x에 대하여

$$(2x^2-6)f(x) \le h(x) \le (x^2-2x)g(x)$$

를 만족시킨다. $\lim_{x \to 1+} h(x)$의 값을 구하시오.

1등급 문제

111

$\lim_{x \to 1} \dfrac{x^3+ax+b}{(x-1)^2}=c$를 만족시키는 세 상수 a, b, c에 대하여 $a+b+c$의 값을 구하시오.

112

그림과 같이 곡선 $y=\sqrt{x}$ 위의 점 $\mathrm{P}(t, \sqrt{t})$ $(t>0)$를 지나고 선분 OP에 수직인 직선 l의 x절편과 y절편을 각각 $f(t)$, $g(t)$라 할 때, $\lim_{t \to \infty} \dfrac{g(t)-f(t)}{g(t)+f(t)}$의 값을 구하시오. (단, O는 원점이다.)

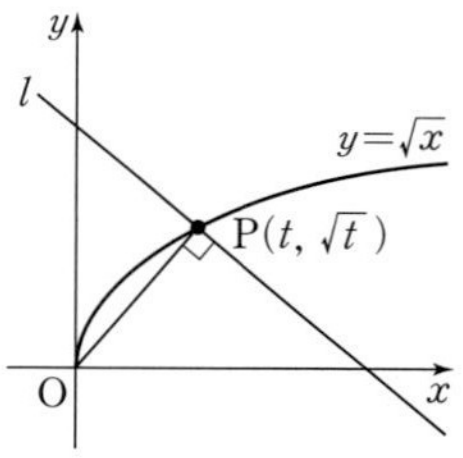

02 함수의 연속

제 목		문항 번호	문항 수	확인
기본 문제		001～040	40	
유형 문제	01. 함수의 연속의 정의	041～043	3	
	02. 함수의 그래프와 연속	044～048	5	
	03. 구간별로 주어진 함수의 연속	049～054	6	
	04. 함수의 연속과 미정계수	055～060	6	
	05. $(x-a)f(x)$ 꼴의 함수의 연속	061～063	3	
	06. $f(x)=f(x+k)$ 꼴의 함수의 연속	064～066	3	
	07. 연속함수의 성질	067～069	3	
	08. 곱 또는 합으로 표현된 함수의 연속	070～072	3	
	09. 합성함수의 연속	073～074	2	
	10. 최대 · 최소 정리	075～077	3	
	11. 사잇값의 정리	078～083	6	
	12. 실생활에서의 사잇값의 정리의 활용	084～085	2	
쌤이 시험에 꼭 내는 문제		086～097	12	

02 함수의 연속

1 함수의 연속

함수 $y=f(x)$가 실수 a에 대하여 다음 세 조건

(i) $x=a$에서 정의되어 있고

(ii) $\lim_{x \to a} f(x)$가 존재하며

(iii) $\lim_{x \to a} f(x)=f(a)$

를 만족시킬 때, 함수 $y=f(x)$는 $x=a$에서 연속이라고 한다.

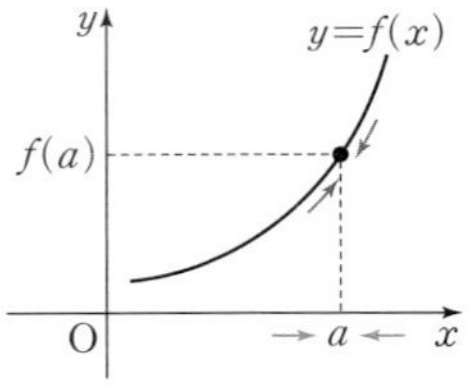

참고 함수 $y=f(x)$가 $x=a$에서 연속이 아닐 때, 이 함수는 $x=a$에서 불연속이라고 한다.

2 구간에서의 연속

(1) 두 실수 a, b $(a<b)$에 대하여 집합 $\{x \mid a \le x \le b\}$, $\{x \mid a<x<b\}$, $\{x \mid a \le x<b\}$, $\{x \mid a<x \le b\}$를 구간이라 하며 기호로 각각 $[a, b]$, (a, b), $[a, b)$, $(a, b]$와 같이 나타낸다. 이때 $[a, b]$를 닫힌구간, (a, b)를 열린구간, $[a, b)$, $(a, b]$를 반닫힌 구간(반열린 구간)이라고 한다.

(2) 함수 $y=f(x)$가 어떤 구간에 속하는 모든 점에서 연속일 때, 함수 $y=f(x)$는 이 구간에서 연속 또는 이 구간에서 연속함수라고 한다.

3 연속함수의 성질

두 함수 $y=f(x)$, $y=g(x)$가 모두 $x=a$에서 연속이면 다음 함수도 $x=a$에서 연속이다.

(1) $y=cf(x)$ (단, c는 상수이다.)

(2) $y=f(x) \pm g(x)$

(3) $y=f(x)g(x)$

(4) $y=\dfrac{f(x)}{g(x)}$ (단, $g(a) \neq 0$)

4 최대 · 최소 정리

함수 $y=f(x)$가 닫힌구간 $[a, b]$에서 연속이면 $y=f(x)$는 이 구간에서 반드시 최댓값과 최솟값을 갖는다.

5 사잇값의 정리

함수 $y=f(x)$가 닫힌구간 $[a, b]$에서 연속이고 $f(a) \neq f(b)$일 때, $f(a)$와 $f(b)$ 사이에 있는 임의의 실수 k에 대하여

$f(c)=k$

를 만족시키는 c가 열린구간 (a, b)에 적어도 하나 존재한다.

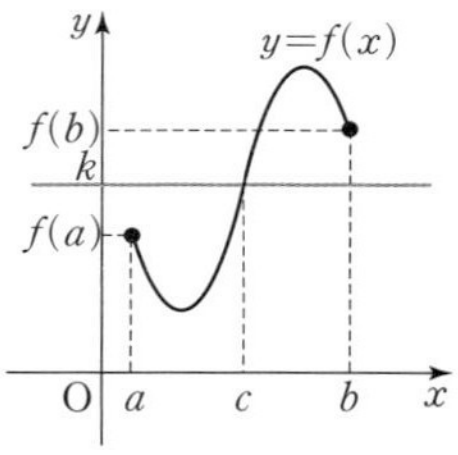

개념 플러스

함수의 불연속

함수의 연속 조건 중에서 어느 한 가지라도 만족시키지 않으면 $x=a$에서 불연속이다.

① $f(a)$가 정의되어 있지 않다.

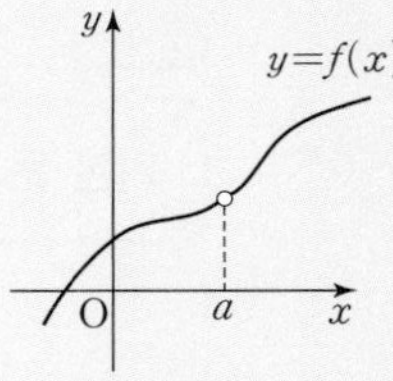

② $\lim_{x \to a-} f(x) \neq \lim_{x \to a+} f(x)$

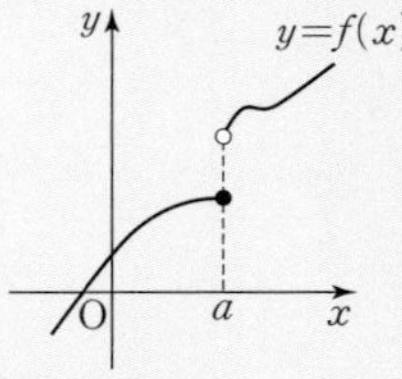

③ $\lim_{x \to a} f(x) \neq f(a)$

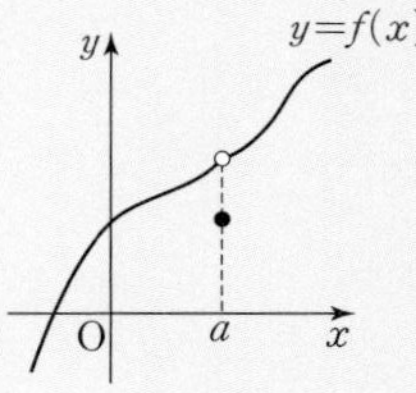

사잇값의 정리와 방정식의 실근

함수 $y=f(x)$가 닫힌구간 $[a, b]$에서 연속이고 $f(a)f(b)<0$이면 $f(c)=0$인 c가 열린구간 (a, b)에 적어도 하나 존재한다. 즉, 방정식 $f(x)=0$은 열린구간 (a, b)에서 적어도 하나의 실근을 갖는다.

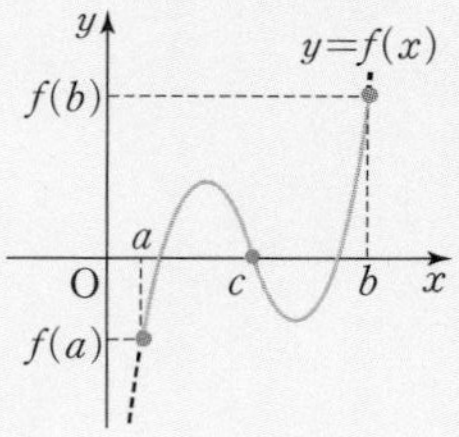

기본 문제

정답 및 해설 011쪽

1 구간

[001-005] 다음 집합을 구간의 기호 (   ), [   ], (   ], [   )를 이용하여 나타내시오.

001 $\{x \mid -1 \le x \le 4\}$

002 $\{x \mid 3 < x \le 5\}$

003 $\{x \mid -5 \le x < 10\}$

004 $\{x \mid x \ge -2\}$

005 $\{x \mid x < 1\}$

[006-010] 다음 구간을 집합으로 나타내시오.

006 $[-3, 3]$

007 $(-2, 6)$

008 $[1, 7)$

009 $[0, \infty)$

010 $(-\infty, 5)$

[011-014] 다음 함수의 정의역을 구간의 기호를 이용하여 나타내시오.

011 $f(x) = x + 5$

012 $f(x) = 2x^2 + 1$

013 $f(x) = \dfrac{1}{x-3}$

014 $f(x) = \sqrt{x+2}$

2 함수의 연속과 불연속

[015-017] 다음 함수가 $x=2$에서 연속이 아닌 이유를 〈보기〉에서 고르시오.

보기

ㄱ. $f(2)$가 정의되어 있지 않다.
ㄴ. $\lim_{x\to2}f(x)$가 존재하지 않는다.
ㄷ. $\lim_{x\to2}f(x)\neq f(2)$

015

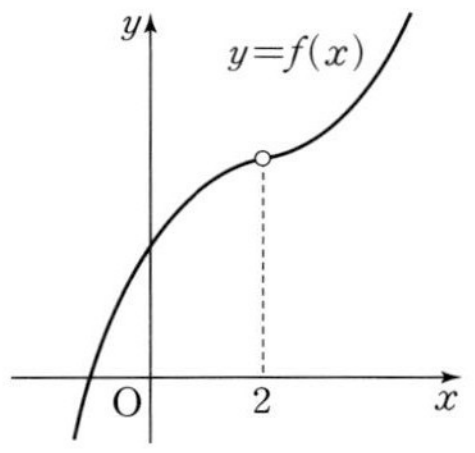

016

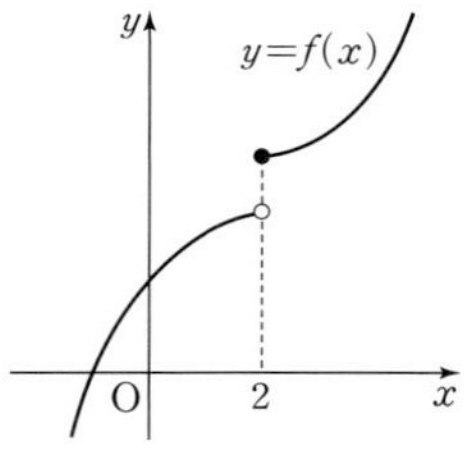

017

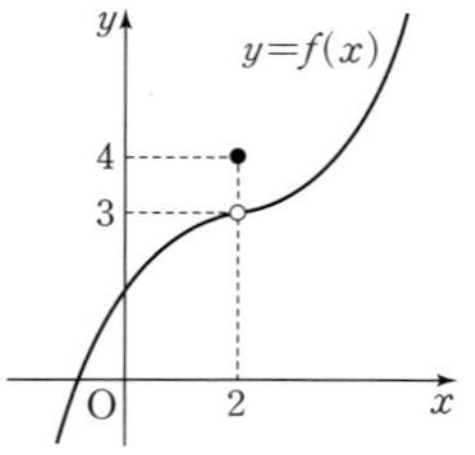

[018-023] 다음 함수가 $x=1$에서 연속인지 불연속인지 조사하시오.

018 $f(x)=x^2$

019 $f(x)=\dfrac{1}{x-1}$

020 $f(x)=\sqrt{x}$

021 $f(x)=2|x-1|$

022 $f(x)=\begin{cases}\dfrac{x^2-1}{x-1} & (x\neq1)\\ -1 & (x=1)\end{cases}$

023 $f(x)=\begin{cases}x+1 & (x\geq1)\\ \dfrac{4}{x+1} & (x<1)\end{cases}$

[024-029] 다음 함수가 연속인 구간을 조사하시오.

024 $f(x)=3x+2$

025 $f(x)=x^2-2x+3$

026 $f(x)=|x+2|$

027 $f(x)=\sqrt{2x-3}$

028 $f(x)=\dfrac{x+1}{x+3}$

029 $f(x)=\dfrac{x^2-1}{x-1}$

3 연속함수

030 실수 전체의 집합에서 연속인 함수 $y=f(x)$의 그래프를 나타낸 것만을 〈보기〉에서 있는 대로 고르시오.

보기

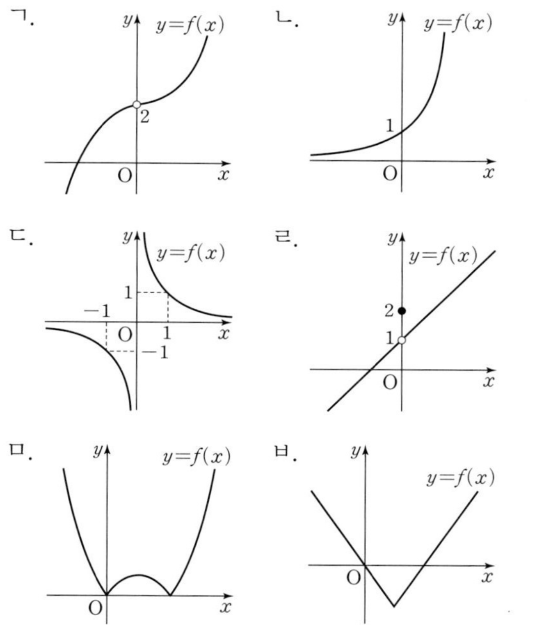

031 두 함수 $y=f(x)$, $y=g(x)$가 실수 전체의 집합에서 연속일 때, 모든 실수에서 연속인 함수만을 〈보기〉에서 있는 대로 고르시오.

보기

ㄱ. $y=f(x)+g(x)$ ㄴ. $y=f(x)-g(x)$

ㄷ. $y=f(x)g(x)$ ㄹ. $y=\dfrac{f(x)}{g(x)}$

4 최대 · 최소 정리

[032-033] 함수 $y=f(x)$의 그래프가 그림과 같을 때, 다음 구간에서 함수 $y=f(x)$의 최댓값과 최솟값을 구하시오.

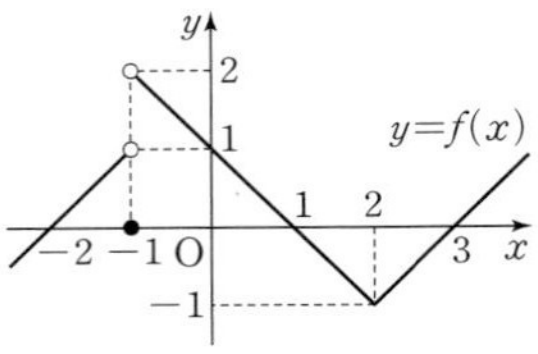

032 $[-1, 1]$

033 $[1, 3]$

[034-037] 주어진 구간에서 다음 함수의 최댓값과 최솟값을 구하시오.

034 $f(x)=x$ $[0, 1]$

035 $f(x)=x^2+2x$ $[0, 3]$

036 $f(x)=-\sqrt{x-5}$ $[6, 12]$

037 $f(x)=\dfrac{1}{x-2}$ $[0, 4]$

5 사잇값의 정리

038 다음은 함수 $f(x)=x^2-x$에 대하여 $f(c)=\sqrt{2}$를 만족시키는 c가 열린구간 $(1, 2)$에 적어도 하나 존재함을 증명한 것이다. (가), (나)에 알맞은 것을 써넣으시오.

> 함수 $f(x)=x^2-x$는 구간 $(-\infty, \infty)$에서 연속이므로 닫힌구간 $[1, 2]$에서 (가) 이다.
> 또 $f(1)\neq f(2)$이고, $0<\sqrt{2}<2$이므로 (나) 에 의하여 $f(c)=\sqrt{2}$를 만족시키는 c가 열린구간 $(1, 2)$에 적어도 하나 존재한다.

[039-040] 함수 $f(x)=x^2+4x-1$에 대하여 다음 물음에 답하시오.

039 $f(0)$과 $f(1)$의 값을 구하시오.

040 다음은 방정식 $f(x)=0$이 열린구간 $(0, 1)$에서 적어도 하나의 실근을 가짐을 증명한 것이다. ☐ 안에 알맞은 것을 써넣으시오.

> $y=f(x)$는 닫힌구간 $[0, 1]$에서 ☐이고
> $f(0)f(1)$ ☐ 0이므로 ☐에 의하여 방정식 $f(x)=0$은 열린구간 $(0, 1)$에서 적어도 하나의 실근을 갖는다.

유형 문제

정답 및 해설 013쪽

유형 01 함수의 연속의 정의

함수 $y=f(x)$가 $x=a$에서 연속이려면 다음 세 조건을 만족시켜야 한다. (단, a는 실수이다.)

(i) $x=a$에서 정의되어 있고

(ii) $\lim_{x \to a} f(x)$가 존재하며

(iii) $\lim_{x \to a} f(x)=f(a)$

041

함수 $f(x)=\dfrac{x^2-4}{x-2}$에 대하여 〈보기〉에서 옳은 것만을 있는 대로 고르시오.

보기

ㄱ. $f(2)=4$

ㄴ. $\lim_{x \to 2} f(x)=4$

ㄷ. 함수 $y=f(x)$는 $x=2$에서 연속이다.

042

〈보기〉의 함수 중에서 $x=1$에서 연속인 것만을 있는 대로 고르시오.

보기

ㄱ. $f(x)=x$

ㄴ. $f(x)=|x-1|$

ㄷ. $f(x)=\sqrt{x-2}$

ㄹ. $f(x)=\begin{cases} \dfrac{x^2-1}{x-1} & (x \neq 1) \\ 3 & (x=1) \end{cases}$

중요

043

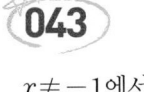

$x \neq -1$에서 $f(x)=\dfrac{x^3+1}{x+1}$로 정의된 함수 $y=f(x)$가 $x=-1$에서 연속일 때, $f(-1)$의 값을 구하시오.

유형 02 함수의 그래프와 연속

(1) 함수 $y=f(x)$의 그래프가 $x=a$에서 끊어져 있으면 함수 $y=f(x)$는 $x=a$에서 불연속이다.

(2) $[x]$가 x보다 크지 않은 최대의 정수이고 정수 n에 대하여 $x \to a$일 때,

(i) $f(x) \to n+0$이면 $[f(x)]=n$

(ii) $f(x) \to n-0$이면 $[f(x)]=n-1$

참고 함수 $y=[x]$는 $x=n$ (n은 정수)에서 불연속이다.

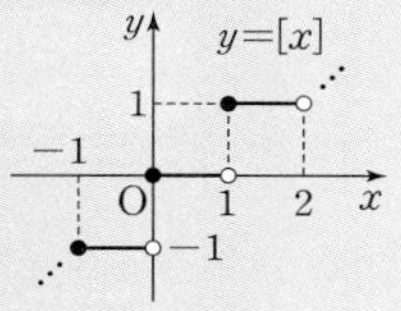

044

그림은 함수 $y=f(x)$의 그래프이고 이 함수는 $x=a$에서 불연속이다. 다음 중 그 이유로 알맞은 것은?

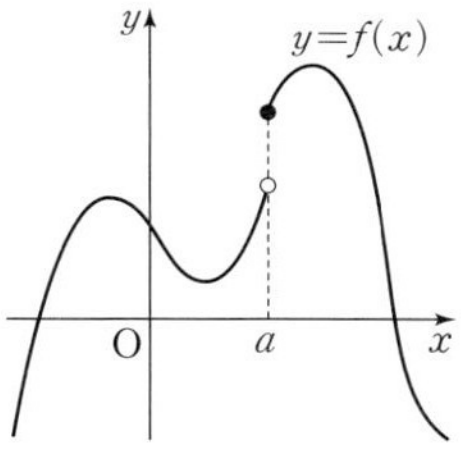

① $f(a)$의 값이 존재하지 않는다.

② $\lim_{x \to a+} f(x)$의 값이 존재하지 않는다.

③ $\lim_{x \to a-} f(x)$의 값이 존재하지 않는다.

④ $\lim_{x \to a} f(x)$의 값이 존재하지 않는다.

⑤ $\lim_{x \to a} f(x)$와 $f(a)$의 값이 존재하지만 $\lim_{x \to a} f(x) \neq f(a)$이다.

중요

045

함수 $y=f(x)$ $(0<x<5)$의 그래프가 그림과 같다. 함수 $y=f(x)$의 극한값이 존재하지 않는 x의 개수를 a, 불연속인 x의 개수를 b라 할 때, $a+b$의 값을 구하시오.

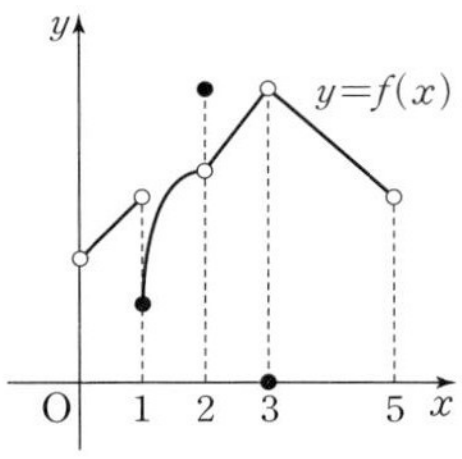

중요
046

$0<x<4$에서 정의된 함수 $y=f(x)$의 그래프가 그림과 같을 때, 〈보기〉에서 옳은 것만을 있는 대로 고른 것은?

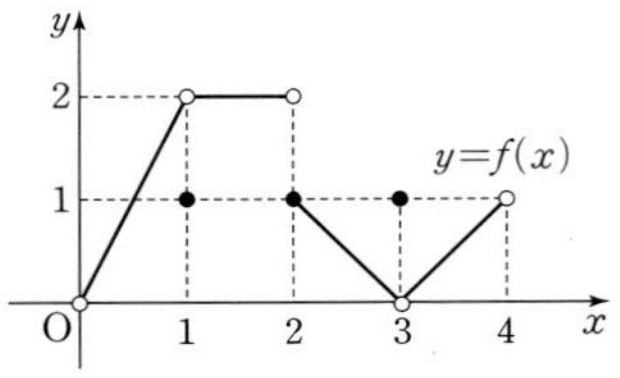

보기

ㄱ. $\lim_{x\to 3} f(x)=1$

ㄴ. $x=1$에서 $y=f(x)$는 연속이다.

ㄷ. 함수 $y=f(x)$가 불연속인 x의 개수는 3이다.

① ㄱ ② ㄴ ③ ㄷ
④ ㄱ, ㄷ ⑤ ㄴ, ㄷ

047

$0<x<10$에서 함수 $y=\left[\frac{1}{2}x\right]$가 불연속이 되는 모든 x의 값의 합을 구하시오. (단, $[x]$는 x보다 크지 않은 최대의 정수이다.)

048

열린구간 $(0, 3)$에서 정의된 함수 $f(x)=[x^2]$이 불연속이 되는 x의 개수를 구하시오.

(단, $[x]$는 x보다 크지 않은 최대의 정수이다.)

유형 03 구간별로 주어진 함수의 연속

실수 전체의 집합에서 연속인 두 함수 $y=f(x)$, $y=g(x)$에 대하여 함수

$$h(x)=\begin{cases} f(x) & (x<a) \\ g(x) & (x\geq a) \end{cases}$$

가 모든 실수 x에서 연속이려면 $x=a$에서 연속이면 된다.

중요
049

함수 $f(x)=\begin{cases} x^2+x+a & (x\geq 2) \\ x+1 & (x<2) \end{cases}$ 이 $x=2$에서 연속일 때, 상수 a의 값을 구하시오.

050

함수 $f(x)=\begin{cases} x^2+x+2a & (x\leq 1) \\ -x+a^2 & (x>1) \end{cases}$ 이 실수 전체의 집합에서 연속일 때, 양수 a의 값은?

① 1 ② 2 ③ 3
④ 4 ⑤ 5

051

함수 $f(x)=\begin{cases} x+6 & (x\leq a) \\ x^2 & (x>a) \end{cases}$ 이 모든 실수 x에 대하여 연속이 되도록 하는 양수 a의 값을 구하시오.

052

함수 $y=f(x)$가 $f(x)=\begin{cases} 3x & (x<3 \text{ 또는 } x>6) \\ a(x-3)^2+b & (3\le x\le 6) \end{cases}$

로 정의될 때, 모든 실수 x에서 연속이 되도록 하는 두 상수 a, b에 대하여 $a+b$의 값은?

① 2　② 4　③ 6　④ 8　⑤ 10

053

중요

함수 $f(x)=\begin{cases} x(x-1) & (|x|>1) \\ -x^2+ax+b & (|x|\le 1) \end{cases}$가 모든 실수 x에서

연속이 되도록 하는 두 상수 a, b에 대하여 ab의 값은?

① -3　② -2　③ 1　④ 2　⑤ 3

054

함수 $f(x)=\begin{cases} 3x-a & (x\ge 1) \\ x^2+b & (-1<x<1) \\ 2x+c & (x\le -1) \end{cases}$가 실수 전체의 집합에서

연속이고 $f(0)=3$일 때, 세 상수 a, b, c에 대하여 abc의 값을 구하시오.

유형 04 함수의 연속과 미정계수

함수 $f(x)=\begin{cases} \dfrac{g(x)}{x-a} & (x\ne a) \\ k & (x=a) \end{cases}$가 $x=a$에서 연속이려면

$\lim\limits_{x\to a}\dfrac{g(x)}{x-a}=k$이어야 한다. 이때 $g(a)=0$임을 이용한다.

055

함수 $f(x)=\begin{cases} \dfrac{x^2+x-12}{x-3} & (x\ne 3) \\ a & (x=3) \end{cases}$가 모든 실수 x에서 연속일

때, 상수 a의 값을 구하시오.

056

중요

함수 $f(x)=\begin{cases} \dfrac{x^2+ax+b}{x-1} & (x\ne 1) \\ 4 & (x=1) \end{cases}$가 모든 실수 x에서 연속이

되도록 하는 두 상수 a, b에 대하여 ab의 값은?

① -6　② -4　③ -2　④ 2　⑤ 4

057

함수

$$f(x)=\begin{cases} \dfrac{\sqrt{1+x}-\sqrt{1-x}}{2x} & (-1<x<0 \text{ 또는 } 0<x<1) \\ k & (x=0) \end{cases}$$

가 열린구간 $(-1, 1)$에서 연속이기 위한 상수 k의 값을 구하시오.

중요
058

두 상수 a, b에 대하여 함수

$$f(x)=\begin{cases} \dfrac{\sqrt{x+7}-a}{x-2} & (x\neq 2) \\ b & (x=2) \end{cases}$$

가 $x=2$에서 연속일 때, $\dfrac{a}{b}$의 값을 구하시오.

059

일차함수 $y=f(x)$에 대하여 모든 실수 x에서 연속인 함수 $y=g(x)$를

$$g(x)=\begin{cases} \dfrac{f(x)}{x-1} & (x\neq 1) \\ k & (x=1) \end{cases}$$

로 정의하자. $\lim_{x\to\infty} g(x)=2$일 때, 상수 k의 값을 구하시오.

060

이차항의 계수가 2인 이차함수 $y=g(x)$에 대하여 함수

$$f(x)=\begin{cases} \dfrac{g(x)}{x-3} & (x\neq 3) \\ a & (x=3) \end{cases}$$

가 모든 실수 x에 대하여 연속일 때, $f(3)-f(0)$의 값을 구하시오. (단, a는 상수이다.)

유형 05 $(x-a)f(x)$ 꼴의 함수의 연속

실수 전체의 집합에서 연속인 함수 $y=g(x)$에 대하여 함수 $y=f(x)$가 $(x-a)f(x)=g(x)$를 만족시킬 때, 함수 $y=f(x)$가 모든 실수 x에서 연속이면

$$f(a)=\lim_{x\to a}\frac{g(x)}{x-a}$$

061

모든 실수 x에 대하여 연속인 함수 $y=f(x)$가

$$(x+1)f(x)=x^2+5x+4$$

를 만족시킬 때, $f(-1)$의 값을 구하시오.

062

$x>0$인 모든 실수 x에서 연속인 함수 $y=f(x)$가

$$(x-1)f(x)=\sqrt{x+3}-2$$

를 만족시킬 때, $f(1)$의 값은?

① $\frac{1}{2}$ ② $\frac{1}{3}$ ③ $\frac{1}{4}$
④ $\frac{1}{5}$ ⑤ $\frac{1}{6}$

중요
063

모든 실수 x에서 연속인 함수 $y=f(x)$가

$$(x-1)f(x)=ax^2-bx,\ f(1)=3$$

을 만족시킬 때, 두 상수 a, b에 대하여 ab의 값은?

① 5 ② 7 ③ 9
④ 11 ⑤ 13

유형 06 $f(x)=f(x+k)$ 꼴의 함수의 연속

두 다항함수 $y=g(x)$, $y=h(x)$에 대하여 닫힌구간 $[a, c]$에서

$$f(x)=\begin{cases} g(x) & (a\le x<b) \\ h(x) & (b\le x\le c) \end{cases}$$

로 정의되고, $k=c-a$에 대하여 $f(x)=f(x+k)$를 만족시키는 함수 $y=f(x)$가 실수 전체의 집합에서 연속이면

① $\lim_{x\to b-} g(x)=\lim_{x\to b+} h(x)$

② $g(a)=h(c)$

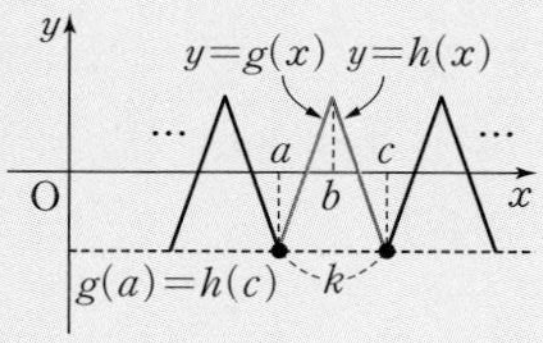

중요 064

모든 실수 x에서 연속인 함수 $y=f(x)$가 닫힌구간 $[0, 4]$에서

$$f(x)=\begin{cases} ax & (0\le x\le 1) \\ 2x+b & (1<x\le 4) \end{cases}$$

이고, 모든 실수 x에 대하여 $f(x+4)=f(x)$를 만족시킬 때, $f(1)$의 값을 구하시오. (단, a, b는 상수이다.)

065

모든 실수 x에서 연속인 함수 $y=f(x)$가 다음 조건을 만족시킬 때, $f(17)$의 값을 구하시오. (단, a, b는 상수이다.)

(가) 닫힌구간 $[0, 6]$에서 $f(x)=\begin{cases} \frac{1}{3}x & (0\le x<3) \\ ax+b & (3\le x\le 6) \end{cases}$

(나) 모든 실수 x에 대하여 $f(x-2)=f(x+4)$

066

모든 실수 x에서 연속인 함수 $y=f(x)$가 닫힌구간 $[0, 4]$에서

$$f(x)=\begin{cases} x^2+ax-2b & (0\le x<2) \\ 2x-4 & (2\le x\le 4) \end{cases}$$

이고, 모든 실수 x에 대하여 $f(x-2)=f(x+2)$를 만족시킬 때, $f(a-2b)$의 값을 구하시오. (단, a, b는 상수이다.)

유형 07 연속함수의 성질

두 함수 $y=f(x)$, $y=g(x)$가 모두 $x=a$에서 연속이면 다음 함수도 $x=a$에서 연속이다.

(1) $y=cf(x)$ (단, c는 상수) (2) $y=f(x)\pm g(x)$

(3) $y=f(x)g(x)$ (4) $y=\dfrac{f(x)}{g(x)}$ (단, $g(a)\ne 0$)

067

두 함수 $y=f(x)$, $y=g(x)$가 모두 $x=a$에서 연속일 때, 〈보기〉의 함수 중에서 $x=a$에서 항상 연속인 것만을 있는 대로 고르시오.

보기

ㄱ. $y=2f(x)+g(x)$ ㄴ. $y=f(x)g(x)$

ㄷ. $y=\dfrac{f(x)}{g(x)}$ ㄹ. $y=\{f(x)-g(x)\}^2$

068

두 함수 $f(x)=\begin{cases} -x & (x<1) \\ x+k & (x\ge 1) \end{cases}$, $g(x)=x^2+2x-5$에 대하여 함수 $y=f(x)g(x)$가 $x=1$에서 연속일 때, 상수 k의 값을 구하시오.

중요 069

두 다항함수 $f(x)=x^2-4x+1$, $g(x)=x^2-2ax+5a$에 대하여 함수 $h(x)=\dfrac{f(x)}{g(x)}$가 모든 실수에서 연속이 되도록 하는 모든 정수 a의 값의 합을 구하시오.

유형 08 곱 또는 합으로 표현된 함수의 연속

연속의 정의를 이용하여 $y=f(x)+g(x)$, $y=f(x)g(x)$ 등으로 표현된 함수의 연속을 조사한다.

070

두 함수 $f(x)=-2x^2+ax-2a$, $g(x)=\begin{cases} -x+4 & (x<3) \\ 3x-7 & (x\geq3) \end{cases}$에 대하여 함수 $y=f(x)g(x)$가 모든 실수 x에서 연속일 때, 상수 a의 값을 구하시오.

071 (중요)

다음은 두 함수 $y=f(x)$와 $y=g(x)$의 그래프이다. 〈보기〉에서 옳은 것만을 있는 대로 고른 것은?

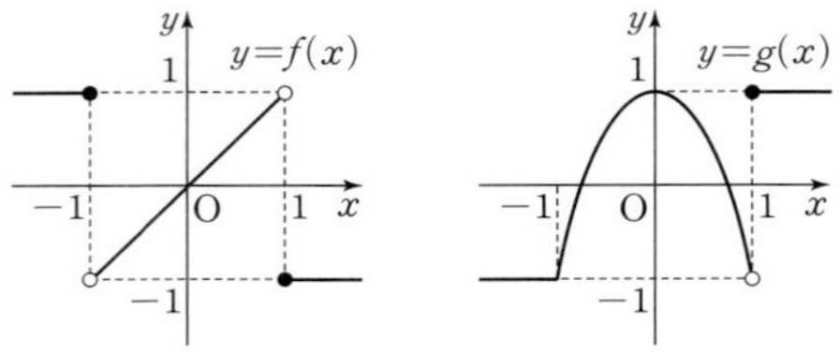

보기

ㄱ. $\lim_{x\to1}\{f(x)g(x)\}=-1$

ㄴ. 함수 $y=f(x)g(x)$는 $x=-1$에서 연속이다.

ㄷ. 함수 $y=f(x)+g(x)$는 $x=1$에서 연속이다.

① ㄱ　② ㄴ　③ ㄱ, ㄷ　④ ㄴ, ㄷ　⑤ ㄱ, ㄴ, ㄷ

072

함수 $f(x)=\begin{cases} x+2 & (x\leq0) \\ -\frac{1}{2}x & (x>0) \end{cases}$의 그래프가 그림과 같다.

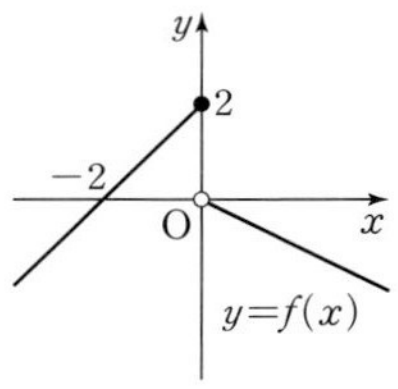

함수 $g(x)=f(x)\{f(x)+k\}$가 $x=0$에서 연속이 되도록 하는 상수 k의 값을 구하시오.

유형 09 합성함수의 연속

실수 전체의 집합에서 정의된 두 함수 $y=f(x)$, $y=g(x)$에 대하여 합성함수 $y=f(g(x))$가 $x=a$에서 연속이려면

$$\lim_{x\to a+}f(g(x))=\lim_{x\to a-}f(g(x))=f(g(a))$$

073

함수 $y=f(x)$의 그래프가 그림과 같을 때, 〈보기〉에서 옳은 것만을 있는 대로 고른 것은?

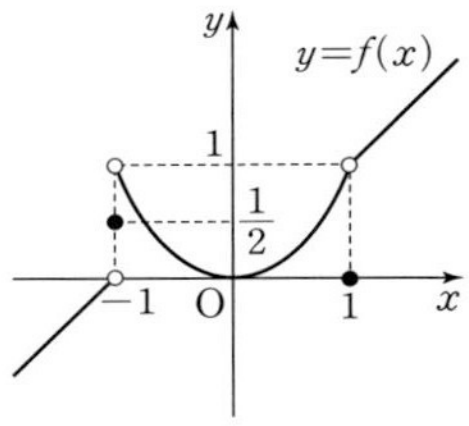

보기

ㄱ. $\lim_{x\to-1}f(x)$의 값은 존재하지 않는다.

ㄴ. $\lim_{x\to1}f(f(x))=1$

ㄷ. 함수 $y=f(f(x))$는 $x=-1$에서 불연속이다.

① ㄱ　② ㄱ, ㄴ　③ ㄱ, ㄷ　④ ㄴ, ㄷ　⑤ ㄱ, ㄴ, ㄷ

074 (중요)

두 함수 $y=f(x)$, $y=g(x)$의 그래프가 그림과 같을 때, 〈보기〉에서 옳은 것만을 있는 대로 고른 것은?

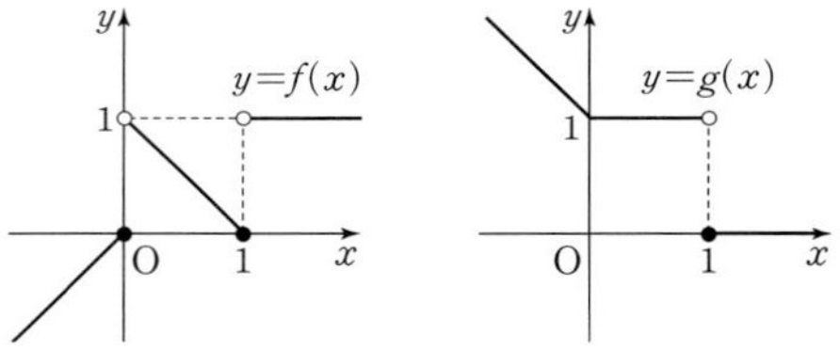

보기

ㄱ. $\lim_{x\to1}\{f(x)g(x)\}=0$

ㄴ. 함수 $y=g(f(x))$는 $x=0$에서 연속이다.

ㄷ. 함수 $y=f(g(x))$는 $x=1$에서 불연속이다.

① ㄱ　② ㄴ　③ ㄱ, ㄴ　④ ㄱ, ㄷ　⑤ ㄱ, ㄴ, ㄷ

유형 10 최대 · 최소 정리

함수 $y=f(x)$가 닫힌구간 $[a, b]$에서 연속이면 $y=f(x)$는 이 구간에서 반드시 최댓값과 최솟값을 갖는다.

075
열린구간 $(-2, 4)$에서 정의된 함수 $y=f(x)$의 그래프가 그림과 같을 때, $y=f(x)$에 대한 다음 설명 중에서 옳지 않은 것은?

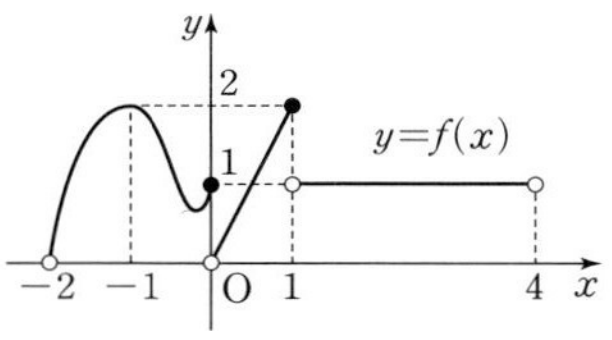

① $\lim_{x\to 1} f(x)$의 값은 존재하지 않는다.
② 닫힌구간 $[-1, 3]$에서 최솟값을 갖는다.
③ $\lim_{x\to -1} f(x)=2$
④ 불연속이 되는 x의 개수는 2이다.
⑤ 열린구간 $(0, 4)$에서 최댓값을 갖는다.

중요
076
닫힌구간 $[0, 3]$에서 함수

$$f(x)=\begin{cases} x+2 & (x<1) \\ -x^2+4 & (x\geq 1) \end{cases}$$

의 최댓값을 M, 최솟값을 m이라 할 때, $M+m$의 값을 구하시오.

077
두 함수 $y=f(x)$, $y=g(x)$는 닫힌구간 $[a, b]$에서 연속이다. 〈보기〉 중 닫힌구간 $[a, b]$에서 반드시 최댓값과 최솟값을 갖는 함수만을 있는 대로 고르시오.

보기
ㄱ. $y=\frac{f(x)}{g(x)}$　　ㄴ. $y=f(g(x))$　　ㄷ. $y=f(x)+g(x)$

유형 11 사잇값의 정리

함수 $y=f(x)$가 닫힌구간 $[a, b]$에서 연속이고 $f(a)f(b)<0$이면 열린구간 (a, b)에서 방정식 $f(x)=0$의 실근이 적어도 하나 존재한다.

078
방정식 $x^3+x-9=0$이 오직 하나의 실근을 가질 때, 다음 중 이 방정식의 실근이 존재하는 구간은?

① $(0, 1)$　② $(1, 2)$　③ $(2, 3)$
④ $(3, 4)$　⑤ $(4, 5)$

079
실수 전체의 집합에서 연속인 함수 $y=f(x)$에 대하여

$$f(-1)=3,\ f(0)=-1,\ f(1)=2,\ f(2)=1$$

일 때, 방정식 $f(x)=0$은 적어도 n개의 실근을 갖는다. n의 값을 구하시오.

중요
080
닫힌구간 $[-1, 3]$에서 연속인 함수 $y=f(x)$가

$$f(-1)f(1)<0,\ f(-1)f(3)>0$$

을 만족시킬 때, $-1<x<3$에서 방정식 $f(x)=0$은 적어도 n개의 실근을 갖는다. n의 값은?

① 1　② 2　③ 3
④ 4　⑤ 5

중요
081
이차방정식

$$(x-95)(x-96)+(x-96)(x-97)+(x-97)(x-95)=0$$

의 두 근을 α, β라 할 때, α는 열린구간 $(n, n+1)$에 속한다. 자연수 n의 값을 구하시오. (단, $\alpha>\beta$)

082
모든 실수 x에서 연속인 함수 $y=f(x)$가 $f(0)=1$, $f(2)=-1$을 만족시킨다. 〈보기〉 중 열린구간 $(0, 2)$에서 반드시 실근을 갖는 방정식만을 있는 대로 고른 것은?

보기

ㄱ. $f(x)-x=0$　　ㄴ. $f(x)+x-1=0$

ㄷ. $xf(x)+1=0$

① ㄱ　② ㄱ, ㄴ　③ ㄱ, ㄷ
④ ㄴ, ㄷ　⑤ ㄱ, ㄴ, ㄷ

083
다항함수 $y=f(x)$가 다음 조건을 만족시킬 때, 방정식 $f(x)=0$이 닫힌구간 $[0, 3]$에서 적어도 몇 개의 실근을 갖는지 구하시오.

(가) $\lim_{x\to0}\frac{f(x)}{x}=1$　　(나) $\lim_{x\to2}\frac{f(x)}{x-2}=2$

유형 12 실생활에서의 사잇값의 정리의 활용

연속적으로 변하는 실생활의 소재에 사잇값의 정리를 활용할 수 있다.

084
2년 전 병우의 몸무게는 70 kg이었고, 1년 전에는 82 kg이었다. 현재 병우의 몸무게가 75 kg이라 할 때, 지난 2년 동안 병우의 몸무게에 대한 다음 설명 중에서 옳지 않은 것은?

① 몸무게가 72 kg인 때가 적어도 한 번 있었다.
② 몸무게가 74 kg인 때가 적어도 두 번 있었다.
③ 몸무게가 76 kg인 때가 적어도 두 번 있었다.
④ 몸무게가 78 kg인 때가 적어도 두 번 있었다.
⑤ 몸무게가 80 kg인 때가 적어도 두 번 있었다.

085
어떤 지하철의 최고 속도는 110 km/h라고 한다. A역에서 출발하여 최고 속도를 낸 후 B역에 정차하여 승객을 태우고, 다시 출발하여 최고 속도를 낸 후 C역에 도착하였을 때, 지하철의 속도가 80 km/h인 곳은 적어도 n군데이다. n의 값을 구하시오.

086

다음 중 $x=0$에서 연속인 함수는?

(단, $[x]$는 x보다 크지 않은 최대의 정수이다.)

① $f(x)=\dfrac{x+1}{x}$

② $f(x)=[x-1]$

③ $f(x)=\begin{cases} \dfrac{|x|}{x} & (x\neq 0) \\ 1 & (x=0) \end{cases}$

④ $f(x)=\begin{cases} \dfrac{1}{x} & (x\neq 0) \\ 0 & (x=0) \end{cases}$

⑤ $f(x)=\begin{cases} x(x+1) & (x\neq 0) \\ 0 & (x=0) \end{cases}$

087

함수 $f(x)=\begin{cases} x+a & (1<x<3) \\ x^2+bx+4 & (x\le 1 \text{ 또는 } x\ge 3) \end{cases}$가 모든 실수 x에서 연속일 때, $a+b$의 값을 구하시오. (단, a, b는 상수이다.)

088

함수 $f(x)=\begin{cases} \dfrac{\sqrt{x^2-x+3}-a}{x-3} & (x\neq 3) \\ b & (x=3) \end{cases}$가 $x=3$에서 연속일 때, 두 상수 a, b에 대하여 $a+b$의 값은?

① $\dfrac{17}{6}$ ② $\dfrac{19}{6}$ ③ $\dfrac{7}{2}$

④ $\dfrac{23}{6}$ ⑤ $\dfrac{25}{6}$

089

모든 실수 x에서 연속인 함수 $y=f(x)$가

$$(x+1)f(x)=x^2-3x+a$$

를 만족시킬 때, $f(-1)$의 값을 구하시오. (단, a는 상수이다.)

090

모든 실수 x에서 연속인 함수 $y=f(x)$가 닫힌구간 $[0, 3]$에서

$$f(x)=\begin{cases} 2x & (0\le x<1) \\ ax+b & (1\le x\le 3) \end{cases}$$

이고, 모든 실수 x에 대하여 $f(x+3)=f(x)$를 만족시킬 때, $f(8)$의 값을 구하시오. (단, a, b는 상수이다.)

091

함수 $y=f(x)$의 그래프가 그림과 같다.

함수 $g(x)=x^2+ax+6-3a$에 대하여 함수 $y=\dfrac{g(x)}{f(x)}$가 $x=0$에서 연속일 때, 상수 a의 값을 구하시오.

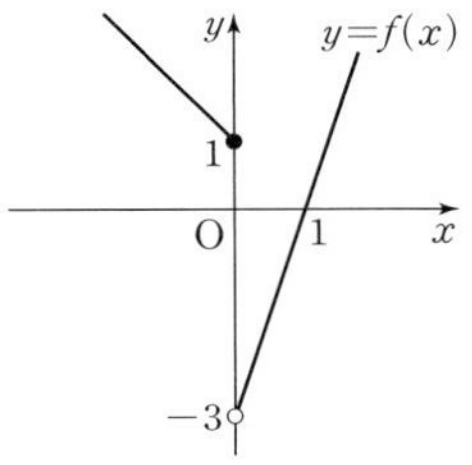

092

함수 $y=f(x)$의 그래프가 그림과 같을 때, 닫힌구간 $[0, 4]$에서 함수
$$g(x)=(x-3)f(x)$$
가 불연속이 되는 모든 x의 값의 합을 구하시오.

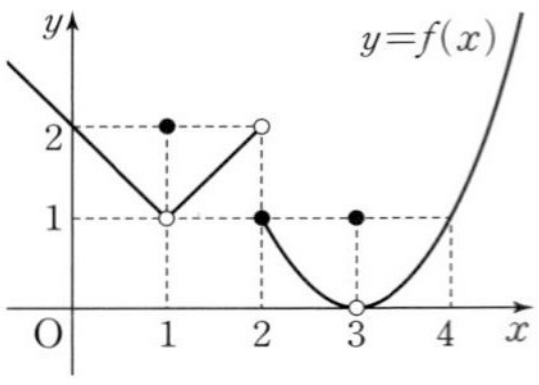

093

함수 $y=f(x)$의 그래프가 그림과 같을 때, 〈보기〉에서 옳은 것만을 있는 대로 고른 것은?

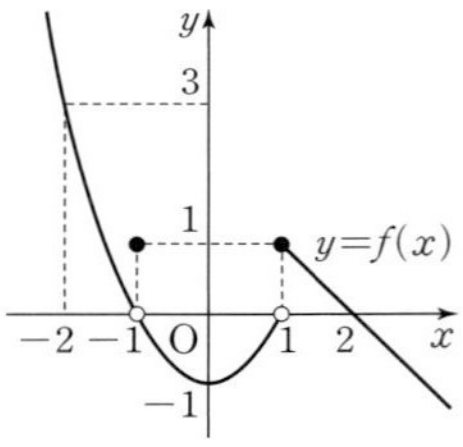

보기

ㄱ. $\lim_{x \to -1+} f(x)+\lim_{x \to -1-} f(x)=0$

ㄴ. 함수 $y=f(x+1)$은 $x=0$에서 연속이다.

ㄷ. 함수 $y=(x+1)f(x)$는 $x=-1$에서 연속이다.

① ㄱ ② ㄴ ③ ㄱ, ㄴ
④ ㄱ, ㄷ ⑤ ㄱ, ㄴ, ㄷ

094

함수 $y=f(x)$가 닫힌구간 $[a, b]$에서 연속일 때, 〈보기〉에서 옳은 것만을 있는 대로 고르시오.

보기

ㄱ. $f(a)f(b)>0$이면 방정식 $f(x)=0$은 닫힌구간 $[a, b]$에서 실근을 갖지 않는다.

ㄴ. $f(a)f(b)<0$이면 방정식 $f(x)=0$은 닫힌구간 $[a, b]$에서 오직 하나의 실근을 갖는다.

ㄷ. 함수 $y=f(x)$는 닫힌구간 $[a, b]$에서 반드시 최댓값과 최솟값을 갖는다.

095

방정식 $\cos x-x+1=0$이 오직 하나의 실근을 가질 때, 다음 중 실근이 존재하는 구간은?

① $\left(0, \frac{\pi}{3}\right)$ ② $\left(\frac{\pi}{3}, \frac{\pi}{2}\right)$ ③ $\left(\frac{\pi}{2}, \frac{2\pi}{3}\right)$
④ $\left(\frac{2\pi}{3}, \pi\right)$ ⑤ $\left(\pi, \frac{3\pi}{2}\right)$

1등급 문제

096

함수 $f(x)=\frac{[x]^2+3x}{[x]}$가 $x=n$에서 연속일 때, 자연수 n의 값을 구하시오. (단, $[x]$는 x보다 크지 않은 최대의 정수이다.)

097

함수 $y=f(x)$의 그래프가 그림과 같다. 두 함수 $g(x)=f(x)f(-x)$, $h(x)=f(x)+f(-x)$에 대하여 〈보기〉에서 옳은 것만을 있는 대로 고른 것은?

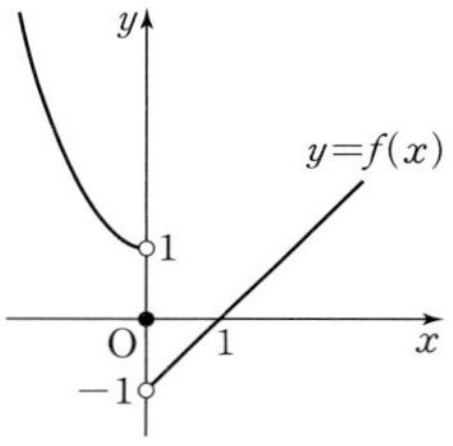

보기

ㄱ. $\lim_{x \to 0} g(x)=1$

ㄴ. 함수 $y=h(x)$는 $x=0$에서 연속이다.

ㄷ. 함수 $y=g(x)+h(x)$는 실수 전체의 집합에서 연속이다.

① ㄱ ② ㄴ ③ ㄷ
④ ㄱ, ㄷ ⑤ ㄴ, ㄷ

03 미분계수

제 목		문항 번호	문항 수	확인
기본 문제		001～040	40	
유형 문제	01. 평균변화율	041～043	3	
	02. 평균변화율의 기하학적 의미	044～046	3	
	03. 평균변화율과 미분계수	047～049	3	
	04. 미분계수의 정의 – $\lim_{h \to 0} \frac{f(a+h)-f(a)}{h}$ 꼴	050～055	6	
	05. $\lim_{h \to 0} \frac{f(a+h)-f(a-h)}{h}$ 꼴의 변형	056～058	3	
	06. 미분계수의 정의 – $\lim_{x \to a} \frac{f(x)-f(a)}{x-a}$ 꼴	059～064	6	
	07. $\lim_{n \to \infty} n\left\{f\left(a+\frac{1}{n}\right)-f(a)\right\}$ 꼴의 변형	065～067	3	
	08. 관계식이 주어질 때 미분계수 구하기	068～070	3	
	09. 미분계수의 기하학적 의미	071～076	6	
	10. 그래프가 주어진 함수의 미분가능성	077～078	2	
	11. 미분가능할 조건	079～081	3	
	12. 미분가능성과 연속성	082～086	5	
쌤이 시험에 꼭 내는 문제		087～098	12	

03 미분계수

① 평균변화율

함수 $y=f(x)$에서 x의 값이 a에서 b까지 변할 때

(1) 평균변화율은

$$\frac{\Delta y}{\Delta x}=\frac{f(b)-f(a)}{b-a}$$

$$=\frac{f(a+\Delta x)-f(a)}{\Delta x}$$

(2) 평균변화율은 곡선 $y=f(x)$ 위의 두 점
$\mathrm{P}(a,\ f(a)),\ \mathrm{Q}(b,\ f(b))$를 지나는 직선의 기울기이다.

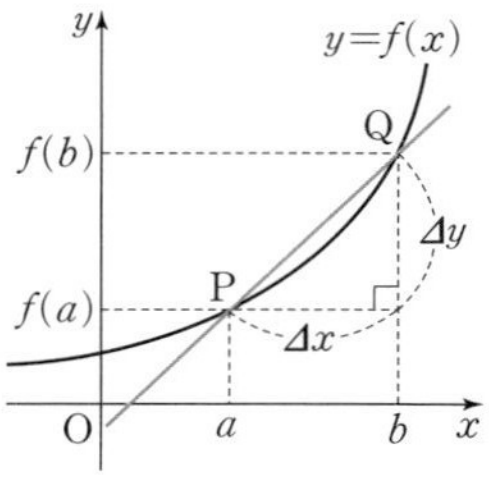

개념 플러스

증분
함수 $y=f(x)$에서 x의 값이 a에서 b까지 변할 때, y의 값은 $f(a)$에서 $f(b)$까지 변한다. 이때 x의 값의 변화량 $b-a$를 x의 증분, y의 값의 변화량 $f(b)-f(a)$를 y의 증분이라 하고, 기호로 각각 Δx, Δy와 같이 나타낸다.

② 미분계수

(1) 함수 $y=f(x)$의 $x=a$에서의 미분계수 $f'(a)$는

$$f'(a)=\lim_{\Delta x\to 0}\frac{f(a+\Delta x)-f(a)}{\Delta x}$$

$$=\lim_{x\to a}\frac{f(x)-f(a)}{x-a}$$

참고 $f'(a)$를 Δx 대신에 h를 써서 나타내기도 한다.

➡ $f'(a)=\lim_{h\to 0}\frac{f(a+h)-f(a)}{h}$

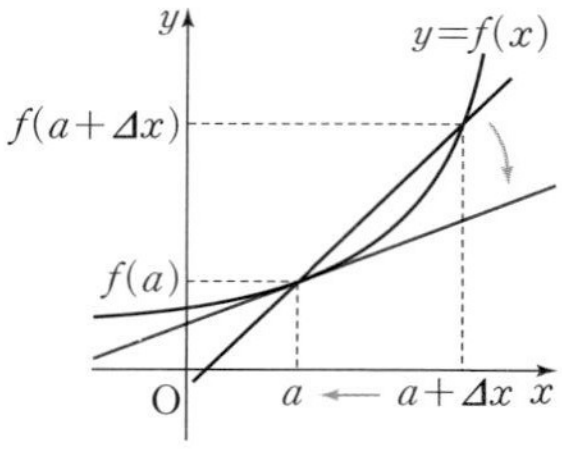

(2) 미분계수의 기하학적 의미
함수 $y=f(x)$의 $x=a$에서의 미분계수 $f'(a)$가 존재할 때, 미분계수 $f'(a)$는 곡선 $y=f(x)$ 위의 점 $(a,\ f(a))$에서의 접선의 기울기와 같다.

$f'(a)=\lim_{■\to 0}\frac{f(a+■)-f(a)}{■}$
$=\lim_{▲\to a}\frac{f(▲)-f(a)}{▲-a}$

(미분계수)=(순간변화율)
=(접선의 기울기)

$\lim_{h\to 0+}\frac{f(a+h)-f(a)}{h}$
$=\lim_{h\to 0-}\frac{f(a+h)-f(a)}{h}$
일 때 미분계수가 존재한다.

③ 미분가능성과 연속성

(1) 함수 $y=f(x)$의 $x=a$에서의 미분계수 $f'(a)$가 존재할 때, 함수 $y=f(x)$는 $x=a$에서 미분가능하다고 한다.

(2) 함수 $y=f(x)$가 $x=a$에서 미분가능하면 함수 $y=f(x)$는 $x=a$에서 연속이다.
그러나 그 역은 성립하지 않는다.

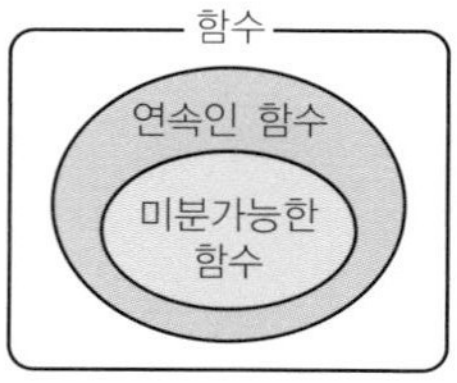

참고 ① 함수 $y=f(x)$가 $x=a$에서 연속이라고 해서 반드시 $x=a$에서 미분가능한 것은 아니다.
② 함수 $y=f(x)$가 $x=a$에서 불연속이면 함수 $y=f(x)$는 $x=a$에서 미분가능하지 않다.

함수 $y=f(x)$에 대하여 모든 실수 x에서의 미분계수가 존재하면 함수 $y=f(x)$는 실수 전체의 집합에서 미분가능하다.

함수 $y=f(x)$에 대하여 $f'(a)$가 존재하면 $x=a$에서 연속이다.
⇨ $\lim_{x\to a}f(x)=f(a)$

함수 $y=f(x)$가 $x=a$에서 미분가능하지 않은 경우
(i) $x=a$에서 불연속인 경우
(ii) $x=a$에서 그래프가 꺾인 경우

기본 문제

정답 및 해설 021쪽

1 평균변화율

001 다음 $\square$ 안에 알맞은 것을 써넣으시오.

함수 $y=f(x)$에서 x의 값이 a에서 b까지 변할 때의 평균변화율은

$$\frac{\Delta y}{\Delta x}=\frac{f(b)-f(a)}{\square-\square}=\frac{f(a+\square)-f(a)}{\square}$$

[002-005] 주어진 구간에서 다음 함수의 평균변화율을 구하시오.

002 $f(x)=x+2$ $\quad[1, 3]$

003 $f(x)=-2x+3$ $\quad[1, 2]$

004 $f(x)=x^2-4$ $\quad[0, 3]$

005 $f(x)=x^2+3x-2$ $\quad[-1, 1]$

2 미분계수

006 다음 $\square$ 안에 알맞은 것을 써넣으시오.

함수 $y=f(x)$의 $x=a$에서의 미분계수 $f'(a)$는

$$f'(a)=\lim_{\Delta x\to 0}\frac{f(a+\square)-f(a)}{\square}$$
$$=\lim_{h\to 0}\frac{f(a+\square)-f(a)}{\square}$$
$$=\lim_{x\to a}\frac{f(x)-f(\square)}{x-\square}$$

[007-010] 다음 함수의 $x=1$에서의 미분계수를 $f'(1)=\lim_{h\to 0}\frac{f(1+h)-f(1)}{h}$을 이용하여 구하시오.

007 $f(x)=x+2$

008 $f(x)=2x-1$

009 $f(x)=3x^2$

010 $f(x)=x^2-6x$

[011-013] 다음 함수의 $x=2$에서의 미분계수를 $f'(2)=\lim_{x\to2}\frac{f(x)-f(2)}{x-2}$를 이용하여 구하시오.

011 $f(x)=2x+4$

012 $f(x)=4x^2$

013 $f(x)=-x^2+2x$

3 미분계수를 이용한 극한값의 계산

014 다음은 미분가능한 함수 $y=f(x)$에 대하여 $f'(a)=9$임을 이용하여 극한값을 계산하는 과정이다. $\square$ 안에 알맞은 수를 써넣으시오.

$$\lim_{h\to0}\frac{f(a+h)-f(a)}{3h}=\square\lim_{h\to0}\frac{f(a+h)-f(a)}{h}$$
$$=\square f'(a)=\square$$

[015-017] 미분가능한 함수 $y=f(x)$에 대하여 $f'(a)=1$일 때, 다음 극한값을 구하시오.

015 $\lim_{h\to0}\frac{f(a+h)-f(a)}{2h}$

016 $\lim_{h\to0}\frac{f(a+h)-f(a)}{5h}$

017 $\lim_{h\to0}\frac{f(a+h)-f(a)}{-h}$

018 다음은 미분가능한 함수 $y=f(x)$에 대하여 $f'(a)=3$임을 이용하여 극한값을 계산하는 과정이다. $\square$ 안에 알맞은 수를 써넣으시오.

$$\lim_{h\to0}\frac{f(a+2h)-f(a)}{h}=\lim_{h\to0}\frac{f(a+2h)-f(a)}{\square h}\times\square$$
$$=\square f'(a)=\square$$

[019-021] 미분가능한 함수 $y=f(x)$에 대하여 $f'(a)=1$일 때, 다음 극한값을 구하시오.

019 $\lim_{h\to0}\frac{f(a+3h)-f(a)}{h}$

020 $\lim_{h\to0}\frac{f(a+5h)-f(a)}{h}$

021 $\lim_{h\to0}\frac{f(a-h)-f(a)}{h}$

022 다음은 미분가능한 함수 $y=f(x)$에 대하여 $f'(a)=1$임을 이용하여 극한값을 계산하는 과정이다. □ 안에 알맞은 수를 써넣으시오.

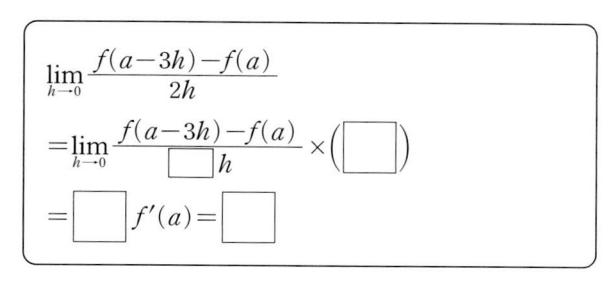

$$\lim_{h\to0}\frac{f(a-3h)-f(a)}{2h}$$
$$=\lim_{h\to0}\frac{f(a-3h)-f(a)}{\square h}\times\left(\square\right)$$
$$=\square f'(a)=\square$$

[023-026] 미분가능한 함수 $y=f(x)$에 대하여 $f'(a)=6$일 때, 다음 극한값을 구하시오.

023 $\lim_{h\to0}\frac{f(a+5h)-f(a)}{3h}$

024 $\lim_{h\to0}\frac{f(a+4h)-f(a)}{-2h}$

025 $\lim_{h\to0}\frac{f(a-h)-f(a)}{2h}$

026 $\lim_{h\to0}\frac{f(a)-f(a+2h)}{6h}$

[027-029] 다음은 미분가능한 함수 $y=f(x)$에 대하여 $f'(1)=2$임을 이용하여 극한값을 계산하는 과정이다. □ 안에 알맞은 수를 써넣으시오.

027

$$\lim_{x\to1}\frac{f(x)-f(1)}{x^2-1}=\lim_{x\to1}\left\{\frac{f(x)-f(1)}{x-1}\times\frac{1}{\square}\right\}$$
$$=\square f'(1)=\square$$

028

$$\lim_{x\to1}\frac{f(x^2)-f(1)}{x-1}=\lim_{x\to1}\left\{\frac{f(x^2)-f(1)}{x^2-1}\times(\square)\right\}$$
$$=\square f'(1)=\square$$

029

$$\lim_{x\to1}\frac{x^3-1}{f(x)-f(1)}=\lim_{x\to1}\left\{\frac{x-1}{f(x)-f(1)}\times(\square)\right\}$$
$$=\square\times\frac{1}{f'(1)}=\square$$

[030-032] 미분가능한 함수 $y=f(x)$에 대하여 $f'(1)=3$일 때, 다음 극한값을 구하시오.

030 $\lim_{x\to1}\frac{f(x)-f(1)}{x^2-1}$

031 $\lim_{x\to1}\frac{f(x^2)-f(1)}{x-1}$

032 $\lim_{x\to1}\frac{x^3-1}{f(x)-f(1)}$

4 미분가능성과 연속성

[033-037] 함수 $y=f(x)$의 그래프가 그림과 같을 때, 구간 $[-1, 4]$에 속하는 정수 x에 대하여 다음을 구하시오.

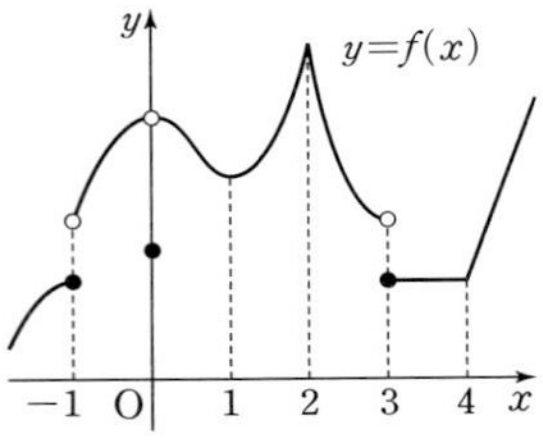

033 연속인 점의 x좌표

034 불연속인 점의 x좌표

035 미분가능하지 않은 점의 x좌표

036 연속이지만 미분가능하지 않은 점의 x좌표

037 연속이면서 미분가능한 점의 x좌표

038 연속함수의 집합을 A, 미분가능한 함수의 집합을 B라 할 때, 두 집합 A, B의 포함 관계를 벤다이어그램으로 나타낸 것이다. (가), (나)에 알맞은 것을 써넣으시오.

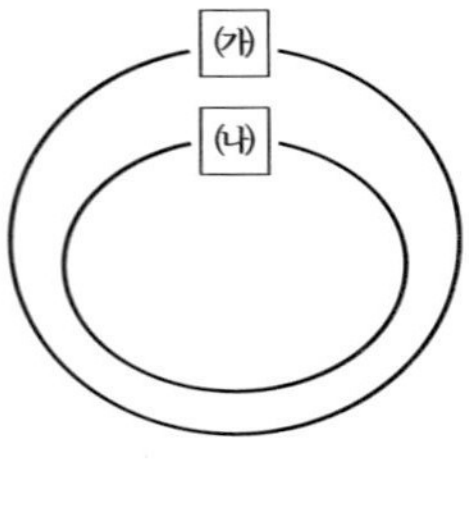

039 다음은 함수 $f(x)=|x|$에 대하여 $x=0$에서의 연속성과 미분가능성을 조사하는 과정이다. □ 안에 알맞은 것을 써넣으시오.

(i) $f(0)=0$이고, $\lim_{x\to 0} f(x)=\lim_{x\to 0}|x|=0$이므로

$\lim_{x\to 0} f(x)=f(0)$

따라서 함수 $y=f(x)$는 $x=0$에서 □이다.

(ii) $f'(0)=\lim_{h\to 0}\frac{f(0+h)-f(0)}{h}=\lim_{h\to 0}\frac{|h|}{h}$

$\lim_{h\to 0+}\frac{|h|}{h}=\lim_{h\to 0+}\frac{h}{h}=$□,

$\lim_{h\to 0-}\frac{|h|}{h}=\lim_{h\to 0-}\frac{-h}{h}=$□

이므로 $f'(0)$이 존재하지 않는다.

따라서 함수 $y=f(x)$는 $x=0$에서

□

040 다음은 함수 $f(x)=\begin{cases} x^2 & (x\ge 1) \\ 2x-1 & (x<1)\end{cases}$에 대하여 $x=1$에서의 연속성과 미분가능성을 조사하는 과정이다. □ 안에 알맞은 것을 써넣으시오.

(i) $f(1)=$□이고, $\lim_{x\to 1+} f(x)=\lim_{x\to 1+} x^2=$□,

$\lim_{x\to 1-} f(x)=\lim_{x\to 1-}(2x-1)=$□이므로

$\lim_{x\to 1} f(x)$ □ $f(1)$

따라서 함수 $y=f(x)$는 $x=1$에서 □이다.

(ii) $\lim_{h\to 0+}\frac{f(1+h)-f(1)}{h}=\lim_{h\to 0+}\frac{(1+h)^2-1}{h}$

$=$□,

$\lim_{h\to 0-}\frac{f(1+h)-f(1)}{h}=\lim_{h\to 0-}\frac{\{2(1+h)-1\}-1}{h}$

$=$□

이므로 $f'(1)$이 존재한다.

따라서 함수 $y=f(x)$는 $x=1$에서 □

유형 문제

정답 및 해설 023쪽

유형 01 평균변화율

함수 $y=f(x)$에서 x의 값이 a에서 b까지 변할 때의 평균변화율은

$$\frac{\Delta y}{\Delta x}=\frac{f(b)-f(a)}{b-a}=\frac{f(a+\Delta x)-f(a)}{\Delta x}$$

041

함수 $f(x)=x^2+2x$에 대하여 x의 값이 1에서 k까지 변할 때의 평균변화율이 6일 때, 상수 k의 값을 구하시오. (단, $k>1$)

중요 **042**

함수 $f(x)=2x^2+ax+1$에 대하여 x의 값이 2에서 4까지 변할 때의 평균변화율이 9일 때, 상수 a의 값은?

① -3 ② -2 ③ -1
④ 0 ⑤ 1

043

함수 $f(x)=x^2-5x$에 대하여 x의 값이 1에서 3까지 변할 때의 평균변화율과 x의 값이 0에서 k까지 변할 때의 평균변화율이 같을 때, 양수 k의 값을 구하시오.

유형 02 평균변화율의 기하학적 의미

닫힌구간 $[a, b]$에서 함수 $y=f(x)$의 평균변화율은 두 점 $(a, f(a))$, $(b, f(b))$를 지나는 직선의 기울기와 같다.

044

함수 $y=f(x)$에 대하여 x의 값이 1에서 4까지 변할 때의 평균변화율이 5일 때, 두 점 $A(1, f(1))$, $B(4, f(4))$를 지나는 직선 AB의 기울기를 구하시오.

045

함수 $y=f(x)$의 그래프가 그림과 같을 때, 함수 $y=f(x)$에 대하여 x의 값이 a에서 b까지, b에서 c까지, c에서 d까지 변할 때의 평균변화율을 각각 α, β, γ라 하자. α, β, γ의 대소 관계로 옳은 것은?

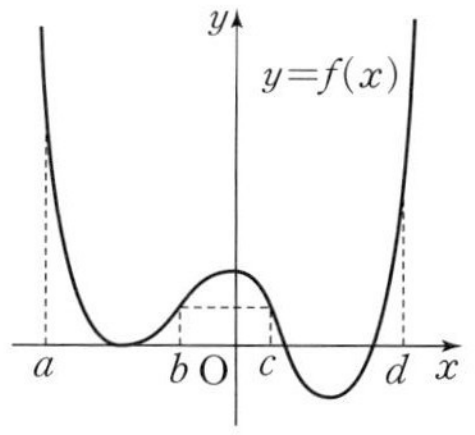

① $\alpha<\beta<\gamma$ ② $\alpha<\beta=\gamma$ ③ $\beta<\gamma<\alpha$
④ $\beta<\gamma=\alpha$ ⑤ $\gamma<\alpha<\beta$

중요 **046**

함수 $y=f(x)$의 그래프가 그림과 같고, 직선 AB의 기울기가 2일 때, 함수 $y=f(x)$에 대하여 x의 값이 0에서 1까지 변할 때의 평균변화율을 구하시오. (단, $f(0)=f(5)$)

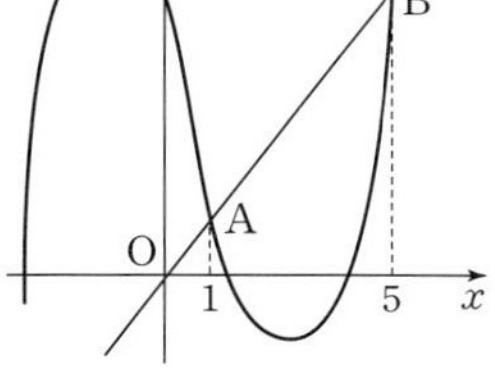

유형 03 평균변화율과 미분계수

(1) 함수 $y=f(x)$에서 x의 값이 a에서 b까지 변할 때의 평균변화율은

$$\frac{\Delta y}{\Delta x}=\frac{f(b)-f(a)}{b-a}=\frac{f(a+\Delta x)-f(a)}{\Delta x}$$

(2) 함수 $y=f(x)$의 $x=a$에서의 미분계수는

$$f'(a)=\lim_{\Delta x\to 0}\frac{f(a+\Delta x)-f(a)}{\Delta x}=\lim_{h\to 0}\frac{f(a+h)-f(a)}{h}$$

047

이차함수 $f(x)=x^2+ax+b$에 대하여 닫힌구간 $[1, 4]$에서의 평균변화율이 2일 때, 미분계수 $f'(3)$의 값은? (단, a, b는 상수이다.)

① 1　② 2　③ 3　④ 4　⑤ 5

048 중요

함수 $f(x)=x^2-2$에 대하여 x의 값이 a에서 $a+2$까지 변할 때의 평균변화율과 $x=2$에서의 미분계수가 같을 때, 상수 a의 값을 구하시오.

049

함수 $f(x)=x^2+2x$에 대하여 x의 값이 0에서 4까지 변할 때의 평균변화율 a와 $x=b$에서의 미분계수가 서로 같을 때, 두 상수 a, b에 대하여 a^2+b^2의 값을 구하시오.

유형 04 미분계수의 정의 – $\lim_{h\to 0}\frac{f(a+h)-f(a)}{h}$ 꼴

함수 $y=f(x)$의 $x=a$에서의 미분계수는

$$f'(a)=\lim_{\blacksquare\to 0}\frac{f(a+\blacksquare)-f(a)}{\blacksquare}$$

참고 $\lim_{h\to 0}\frac{f(a+nh)-f(a)}{mh}=\frac{n}{m}f'(a)$

050

다항함수 $y=f(x)$의 $x=a$에서의 미분계수가 2일 때, $\lim_{h\to 0}\frac{f(a+h)-f(a)}{2h}$의 값을 구하시오.

051

다항함수 $y=f(x)$에 대하여 $\lim_{h\to 0}\frac{f(1-2h)-f(1)}{h}$의 값을 $f'(1)$을 이용하여 나타내면?

① $-2f'(1)$　② $-f'(1)$　③ 0　④ $f'(1)$　⑤ $2f'(1)$

052 중요

다항함수 $y=f(x)$에 대하여 $f'(2)=12$일 때, $\lim_{h\to 0}\frac{f(2-h)-f(2)}{3h}$의 값을 구하시오.

053

미분가능한 함수 $y=f(x)$에 대하여

$$\lim_{h\to 0}\frac{f(2+2h)-f(2)}{5h}=4$$

일 때, $f'(2)$의 값은?

① 2　② 4　③ 6　④ 8　⑤ 10

054 (중요)

다항함수 $y=f(x)$에 대하여 $f(0)=f'(0)=6$일 때, $\lim_{h\to 0}\frac{f(2h)-6}{h}$의 값을 구하시오.

055

다항함수 $y=f(x)$에 대하여 $f(3)=2f'(3)=10$일 때, $\lim_{h\to 0}\frac{10-f(3-h)}{h}$의 값을 구하시오.

유형 05 $\lim_{h\to 0}\frac{f(a+h)-f(a-h)}{h}$ 꼴의 변형

미분가능한 함수 $y=f(x)$에 대하여

$$\lim_{h\to 0}\frac{f(a+h)-f(a-h)}{h}$$

$$=\lim_{h\to 0}\frac{f(a+h)-f(a)-\{f(a-h)-f(a)\}}{h}=2f'(a)$$

참고 $\lim_{h\to 0}\frac{f(a+mh)-f(a+nh)}{h}=(m-n)f'(a)$

056

다항함수 $y=f(x)$에 대하여 $\lim_{h\to 0}\frac{f(a+3h)-f(a+h)}{3h}$의 값과 같은 것은?

① $\frac{1}{3}f'(a)$　② $\frac{2}{3}f'(a)$　③ $f'(a)$　④ $\frac{4}{3}f'(a)$　⑤ $\frac{5}{3}f'(a)$

057 (중요)

다항함수 $y=f(x)$에 대하여 $f'(3)=-1$일 때, $\lim_{h\to 0}\frac{f(3+2h)-f(3-h)}{h}$의 값을 구하시오.

058

다항함수 $y=f(x)$에 대하여 $\lim_{h\to 0}\frac{f(2h)-f(-h)}{2h}=6$일 때, $f'(0)$의 값을 구하시오.

유형 06 미분계수의 정의 - $\lim_{x \to a}\frac{f(x)-f(a)}{x-a}$ 꼴

함수 $y=f(x)$의 $x=a$에서의 미분계수는

$$f'(a)=\lim_{x \to a}\frac{f(x)-f(a)}{x-a}$$

참고 $\lim_{■ \to ●}\frac{f(■)-f(●)}{■-●}=f'(●)$

⇨ ■는 ■끼리, ●는 ●끼리 서로 같도록 만들어 준다.

중요
059

다항함수 $y=f(x)$에 대하여 $f'(2)=1$일 때,

$\lim_{x \to 2}\frac{f(x)-f(2)}{x^2-4}$의 값은?

① $\frac{1}{4}$ ② $\frac{1}{2}$ ③ 1 ④ 2 ⑤ 4

060

다항함수 $y=f(x)$에 대하여 $f'(4)=3$일 때,

$\lim_{x \to 2}\frac{f(x^2)-f(4)}{x-2}$의 값을 구하시오.

061

다항함수 $y=f(x)$에 대하여 $f'(1)=3$일 때,

$\lim_{x \to 1}\frac{x^2-1}{f(x)-f(1)}$의 값을 구하시오.

062

다항함수 $y=f(x)$에 대하여 $f(2)=-3$, $f'(2)=3$일 때,

$\lim_{x \to 2}\frac{f(x)+3}{x^3-8}$의 값은?

① $\frac{1}{8}$ ② $\frac{1}{4}$ ③ $\frac{1}{2}$ ④ 1 ⑤ 2

중요
063

다항함수 $y=f(x)$에 대하여 $\lim_{x \to 1}\frac{f(x^2)-3}{x-1}=6$일 때,

$f(1)+f'(1)$의 값을 구하시오.

064

다항함수 $y=f(x)$에 대하여 $f(2)=5$, $f'(2)=3$일 때,

$\lim_{x \to 2}\frac{2f(x)-xf(2)}{x-2}$의 값을 구하시오.

유형 07 $\lim_{n\to\infty} n\left\{f\left(a+\frac{1}{n}\right)-f(a)\right\}$ 꼴의 변형

미분가능한 함수 $y=f(x)$에 대하여

$$\lim_{n\to\infty} n\left\{f\left(a+\frac{1}{n}\right)-f(a)\right\}$$
$$=\lim_{h\to 0}\frac{f(a+h)-f(a)}{h}=f'(a)$$

($\frac{1}{n}=h$로 치환)

참고 $\lim_{n\to\infty} n\left\{f\left(a+\frac{p}{n}\right)-f\left(a+\frac{q}{n}\right)\right\}=(p-q)f'(a)$

065

다항함수 $y=f(x)$에 대하여 $\lim_{h\to 0}\frac{f(1+h)-f(1-h)}{h}=8$일 때, $\lim_{n\to\infty} n\left\{f\left(1+\frac{1}{n}\right)-f(1)\right\}$의 값을 구하시오.

066

다항함수 $y=f(x)$에 대하여 $f'(2)=5$일 때, $\lim_{n\to\infty} n\left\{f\left(2+\frac{3}{n}\right)-f(2)\right\}$의 값을 구하시오.

067 (중요)

다항함수 $y=f(x)$에 대하여 $f'(1)=2$일 때, $\lim_{n\to\infty} n\left\{f\left(1+\frac{3}{n}\right)-f\left(1-\frac{9}{n}\right)\right\}$의 값은?

① 12 ② 15 ③ 18
④ 21 ⑤ 24

유형 08 관계식이 주어질 때 미분계수 구하기

① 주어진 식에 $x=0$, $y=0$을 대입하여 $f(0)$의 값을 구한다.

② $f'(a)=\lim_{h\to 0}\frac{f(a+h)-f(a)}{h}$에서 $f(a+h)$에 주어진 관계식을 대입하여 $f'(a)$의 값을 구한다.

068

미분가능한 함수 f가 모든 실수 x, y에 대하여

$f(x+y)=f(x)+f(y)$

를 만족시키고 $f'(0)=1$일 때, $f'(1)$의 값을 구하시오.

069 (중요)

미분가능한 함수 f가 모든 실수 x, y에 대하여

$f(x+y)=f(x)+f(y)-1$

을 만족시키고 $f'(1)=2$일 때, $f'(3)$의 값을 구하시오.

070

미분가능한 함수 f가 모든 실수 x, y에 대하여

$f(x+y)=f(x)+f(y)+2xy-1$

을 만족시키고 $f'(2)=5$일 때, $f'(0)$의 값은?

① 0 ② 1 ③ 2
④ 3 ⑤ 4

유형 09 미분계수의 기하학적 의미

함수 $y=f(x)$의 $x=a$에서의 미분계수 $f'(a)$는 곡선 $y=f(x)$ 위의 점 $(a, f(a))$에서의 접선의 기울기와 같다.

071

곡선 $f(x)=x^3+x+1$ 위의 점 $(1, 3)$에서의 접선의 기울기를 구하시오.

072

다항함수 $y=f(x)$의 그래프가 그림과 같을 때, 다음 값 중에서 가장 큰 것은?

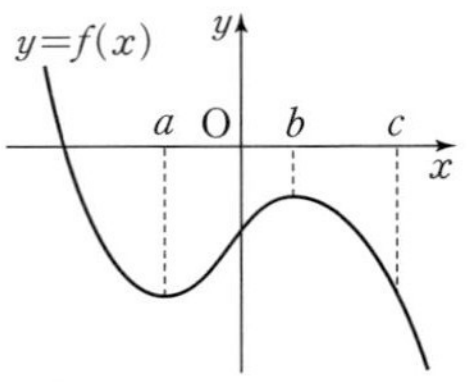

① $f'(a)$
② $f'(b)$
③ $f'(c)$
④ 닫힌구간 $[a, b]$에서 함수 $y=f(x)$의 평균변화율
⑤ 닫힌구간 $[b, c]$에서 함수 $y=f(x)$의 평균변화율

073

함수 $y=f(x)$의 그래프가 그림과 같을 때, 이 그래프 위의 점 A, B, C, D, E 중에서 $f(x)f'(x)<0$을 만족시키는 점은?

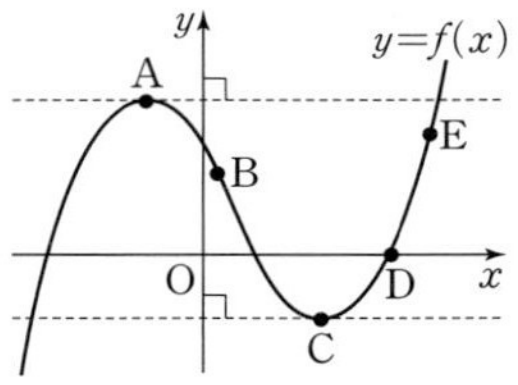

① 점 A ② 점 B
③ 점 C ④ 점 D
⑤ 점 E

중요
074

다항함수 $y=f(x)$가 $\lim_{h \to 0} \frac{f(2+h)-3}{h}=a$를 만족시키고, 곡선 $y=f(x)$ 위의 점 $(2, 3)$에서의 접선의 기울기가 $\frac{1}{3}$일 때, 상수 a의 값을 구하시오.

075

곡선 $y=f(x)$ 위의 점 $(-1, f(-1))$에서의 접선의 기울기가 4일 때, $\lim_{x \to -1} \frac{f(x^3)-f(-1)}{x+1}$의 값을 구하시오.

076

그림은 함수 $y=f(x)$의 그래프이다. $a<0<b$일 때, 〈보기〉에서 옳은 것만을 있는 대로 고른 것은?

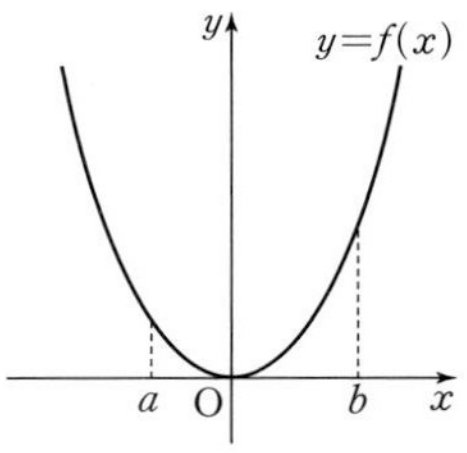

보기

ㄱ. $f'(a)<f'(b)$

ㄴ. $\frac{f(a)}{a}<\frac{f(b)}{b}$

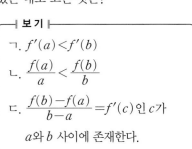

ㄷ. $\frac{f(b)-f(a)}{b-a}=f'(c)$인 c가 a와 b 사이에 존재한다.

① ㄱ ② ㄴ ③ ㄱ, ㄴ
④ ㄴ, ㄷ ⑤ ㄱ, ㄴ, ㄷ

정답 및 해설 025쪽

유형 10 그래프가 주어진 함수의 미분가능성

함수 $y=f(x)$의 그래프에서
(1) 불연속인 경우 ⇨ 연결되어 있지 않고 끊어져 있을 때
(2) 미분가능하지 않은 경우 ⇨ 불연속일 때, 뾰족점일 때

077

다음 함수 $y=f(x)$의 그래프 중에서 $x=a$에서 미분가능한 것은?

①
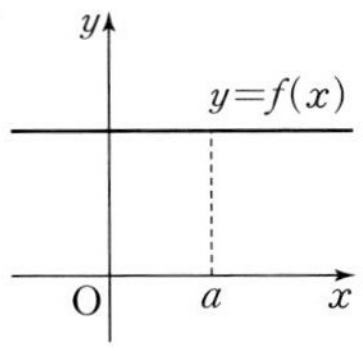

②
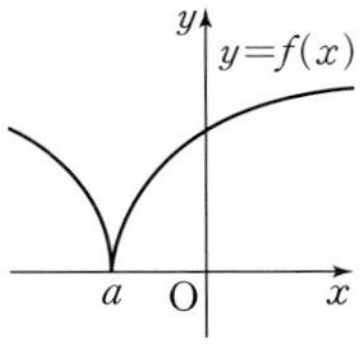

③
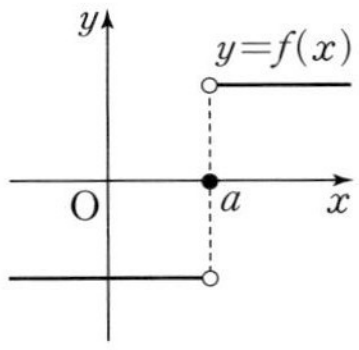

④
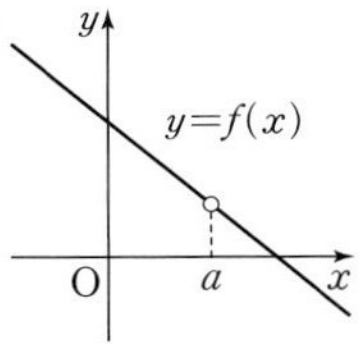

⑤
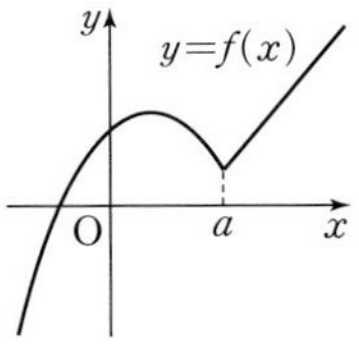

중요
078

그림은 $-1<x<6$에서 정의된 함수 $y=f(x)$의 그래프이다. 다음 중 옳지 않은 것은?

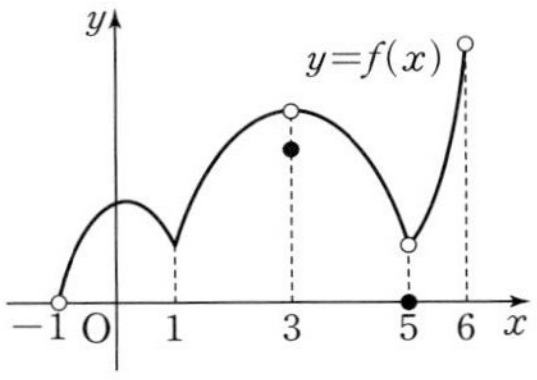

① $f'(2)$는 양수이다.
② $\lim_{x\to3}f(x)$의 값이 존재한다.
③ $f(x)$가 불연속인 x의 값은 2개이다.
④ $f(x)$가 미분가능하지 않은 x의 값은 3개이다.
⑤ $f'(x)=0$인 x의 값은 2개이다.

유형 11 미분가능할 조건

함수 $y=f(x)$가 $x=a$에서 미분가능할 때,
(1) 함수 $y=f(x)$는 $x=a$에서 연속이다.
(2) $\lim_{x\to a-}\frac{f(x)-f(a)}{x-a}=\lim_{x\to a+}\frac{f(x)-f(a)}{x-a}$

079

함수 $f(x)=\begin{cases} ax+4 & (x\geq2) \\ x^2+2a & (x<2) \end{cases}$ 가 모든 실수 x에 대하여 미분가능하도록 하는 상수 a의 값을 구하시오.

중요
080

함수 $f(x)=\begin{cases} x^2+a & (x\geq1) \\ bx+5 & (x<1) \end{cases}$ 가 $x=1$에서 미분가능할 때, 두 상수 a, b에 대하여 ab의 값을 구하시오.

081

함수 $f(x)=\begin{cases} x^3 & (x\geq a) \\ 3x-b & (x<a) \end{cases}$ 가 $x=a$에서 미분가능할 때, $f(-2)$의 값은? (단, $a>0$)

① -14 ② -12 ③ -10
④ -8 ⑤ -6

유형 12 미분가능성과 연속성

함수 $y=f(x)$에 대하여

(1) $\lim_{x\to a} f(x)=f(a)$이면 $x=a$에서 연속이다.

(2) 미분계수 $\lim_{h\to 0} \frac{f(a+h)-f(a)}{h}$가 존재하면 $x=a$에서 미분가능하다.

참고 함수 $y=f(x)$가 $x=a$에서 미분가능하면 함수 $y=f(x)$는 $x=a$에서 연속이다. 그러나 그 역이 반드시 성립하는 것은 아니다.

082

다음 〈보기〉의 함수 중에서 $x=1$에서 미분가능한 것만을 있는 대로 고른 것은?

보기

ㄱ. $f(x)=x^3$ ㄴ. $f(x)=|x^2-x|$

ㄷ. $f(x)=\frac{3}{x}$

① ㄱ ② ㄷ ③ ㄱ, ㄴ
④ ㄱ, ㄷ ⑤ ㄴ, ㄷ

083

중요

다음 〈보기〉의 함수 중에서 $x=0$에서 미분가능한 것만을 있는 대로 고른 것은? (단, $[x]$는 x보다 크지 않은 최대의 정수이다.)

보기

ㄱ. $f(x)=\begin{cases} x & (x\geq 0) \\ -x & (x<0) \end{cases}$

ㄴ. $f(x)=\begin{cases} (x+1)^2 & (x\geq 0) \\ 2x+1 & (x<0) \end{cases}$

ㄷ. $f(x)=[x]$

ㄹ. $f(x)=x^2|x|$

① ㄱ, ㄴ ② ㄴ, ㄹ ③ ㄷ, ㄹ
④ ㄱ, ㄷ, ㄹ ⑤ ㄴ, ㄷ, ㄹ

084

다음 〈보기〉의 함수 중에서 $x=0$에서 연속이지만 미분가능하지 않은 것만을 있는 대로 고른 것은?

보기

ㄱ. $f(x)=\frac{5}{x}$ ㄴ. $f(x)=|x|^3$

ㄷ. $f(x)=\sqrt{x^2}$

① ㄱ ② ㄴ ③ ㄷ
④ ㄱ, ㄷ ⑤ ㄴ, ㄷ

085

중요

다음 함수 중에서 $x=0$에서 연속이지만 미분가능하지 않은 함수는?

① $f(x)=8$ ② $f(x)=x|x|$ ③ $f(x)=x+|x|$
④ $f(x)=\frac{|x|}{x}$ ⑤ $f(x)=|x|^2$

086

다음 〈보기〉의 함수 중에서 $x=1$에서 연속이지만 미분가능하지 않은 것만을 있는 대로 고른 것은?

보기

ㄱ. $f(x)=\sqrt{(x-1)^2}$

ㄴ. $f(x)=(x-1)|x-1|$

ㄷ. $f(x)=\frac{x^2-1}{|x-1|}$

① ㄱ ② ㄴ ③ ㄷ
④ ㄱ, ㄴ ⑤ ㄱ, ㄷ

087

함수 $f(x)=x^2-x+3$에 대하여 x의 값이 1에서 3까지 변할 때의 평균변화율과 $x=k$에서의 미분계수가 같을 때, 상수 k의 값을 구하시오.

088

다항함수 $y=f(x)$에 대하여 $f'(1)=-3$일 때,

$\lim_{h\to 0}\frac{f(1+kh)-f(1)}{h}=-36$을 만족시키는 상수 k의 값을 구하시오.

089

다항함수 $y=f(x)$에 대하여 $f'(1)=3$일 때,

$\lim_{h\to 0}\frac{f(1+h)-f(1-h)}{h}$의 값은?

① 2　② 3　③ 4　④ 5　⑤ 6

090

다항함수 $y=f(x)$에 대하여 $f'(1)=4$일 때,

$\lim_{x\to 1}\frac{f(x^3)-f(1)}{x-1}$의 값을 구하시오.

091

다항함수 $y=f(x)$에 대하여 $\lim_{x\to 1}\frac{f(x)-2}{x^2-1}=3$일 때,

$\frac{f'(1)}{f(1)}$의 값은?

① 3　② $\frac{7}{2}$　③ 4　④ $\frac{9}{2}$　⑤ 5

092

미분가능한 함수 f가 모든 실수 x, y에 대하여

$$f(x+y)=f(x)+f(y)+xy$$

를 만족시키고 $f'(0)=2$일 때, $f'(2)$의 값을 구하시오.

093

곡선 $f(x)=ax^2+1$ 위의 점 $(1, 3)$에서의 접선의 기울기를 구하시오. (단, a는 상수이다.)

094

그림은 열린구간 $(-1, 5)$에서 정의된 함수 $y=f(x)$의 그래프이다. 다음 설명 중 옳지 않은 것은?

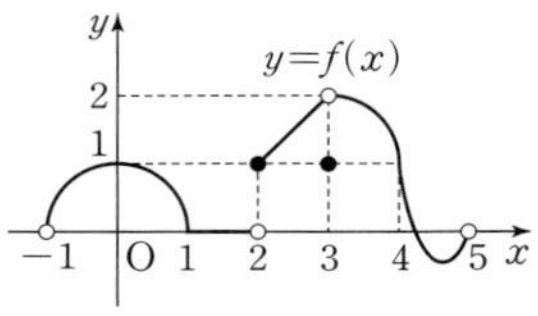

① $\lim_{x\to3}f(x)$의 값이 존재한다.

② 함수 $y=f(x)$가 미분가능하지 않은 x의 값은 3개이다.

③ $f'(4)<0$

④ $f'(x)=0$인 x의 값은 3개이다.

⑤ 함수 $y=f(x)$가 불연속인 x의 값은 2개이다.

095

함수 $f(x)=\begin{cases} -x^2+ax & (x\ge1) \\ x^2+2x+b & (x<1) \end{cases}$가 모든 실수 x에서 미분가능할 때, 두 상수 a, b에 대하여 a^2+b^2의 값을 구하시오.

096

다음 〈보기〉의 함수 중에서 $x=0$에서 미분가능하지 않은 것만을 있는 대로 고른 것은?

보 기

ㄱ. $f(x)=\begin{cases} 2x & (x\ge0) \\ -2x & (x<0) \end{cases}$ ㄴ. $f(x)=\begin{cases} \dfrac{|x|}{x} & (x\ne0) \\ 0 & (x=0) \end{cases}$

ㄷ. $f(x)=|x|x$

① ㄱ ② ㄱ, ㄴ ③ ㄷ
④ ㄴ, ㄷ ⑤ ㄱ, ㄴ, ㄷ

1등급 문제

097

서로 다른 두 정수 a, b에 대하여
함수 $f(x)=-x(x-2a)(x-2b)$에서 x의 값이 a에서 b까지 변할 때의 평균변화율을 $M(a, b)$라 하자. $M(a, b)<2$를 만족시키는 모든 순서쌍 (a, b)의 개수를 구하시오.

098

최고차항의 계수가 1인 이차함수 f에 대하여 함수

$$g(x)=\begin{cases} x^4+6 & (x\ge1) \\ f(x) & (x<1) \end{cases}$$

라 하자. 함수 $y=g(x)$가 $x=1$에서 미분가능할 때, $g(-2)$의 값을 구하시오.

04 도함수

제 목		문항 번호	문항 수	확인
기본 문제		001 ~ 060	60	
유형 문제	01. 도함수의 정의	061 ~ 062	2	
	02. 미분법의 공식	063 ~ 068	6	
	03. 곱의 미분법	069 ~ 074	6	
	04. $\lim_{h \to 0} \frac{f(a+h)-f(a)}{h}$ 꼴	075 ~ 080	6	
	05. $\lim_{x \to a} \frac{f(x)-f(a)}{x-a}$ 꼴	081 ~ 086	6	
	06. 미분계수의 정의를 이용한 미정계수의 결정	087 ~ 092	6	
	07. 접선의 기울기를 이용한 미정계수의 결정	093 ~ 095	3	
	08. 관계식이 주어진 함수의 도함수	096 ~ 098	3	
	09. 치환을 이용한 극한값 구하기	099 ~ 101	3	
	10. 함수의 미분가능성	102 ~ 107	6	
	11. 미분의 항등식에의 활용	108 ~ 110	3	
	12. 미분법의 활용-다항식의 나눗셈	111 ~ 113	3	
쌤이 시험에 꼭 내는 문제		114 ~ 125	12	

04 도함수

1 도함수

(1) 미분가능한 함수 $y=f(x)$의 정의역에 속하는 각각의 원소 x에 그 미분계수 $f'(x)$를 대응시켜 만든 새로운 함수 $f' : x \to f'(x)$를 함수 $y=f(x)$의 도함수라 하며 기호로

$$f'(x),\ y',\ \frac{dy}{dx},\ \frac{d}{dx}f(x)$$

와 같이 나타낸다. 즉,

$$f'(x)=\lim_{\Delta x \to 0}\frac{\Delta y}{\Delta x}=\lim_{\Delta x \to 0}\frac{f(x+\Delta x)-f(x)}{\Delta x}$$

참고 $f'(x)$를 Δx 대신에 h를 써서 나타내기도 한다.

➡ $f'(x)=\lim_{h \to 0}\frac{f(x+h)-f(x)}{h}$

(2) 도함수 $y=f'(x)$는 함수 $y=f(x)$의 그래프 위의 임의의 점 $(x,\ f(x))$에서의 접선의 기울기를 뜻한다.

2 함수 $y=x^n$과 상수함수의 도함수

(1) 함수 $y=x^n$ (n은 자연수)의 도함수 ➡ $y'=nx^{n-1}$

(2) 함수 $y=c$ (c는 상수)의 도함수 ➡ $y'=0$

3 실수배, 합, 차의 미분법

두 함수 f, g가 미분가능할 때,

(1) $y=cf(x)$ ➡ $y'=cf'(x)$ (단, c는 상수이다.)

(2) $y=f(x)+g(x)$ ➡ $y'=f'(x)+g'(x)$

(3) $y=f(x)-g(x)$ ➡ $y'=f'(x)-g'(x)$

4 곱의 미분법

(1) 두 함수 f, g가 미분가능할 때,

$y=f(x)g(x)$ ➡ $y'=f'(x)g(x)+f(x)g'(x)$

(2) 세 함수 f, g, h가 미분가능할 때,

$y=f(x)g(x)h(x)$

➡ $y'=f'(x)g(x)h(x)+f(x)g'(x)h(x)+f(x)g(x)h'(x)$

참고 두 함수 f, g가 미분가능할 때,

① $y=\{f(x)\}^n$ (n은 자연수) ➡ $y'=n\{f(x)\}^{n-1}f'(x)$

② $y=f(g(x))$ ➡ $y'=f'(g(x))g'(x)$

개념 플러스

미분계수와 도함수의 차이

미분가능한 함수 $y=f(x)$에 대하여 $x=a$에서의 미분계수 $f'(a)$는 도함수 $y=f'(x)$에 $x=a$를 대입하여 얻은 값이다. 즉, $f'(a)$는 하나의 '상수'이고 $y=f'(x)$는 하나의 함수이다.

예 $f(x)=x^2$에서

$f'(a)=2a$ (a는 상수),

$f'(x)=2x$ (x는 변수)

함수 $y=f(x)$의 도함수 $y=f'(x)$를 구하는 것을 함수 $y=f(x)$를 x에 대하여 미분한다고 하며, 그 계산법을 미분법이라고 한다.

세 함수 f, g, h가 미분가능할 때, $y=f(x)\pm g(x)\pm h(x)$의 도함수

⇨ $y'=f'(x)\pm g'(x)\pm h'(x)$

(복부호 동순)

$y=(ax+b)^n$ (n은 자연수)의 도함수

⇨ $y'=an(ax+b)^{n-1}$

미분과 나머지정리의 관계

(1) 이차 이상의 다항식 $f(x)$가 $(x-a)^2$으로 나누어떨어질 조건

⇨ $f(a)=0,\ f'(a)=0$

(2) 이차 이상의 다항식 $f(x)$를 $(x-a)^2$으로 나눌 때의 나머지

⇨ $f'(a)(x-a)+f(a)$

기본 문제

정답 및 해설 031쪽

1 도함수의 정의

001 다음 □ 안에 알맞은 것을 써넣으시오.

> 미분가능한 함수 $y=f(x)$의 정의역에 속하는 각각의 원소 x에 그 미분계수 $f'(x)$를 대응시키는 새로운 함수를 함수 $y=f(x)$의 □라고 한다.
> 함수 $y=f(x)$의 도함수 $y=f'(x)$는
> $$f'(x)=\lim_{\Delta x\to 0}\frac{\Delta y}{\Delta x}=\lim_{\Delta x\to 0}\frac{f(x+\square)-f(x)}{\square}$$

002 다음은 도함수의 정의를 이용하여 함수 $f(x)=2x+5$의 도함수를 구하는 과정이다. □ 안에 알맞은 것을 써넣으시오.

> $$\begin{aligned}f'(x)&=\lim_{h\to 0}\frac{f(x+h)-f(x)}{h}\\&=\lim_{h\to 0}\frac{\{2(x+h)+5\}-(2x+5)}{h}\\&=\lim_{h\to 0}\frac{\square}{h}\\&=\square\end{aligned}$$

[003-005] 도함수의 정의를 이용하여 다음 함수의 도함수를 구하시오.

003 $f(x)=x+7$

004 $f(x)=3x+5$

005 $f(x)=2$

006 다음은 도함수의 정의를 이용하여 함수 $f(x)=x^2-5x$의 도함수를 구하는 과정이다. □ 안에 알맞은 것을 써넣으시오.

> $$\begin{aligned}f'(x)&=\lim_{h\to 0}\frac{f(x+h)-f(x)}{h}\\&=\lim_{h\to 0}\frac{\{(\square)^2-5(\square)\}-(x^2-5x)}{h}\\&=\lim_{h\to 0}\frac{\square}{h}\\&=\lim_{h\to 0}(h+2x-5)\\&=\square\end{aligned}$$

007 도함수의 정의를 이용하여 함수 $f(x)=x^2-1$의 도함수를 구하시오.

[008-009] 함수 $f(x)=x^2+x$에 대하여 다음 물음에 답하시오.

008 도함수의 정의를 이용하여 함수 $y=f(x)$의 도함수 $y=f'(x)$를 구하시오.

009 008에서 구한 도함수를 이용하여 $x=3$에서의 미분계수 $f'(3)$을 구하시오.

2 함수 $y=x^n$과 상수함수의 도함수

[010-014] 다음 함수를 미분하시오.

010 $y=x^2$

011 $y=x^3$

012 $y=x^5$

013 $y=x^8$

014 $y=5$

3 함수의 실수배, 합, 차의 미분법

[015-019] 다음 함수를 미분하시오.

015 $y=-x^2$

016 $y=2x^5$

017 $y=x+2$

018 $y=2x-1$

019 $y=-3x+5$

[020-024] 다음 함수를 미분하시오.

020 $y=x^2+5$

021 $y=x^2+3x$

022 $y=x^3-2x^2$

023 $y=x^3+4x^2-3x+5$

024 $y=-\frac{1}{5}x^5+\frac{1}{3}x^3-3x$

[025-028] 다음 함수의 도함수를 이용하여 $x=1$에서의 미분계수 $f'(1)$을 구하시오.

025 $f(x)=x^2+1$

026 $f(x)=x^2+3x-2$

027 $f(x)=2x^2-5x$

028 $f(x)=x^3-2x^2+x+3$

[029-031] 다음 함수의 도함수를 이용하여 $x=-1$에서의 미분계수 $f'(-1)$을 구하시오.

029 $f(x)=3x^2+2x-1$

030 $f(x)=3x^4-2x^3+5x^2-x+1$

031 $f(x)=x^{100}+x^{99}$

[032-034] 다음 함수의 도함수를 이용하여 $x=2$에서의 미분계수 $f'(2)$를 구하시오.

032 $f(x)=-15$

033 $f(x)=4x+5$

034 $f(x)=-5x-3$

[035-039] 두 함수 f, g에 대하여 $f'(1)=2$, $g'(1)=-3$일 때, 다음 함수의 $x=1$에서의 미분계수를 구하시오.

035 $y=3f(x)$

036 $y=f(x)+g(x)$

037 $y=f(x)-g(x)$

038 $y=2f(x)-g(x)$

039 $y=3f(x)+5g(x)$

4 곱의 미분법

040 다음은 함수 $f(x)=(x+2)(2x+1)$의 도함수를 구하는 과정이다. □ 안에 알맞은 것을 써넣으시오.

$$\begin{aligned} f'(x) &= \{(x+2)(2x+1)\}' \\ &= (x+2)'(2x+1)+(x+2)(2x+1)' \\ &= \square\times(2x+1)+(x+2)\times\square \\ &= (\square)+(\square) \\ &= \square \end{aligned}$$

[041-045] 다음 함수를 미분하시오.

041 $y=x(x+2)$

042 $y=(x-2)(x+1)$

043 $y=-5x(x^2+1)$

044 $y=(x^2+2)(x-1)$

045 $y=(x+2)(x^2-3x+4)$

5 미분계수의 응용

[046-049] 함수 $f(x)=x^2+2x+5$에 대하여 다음을 구하시오.

046 $f(1)$의 값

047 함수 f의 도함수

048 $f'(1)$의 값

049 함수 $y=f(x)$의 그래프 위의 점 $(1, 8)$에서의 접선의 기울기

[050-054] 함수 $f(x)=x^3+2x-1$에 대하여 다음을 구하시오.

050 $\lim_{h\to 0}\frac{f(1+h)-f(1)}{h}$

051 $\lim_{h\to 0}\frac{f(1+3h)-f(1)}{h}$

052 $\lim_{h\to 0}\frac{f(1+h)-f(1-h)}{h}$

053 $\lim_{x\to 1}\frac{f(x)-f(1)}{x-1}$

054 $\lim_{x\to 1}\frac{f(x)-f(1)}{x^2-1}$

[055-056] $\lim_{x\to 2}\frac{f(x)-3}{x-2}=5$일 때, 다음을 구하시오.

055 $f(2)$의 값

056 $f'(2)$의 값

[057-058] $\lim_{x\to -1}\frac{f(x)}{x+1}=2$일 때, 다음을 구하시오.

057 $f(-1)$의 값

058 $f'(-1)$의 값

[059-060] $\lim_{x\to 1}\frac{x-1}{f(x)-2}=\frac{1}{3}$일 때, 다음을 구하시오.

059 $f(1)$의 값

060 $f'(1)$의 값

유형 문제

유형 01 도함수의 정의

미분가능한 함수 $y=f(x)$의 도함수는

$$f'(x)=\lim_{\Delta x\to 0}\frac{\Delta y}{\Delta x}=\lim_{\Delta x\to 0}\frac{f(x+\Delta x)-f(x)}{\Delta x}$$
$$=\lim_{h\to 0}\frac{f(x+h)-f(x)}{h}$$

061

다음은 함수 $f(x)=x^3$의 도함수를 구하는 과정이다.

$$f'(x)=\lim_{h\to 0}\frac{f(\boxed{(가)})-f(x)}{h}$$
$$=\lim_{h\to 0}\frac{(x+h)^3-x^3}{h}$$
$$=\lim_{h\to 0}\frac{(\boxed{(나)}-x)\{(x+h)^2+x(x+h)+x^2\}}{h}$$
$$=\lim_{h\to 0}\{(x+h)^2+x(x+h)+x^2\}=\boxed{(다)}$$

위의 과정에서 (가), (나), (다)에 알맞은 것을 써넣으시오.

062

다음은 미분가능한 두 함수 $y=f(x)$, $y=g(x)$에 대하여 도함수의 정의를 이용하여 함수 $y=f(x)g(x)$의 도함수를 구하는 과정이다.

$$y'=\lim_{h\to 0}\frac{f(x+h)g(x+h)-f(x)g(x)}{h}$$
$$=\lim_{h\to 0}\frac{\{\boxed{(가)}\}g(x+h)+f(x)\{g(x+h)-g(x)\}}{h}$$
$$=\lim_{h\to 0}\frac{f(x+h)-f(x)}{h}\times\boxed{(나)}$$
$$+\lim_{h\to 0}f(x)\times\lim_{h\to 0}\frac{g(x+h)-g(x)}{h}$$
$$=\boxed{(다)}$$

위의 과정에서 (가), (나), (다)에 알맞은 것을 써넣으시오.

유형 02 미분법의 공식

두 함수 f, g가 미분가능할 때

(1) $y=x^n$ (n은 자연수) ⇨ $y'=nx^{n-1}$

(2) $y=c$ (c는 상수) ⇨ $y'=0$

(3) $y=cf(x)$ ⇨ $y'=cf'(x)$ (단, c는 상수이다.)

(4) $y=f(x)\pm g(x)$ ⇨ $y'=f'(x)\pm g'(x)$ (복부호 동순)

063

함수 $f(x)=x^{10}+x^9+\cdots+x^2+x+1$에 대하여 $f'(1)$의 값은?

① 52 ② 53 ③ 54 ④ 55 ⑤ 56

064

중요

함수 $f(x)=x^3+2x^2+ax+4$에 대하여 $f'(1)=12$일 때, 상수 a의 값을 구하시오.

065

함수 $f(x)=x^2+ax+b$에 대하여 $f(2)=1$, $f'(1)=-2$일 때, $f(1)$의 값을 구하시오. (단, a, b는 상수이다.)

066

두 곡선 $y=x^3+2x$, $y=x^2+ax-3$의 $x=1$에서의 각 접선이 서로 평행할 때, 상수 a의 값을 구하시오.

067 (중요)

함수 $f(x)=2x^3+4x$에 대하여 $\sum_{k=1}^{10} f'(k)$의 값은?

① 2150 ② 2200 ③ 2250
④ 2300 ⑤ 2350

068

미분가능한 함수 $y=f(x)$에 대하여 $f(x)=x^3+3f'(1)x+2$가 성립할 때, $f(2)+f'(2)$의 값은?

① 7 ② $\frac{15}{2}$ ③ 8
④ $\frac{17}{2}$ ⑤ 9

유형 03 곱의 미분법

세 함수 f, g, h가 미분가능할 때

(1) $y=f(x)g(x)$ ⇨ $y'=f'(x)g(x)+f(x)g'(x)$

(2) $y=f(x)g(x)h(x)$

⇨ $y'=f'(x)g(x)h(x)+f(x)g'(x)h(x)+f(x)g(x)h'(x)$

참고 $y=\{f(x)\}^n$ ⇨ $y'=n\{f(x)\}^{n-1}f'(x)$ [교육과정 外]

069

함수 $f(x)=(x-1)(x^3+2x^2+8)$일 때, $f'(1)$의 값은?

① 9 ② 10 ③ 11
④ 12 ⑤ 13

070

함수 $f(x)=x(2x-1)(-2x+3)$에 대하여 $f'(2)$의 값을 구하시오.

071 (중요)

함수 $f(x)=(2x^2-a)^2$에 대하여 $f'(2)=64$일 때, 상수 a의 값은?

① 1 ② 2 ③ 3
④ 4 ⑤ 5

유형 문제

중요

072

미분가능한 함수 $y=f(x)$가 $f(1)=2$, $f'(1)=4$를 만족시킬 때, 함수 $g(x)=(x^2+x)f(x)$에 대하여 $g'(1)$의 값을 구하시오.

073

모든 실수 x에 대하여 미분가능한 함수 $y=f(x)$가 $(x+1)f(x)=x^3+x^2+x+1$을 만족시킬 때, $f'(1)$의 값을 구하시오.

074

두 함수 $y=f(x)$, $y=g(x)$는 모든 실수에서 미분가능하고 함수 $y=f(x)$의 그래프가 그림과 같다.
함수 $p(x)=f(x)g(x)$로 정의하면 $p'(-3)=8$이다. $g'(-3)$의 값은?

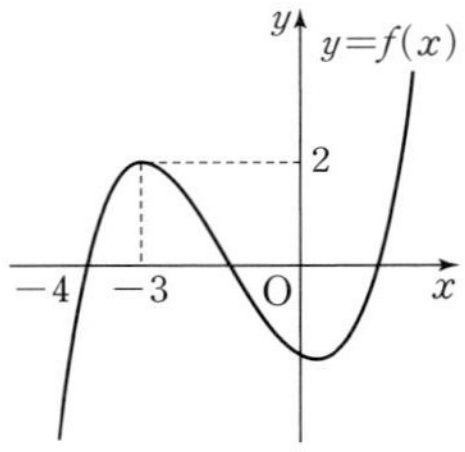

① 1 ② 2 ③ 3 ④ 4 ⑤ 5

유형 04 $\lim_{h\to 0}\frac{f(a+h)-f(a)}{h}$ 꼴

함수 $y=f(x)$에 대하여 $x=a$에서의 미분계수 $f'(a)$는

$$f'(a)=\lim_{h\to 0}\frac{f(a+h)-f(a)}{h}$$

참고 함수 $y=f(x)$에 대하여 미분계수 $f'(a)$는 $f'(x)$를 구한 후, $x=a$를 대입한다.

075

함수 $f(x)=x^2+x+1$에 대하여 $\lim_{h\to 0}\frac{f(1+2h)-f(1)}{h}$의 값은?

① 3 ② 4 ③ 5 ④ 6 ⑤ 7

076

함수 $f(x)=x^2+x-3$에 대하여 $\lim_{h\to 0}\frac{f(2+ah)-f(2)}{h}=15$를 만족시키는 상수 a가 존재할 때, $f'(a)$의 값을 구하시오.

중요

077

함수 $f(x)=(4x-3)(x^2+2)$에 대하여 $\lim_{h\to 0}\frac{f(1+h)-f(1-h)}{h}$의 값을 구하시오.

078

함수 $f(x)=(x-2)^3$에 대하여 $\lim_{h\to0}\frac{h}{f(1+2h)-f(1-2h)}$의 값을 구하시오.

079

함수 $f(x)=x^4-2x^3+5$에 대하여 $g(x)=xf(x)$라 할 때, $\lim_{h\to0}\frac{f(1+h)-g(1-h)}{2h}$의 값은?

① -1 ② 0 ③ 1
④ 2 ⑤ 3

080

중요

함수 $f(x)=2x^4-x-1$에 대하여 $\lim_{n\to\infty}nf\left(1+\frac{1}{n}\right)$의 값을 구하시오.

유형 05 $\lim_{x\to a}\frac{f(x)-f(a)}{x-a}$ 꼴

함수 $y=f(x)$에 대하여 $x=a$에서의 미분계수 $f'(a)$는

$$f'(a)=\lim_{x\to a}\frac{f(x)-f(a)}{x-a}$$

참고 $\lim_{■\to●}\frac{f(■)-f(●)}{■-●}=f'(●)$임을 이용한다.

081

중요

함수 $f(x)=2x^3+x-2$에 대하여 $\lim_{x\to1}\frac{f(x)-1}{x-1}$의 값은?

① 4 ② 5 ③ 6
④ 7 ⑤ 8

082

함수 $f(x)=x^2-x+2$에 대하여 $\lim_{x\to2}\frac{f(x)-f(2)}{x^2-4}$의 값은?

① $\frac{1}{4}$ ② $\frac{1}{2}$ ③ $\frac{3}{4}$
④ $\frac{4}{3}$ ⑤ 2

083

함수 $f(x)=(2x-15)(10-x)$에 대하여 $\lim_{x\to2}\frac{x-2}{f(x^3)-f(8)}$의 값을 구하시오.

084

함수 $f(x)=-x^3+8x+5$에 대하여

$\lim_{x\to 2}\frac{\{f(x)\}^2-\{f(2)\}^2}{2-x}$의 값을 구하시오.

중요

085

함수 $f(x)=x^2-3x+5$에 대하여 $\lim_{x\to 2}\frac{x^2f(2)-4f(x)}{x-2}$의 값은?

① 6 ② 7 ③ 8
④ 9 ⑤ 10

086

함수 $f(x)=\frac{1}{2}x^2+2x$에 대하여 $\sum_{n=1}^{5}\lim_{x\to n}\frac{f(x)-f(n)}{x-n}$의 값을 구하시오.

유형 06 미분계수의 정의를 이용한 미정계수의 결정

다항함수 $y=f(x)$에 대하여

$\lim_{x\to a}\frac{f(x)-\alpha}{x-a}=\beta$ (단, α, β는 상수이다.)

⇨ $f(a)=\alpha$, $f'(a)=\beta$

중요

087

함수 $f(x)=2x^3-ax^2+5$에 대하여 $\lim_{h\to 0}\frac{f(1-h)-f(1)}{2h}=4$를 만족시키는 상수 a의 값을 구하시오.

088

함수 $f(x)=(2x-1)(x+a)$에 대하여

$\lim_{x\to 1}\frac{f(x)-f(1)}{x^2-1}=3$일 때, 상수 a의 값은?

① 1 ② $\frac{3}{2}$ ③ 2
④ $\frac{5}{2}$ ⑤ 3

089

함수 $f(x)=x^2+ax+b$가 $f(1)=0$, $\lim_{x\to 1}\frac{f(x)-f(1)}{x-1}=3$을 만족시킬 때, 두 상수 a, b에 대하여 ab의 값을 구하시오.

정답 및 해설 035쪽

중요
090
함수 $f(x)=x^3+2ax^2+4bx$가 $\lim_{x\to 1}\frac{f(x)-3}{x-1}=3$을 만족시킬 때, 두 상수 a, b에 대하여 $b-a$의 값을 구하시오.

091
이차함수 $f(x)=x^2+ax+b$가 $\lim_{h\to 0}\frac{f(2h)}{h}=6$을 만족시킬 때, $f(1)$의 값은? (단, a, b는 상수이다.)

① 1 ② 2 ③ 3 ④ 4 ⑤ 5

092
함수 $f(x)=(x^2+x-1)(ax+b)$가

$$\lim_{x\to 2}\frac{f(x)-f(2)}{x-2}=10,\ \lim_{x\to 1}\frac{x^3-1}{f(x)-f(1)}=1$$

을 만족시킬 때, $f(3)$의 값을 구하시오.

(단, $a\neq 0$, a, b는 상수이다.)

유형 07 접선의 기울기를 이용한 미정계수의 결정

곡선 $y=f(x)$ 위의 점 $(a, f(a))$에서의 접선의 기울기는 함수 $y=f(x)$의 $x=a$에서의 미분계수 $f'(a)$와 같다.

093
삼차함수 $y=(2x+a)(x^2+1)$의 그래프 위의 $x=1$인 점에서의 접선의 기울기가 24일 때, 상수 a의 값은?

① 4 ② 6 ③ 8 ④ 10 ⑤ 12

094
함수 $f(x)=x^2+ax+2$의 그래프 위의 점 $(1, 3)$에서의 접선의 기울기가 k일 때, 두 상수 a, k에 대하여 $a+k$의 값을 구하시오.

중요
095
곡선 $y=ax^2+bx+c$가 점 $(2, 4)$를 지나고, 곡선 위의 점 $(1, 0)$에서의 접선의 기울기가 3일 때, 세 상수 a, b, c에 대하여 $a-b-c$의 값을 구하시오. (단, $a\neq 0$)

유형 08 관계식이 주어진 함수의 도함수

① 주어진 식에 $x=0$, $y=0$을 대입하여 $f(0)$의 값을 구한다.

② $f'(x)=\lim_{h\to 0}\frac{f(x+h)-f(x)}{h}$에서 $f(x+h)$에 주어진 관계식을 대입하여 $f'(x)$를 구한다.

중요

096

미분가능한 함수 f가 모든 실수 x, y에 대하여

$$f(x+y)=f(x)+f(y)-2xy$$

를 만족시키고 $f'(0)=2$일 때, $f'(x)$는?

① $f'(x)=2$　② $f'(x)=-2x+2$　③ $f'(x)=2x+2$　④ $f'(x)=-x^2+2$　⑤ $f'(x)=x^2+2$

097

미분가능한 함수 f가 모든 실수 x, y에 대하여

$$f(x+y)=f(x)+f(y)+4$$

를 만족시키고 $f'(0)=3$일 때, $\sum_{k=1}^{10} f'(k)$의 값을 구하시오.

098

미분가능한 함수 f가 모든 실수 x, y에 대하여

$$f(x+y)=f(x)+f(y)+5xy-2$$

를 만족시키고 $f'(2)=9$일 때, $f'(x)$는?

① $f'(x)=5x-9$　② $f'(x)=5x-7$　③ $f'(x)=5x-5$　④ $f'(x)=5x-3$　⑤ $f'(x)=5x-1$

유형 09 치환을 이용한 극한값 구하기

$\frac{0}{0}$ 꼴의 극한에서 분자의 차수가 분모의 차수보다 높으면

① 분자의 일부를 $f(x)$로 치환한다.

② $\lim_{x\to a}\frac{f(x)-f(a)}{x-a}=f'(a)$임을 이용한다.

099

$\lim_{x\to 1}\frac{x^{10}+x-2}{x-1}$의 값은?

① 3　② 5　③ 7　④ 9　⑤ 11

100

$\lim_{x\to 1}\frac{x^n-2x+1}{x-1}=10$을 만족시키는 자연수 n의 값은?

① 10　② 11　③ 12　④ 13　⑤ 14

중요

101

$\lim_{x\to 1}\frac{x^{10}+2x^9+a}{x-1}=b$가 성립하도록 하는 두 상수 a, b에 대하여 $a+b$의 값을 구하시오.

유형 10 함수의 미분가능성

미분가능한 두 함수 g, h에 대하여

$f(x)=\begin{cases} g(x) & (x>a) \\ h(x) & (x\le a) \end{cases}$ 가 $x=a$에서 미분가능할 때

(1) $x=a$에서 연속 ⇨ $g(a)=h(a)$

(2) $f'(a)$가 존재 ⇨ $g'(a)=h'(a)$

중요

102

함수 $f(x)=\begin{cases} ax^2 & (x\le 1) \\ 4x-b & (x>1) \end{cases}$ 가 $x=1$에서 미분가능할 때, a^2+b^2의 값은? (단, a, b는 상수이다.)

① 8　② 9　③ 10　④ 11　⑤ 12

103

함수 $f(x)=\begin{cases} ax^2-5x+2 & (x\le 1) \\ x^3-x^2+bx & (x>1) \end{cases}$ 가 모든 실수 x에 대하여 미분가능할 때, a^2+b^2의 값을 구하시오. (단, a, b는 상수이다.)

104

함수 $f(x)=\begin{cases} x^2+2x & (x<a) \\ bx-1 & (x\ge a) \end{cases}$ 이 모든 실수 x에서 미분가능할 때, 두 상수 a, b에 대하여 $a+b$의 값을 구하시오. (단, $a>0$)

중요

105

함수 $f(x)=\begin{cases} -5 & (x\le 2) \\ ax^2+bx+c & (2<x<4) \\ 4x-17 & (x\ge 4) \end{cases}$ 이 모든 실수 x에 대하여 미분가능할 때, $a^2+b^2+c^2$의 값은? (단, a, b, c는 상수이다.)

① 15　② 16　③ 17　④ 18　⑤ 19

106

함수 $f(x)=|x-2|(x+a)$가 $x=2$에서 미분가능할 때, 상수 a의 값을 구하시오.

107

$f(x)=x^3+ax^2+bx$ $(0\le x<2)$로 정의되고, $f(x+2)=f(x)$를 만족시키는 함수 $y=f(x)$가 모든 실수에서 미분가능할 때, 두 상수 a, b에 대하여 $b-a$의 값을 구하시오.

정답 및 해설 038쪽

유형 11 미분의 항등식에의 활용

(1) 모든 실수 x에 대하여 등식이 성립
⇨ x에 대한 항등식

(2) $f'(x)$를 구하여 $f(x)$와 $f'(x)$를 주어진 관계식에 대입한 후 계수비교법을 이용하여 미정계수를 구한다.

참고 $y=f(x)$가 n차 함수이면 $y=f'(x)$는 $(n-1)$차 함수이다.

108

함수 $f(x)=4x^2+x$가 모든 실수 x에 대하여

$$xf'(x)+kf(x)+x=0$$

을 만족시킬 때, 상수 k의 값은?

① -2 ② -1 ③ 0
④ 1 ⑤ 2

중요 **109**

이차함수 $y=f(x)$가 모든 실수 x에 대하여 다음 조건을 만족시킨다.

(가) $f(x)-xf'(x)=2x^2+3$
(나) $f(1)=3$

$f(3)$의 값을 구하시오.

110

다항함수 $y=f(x)$가 모든 실수 x에 대하여 $f(x)=f'(x)+3x^2$을 만족시킬 때, $f'(2)$의 값을 구하시오.

유형 12 미분법의 활용 – 다항식의 나눗셈

(1) 다항식 $f(x)$가 $(x-\alpha)^2$으로 나누어떨어질 조건
⇨ $f(\alpha)=0,\ f'(\alpha)=0$

(2) 다항식 $f(x)$를 $(x-\alpha)^2$으로 나누었을 때의 나머지
⇨ $f'(\alpha)(x-\alpha)+f(\alpha)$

중요 **111**

다항식 $x^{13}-ax+b$가 $(x-1)^2$으로 나누어떨어질 때, 두 상수 a, b에 대하여 $a+b$의 값은?

① -13 ② -12 ③ -1
④ 1 ⑤ 25

112

다항식 x^7-4x+5를 $(x-1)^2$으로 나누었을 때의 나머지는?

① $x+1$ ② $2x-1$ ③ $2x+3$
④ $3x-1$ ⑤ $3x+1$

113

다항식 $f(x)$에 대하여

$$f(-2)=2,\ f'(-2)=-3$$

이고, $f(x)$를 $(x+2)^2$으로 나누었을 때의 나머지를 $ax+b$라 할 때, 두 상수 a, b에 대하여 $a+b$의 값을 구하시오.

114

함수 $f(x)=\frac{1}{3}x^3+\frac{1}{5}x^5+\frac{1}{7}x^7+\cdots+\frac{1}{97}x^{97}$에 대하여 $f'(1)$의 값을 구하시오.

115

함수 $f(x)=(5x+3)(4x^2-4x+1)$에 대하여 $f'(0)$의 값은?

① -9 ② -7 ③ -5
④ -3 ⑤ -1

116

함수 $f(x)=x^4+6x^2+9$에 대하여 $\lim_{h\to 0}\frac{f(1+h)-f(1)}{16h}$의 값은?

① 1 ② 2 ③ 3
④ 4 ⑤ 5

117

함수 $f(x)=x^3+x-1$에 대하여 $\lim_{x\to 1}\frac{f(x^2)-1}{x-1}$의 값은?

① 7 ② 8 ③ 9
④ 10 ⑤ 11

118

다항함수 $f(x)=x^3+ax^2+bx-3$에 대하여

$$\lim_{x\to 1}\frac{f(x)-1}{x-1}=8$$

일 때, $\lim_{h\to 0}\frac{f(2+h)-f(2-h)}{h}$의 값을 구하시오.

(단, a, b는 상수이다.)

119

함수 $f(x)=x^3+ax^2+bx+c$에 대하여

$$\lim_{x\to 2}\frac{f(x)}{x-2}=8,\ \lim_{h\to 0}\frac{f(1+h)-f(1-h)}{h}=2$$

일 때, $f(1)$의 값을 구하시오. (단, a, b, c는 상수이다.)

120

$\lim_{x \to 1} \frac{x^8 - x^7 + x^6 - x^5 + x^4 - 1}{x - 1}$ 의 값은?

① 2 ② 4 ③ 6
④ 8 ⑤ 10

121

함수 $f(x) = \begin{cases} x^3 + ax^2 + bx & (x \geq 1) \\ 2x^2 + 1 & (x < 1) \end{cases}$ 이 모든 실수 x에서 미분가능할 때, 두 상수 a, b에 대하여 ab의 값을 구하시오.

122

이차함수 $y=f(x)$가 모든 실수 x에 대하여 다음 조건을 만족시킬 때, $f'(3)$의 값을 구하시오.

(가) $2 - xf'(x) + f(x) = x^2 + 3$
(나) $f'(1) = 1$

123

다항식 $x^8 - 8x + a$가 $(x-b)^2$으로 나누어떨어질 때, $a+b$의 값을 구하시오. (단, a, b는 상수이다.)

1등급 문제

124

그림과 같이 곡선 $f(x) = 2x^3 + ax^2 + bx + c$와 직선 $y=k$가 서로 다른 세 점 A, B, C에서 만난다. $\overline{AB} = 5$, $\overline{BC} = 2$일 때, 점 C에서의 접선의 기울기는? (단, a, b, c, k는 상수이다.)

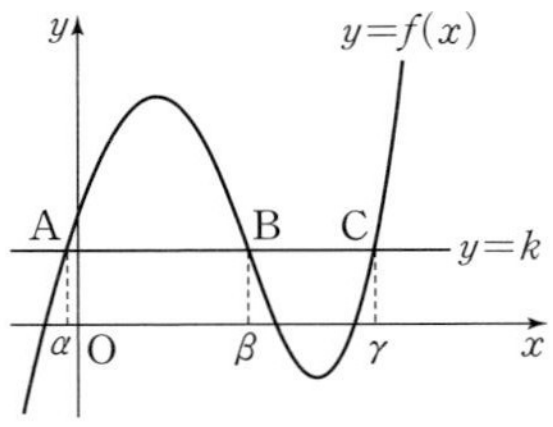

① 28 ② 29 ③ 30
④ 31 ⑤ 32

125

다항함수 $y=f(x)$가 모든 실수 x에 대하여 다음 조건을 만족시킬 때, $f(2)$의 값을 구하시오.

(가) $\frac{1}{2}(x+1)f'(x) = f(x) + 2$
(나) $f(0) = 0$

05 접선의 방정식과 평균값 정리

제 목		문항 번호	문항 수	확인
기본 문제		001～038	38	
유형 문제	01. 접선의 기울기	039～044	6	
	02. 곡선 위의 점(접점)을 알 때 접선의 방정식	045～050	6	
	03. 접선과 수직인 직선의 방정식	051～053	3	
	04. 기울기가 주어진 접선의 방정식	054～059	6	
	05. 곡선 밖의 한 점에서 그은 접선의 방정식	060～065	6	
	06. 곡선과 직선이 접할 때 미정계수의 결정	066～068	3	
	07. 두 곡선의 공통접선	069～071	3	
	08. 접선의 방정식의 활용	072～077	6	
	09. 롤의 정리	078～080	3	
	10. 평균값 정리	081～085	5	
쌤이 시험에 꼭 내는 문제		086～097	12	

05 접선의 방정식과 평균값 정리

1 접선의 기울기와 미분계수의 관계

함수 $y=f(x)$가 $x=a$에서 미분가능할 때, 곡선 $y=f(x)$ 위의 점 $\mathrm{P}(a,\ f(a))$에서의 접선의 기울기는 $x=a$에서의 미분계수 $f'(a)$와 같다.

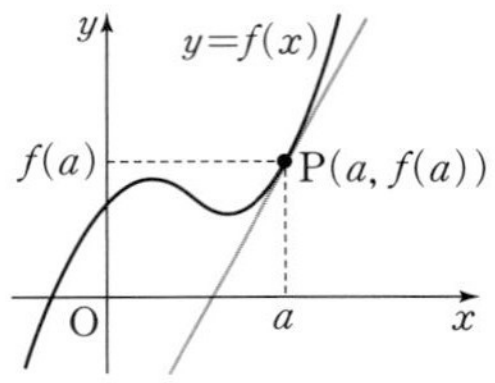

개념 플러스

- 미분가능한 함수의 그래프 위의 두 점 A, X에 대하여 점 X가 점 A에 한없이 가까이 가면, 직선 AX가 직선 AB에 한없이 가까이 간다. 이때 직선 AB를 곡선 위의 점 A에서의 접선이라고 한다.

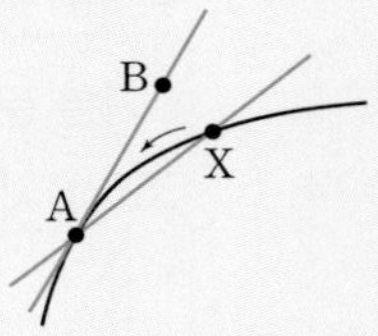

2 접선의 방정식 구하기

(1) 접점의 좌표가 주어진 접선의 방정식

곡선 $y=f(x)$ 위의 점 $(a,\ f(a))$에서의 접선의 방정식은

$$y-f(a)=f'(a)(x-a)$$

(2) 기울기가 주어진 접선의 방정식

곡선 $y=f(x)$에 접하고 기울기가 m인 접선의 방정식은

① 접점의 좌표를 $(a,\ f(a))$로 놓는다.

② $f'(a)=m$임을 이용하여 접점의 좌표를 구한다.

③ $y-f(a)=m(x-a)$를 이용하여 접선의 방정식을 구한다.

(3) 곡선 밖의 한 점에서 곡선에 그은 접선의 방정식

곡선 $y=f(x)$ 밖의 한 점 $(x_1,\ y_1)$에서 곡선에 그은 접선의 방정식은

① 접점의 좌표를 $(a,\ f(a))$로 놓는다.

② $y-f(a)=f'(a)(x-a)$에 점 $(x_1,\ y_1)$의 좌표를 대입하여 a의 값을 구한다.

③ a의 값을 $y-f(a)=f'(a)(x-a)$에 대입하여 접선의 방정식을 구한다.

- **접선과 수직인 직선의 방정식**
  곡선 $y=f(x)$ 위의 점 $(a,\ f(a))$에서의 접선에 수직인 직선의 방정식은
  $$y-f(a)=-\frac{1}{f'(a)}(x-a)$$
  (단, $f'(a)\neq0$)

- **x축에 평행한 접선의 기울기**
  곡선 $y=f(x)$ 위의 점 $(a,\ f(a))$에서의 접선이 x축에 평행하면 그 기울기는
  ⇨ $f'(a)=0$

3 롤의 정리

함수 $y=f(x)$가 닫힌구간 $[a,\ b]$에서 연속이고
열린구간 $(a,\ b)$에서 미분가능할 때, $f(a)=f(b)$이면

$$f'(c)=0$$

인 c가 열린구간 $(a,\ b)$에 적어도 하나 존재한다.

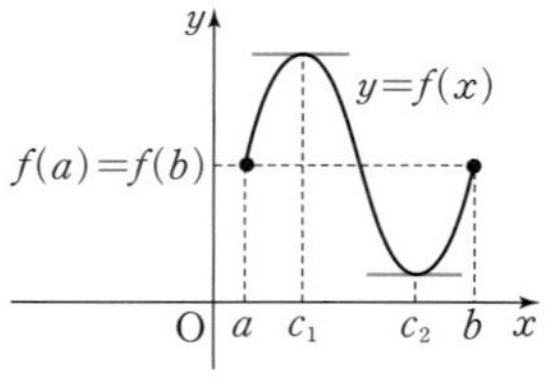

- 롤의 정리는 함수 $y=f(x)$가 미분가능하고 $f(a)=f(b)$이면 열린구간 $(a,\ b)$에서 x축과 평행한 접선이 적어도 하나 존재함을 의미한다.

4 평균값 정리

함수 $y=f(x)$가 닫힌구간 $[a,\ b]$에서 연속이고
열린구간 $(a,\ b)$에서 미분가능하면

$$\frac{f(b)-f(a)}{b-a}=f'(c)$$

인 c가 열린구간 $(a,\ b)$에 적어도 하나 존재한다.

참고 평균값 정리에서 $f(a)=f(b)$인 경우가 롤의 정리이다.

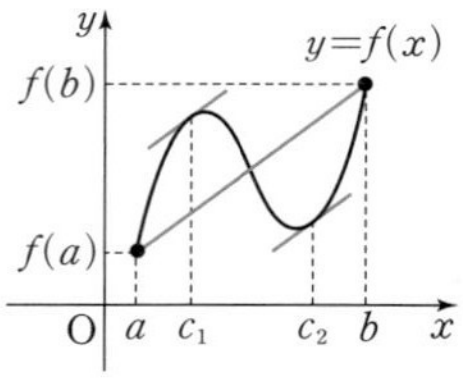

- 평균값 정리는 함수 $y=f(x)$가 미분가능하면 그래프 위의 두 점 $(a,\ f(a))$, $(b,\ f(b))$를 이은 직선과 평행한 접선이 열린구간 $(a,\ b)$에 적어도 하나 존재함을 의미한다.
- 롤의 정리와 평균값 정리는 함수 $y=f(x)$가 열린구간 $(a,\ b)$에서 미분가능하지 않으면 성립하지 않는다.

기본 문제

정답 및 해설 040쪽

1 직선의 방정식

[001-005] 다음 직선의 방정식을 구하시오.

001 기울기가 2이고 y절편이 3인 직선

002 기울기가 3이고 원점을 지나는 직선

003 기울기가 1이고 점 $(2, 3)$을 지나는 직선

004 기울기가 5이고 점 $(-2, 15)$를 지나는 직선

005 기울기가 -3이고 점 $(-1, -2)$를 지나는 직선

[006-008] 다음 두 점을 지나는 직선의 기울기를 구하시오.

006 $(0, 0)$, $(2, 8)$

007 $(3, 1)$, $(6, 7)$

008 $(1, -1)$, $(6, 4)$

[009-011] 다음 두 점을 지나는 직선의 방정식을 구하시오.

009 $(0, 0)$, $(3, 6)$

010 $(2, 1)$, $(6, 7)$

011 $(-1, -3)$, $(1, 1)$

기본 문제

2 접선의 방정식(1)

[012-014] 다음 곡선 위의 $x=1$인 점에서의 접선의 기울기를 구하시오.

012 $y=x^2+x$

013 $y=-x^2+2$

014 $y=4x^2+3x+1$

[015-017] 다음 곡선 위의 주어진 점에서의 접선의 기울기를 구하시오.

015 $y=-2x^2+5x$ $(2, 2)$

016 $y=3x^2+x-1$ $(-1, 1)$

017 $y=x^3-2x+1$ $(0, 1)$

[018-022] 다음 곡선 위의 주어진 점에서의 접선의 방정식을 구하시오.

018 $y=x^2+2$ $(2, 6)$

019 $y=-x^2+4x-3$ $(1, 0)$

020 $y=x^3$ $(-1, -1)$

021 $y=x^3+2x$ $(1, 3)$

022 $y=-x^3+2x^2-1$ $(2, -1)$

3 접선의 방정식(2)

[023-025] 다음 곡선에 접하는 직선의 기울기가 2일 때, 접점의 좌표를 구하시오.

023 $y=x^2$

024 $y=-x^2+4x-3$

025 $y=x^3-3x^2+5x-2$

026 다음은 곡선 $y=-x^2+5x$에 접하고 기울기가 3인 직선의 방정식을 구하는 과정이다. □ 안에 알맞은 것을 써넣으시오.

> $f(x)=-x^2+5x$라 하면
> $f'(x)=-2x+5$
> 접점의 좌표를 $(a, -a^2+5a)$라 하면
> 접선의 기울기가 3이므로
> $f'(a)=$ □ $=3$ $\quad\therefore a=1$
> 따라서 접점의 좌표가 □이므로
> 구하는 접선의 방정식은
> $y-$□$=3(x-$□$)$
> $\therefore y=$ □

[027-029] 다음 곡선에 접하고 기울기가 m인 접선의 방정식을 구하시오.

027 $y=x^2-x-4$, $m=3$

028 $y=-2x^2+x$, $m=5$

029 $y=x^3-x-1$, $m=2$

[030-031] 다음 직선의 방정식을 구하시오.

030 곡선 $y=x^2+4x$에 접하고 직선 $y=2x+3$과 평행한 직선

031 곡선 $y=x^2-2x-3$에 접하고 x축에 평행한 직선

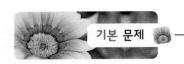

4 접선의 방정식(3)

032 다음은 점 $(3,\ -2)$에서 곡선 $y=x^2-5x+5$에 그은 접선의 방정식을 구하는 과정이다. □ 안에 알맞은 것을 써넣으시오.

> $f(x)=x^2-5x+5$라 하면
> $f'(x)=2x-5$
> 접점의 좌표를 $(a,\ a^2-5a+5)$라 하면 접선의 기울기는
> $f'(a)=2a-5$이므로 접선의 방정식은
> $y-(\square)=(\square)(x-\square)$
> $\therefore y=(2a-5)x-a^2+5$ ……㉠
> 이 직선이 점 □를 지나므로
> $-2=3(2a-5)-a^2+5$
> $a^2-6a+8=0,\ (a-2)(a-4)=0$
> $\therefore a=2$ 또는 $a=4$
> 이것을 ㉠에 대입하면 구하는 접선의 방정식은
> $y=\square$ 또는 $y=\square$

5 롤의 정리

033 다음은 '롤의 정리'를 설명한 내용이다. □ 안에 알맞은 수를 써넣으시오.

> 함수 $y=f(x)$가 닫힌구간 $[a,\ b]$에서 연속이고 열린구간 $(a,\ b)$에서 미분가능할 때, $f(a)=f(b)$이면
> $f'(c)=\square$
> 인 c가 열린구간 $(a,\ b)$에 적어도 하나 존재한다.

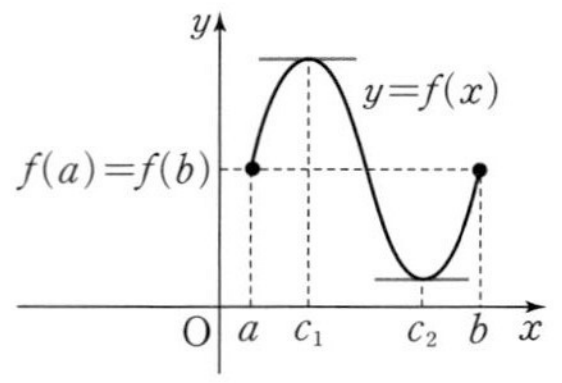

[034-035] 다음 함수에 대하여 주어진 구간에서 롤의 정리를 만족시키는 실수 c의 값을 구하시오.

034 $f(x)=x^2-x\quad[0,\ 1]$

035 $f(x)=x^2-2x-4\quad[-1,\ 3]$

6 평균값 정리

036 다음은 '평균값 정리'를 설명한 내용이다. □ 안에 알맞은 것을 써넣으시오.

> 함수 $y=f(x)$가 닫힌구간 $[a,\ b]$에서 연속이고 열린구간 $(a,\ b)$에서 미분가능하면
> $\dfrac{f(b)-f(a)}{b-a}=\square$
> 인 c가 열린구간 $(a,\ b)$에 적어도 하나 존재한다.
> 이때 평균값 정리에서 $f(a)=f(b)$인 경우가 롤의 정리이다.

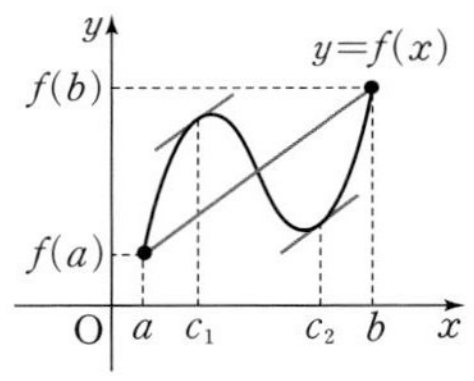

[037-038] 다음 함수에 대하여 주어진 구간에서 평균값 정리를 만족시키는 실수 c의 값을 구하시오.

037 $f(x)=x^2-4x+1\quad[0,\ 2]$

038 $f(x)=-x^2+5x\quad[1,\ 3]$

유형 문제

정답 및 해설 043쪽

유형 01 접선의 기울기

함수 $y=f(x)$가 $x=a$에서 미분가능할 때, 곡선 $y=f(x)$ 위의 점 $(a, f(a))$에서의 접선의 기울기는 $x=a$에서의 미분계수 $f'(a)$와 같다.

중요

039

곡선 $y=x^2+ax+b$가 점 $(1, 3)$을 지나고, 이 점에서의 접선의 기울기가 -2일 때, 두 상수 a, b에 대하여 ab의 값은?

① -24　② -20　③ -16　④ -12　⑤ -8

040

곡선 $y=x^4-3x^2+1$ 위의 점 $(1, -1)$에서의 접선이 직선 $ax+y-3=0$과 서로 평행할 때, 상수 a의 값을 구하시오.

041

곡선 $y=\frac{1}{3}x^3-ax^2+1$ 위의 $x=-1$인 점에서의 접선과 $x=3$인 점에서의 접선이 서로 평행할 때, 상수 a의 값을 구하시오.

042

곡선 $y=x^2-ax+5$ 위의 $x=1$인 점에서의 접선과 $x=2$인 점에서의 접선이 서로 수직일 때, 상수 a의 값을 구하시오.

043

곡선 $y=f(x)$와 직선 $y=4x+3$이 점 $(2, 11)$에서 접할 때, $\lim_{h\to0}\frac{f(2+h)-f(2-h)}{h}$의 값은?

① -2　② 0　③ 2　④ 4　⑤ 8

044

곡선 $y=x^3-6x^2+6x$에 접하는 직선의 기울기가 최소일 때, 그 접점의 좌표는?

① $(-2, -8)$　② $(-2, -4)$　③ $(2, -8)$　④ $(2, -4)$　⑤ $(4, -2)$

유형 02 곡선 위의 점(접점)을 알 때 접선의 방정식

곡선 $y=f(x)$ 위의 점 $(a,\ f(a))$가 주어질 때
① 접선의 기울기 $f'(a)$를 구한다.
② $y-f(a)=f'(a)(x-a)$를 이용하여 접선의 방정식을 구한다.

045

곡선 $y=x^3$ 위의 점 $(1,\ 1)$에서의 접선의 방정식이 $y=ax+b$일 때, ab의 값은? (단, a, b는 상수이다.)

① -6 ② -2 ③ 2
④ 6 ⑤ 10

046

중요

곡선 $y=(x^2+1)(x-3)$ 위의 $x=3$인 점에서의 접선이 점 $(2,\ a)$를 지날 때, a의 값을 구하시오.

047

곡선 $y=x^3+2x+7$ 위의 점 $\mathrm{P}(-1,\ 4)$에서의 접선이 점 P가 아닌 점 $(a,\ b)$에서 곡선과 만날 때, $a+b$의 값을 구하시오.

048

삼차함수 $f(x)=x^3+ax^2+9x+3$의 그래프 위의 점 $(1,\ f(1))$에서의 접선의 방정식이 $y=2x+b$일 때, $a+b$의 값을 구하시오. (단, a, b는 상수이다.)

049

중요

다항함수 $y=f(x)$에 대하여 $\lim_{x\to 1}\frac{f(x)-2}{x-1}=3$을 만족시킬 때, 곡선 $y=f(x)$ 위의 점 $(1,\ f(1))$에서의 접선의 방정식은?

① $y=2x-1$ ② $y=2x+1$ ③ $y=3x-2$
④ $y=3x-1$ ⑤ $y=3x+1$

050

곡선 $y=f(x)$ 위의 점 $(1,\ -1)$에서의 접선의 방정식이 $y=-1$일 때, 곡선 $y=x^2f(x)$ 위의 $x=1$인 점에서의 접선의 방정식은 $y=mx+n$이다. 두 상수 m, n에 대하여 $m+n$의 값을 구하시오.

유형 03 접선과 수직인 직선의 방정식

곡선 $y=f(x)$ 위의 점 $(a, f(a))$를 지나고 이 점에서의 접선과 수직인 직선의 방정식은

$$y-f(a)=-\frac{1}{f'(a)}(x-a)\ (\text{단, } f'(a)\neq 0)$$

참고 곡선 위의 한 점을 지나고 그 점에서의 접선에 수직인 직선을 법선이라고 한다.

중요
051
곡선 $y=x^2-3x-1$ 위의 점 $(2,\ -3)$을 지나고, 이 점에서의 접선에 수직인 직선의 방정식을 $y=ax+b$라 하자. 두 상수 a, b에 대하여 $a+b$의 값은?

① -3　② -2　③ -1
④ 0　⑤ 1

052
곡선 $y=x^3-x^2+k$ 위의 $x=1$인 점을 지나고 이 점에서의 접선에 수직인 직선의 y절편이 3일 때, 상수 k의 값을 구하시오.

053
곡선 $y=x^3-3x^2+x+1$ 위의 서로 다른 두 점 A, B에서의 접선이 서로 평행하다. 점 A의 x좌표가 3일 때, 점 B에서의 접선에 수직인 직선이 점 $(9, a)$를 지난다. a의 값을 구하시오.

유형 04 기울기가 주어진 접선의 방정식

곡선 $y=f(x)$의 접선의 기울기 m이 주어질 때
① 접점의 좌표를 $(a,\ f(a))$로 놓는다.
② $f'(a)=m$임을 이용하여 접점의 좌표를 구한다.
③ $y-f(a)=m(x-a)$를 이용하여 접선의 방정식을 구한다.

054
곡선 $y=3x^2-4x-2$에 접하고 기울기가 2인 접선의 방정식을 $y=2x+k$라 할 때, 상수 k의 값을 구하시오.

중요
055
직선 $y=3x+5$에 평행하고 곡선 $y=x^2+x$에 접하는 직선의 y절편은?

① -2　② -1　③ 0
④ 1　⑤ 2

056
곡선 $y=2x^2-x+3$에 접하고 직선 $x+3y+1=0$에 수직인 직선이 x축과 만나는 점의 좌표가 $(\alpha, 0)$일 때, 3α의 값을 구하시오.

057

곡선 $y=x^3-3x^2-8x+1$에 접하고 기울기가 1인 직선은 2개이다. 이 두 접선의 방정식을 각각 $y=x+a$, $y=x+b$라 할 때, 두 상수 a, b에 대하여 $a-b$의 값을 구하시오. (단, $a>b$)

중요
058

곡선 $y=x^3-x+2$의 접선 중에서 직선 $y=2x-1$과 평행한 접선은 2개이다. 이 두 접선 사이의 거리는?

① $\frac{\sqrt{5}}{5}$ ② $\frac{2\sqrt{5}}{5}$ ③ $\frac{4\sqrt{5}}{5}$
④ $\frac{2\sqrt{3}}{3}$ ⑤ $\frac{4\sqrt{3}}{3}$

059

곡선 $y=x^3-3x^2+4x+1$ 위의 점 $\mathrm{P}(x, y)$에서의 접선의 기울기가 최소일 때, 접선의 방정식을 구하시오.

유형 05 곡선 밖의 한 점에서 그은 접선의 방정식

곡선 $y=f(x)$ 밖의 한 점 (x_1, y_1)이 주어질 때
① 접점의 좌표를 $(a, f(a))$로 놓는다.
② $y-f(a)=f'(a)(x-a)$에 점 (x_1, y_1)의 좌표를 대입하여 a의 값을 구한다.
③ a의 값을 $y-f(a)=f'(a)(x-a)$에 대입하여 접선의 방정식을 구한다.

참고 곡선 위의 점에서는 접선이 1개 존재하지만 곡선 밖의 점에서는 곡선에 접선을 2개 이상 그을 수 있다.

중요
060

점 $(1, -1)$에서 곡선 $y=x^2-x$에 그은 접선의 방정식을 모두 구하면?

① $y=-x$, $y=3x-4$ ② $y=-x$, $y=3x+1$
③ $y=-x$, $y=3x+4$ ④ $y=x$, $y=3x-4$
⑤ $y=x$, $y=3x+4$

061

점 $(-1, -3)$에서 곡선 $y=x^2+2x$에 그은 두 접선의 기울기가 각각 m_1, m_2일 때, m_1m_2의 값을 구하시오.

062

점 $(0, -2)$에서 곡선 $y=x^3$에 그은 접선이 점 $(3, k)$를 지날 때, k의 값을 구하시오.

중요
063
점 $(0, 2)$를 지나는 직선이 곡선 $y=x^3-2x$에 접할 때, 이 접선과 원점 사이의 거리는?

① $\frac{\sqrt{2}}{2}$　② 1　③ $\sqrt{2}$
④ $\sqrt{3}$　⑤ 2

064
그림은 삼차함수 $f(x)=x^3-3x^2+3x$의 그래프이다. 원점을 지나고 곡선 $y=f(x)$에 접하는 두 직선이 곡선과 만나는 점을 각각 A, B라 할 때, 두 점 A, B의 x좌표의 합을 구하시오.

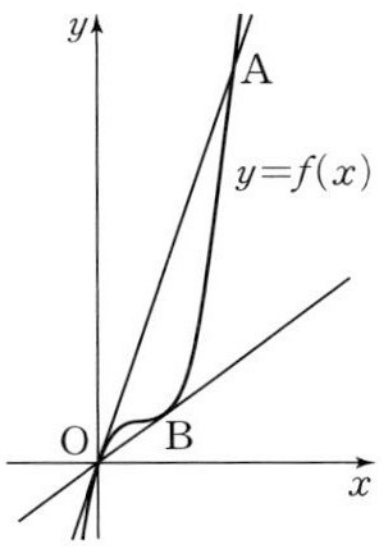

065
점 $(2, 0)$에서 곡선 $y=x^3-3x+1$에 그을 수 있는 접선이 3개일 때, 세 접점의 x좌표의 합을 구하시오.

유형 06 곡선과 직선이 접할 때 미정계수의 결정

① 접점의 좌표를 $(t, f(t))$로 놓고 접선의 방정식을 구한다.
② (주어진 직선의 방정식)=(구한 접선의 방정식)임을 이용한다.
(i) 접선과 직선의 기울기가 서로 같다.
(ii) 접선과 직선의 y절편이 서로 같다.

066
곡선 $y=x^2-6x+a$와 직선 $y=-4x+3$이 접할 때, 상수 a의 값은?

① 1　② 2　③ 3
④ 4　⑤ 5

중요
067
곡선 $y=2x^3-x+a$가 직선 $y=5x+b$에 접할 때, 두 상수 a, b에 대하여 $|a-b|$의 값을 구하시오.

068
곡선 $y=2x^2+1$ 위의 점 $(-1, 3)$에서의 접선이 곡선 $y=2x^3-ax+3$에 접할 때, 상수 a의 값을 구하시오.

유형 07 두 곡선의 공통접선

두 곡선 $y=f(x)$, $y=g(x)$가 점 (a, b)에서 공통접선을 가지면
(i) $x=a$인 점에서 두 곡선이 만난다.
$\Longleftrightarrow f(a)=g(a)=b$
(ii) $x=a$인 점에서의 두 곡선의 접선의 기울기가 같다.
$\Longleftrightarrow f'(a)=g'(a)$

069

두 곡선 $y=-x^3+4$, $y=x^2+ax+2b$가 점 $(1, 3)$에서 공통접선을 가질 때, 두 상수 a, b에 대하여 $a+b$의 값을 구하시오.

중요

070

두 곡선 $y=2x^3+3$, $y=3x^2+2$가 접할 때, 그 접점에서의 접선의 방정식은?

① $y=-6x-1$ ② $y=-6x+1$ ③ $y=6x-1$
④ $y=6x$ ⑤ $y=6x+1$

071

두 곡선 $y=x^3+ax-1$과 $y=x^2-2$가 한 점에서 접할 때, 상수 a의 값을 구하시오.

유형 08 접선의 방정식의 활용

곡선 위의 점과 직선 사이의 최단 거리
① 주어진 직선과 평행한 곡선의 접선의 방정식을 구한다.
② 접선 위의 한 점과 직선 또는 직선 위의 한 점과 접선 사이의 거리가 구하는 최단 거리이다.

072

곡선 $y=x^2-4x+5$ 위의 점 $(1, 2)$에서의 접선과 x축 및 y축으로 둘러싸인 도형의 넓이를 구하시오.

073

그림과 같이 곡선 $y=x^3-2x+1$ 위의 점 $P(1, 0)$에서의 접선이 y축과 만나는 점을 Q, 이 곡선과 다시 만나는 점을 R라 할 때, $\dfrac{\overline{PQ}}{\overline{QR}}$의 값을 구하시오.

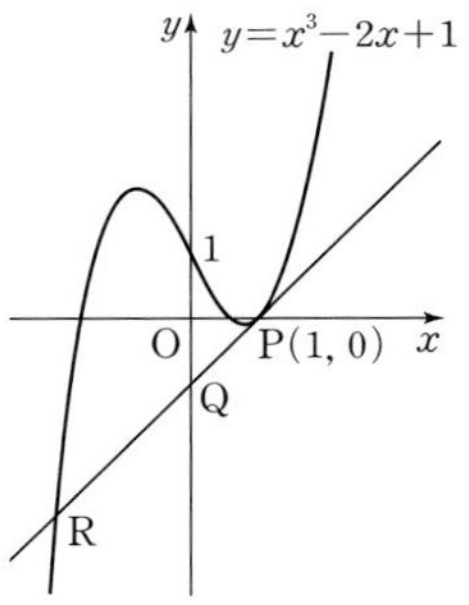

074

곡선 $y=x^2-2x+5$와 직선 $y=2x-1$ 사이의 최단 거리는?

① $\dfrac{\sqrt{3}}{5}$ ② $\dfrac{2\sqrt{3}}{5}$ ③ $\dfrac{\sqrt{5}}{5}$
④ $\dfrac{2\sqrt{5}}{5}$ ⑤ $\dfrac{4\sqrt{5}}{5}$

중요
075
그림과 같이 곡선 $y=x^2+3x+3$ 위의 임의의 점 P와 직선 $y=x$ 위의 두 점 A(1, 1), B(2, 2)에 대하여 삼각형 ABP의 넓이의 최솟값을 구하시오.

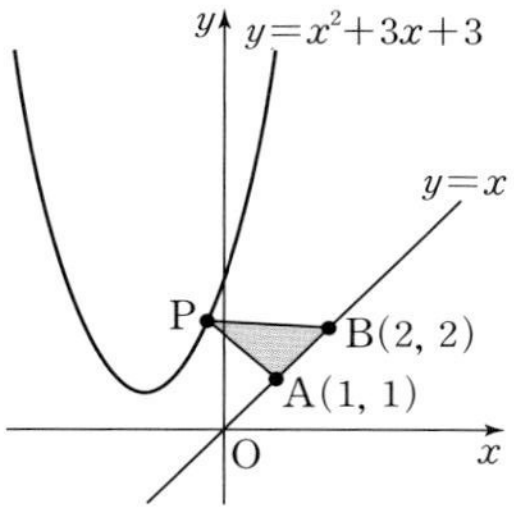

076
그림과 같이 곡선 $y=x^2$ 위를 움직이는 점 $P(t, t^2)$이 있다. 점 P를 지나고 점 P에서의 접선에 수직인 직선이 y축과 만나는 점을 $Q(0, f(t))$라 할 때, $\lim_{t \to 0} f(t)$의 값을 구하시오.

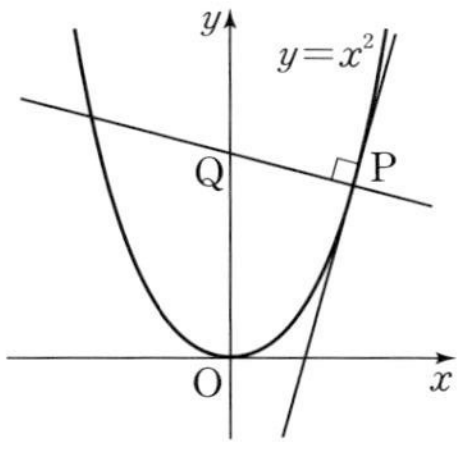

077
곡선 $y=x^3-x^2+1$ 위의 점 P(1, 1)에서 접하고, 중심이 x축 위에 있는 원의 넓이는?

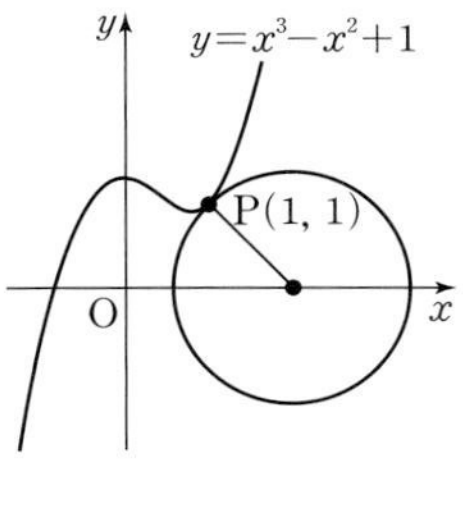

① $\frac{\pi}{2}$　② π　③ 2π　④ 3π　⑤ 4π

유형 09 롤의 정리

함수 $y=f(x)$가 닫힌구간 $[a, b]$에서 연속이고 열린구간 (a, b)에서 미분가능할 때, $f(a)=f(b)$이면

$f'(c)=0$

인 c가 열린구간 (a, b)에 적어도 하나 존재한다.

078
함수 $f(x)=x^2-6x$에 대하여 닫힌구간 [1, 5]에서 롤의 정리를 만족시키는 실수 c의 값은?

① $\frac{3}{2}$　② 2　③ $\frac{5}{2}$　④ 3　⑤ 4

079
함수 $f(x)=x^3-x+5$에 대하여 닫힌구간 [−1, 1]에서 롤의 정리를 만족시키는 실수 c의 개수를 구하시오.

중요
080
함수 $f(x)=-2x^2+kx$에 대하여 닫힌구간 [1, 4]에서 롤의 정리를 만족시키는 실수 c의 값이 $\frac{5}{2}$일 때, 상수 k의 값을 구하시오.

정답 및 해설 048쪽

유형 10 평균값 정리

함수 $y=f(x)$가 닫힌구간 $[a, b]$에서 연속이고 열린구간 (a, b)에서 미분가능하면

$$\frac{f(b)-f(a)}{b-a}=f'(c)$$

인 c가 열린구간 (a, b)에 적어도 하나 존재한다.

081

함수 $f(x)=x^2$에 대하여 닫힌구간 $[1, 3]$에서 평균값 정리를 만족시키는 실수 c의 값은?

① 1　② 2　③ 3　④ 4　⑤ 5

082

중요

함수 $f(x)=-x^2+3x+1$에 대하여 닫힌구간 $[1, k]$에서 평균값 정리를 만족시키는 실수 c의 값이 3일 때, k의 값을 구하시오.

(단, $k>3$)

083

함수 $y=f(x)$의 그래프가 그림과 같을 때, 닫힌구간 $[-1, 5]$에서 평균값 정리를 만족시키는 실수 c의 개수를 구하시오.

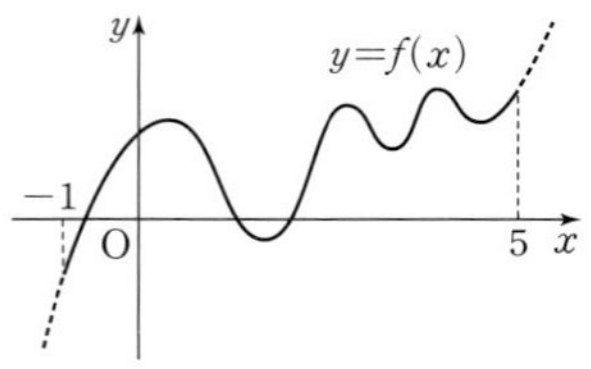

084

다음 〈보기〉의 함수 중에서 $\frac{f(1)-f(-1)}{2}=f'(c)$인 c가 열린구간 $(-1, 1)$에 존재하는 것만을 있는 대로 고른 것은?

보기

ㄱ.

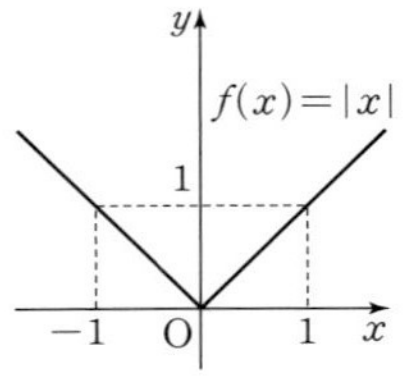

ㄴ.

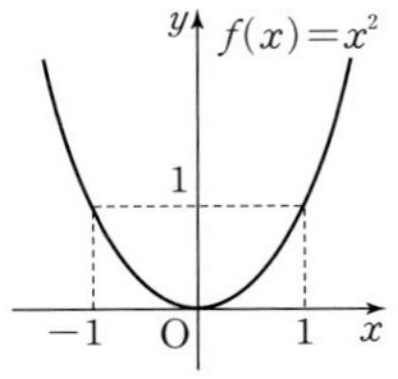

ㄷ.

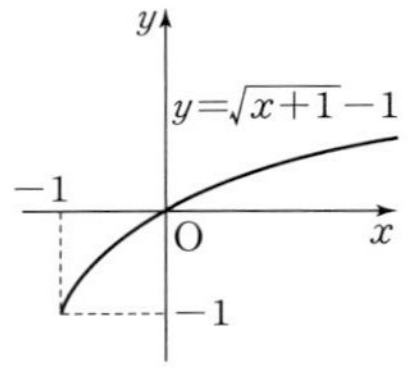

① ㄱ　② ㄴ　③ ㄷ　④ ㄱ, ㄷ　⑤ ㄴ, ㄷ

085

함수 $f(x)=x^3+x$에 대하여 닫힌구간 $[1, k]$에서 $f(k)=f(1)+(k-1)f'(c)$ $(1<c<k)$를 만족시키는 c의 값이 $\sqrt{7}$일 때, 실수 k의 값은?

① 1　② 2　③ 3　④ 4　⑤ 5

086

곡선 $y=2x^2-x+3$에서 기울기가 3인 접선을 그을 때, 접점의 좌표를 (a, b)라 하면 $a+b$의 값을 구하시오.

087

곡선 $y=x^3+ax+b$ 위의 점 $(1, 4)$에서의 접선의 방정식이 $y=4x$일 때, 두 상수 a, b에 대하여 ab의 값을 구하시오.

088

곡선 $y=x^3-2x$ 위의 점 $(1, -1)$을 지나고 이 점에서의 접선에 수직인 직선의 방정식을 $y=mx+n$이라 할 때, 두 상수 m, n에 대하여 $m-n$의 값은?

① -5　② -4　③ -3
④ -2　⑤ -1

089

$x>0$에서 곡선 $y=-x^3+2x+1$이 직선 $y=-x+k$에 접할 때, 상수 k의 값을 구하시오.

090

점 $(0, 2)$에서 곡선 $y=x^3+4$에 그은 접선의 방정식을 $y=ax+b$라 할 때, 두 상수 a, b에 대하여 ab의 값은?

① 5　② 6　③ 7
④ 8　⑤ 9

091

직선 $y=ax-1$이 곡선 $y=-x^3+1$에 접할 때, 상수 a의 값을 구하시오.

092

두 곡선 $f(x)=x^3+ax^2+bx$, $g(x)=x^2+cx$가 점 $(1,\ 0)$에서 접할 때, 세 상수 a, b, c에 대하여 $a-b-c$의 값을 구하시오.

093

그림과 같이 점 $\mathrm{A}(2,\ -2)$에서 곡선 $y=x^2+3$에 그은 두 접선의 접점을 각각 B, C라 할 때, 삼각형 ABC의 넓이를 구하시오.

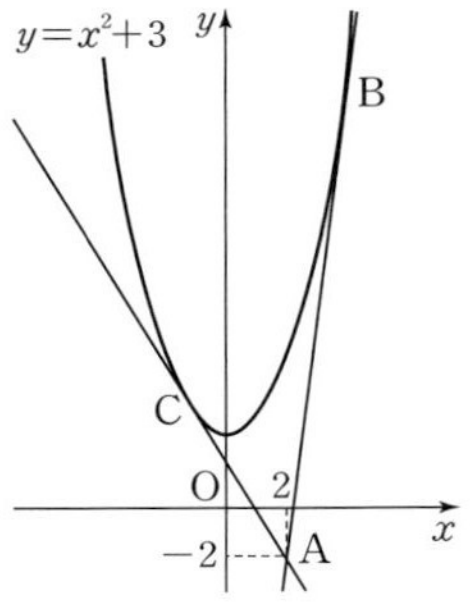

094

함수 $f(x)=-2x^2+14x+3$에 대하여 닫힌구간 $[0,\ 7]$에서 롤의 정리를 만족시키는 실수 c의 값은?

① 2　　② $\frac{7}{2}$　　③ 4　　④ $\frac{9}{2}$　　⑤ 5

095

함수 $f(x)=x^3-5x^2+8x-4$에 대하여 닫힌구간 $[0,\ 3]$에서 $f(3)-f(0)=3f'(c)$를 만족시키는 모든 실수 c의 값의 곱을 구하시오.

1등급 문제

096

삼차항의 계수가 1인 삼차다항식 $f(x)$가 $f(-2)=f(0)=f(2)=5$를 만족시킬 때, 곡선 $y=f(x)$ 위의 점 $(2,\ f(2))$에서의 접선의 방정식을 구하시오.

097

곡선 $y=x^3$ 위의 점 $\mathrm{P}(t,\ t^3)$에서의 접선과 원점 사이의 거리를 $f(t)$라 하자. $\lim_{t\to\infty}\frac{f(t)}{t}=\alpha$일 때, 상수 α에 대하여 30α의 값을 구하시오.

06 증가 · 감소와 극대 · 극소

제 목		문항 번호	문항 수	확인
기본 문제		001～045	45	
유형 문제	01. 함수의 증가와 감소	046～050	5	
	02. 실수 전체의 구간에서 함수의 증가와 감소의 조건	051～053	3	
	03. 주어진 구간에서 함수의 증가와 감소의 조건	054～056	3	
	04. 함수의 극대와 극소	057～059	3	
	05. 극대 · 극소를 이용한 미정계수의 결정	060～065	6	
	06. 극대 · 극소의 활용	066～068	3	
	07. 삼차함수가 극값을 가질 조건	069～074	6	
	08. 사차함수가 극값을 가질 조건	075～077	3	
	09. 함수 $y=f(x)$의 그래프의 해석	078～079	2	
	10. 도함수의 그래프와 함수의 극값	080～083	4	
	11. 도함수의 그래프를 이용한 함수의 추론	084～087	4	
	12. 함수의 최댓값과 최솟값	088～093	6	
	13. 최대 · 최소의 활용	094～099	6	
쌤이 시험에 꼭 내는 문제		100～111	12	

06 증가 · 감소와 극대 · 극소

1 함수의 증가와 감소

함수 $y=f(x)$가 어떤 구간에 속하는 임의의 두 실수 x_1, x_2에 대하여

(1) $x_1<x_2$일 때, $f(x_1)<f(x_2)$이면 $y=f(x)$는 이 구간에서 증가한다고 한다.

(2) $x_1<x_2$일 때, $f(x_1)>f(x_2)$이면 $y=f(x)$는 이 구간에서 감소한다고 한다.

2 함수의 증가와 감소의 판정

함수 $y=f(x)$가 어떤 구간에서 미분가능하고, 이 구간의 모든 x에 대하여

(1) $f'(x)>0$이면 $y=f(x)$는 이 구간에서 증가한다.

(2) $f'(x)<0$이면 $y=f(x)$는 이 구간에서 감소한다.

참고 위의 역은 성립하지 않는다. 함수 $f(x)=x^3$은 구간 $(-\infty, \infty)$에서 증가하지만 $f'(x)=3x^2$에서 $f'(0)=0$이다.

3 함수의 극대와 극소

함수 $y=f(x)$가 $x=a$를 포함하는 어떤 열린구간에 속하는 모든 x에 대하여

(1) $f(x)\le f(a)$ ➡ $x=a$에서 극대, $f(a)$는 극댓값

(2) $f(x)\ge f(a)$ ➡ $x=a$에서 극소, $f(a)$는 극솟값

이때 극댓값과 극솟값을 통틀어 극값이라고 한다.

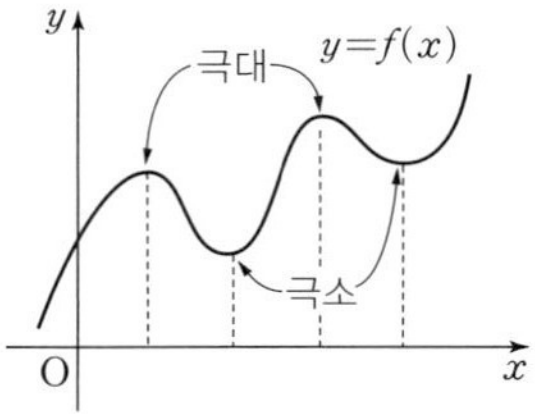

4 함수의 극대와 극소의 판정

미분가능한 함수 $y=f(x)$에 대하여 $f'(a)=0$이고, $x=a$의 좌우에서 $f'(x)$의 부호가

(1) [양 ➡ 음]으로 바뀌면 $y=f(x)$는 $x=a$에서 극대이다.

(2) [음 ➡ 양]으로 바뀌면 $y=f(x)$는 $x=a$에서 극소이다.

5 함수의 최대와 최소

함수 $y=f(x)$가 닫힌구간 $[a, b]$에서 연속일 때, 최댓값과 최솟값은 다음과 같이 구한다.

① 주어진 구간에서 함수 $y=f(x)$의 극댓값과 극솟값을 모두 구한다.

② 주어진 구간의 양 끝의 함숫값 $f(a)$, $f(b)$를 구한다.

③ 극댓값, 극솟값, $f(a)$, $f(b)$의 크기를 비교하여 가장 큰 값이 최댓값이고, 가장 작은 값이 최솟값이다.

개념 플러스

- 함수 $y=f(x)$가 어떤 구간에서 미분가능하고, 이 구간에서
  ① $y=f(x)$가 증가하면 ⇨ $f'(x)\ge 0$
  ② $y=f(x)$가 감소하면 ⇨ $f'(x)\le 0$
- 일차 이상의 다항함수는 임의의 x에 대하여 $f'(x)\ge 0$을 만족시키면 증가한다고 할 수 있다.

예

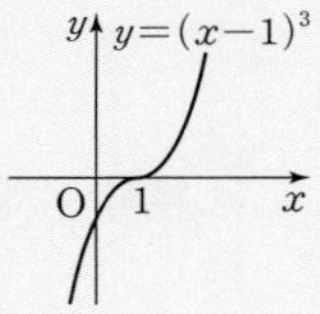

- 극댓값이 극솟값보다 작은 경우도 있다.
- 함수 $y=f(x)$가 $x=a$에서 미분가능하고 $x=a$에서 극값을 가지면 $f'(a)=0$이다.
- $f'(a)=0$이어도 $x=a$의 좌우에서 $f'(x)$의 부호가 바뀌지 않으면 $f(a)$의 값은 극값이 아니다.
- **최대 · 최소 정리**
  함수 $y=f(x)$가 닫힌구간 $[a, b]$에서 연속이면 $y=f(x)$는 이 구간에서 반드시 최댓값과 최솟값을 갖는다.

기본 문제

정답 및 해설 050쪽

1 함수의 증가와 감소

[001-002] 함수 $y=f(x)$의 그래프가 그림과 같을 때, 다음을 구하시오.

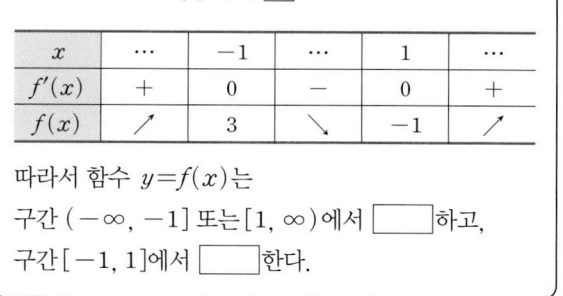

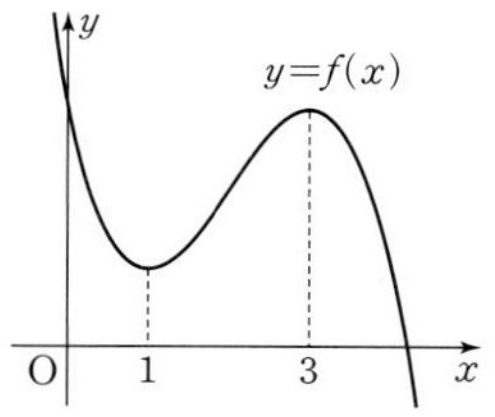

001 증가하는 구간

002 감소하는 구간

[003-006] 주어진 구간에서 다음 함수의 증가, 감소를 조사하시오.

003 $f(x)=x^2$ $[0, \infty)$

004 $f(x)=-x^2$ $[0, \infty)$

005 $f(x)=x^3$ $(-\infty, \infty)$

006 $f(x)=-x^3$ $(-\infty, \infty)$

007 다음은 함수 $f(x)=x^3-3x+1$의 증가, 감소를 조사하는 과정이다. □ 안에 알맞은 것을 써넣으시오.

$f'(x)=3x^2-3=3(x+1)(x-1)$이므로

$f'(x)=0$에서 $x=-1$ 또는 $x=1$

$x<-1$ 또는 $x>1$일 때, $f'(x)$ □ 0

$-1<x<1$일 때, $f'(x)$ □ 0

x	$\cdots$	-1	$\cdots$	1	$\cdots$
$f'(x)$	$+$	0	$-$	0	$+$
$f(x)$	↗	3	↘	-1	↗

따라서 함수 $y=f(x)$는

구간 $(-\infty, -1]$ 또는 $[1, \infty)$에서 □하고,

구간 $[-1, 1]$에서 □한다.

[008-012] 다음 함수가 증가하는 구간과 감소하는 구간을 구하시오.

008 $f(x)=3x+1$

009 $f(x)=x^2-2x+5$

010 $f(x)=-x^2+6x+3$

011 $f(x)=x^3-3x^2+1$

012 $f(x)=-x^3+6x^2+2$

기본 문제

[013-016] 그림은 함수 $y=f(x)$의 그래프의 개형이다. □ 안에 알맞은 x의 값을 구하시오.

013 $f(x)=x^3-3x^2-9x+1$

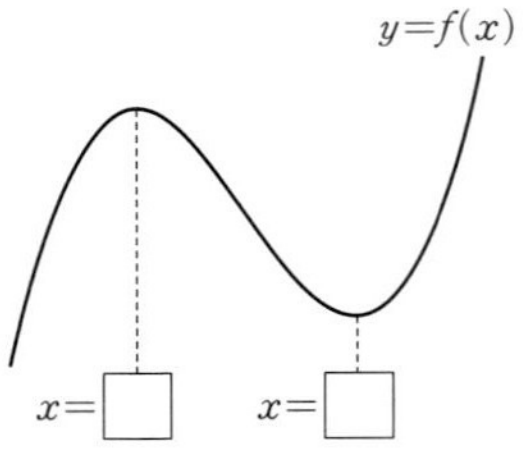

014 $f(x)=-x^3+12x$

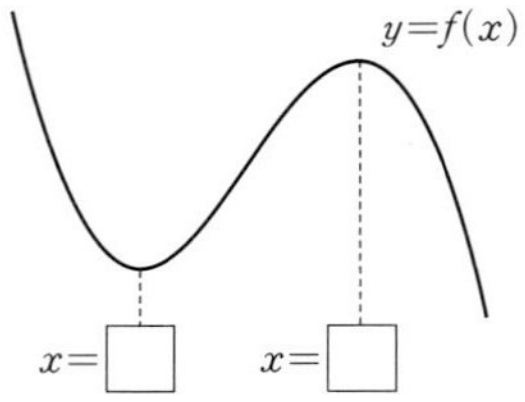

015 $f(x)=x^4-2x^2-2$

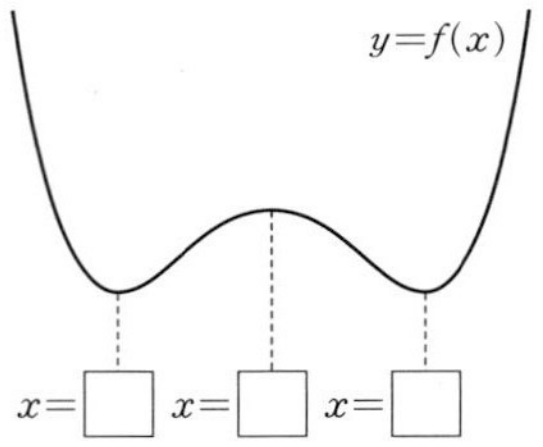

016 $f(x)=-3x^4+4x^3-1$

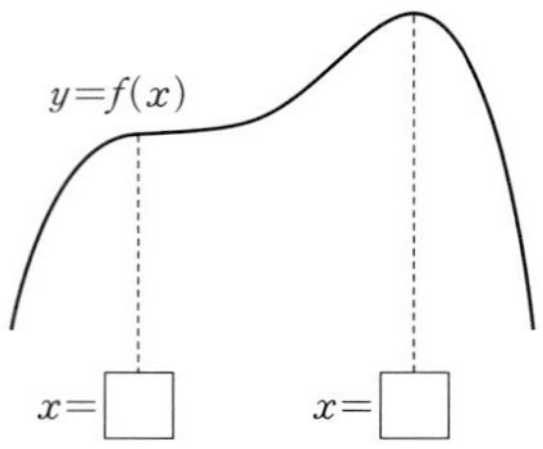

2 함수의 극대와 극소

[017-021] 삼차함수 $y=f(x)$의 그래프가 그림과 같을 때, 다음을 구하시오.

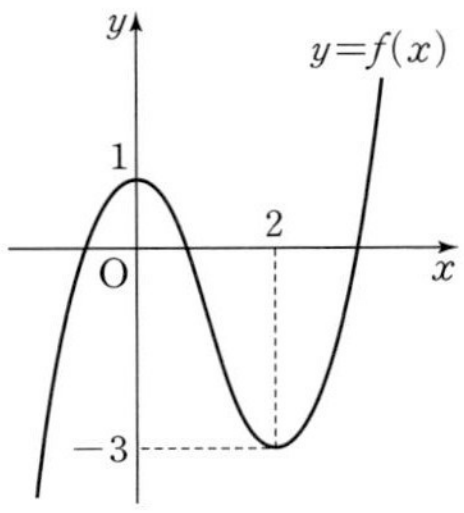

017 극값을 갖는 x의 값

018 극댓값

019 극솟값

020 $f'(0)$의 값

021 $f'(2)$의 값

[022-024] 삼차함수 $y=f(x)$의 그래프가 그림과 같을 때, 다음을 구하시오.

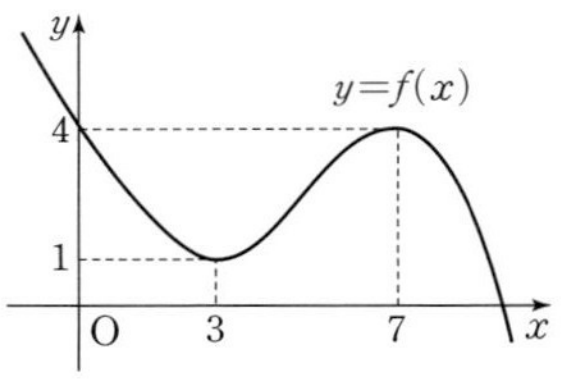

022 극댓값

023 극솟값

024 $f'(x)=0$의 해

[025-029] 함수 $f(x)=x^3-6x^2+9x+1$에 대하여 다음 물음에 답하시오.

025 $f'(x)=0$의 해를 구하시오.

026 함수 $y=f(x)$의 증가, 감소를 나타내는 표를 완성하시오.

x	$\cdots$		$\cdots$		$\cdots$
$f'(x)$	$+$	0	$-$	0	$+$
$f(x)$	↗		↘		↗

027 극댓값을 구하시오.

028 극솟값을 구하시오.

029 함수 $y=f(x)$의 그래프를 그리시오.

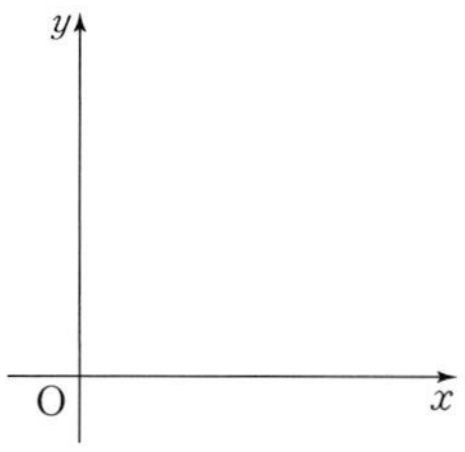

[030-032] 그림은 함수 $y=f(x)$의 그래프의 개형이다. □ 안에 알맞은 점의 좌표를 구하시오.

030 $f(x)=x^3-3x+1$

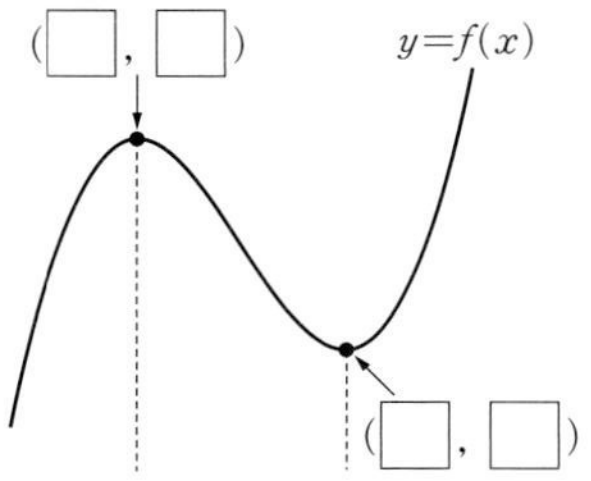

031 $f(x)=-2x^3+6x+1$

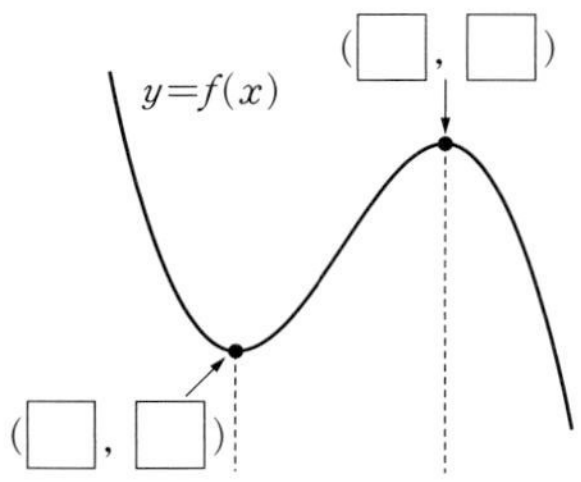

032 $f(x)=x^4-4x^3+4x^2+2$

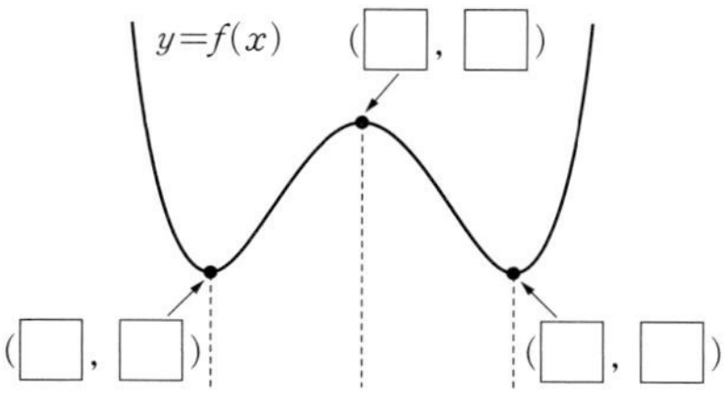

[033-036] 다음 함수의 증가, 감소를 표로 나타내어 극값을 구하시오.

033 $f(x)=x^2-8x+3$

034 $f(x)=x^3+3x^2-24$

035 $f(x)=-2x^3+6x+1$

036 $f(x)=x^4-2x^2$

3 함수의 극대 · 극소와 그래프

[037-040] 다음 함수의 극값을 구하고 그래프를 그리시오.

037 $f(x)=x^2-3x+4$

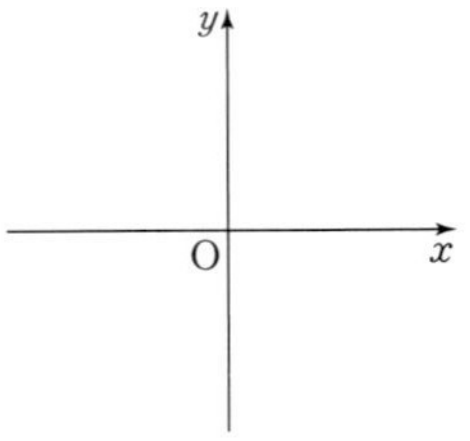

038 $f(x)=\frac{1}{3}x^3-x^2-3x+1$

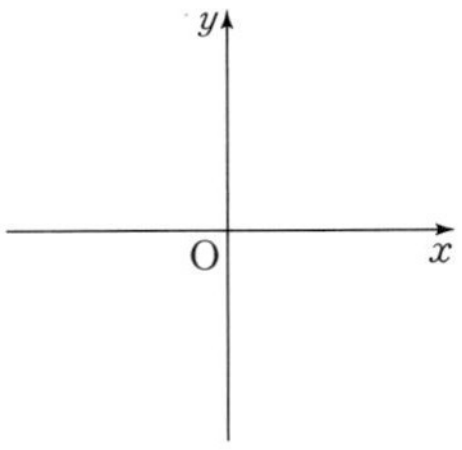

039 $f(x)=-x^3+3x+2$

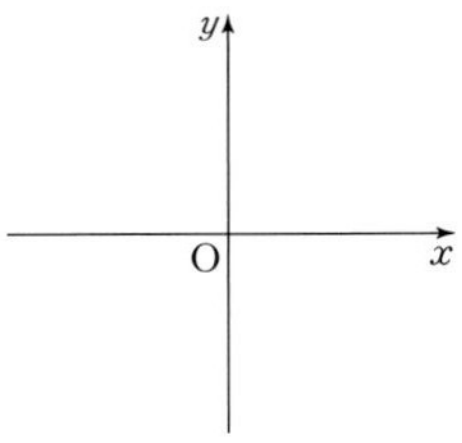

040 $f(x)=x^4-2x^3-2x^2+6x$

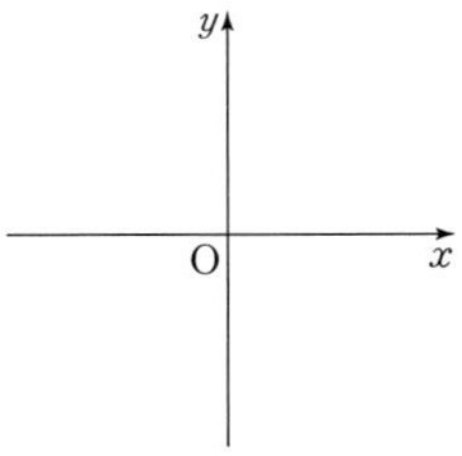

4 함수의 최대와 최소

[041-043] 함수 $y=f(x)$의 그래프가 그림과 같을 때, 다음 구간에서 함수 $y=f(x)$의 최댓값과 최솟값을 구하시오.

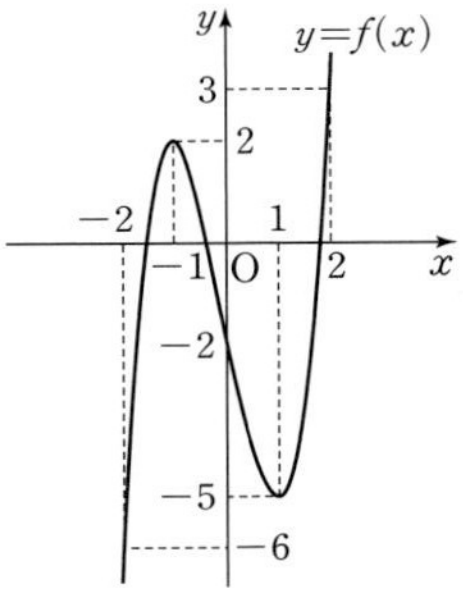

041 $[-2, 0]$

042 $[-1, 1]$

043 $[0, 2]$

[044-045] 주어진 구간에서 다음 함수의 최댓값과 최솟값을 구하시오.

044 $f(x)=x^2-2x+3$ $[0, 3]$

045 $f(x)=x^3-3x^2-1$ $[-1, 3]$

유형 문제

정답 및 해설 054쪽

유형 01 함수의 증가와 감소

(1) 함수 $y=f(x)$가 어떤 구간에서 미분가능하고 그 구간에서
① $f'(x)>0$이면 $y=f(x)$는 그 구간에서 증가한다.
② $f'(x)<0$이면 $y=f(x)$는 그 구간에서 감소한다.

(2) 함수 $y=f(x)$가 어떤 구간에서 미분가능하고 그 구간에서
① $y=f(x)$가 증가하면 $f'(x)\ge 0$
② $y=f(x)$가 감소하면 $f'(x)\le 0$

참고 도함수 $y=f'(x)$의 그래프에서
① x축 윗부분 ⇨ 그 구간에서 증가
② x축 아랫부분 ⇨ 그 구간에서 감소

046

함수 $f(x)=x^3-3x$의 증가, 감소에 대한 설명 중 옳은 것은?

① $y=f(x)$는 $0\le x\le 3$에서 감소한다.
② $y=f(x)$는 $-3\le x\le 3$에서 증가한다.
③ $y=f(x)$는 $-1\le x\le 1$에서 증가한다.
④ $y=f(x)$는 $x\le 1$에서 감소한다.
⑤ $y=f(x)$는 $x\le -1$ 또는 $x\ge 1$에서 증가한다.

중요 **047**

함수 $f(x)=-2x^3+3ax^2-6bx$가 증가하는 구간이 $[1, 5]$일 때, 두 상수 a, b에 대하여 $a+b$의 값을 구하시오.

048

함수 $f(x)=x^3+ax^2+bx+1$이 $x\le -1$ 또는 $x\ge 2$에서 증가하고, $-1\le x\le 2$에서 감소할 때, 두 상수 a, b에 대하여 ab의 값을 구하시오.

중요 **049**

다항함수 $y=f(x)$의 도함수 $y=f'(x)$의 그래프가 그림과 같을 때, 다음 중 옳은 것은?

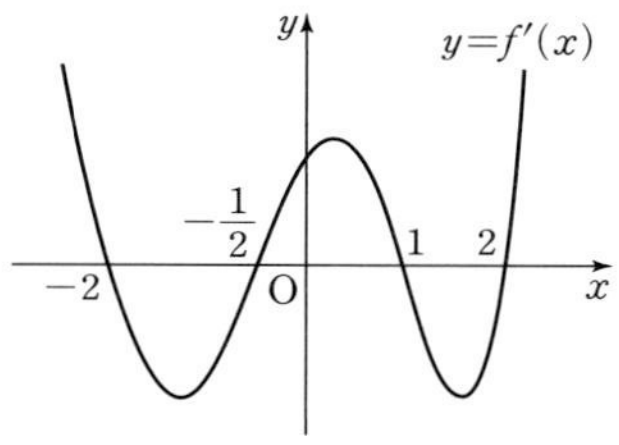

① $y=f(x)$는 구간 $(-\infty, -2)$에서 감소한다.
② $y=f(x)$는 구간 $(1, 2)$에서 증가한다.
③ $y=f(x)$는 구간 $\left(-2, -\frac{1}{2}\right)$에서 증가한다.
④ $y=f(x)$는 구간 $(2, \infty)$에서 감소한다.
⑤ $y=f(x)$는 구간 $\left(-\frac{1}{2}, 1\right)$에서 증가한다.

050

구간 $[0, 10]$에서 정의된 함수 $y=f(x)$의 도함수 $y=f'(x)$의 그래프가 그림과 같다. 함수 $y=f(x)$가 증가하는 구간이 $[\alpha, \beta]$ 또는 $[\gamma, \delta]$일 때, $\alpha+\beta+\gamma+\delta$의 값은?

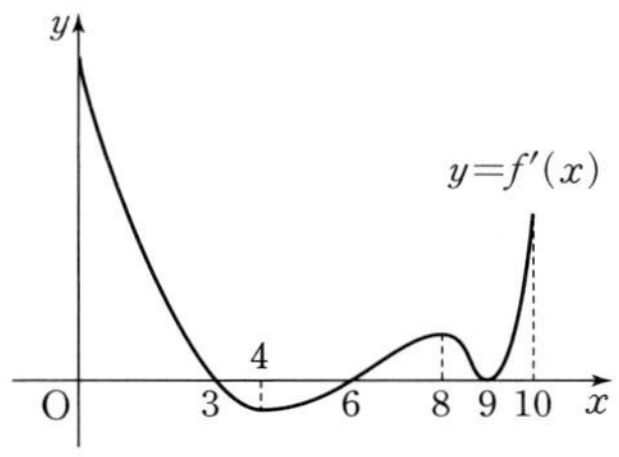

① 17 ② 18 ③ 19
④ 20 ⑤ 21

유형 02 실수 전체의 구간에서 함수의 증가와 감소의 조건

함수 $y=f(x)$가 모든 실수에서 미분가능할 때
(1) 실수 전체의 구간에서 $y=f(x)$가 증가 ⇨ $f'(x)\geq 0$
(2) 실수 전체의 구간에서 $y=f(x)$가 감소 ⇨ $f'(x)\leq 0$

051

함수 $f(x)=\frac{1}{3}x^3+ax^2+9x+1$이 실수 전체의 집합에서 증가하도록 하는 정수 a의 개수는?

① 5　② 6　③ 7
④ 8　⑤ 9

052

삼차함수 $f(x)=-2x^3+ax^2-6x-1$에 대하여 임의의 두 실수 x_1, x_2가 $x_1<x_2$이면 $f(x_1)>f(x_2)$가 성립하도록 하는 정수 a의 개수를 구하시오.

053 (중요)

삼차함수 $f(x)=\frac{1}{3}x^3+ax^2+4x$의 역함수가 존재하도록 하는 실수 a의 값의 범위는?

① $-2\leq a\leq 2$　② $-2<a<2$　③ $0\leq a\leq 2$
④ $0<a<2$　⑤ $2\leq a\leq 4$

유형 03 주어진 구간에서 함수의 증가와 감소의 조건

① 함수 $y=f(x)$의 도함수 $y=f'(x)$를 구한다.
② $y=f'(x)$의 그래프의 개형을 그린다.
③ 주어진 구간에서
　$y=f(x)$가 증가하면 그 구간에서 ⇨ $f'(x)\geq 0$
　$y=f(x)$가 감소하면 그 구간에서 ⇨ $f'(x)\leq 0$

054

함수 $f(x)=-x^3+x^2+ax+1$이 $2\leq x\leq 3$에서 증가하도록 하는 실수 a의 최솟값을 구하시오.

055 (중요)

함수 $f(x)=x^3+kx^2-7x+2$가 구간 $[-2, 1]$에서 감소하도록 하는 실수 k의 값의 범위가 $\alpha\leq k\leq\beta$일 때, $\alpha\beta$의 값은?

① 2　② $\frac{5}{2}$　③ 3
④ $\frac{7}{2}$　⑤ 4

056

함수 $f(x)=-x^3+ax^2-5$가 $1\leq x\leq 2$에서 증가하고, $x\geq 3$에서 감소하도록 하는 모든 정수 a의 값의 합을 구하시오.

유형 04 함수의 극대와 극소

다항함수 $y=f(x)$의 극값은 다음과 같이 구한다.
① 방정식 $f'(x)=0$을 만족시키는 x의 값을 구한다.
② x의 값의 좌우에서 $f'(x)$의 부호를 조사하여 함수 $y=f(x)$의 증가, 감소를 나타내는 표를 만든다.
양 → 음 ⇨ $y=f(x)$는 $x=a$에서 극대
음 → 양 ⇨ $y=f(x)$는 $x=a$에서 극소

중요
057
함수 $f(x)=x^3-12x+2$의 극댓값을 M, 극솟값을 m이라 할 때, $M+m$의 값은?

① 1 ② 2 ③ 3
④ 4 ⑤ 5

058
함수 $f(x)=x^3-3x+4$의 그래프에서 극대가 되는 점과 극소가 되는 점 사이의 거리를 구하시오.

059
함수 $f(x)=-3x^4+8x^3-6x^2+2$는 $x=a$일 때, 극댓값 b를 갖는다. $a+b$의 값을 구하시오.

유형 05 극대 · 극소를 이용한 미정계수의 결정

미분가능한 함수 $y=f(x)$가
(1) $x=\alpha$에서 극값을 가지면 ⇨ $f'(\alpha)=0$
(2) $x=\alpha$에서 극값 β를 가지면 ⇨ $f'(\alpha)=0$, $f(\alpha)=\beta$

060
함수 $f(x)=x^3-3x+a$의 극댓값이 5일 때, 극솟값은?
(단, a는 상수이다.)

① 1 ② 2 ③ 3
④ 4 ⑤ 5

061
삼차함수 $f(x)=x^3+ax^2+bx-3$이 $x=0$에서 극댓값, $x=2$에서 극솟값을 가질 때, $f(2)$의 값을 구하시오.
(단, a, b는 상수이다.)

중요
062
함수 $f(x)=2x^3+ax^2+bx-4$가 $x=-2$에서 극댓값 16을 갖고, $x=c$에서 극솟값을 가질 때, c의 값을 구하시오.
(단, a, b는 상수이다.)

063

함수 $f(x)=x^3-3k^2x+k$의 극댓값과 극솟값의 합이 4일 때, 양수 k의 값을 구하시오.

중요 **064**

함수 $f(x)=x^3-\frac{3}{2}x^2+k$의 극댓값과 극솟값의 절댓값이 같고 그 부호가 서로 다를 때, 상수 k의 값은?

① $\frac{1}{4}$　② $\frac{1}{2}$　③ 1
④ 2　⑤ 4

065

함수 $f(x)=x^3+ax^2+bx+c$가 다음 조건을 만족시킬 때, 함수 $y=f(x)$의 극댓값을 구하시오. (단, a, b, c는 상수이다.)

> (가) $\lim_{x\to3}\frac{f(x)}{x-3}=3$
> (나) 함수 $y=f(x)$는 $x=0$에서 극댓값을 가진다.

유형 06 극대 · 극소의 활용

함수 $y=f(x)$의 극대가 되는 점 또는 극소가 되는 점을 구하여 거리, 도형의 넓이 등에 대한 문제를 해결한다.

중요 **066**

함수 $f(x)=\frac{8}{27}x^3-\frac{4}{3}x^2+4$의 그래프에서 극대가 되는 점을 P, 극소가 되는 점을 Q라 할 때, 삼각형 OPQ의 넓이를 구하시오. (단, O는 원점이다.)

067

함수 $f(x)=-\frac{1}{2}x^4+4x^2$의 그래프에서 극대 또는 극소가 되는 점이 3개 있다. 이 세 점을 꼭짓점으로 하는 삼각형의 넓이를 구하시오.

068

함수 $y=f(x)$는 $x=-1$에서 극댓값 3을 갖는다고 한다. 점 $(-1, 3)$에서 곡선 $y=xf(x)$ 위의 $x=-1$인 점에서의 접선에 이르는 거리는?

① $\frac{5\sqrt{3}}{6}$　② $\frac{\sqrt{10}}{2}$　③ $\sqrt{3}$
④ $\frac{3\sqrt{10}}{5}$　⑤ $\frac{4\sqrt{3}}{3}$

정답 및 해설 056쪽

유형 07 삼차함수가 극값을 가질 조건

(1) 삼차함수 $y=f(x)$가 극값을 갖는다.
⇨ 이차방정식 $f'(x)=0$이 서로 다른 두 실근을 갖는다.
(2) 삼차함수 $y=f(x)$가 극값을 갖지 않는다.
⇨ 이차방정식 $f'(x)=0$이 중근 또는 허근을 갖는다.
(3) 삼차함수 $y=f(x)$가 주어진 구간에서 극값을 가지려면 $f'(x)=0$을 만족시키는 x의 값이 그 구간에 속해야 하며, x의 값의 좌우에서 $f'(x)$의 부호가 바뀌어야 한다.

중요
069

함수 $f(x)=x^3+ax^2+ax+3$이 극댓값과 극솟값을 모두 갖도록 하는 실수 a의 값의 범위는?

① $a<-3$ 또는 $a>0$　② $a<-1$ 또는 $a>2$
③ $a<0$ 또는 $a>3$　④ $a\geq1$
⑤ $a\geq3$

070

함수 $f(x)=2x^3+kx^2+kx+5$가 극댓값을 갖도록 하는 실수 k의 값의 범위가 $k<\alpha$ 또는 $k>\beta$일 때, $\alpha+\beta$의 값을 구하시오.

071

함수 $f(x)=-x^3+ax^2-2ax+1$이 극값을 갖지 않도록 하는 정수 a의 개수를 구하시오.

중요
072

극값을 갖지 않는 함수 $f(x)=x^3+ax^2+bx$에 대하여 곡선 $y=f(x)$가 점 $(1, 7)$을 지나도록 하는 a의 값의 범위가 $\alpha\leq a\leq\beta$라고 한다. $\alpha^2+\beta^2$의 값을 구하시오.
(단, a, b는 상수이다.)

073

함수 $f(x)=\frac{1}{3}x^3+kx^2+3kx+5$가 $-1<x<1$에서 극댓값과 극솟값을 모두 갖도록 하는 실수 k의 값의 범위는?

① $-\frac{1}{2}<k<0$　② $-\frac{1}{3}<k<\frac{1}{2}$　③ $-\frac{1}{5}<k<0$
④ $0<k<\frac{1}{5}$　⑤ $0<k<\frac{1}{3}$

074

함수 $f(x)=x^3-kx^2-k^2x+3$이 $-2<x<2$에서 극댓값을 갖고, $x>2$에서 극솟값을 갖도록 하는 실수 k의 값의 범위가 $a<k<b$라고 한다. $a+b$의 값을 구하시오.

유형 08 사차함수가 극값을 가질 조건

(1) 사차함수 $y=f(x)$가 극댓값, 극솟값을 모두 갖는다.
⇨ 삼차방정식 $f'(x)=0$이 서로 다른 세 실근을 갖는다.
(2) 사차함수 $y=f(x)$가 극댓값을 갖지 않는다.(극솟값을 갖지 않는다.) ⇨ 삼차방정식 $f'(x)=0$이 한 실근과 두 허근 또는 한 실근과 중근 (또는 삼중근)을 갖는다.

075 중요

함수 $f(x)=x^4-2x^3+kx^2$이 극댓값을 갖도록 하는 정수 k의 최댓값을 구하시오.

076

함수 $f(x)=3x^4-8x^3+6ax^2+7$이 극댓값과 극솟값을 모두 갖도록 하는 실수 a의 값의 범위는?

① $a<-2$ 또는 $-2<a<1$ ② $a<-1$ 또는 $-1<a<2$
③ $a<1$ ④ $a<0$ 또는 $0<a<1$
⑤ $a\le 1$

077

함수 $f(x)=-x^4+2x^3-2ax^2+1$이 극솟값을 갖지 않도록 하는 정수 a의 값의 합을 구하시오. (단, $-5<a<5$)

유형 09 함수 $y=f(x)$의 그래프의 해석

(1) 함수 $y=f(x)$에 대하여 $f'(a)=0$일 때
① $x=a$의 좌우에서 $f'(x)$의 부호가 변하면 $x=a$에서 극값을 갖는다.
② $x=a$의 좌우에서 $f'(x)$의 부호가 변하지 않으면 $x=a$에서 극값을 갖지 않는다.
(2) 함수 $y=f(x)$가 $x=a$에서 미분가능하지 않은 경우에도 $x=a$에서 극값을 가질 수 있다. (예 뾰족점)

078

사차함수 $y=f(x)$의 그래프가 그림과 같을 때, 다음 중 도함수 $y=f'(x)$의 그래프의 개형이 될 수 있는 것은?

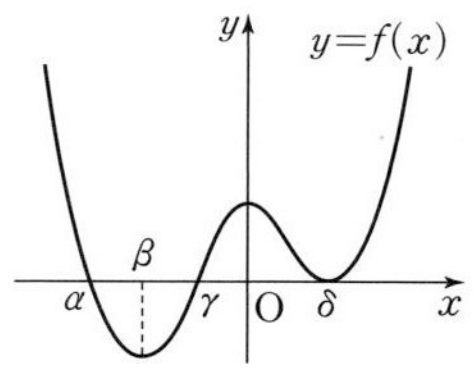

①
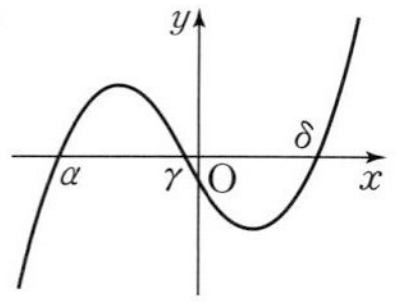

②
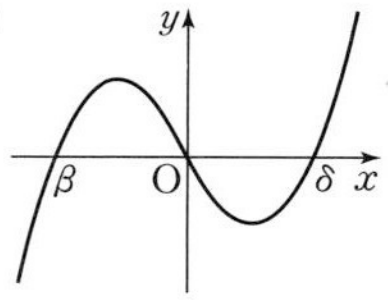

③
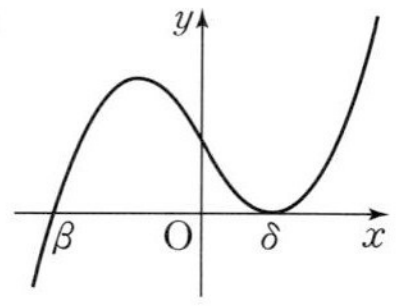

④
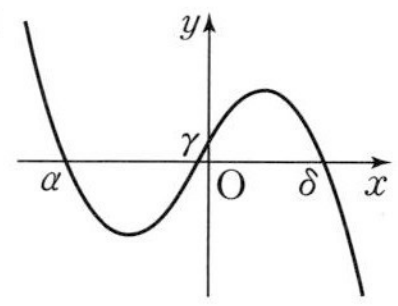

⑤
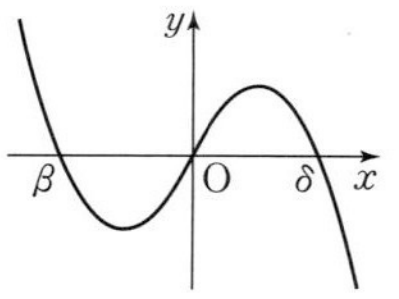

079 중요

함수 $f(x)=x^3+ax^2+bx+c$에 대하여 함수 $y=f(x)$의 그래프가 그림과 같을 때, 〈보기〉에서 옳은 것만을 있는 대로 고른 것은?
(단, a, b, c는 상수이다.)

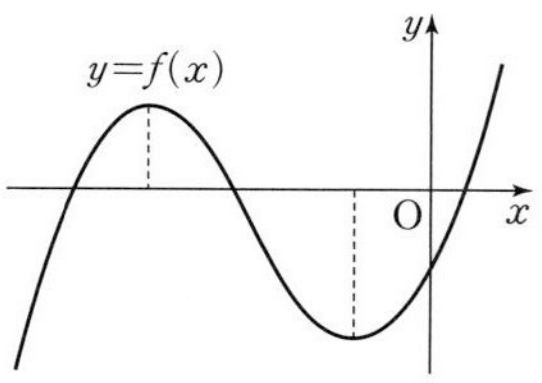

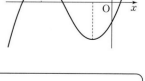

보기
ㄱ. $a^2-3b>0$ ㄴ. $ab<0$ ㄷ. $ac<0$

① ㄱ ② ㄴ ③ ㄷ
④ ㄱ, ㄷ ⑤ ㄴ, ㄷ

유형 10 도함수의 그래프와 함수의 극값

도함수 $y=f'(x)$의 그래프에서 $f'(a)=0$이고 $x=a$의 좌우에서 $f'(x)$의 부호가
(1) 양에서 음으로 변하면 $y=f(x)$는 $x=a$에서 극대
(2) 음에서 양으로 변하면 $y=f(x)$는 $x=a$에서 극소

080

미분가능한 함수 $y=f(x)$의 도함수 $y=f'(x)$의 그래프가 그림과 같다. 함수 $y=f(x)$가 $x=a$에서 극댓값을 가질 때, a의 값은?

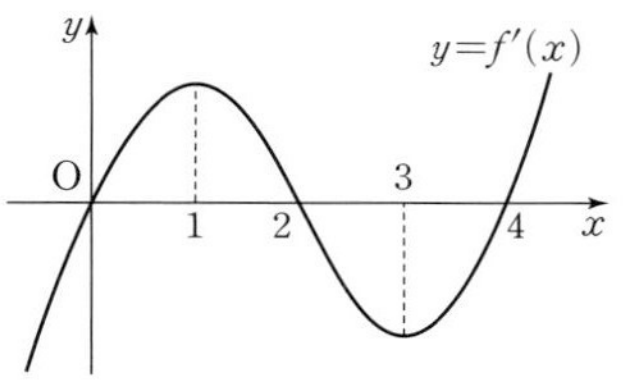

① 0 ② 1 ③ 2
④ 3 ⑤ 4

081

중요

구간 $[-3, 10]$에서 함수 $y=f(x)$의 도함수 $y=f'(x)$의 그래프가 그림과 같다. 함수 $y=f(x)$가 극댓값을 갖는 모든 x의 값의 합을 구하시오.

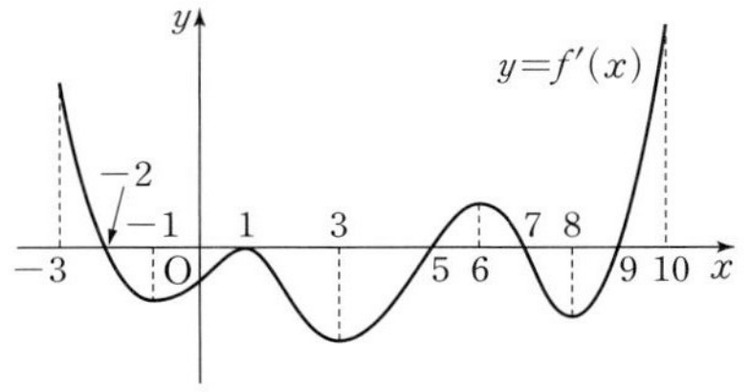

082

구간 $[a, b]$에서 함수 $y=f(x)$의 도함수 $y=f'(x)$의 그래프가 그림과 같을 때, 함수 $y=f(x)$의 극대 또는 극소가 되는 점의 개수를 구하시오.

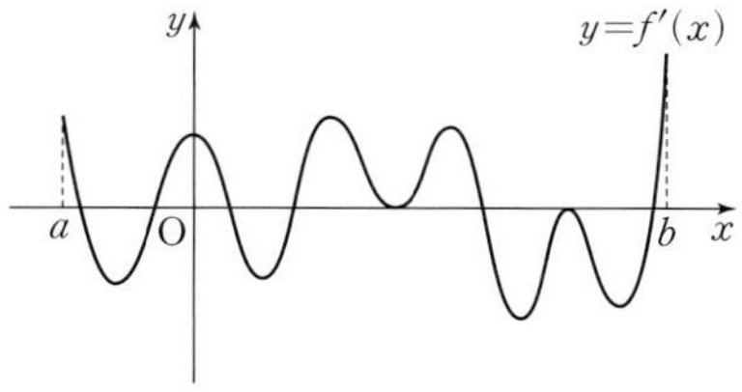

083

미분가능한 함수 $y=f(x)$에 대하여 그 도함수 $y=f'(x)$의 그래프가 그림과 같다. 함수 $y=f(x)$에 대한 설명 중 옳지 않은 것은?

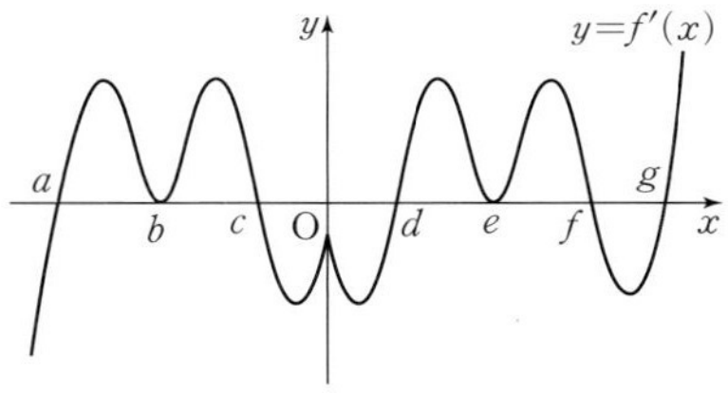

① $x>0$에서 극값을 3개 갖는다.
② 극댓값을 3개 갖는다.
③ 극솟값을 3개 갖는다.
④ $a<x<c$에서 $y=f(x)$는 증가한다.
⑤ $x<a$에서 $y=f(x)$는 감소한다.

유형 11 도함수의 그래프를 이용한 함수의 추론

① 도함수 $y=f'(x)$의 그래프가 x축과 만나는 점의 x좌표 a를 찾는다.
② $x=a$의 좌우에서 $f'(x)$의 부호를 알아본다.
③ 함수 $y=f(x)$의 증가, 감소를 조사하여 표로 나타내고 그 그래프를 추론한다.

084

삼차함수 $y=f(x)$의 도함수 $y=f'(x)$의 그래프가 그림과 같을 때, 〈보기〉에서 옳은 것만을 있는 대로 고르시오. (단, $f(0)=0$)

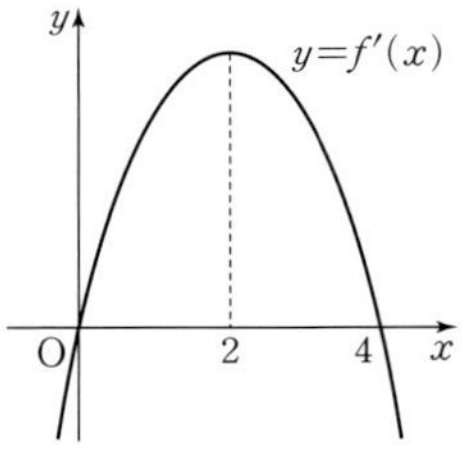

보기

ㄱ. 함수 $y=f(x)$의 극솟값은 4이다
ㄴ. 함수 $y=f(x)$는 $x=2$일 때, 극댓값을 갖는다.
ㄷ. 함수 $y=f(x)$의 그래프는 $x=0$에서 x축에 접한다.

085

함수 $y=f(x)$의 도함수 $y=f'(x)$의 그래프가 그림과 같을 때, 다음 설명 중 옳은 것은?

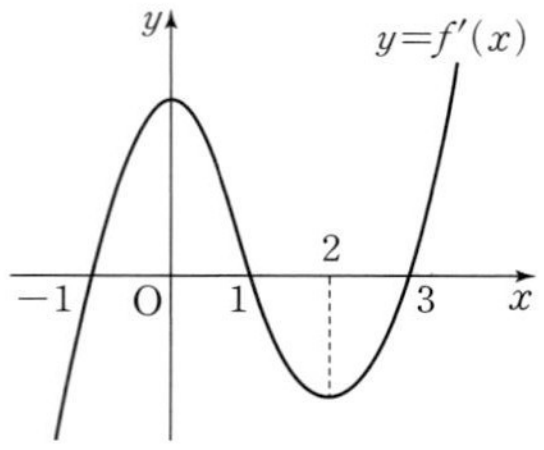

① 함수 $y=f(x)$가 증가하는 구간은 $[-1, 1]$뿐이다.
② 함수 $y=f(x)$는 구간 $[0, 2]$에서 감소한다.
③ 함수 $y=f(x)$는 $x=-1$에서 극소이다.
④ 함수 $y=f(x)$는 $x=0$에서 극대이다.
⑤ 함수 $y=f(x)$의 극대 또는 극소인 점은 모두 2개이다.

086 (중요)

삼차함수 $y=f(x)$의 도함수 $y=f'(x)$의 그래프가 그림과 같을 때, 방정식 $f(x)=0$의 서로 다른 실근의 개수를 구하시오.

(단, $f(-1)=-3$, $f(3)=0$)

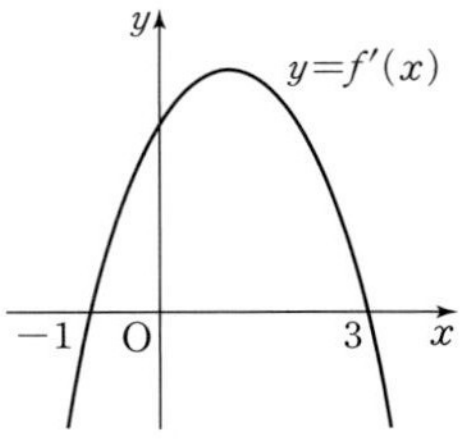

087

함수 $y=f(x)$의 도함수 $y=f'(x)$의 그래프가 그림과 같을 때, 다음 중 함수 $y=f(x)$의 그래프의 개형으로 알맞은 것은? (단, $f(0)=0$)

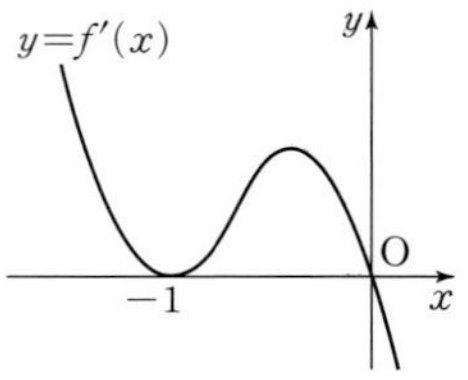

①
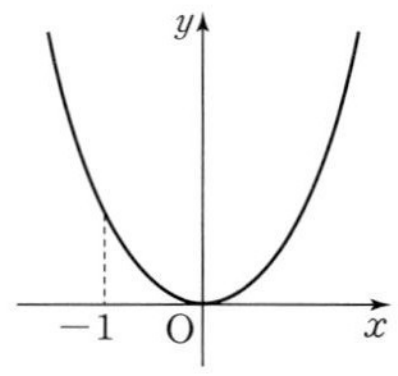

②
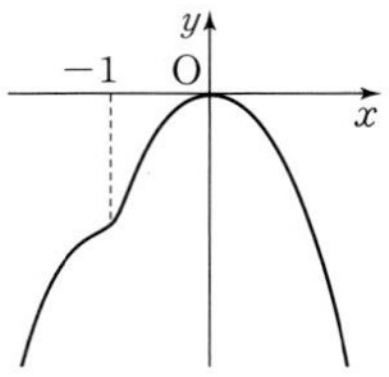

③
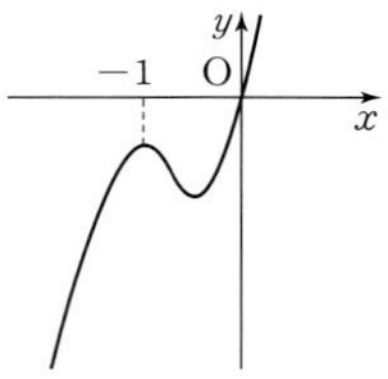

④
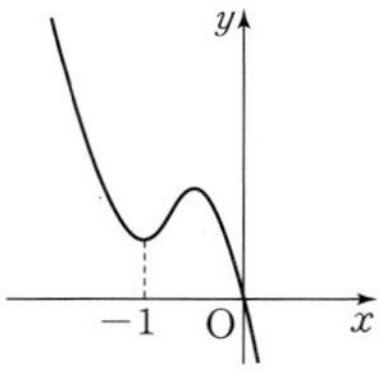

⑤
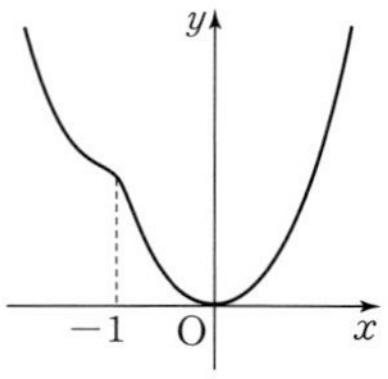

유형 12 함수의 최댓값과 최솟값

닫힌구간 $[a, b]$에서 연속인 함수 $y=f(x)$의 최댓값과 최솟값
(1) 최댓값 ⇨ 극댓값, $f(a)$, $f(b)$ 중에서 최대인 것
(2) 최솟값 ⇨ 극솟값, $f(a)$, $f(b)$ 중에서 최소인 것
(단, 극대, 극소는 그 구간에 포함될 때만 조사한다.)

088

구간 $[-2, 3]$에서 함수 $f(x)=-x^3+3x^2$의 최댓값을 M, 최솟값을 m이라 할 때, $M+m$의 값은?

① 12 ② 14 ③ 16
④ 18 ⑤ 20

089

구간 $[-2, 1]$에서 함수 $f(x)=x^4-2x^2-2$의 최댓값을 M, 최솟값을 m이라 할 때, $M-m$의 값을 구하시오.

중요
090

$-1 \le x \le 1$에서 함수 $f(x)=2x^3-3x^2+a$의 최솟값이 -3일 때, 상수 a의 값을 구하시오.

091

구간 $[-3, 2]$에서 함수 $f(x)=ax^3+3ax^2+b$의 최댓값이 10이고 최솟값이 -30일 때, 두 상수 a, b에 대하여 $a+b$의 값을 구하시오. (단, $a>0$)

092

함수 $f(x)=-x^4+ax^3+b$의 최댓값이 30이고 $f'(-1)=-8$일 때, 두 상수 a, b에 대하여 a^2+b^2의 값은?

① 19 ② 21 ③ 23
④ 25 ⑤ 27

중요
093

두 함수 $f(x)=-x^3+3x+2$, $g(x)=x^2+2x-1$에 대하여 합성함수 $f \circ g$의 최댓값을 구하시오.

유형 13 최대 · 최소의 활용

두 점 사이의 거리, 평면도형의 길이와 넓이, 입체도형의 부피 등의 최댓값, 최솟값은 다음과 같이 구한다.
① 구하고자 하는 값을 미지수에 대한 함수로 나타낸다.
② 극댓값, 극솟값을 구한다.
③ 주어진 범위에 유의하여 최댓값, 최솟값을 구한다.

094

그림과 같이 x축 위의 점 $\mathrm{P}(3,\ 0)$과 포물선 $y=x^2$ 위를 움직이는 점 Q 사이의 거리의 최솟값을 구하시오.

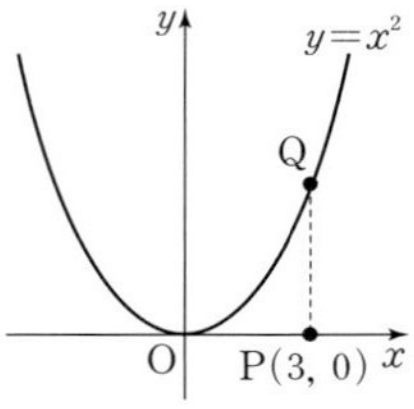

095

중요

그림과 같이 직사각형 ABCD의 두 꼭짓점 A, D가 곡선 $y=6-x^2$ 위에 있고 변 BC가 x축 위에 있을 때, 직사각형 ABCD의 넓이의 최댓값을 구하시오.

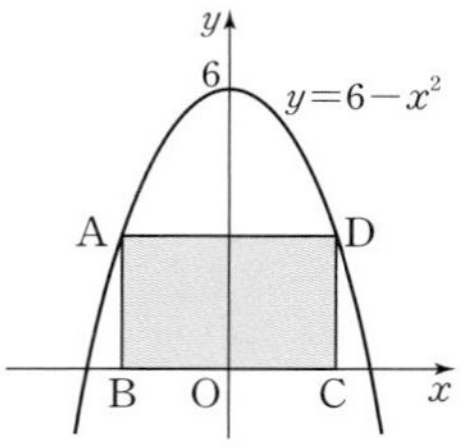

096

그림과 같이 곡선 $y=x(x-2)^2$이 x축과 만나는 두 점을 각각 O, A라 하자. 두 점 O, A 사이를 움직이는 곡선 위의 점 P에서 x축에 내린 수선의 발을 H라 할 때, 삼각형 OHP의 넓이의 최댓값을 구하시오.

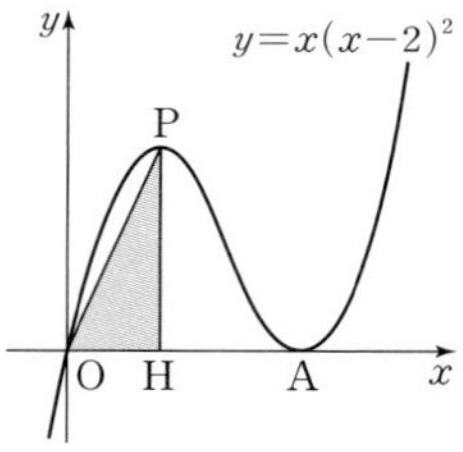

097

그림과 같이 가로의 길이가 15 cm, 세로의 길이가 8 cm인 직사각형 모양의 양철판의 네 귀퉁이에서 같은 크기의 정사각형을 잘라내고 남은 부분으로 상자를 만들어 그 부피가 최대가 되도록 하려고 한다. 잘라내야 할 정사각형의 한 변의 길이를 구하시오.

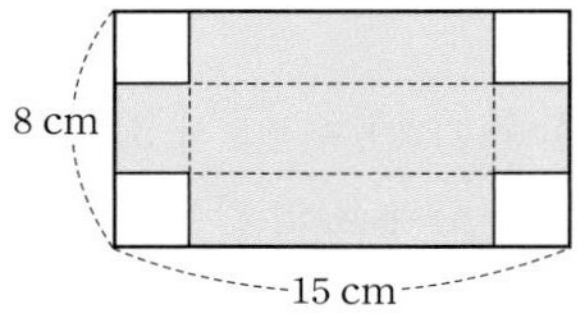

098

그림과 같이 밑면의 반지름의 길이가 1인 원뿔에 원기둥을 내접시키려고 한다. 원기둥의 부피가 최대가 되도록 하는 원기둥의 밑면의 반지름의 길이를 구하시오.

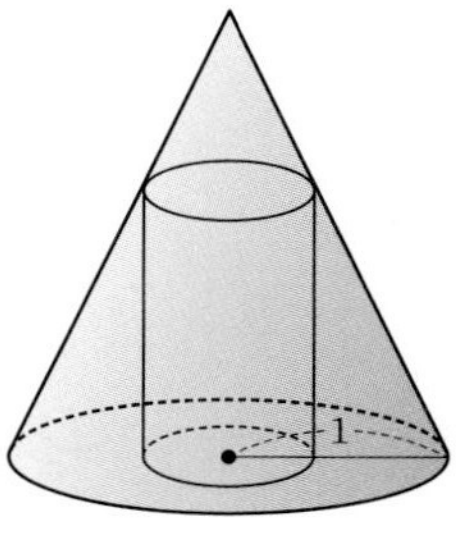

099

어느 제약회사에서 개발한 진통제에 대한 임상실험의 결과 진통제를 복용한 지 t시간 후의 약효 y는

$$y=-t^3+3t^2+24t\ (t\geq 0,\ y\geq 0)$$

임을 알았다. 이 진통제를 복용한 지 a시간 후에 약효가 최대가 된다고 할 때, a의 값을 구하시오.

100

함수 $f(x)=\frac{1}{3}x^3-2x^2+ax+5$가 감소하는 구간이 $[1,\ b]$일 때, $a+b$의 값은? (단, a는 상수이다.)

① 2　② 4　③ 6
④ 8　⑤ 10

101

실수 전체의 집합 R에서 R로의 함수

$$f(x)=x^3-3ax^2+3ax$$

가 일대일대응이 되도록 하는 실수 a의 최댓값을 구하시오.

102

삼차함수 $f(x)=-x^3+6x^2-9x+2$의 극댓값을 M, 극솟값을 m이라 할 때, $M-m$의 값을 구하시오.

103

함수 $f(x)=x^3+3x^2+ax+3$이 $x=-3$에서 극댓값을 가질 때, 극솟값은? (단, a는 상수이다.)

① -2　② -1　③ 1
④ 2　⑤ 3

104

함수 $f(x)=-x^3+ax^2+bx+3$이 $x=1$에서 극값을 갖고, 곡선 $y=f(x)$ 위의 $x=2$인 점에서의 접선의 기울기가 -5이다. 두 상수 a, b에 대하여 a^2+b^2의 값을 구하시오.

105

함수 $f(x)=\frac{1}{3}x^3+ax^2+(5a-4)x+2$가 극값을 갖지 않도록 하는 실수 a의 최댓값과 최솟값의 합을 구하시오.

106

함수 $f(x)=-x^4+\frac{4}{3}x^3-2(a-2)x^2-4ax$가 극솟값을 갖기 위한 실수 a의 값의 범위는 $a<\alpha$ 또는 $-3<a<\beta$이다. $\alpha+\beta$의 값을 구하시오.

107

함수 $y=f(x)$의 도함수 $y=f'(x)$의 그래프가 그림과 같다. 함수 $y=f(x)$에 대한 설명 중 옳은 것은?

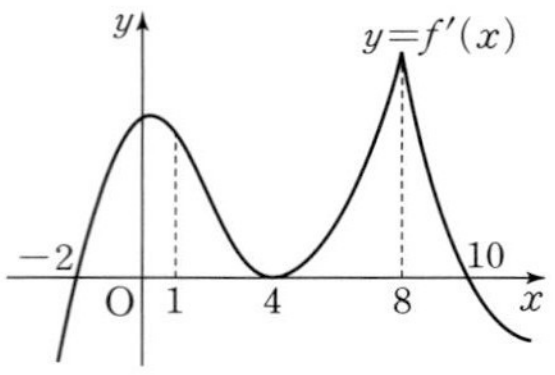

① $x=-2$에서 극대이다.
② $x=1$에서 극대이다.
③ $x=4$에서 극소이다.
④ $x=8$에서 미분가능하지 않다.
⑤ $x=10$에서 극대이다.

108

함수 $f(x)=x^3+ax^2+bx+c$에 대하여 도함수 $y=f'(x)$의 그래프가 그림과 같다. 함수 $y=f(x)$의 극솟값이 -6일 때, $f(2)$의 값을 구하시오.

(단, a, b, c는 상수이다.)

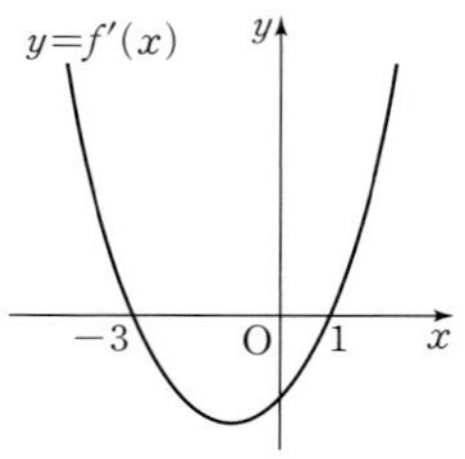

109

함수 $f(x)=x^3+ax^2+bx-3$의 도함수 $y=f'(x)$의 그래프가 그림과 같다. 구간 $[1, 4]$에서 함수 $y=f(x)$의 최댓값과 최솟값의 합을 구하시오.

(단, a, b는 상수이다.)

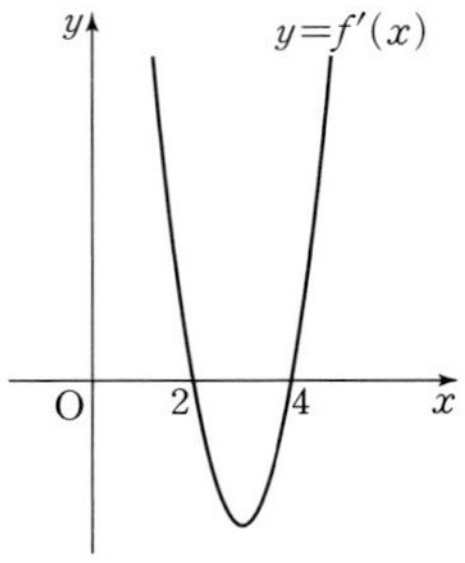

1등급 문제

110

다음 조건을 만족시키는 삼차함수 $y=f(x)$의 극댓값을 구하시오.

> (가) 곡선 $y=f(x)$는 원점에 대하여 대칭이다.
> (나) 함수 $y=f(x)$는 $x=1$에서 극솟값을 갖는다.
> (다) 곡선 $y=f(x)$ 위의 $x=3$인 점에서의 접선의 기울기는 24이다.

111

그림과 같이 곡선 $y=x^2-4x+4$ 위의 점 (a, b)에서의 접선과 x축 및 y축으로 둘러싸인 삼각형의 넓이가 최대가 될 때, $a+b$의 값을 구하시오.

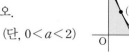

(단, $0<a<2$)

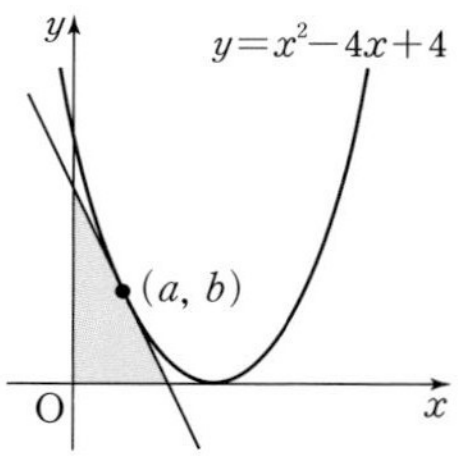

07 도함수의 활용

제 목		문항 번호	문항 수	확인
기본 문제		001～040	40	
유형 문제	01. 방정식 $f(x)=k$의 실근의 개수	041～043	3	
	02. 삼차방정식의 근의 판별	044～049	6	
	03. 두 그래프의 교점의 개수	050～052	3	
	04. 방정식의 실근의 부호	053～055	3	
	05. 모든 실수에서 부등식이 항상 성립할 조건	056～058	3	
	06. 주어진 구간에서 부등식이 항상 성립할 조건	059～061	3	
	07. 부등식의 증명	062～063	2	
	08. 수직선 위를 움직이는 점의 속도와 가속도	064～069	6	
	09. 속도 · 가속도와 운동 방향	070～072	3	
	10. 정지하는 물체의 속도	073～075	3	
	11. 위로 던진 물체의 위치와 속도	076～078	3	
	12. 속도의 그래프가 주어진 경우	079～080	2	
	13. 위치의 그래프가 주어진 경우	081～082	2	
	14. 시각에 대한 길이, 넓이, 부피의 변화율 [교육과정 外]	083～085	3	
쌤이 시험에 꼭 내는 문제		086～097	12	

07 도함수의 활용

1 방정식의 실근의 개수

(1) 방정식 $f(x)=0$의 서로 다른 실근의 개수

$\Longleftrightarrow$ 함수 $y=f(x)$의 그래프와 x축의 교점의 개수

(2) 방정식 $f(x)=g(x)$의 서로 다른 실근의 개수

$\Longleftrightarrow$ 두 함수 $y=f(x)$, $y=g(x)$의 그래프의 교점의 개수

2 삼차방정식의 근의 판별

삼차함수 $f(x)=ax^3+bx^2+cx+d$가 극값을 가질 때, 삼차방정식 $ax^3+bx^2+cx+d=0$의 근은

(1) (극댓값)×(극솟값)<0 $\Longleftrightarrow$ 서로 다른 세 실근

(2) (극댓값)×(극솟값)$=0$ $\Longleftrightarrow$ 한 실근과 중근 (서로 다른 두 실근)

(3) (극댓값)×(극솟값)>0 $\Longleftrightarrow$ 한 실근과 두 허근

3 부등식의 증명

모든 실수 x에 대하여

(1) 부등식 $f(x)>0$의 증명 ➡ ($f(x)$의 최솟값)>0임을 보인다.

(2) 부등식 $f(x)<0$의 증명 ➡ ($f(x)$의 최댓값)<0임을 보인다.

(3) 부등식 $f(x)>g(x)$의 증명 ➡ ($f(x)-g(x)$의 최솟값)>0임을 보인다.

(4) 부등식 $f(x)<g(x)$의 증명 ➡ ($f(x)-g(x)$의 최댓값)<0임을 보인다.

4 직선 운동에서의 속도

수직선 위를 움직이는 점 P의 시각 t에서의 위치 x가 $x=f(t)$일 때,
시각 t에서의 속도 v는

$$v=\frac{dx}{dt}=f'(t)=\lim_{\Delta t \to 0}\frac{f(t+\Delta t)-f(t)}{\Delta t}$$

참고 속도의 절댓값 $|v|$를 속력이라고 한다.

5 직선 운동에서의 가속도

수직선 위를 움직이는 점 P의 시각 t에서의 속도 v가 $v=v(t)$일 때,
시각 t에서의 가속도 a는

$$a=\frac{dv}{dt}=v'(t)$$

개념 플러스

- 방정식 $f(x)=0$의 실근은 함수 $y=f(x)$의 그래프와 x축의 교점의 x좌표와 같다.
- 방정식 $f(x)=g(x)$의 실근은 두 함수 $y=f(x)$, $y=g(x)$의 그래프의 교점의 x좌표와 같다.
- 삼차방정식의 근의 판별

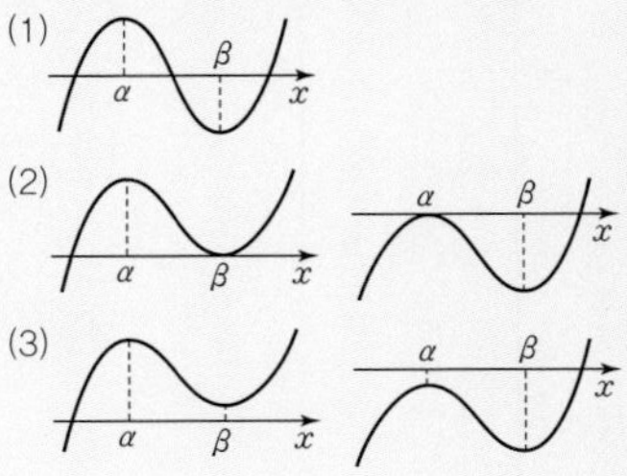

- $x>a$인 범위에서 부등식 $f(x)>0$의 증명
[방법 1] $x>a$인 범위에서 ($f(x)$의 최솟값)>0임을 보인다.
[방법 2] $x>a$인 범위에서 함수 $y=f(x)$가 증가하고 $f(a)\geq 0$임을 보인다.
- 속도 $v=f'(t)$의 부호
⇨ 운동 방향을 나타낸다.
(i) $v>0$: 양의 방향으로 움직인다.
(ii) $v<0$: 음의 방향으로 움직인다.
(iii) $v=0$: 운동 방향이 바뀌거나 정지한다.
- 위치 $\xrightarrow{\text{미분}}$ 속도 $\xrightarrow{\text{미분}}$ 가속도

기본 문제

정답 및 해설 063쪽

1 방정식의 실근의 개수

[001-002] 그림은 두 함수 $y=f(x)$, $y=g(x)$의 그래프를 나타낸 것이다. 다음 물음에 답하시오.

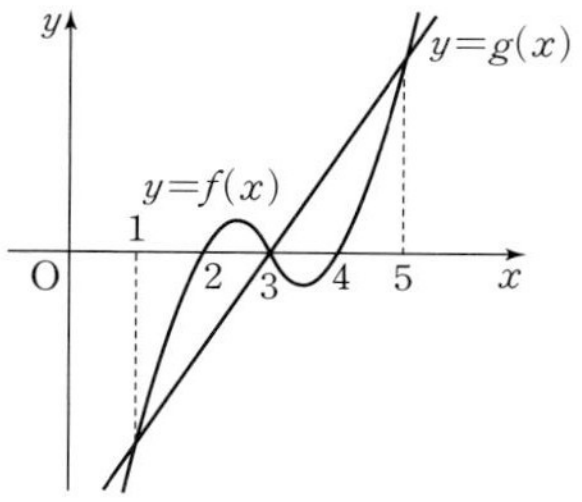

001 방정식 $f(x)=0$의 실근을 구하시오.

002 방정식 $f(x)=g(x)$의 실근을 구하시오.

003 다음은 방정식 $x^3-6x^2+9x-1=0$의 서로 다른 실근의 개수를 그래프를 이용하여 구하는 과정이다. □ 안에 알맞은 것을 써넣으시오.

> $f(x)=x^3-6x^2+9x-1$이라 하면
> $f'(x)=3x^2-12x+9=3(x-1)(x-3)$
> $f'(x)=0$에서 $x=$□ 또는 $x=$□
> 함수 $y=f(x)$의 증가, 감소를 표로 나타내고 그 그래프를 그리면 다음과 같다.
>
> | x | ⋯ | □ | ⋯ | □ | ⋯ |
> |---|---|---|---|---|---|
> | $f'(x)$ | + | 0 | − | 0 | + |
> | $f(x)$ | ↗ | □ | ↘ | □ | ↗ |
>
> 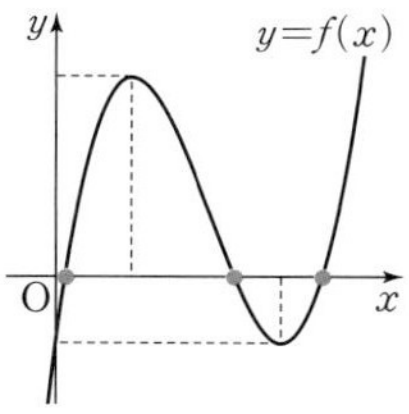
>
>
> 따라서 함수 $y=f(x)$의 그래프가 x축과 만나는 점의 개수가 □이므로 주어진 방정식의 서로 다른 실근의 개수는 □이다.

[004-009] 그래프와 극대, 극소를 이용하여 다음 방정식의 서로 다른 실근의 개수를 구하시오.

004 $x^2-4x+1=0$

005 $3x^2+6x+3=0$

006 $x^3-3x+1=0$

007 $x^3-3x^2+3=0$

008 $x^4-2x^2+1=0$

009 $x^4-6x^2-8x+13=0$

2 삼차방정식의 근의 판별

[010-014] 다음 삼차방정식의 근을 판별하여 〈보기〉에서 해당하는 것을 고르시오.

보 기

ㄱ. 서로 다른 세 실근을 갖는다.
ㄴ. 한 실근과 중근을 갖는다.
ㄷ. 한 실근과 두 허근을 갖는다.

010 $x^3-6x^2+2=0$

011 $x^3-6x^2+9x=0$

012 $x^3-3x^2-4=0$

013 $4x^3-18x^2+24x=0$

014 $2x^3+3x^2-12x-4=0$

015 다항함수 $y=f(x)$의 도함수 $y=f'(x)$의 그래프가 그림과 같다. 다음은 방정식 $f(x)=0$이 서로 다른 세 실근을 갖기 위한 조건을 구하는 과정이다.
☐ 안에 알맞은 것을 써넣으시오.

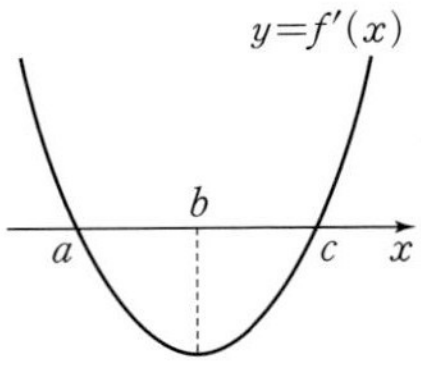

도함수 $y=f'(x)$의 그래프에서 $x=a$의 좌우에서 $f'(x)$의 부호가 양에서 음으로 바뀌고, $x=c$의 좌우에서 $f'(x)$의 부호가 음에서 양으로 바뀐다.
즉, 함수 $y=f(x)$는
$x=a$에서 ☐가 되고,
$x=c$에서 ☐가 된다.
따라서 방정식 $f(x)=0$이
서로 다른 세 실근을 가질 조건은
$f(a)>0$, $f(c)<0$
$\therefore f(a)f(c)$ ☐ 0

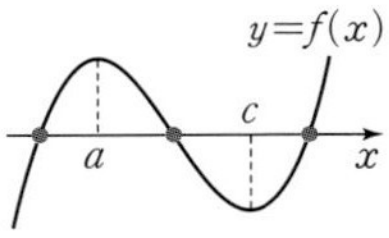

[016-018] 삼차방정식 $2x^3-3x^2+k=0$이 다음 조건을 만족시킬 때, 실수 k의 값 또는 범위를 구하시오.

016 서로 다른 세 실근을 갖는다.

017 한 실근과 중근을 갖는다.

018 한 실근과 두 허근을 갖는다.

3 부등식의 증명

019 다음은 '$x \geq 0$일 때, 부등식 $x^3-3x+2 \geq 0$이 성립한다.'를 증명하는 과정이다. □ 안에 알맞은 것을 써넣으시오.

> $f(x)=x^3-3x+2$라 하면 $f'(x)=$□
> $f'(x)=0$에서 $x=$□ ($\because x \geq 0$)이고
> $x \geq 0$일 때, 함수 $y=f(x)$의 최솟값은 □이므로
> $f(x) \geq 0$
> 따라서 $x \geq 0$일 때, 부등식 $x^3-3x+2 \geq 0$이 성립한다.

020 다음은 '$x>3$일 때, 부등식 $x^3-8x>4x-9$가 성립한다.'를 증명하는 과정이다. □ 안에 알맞은 것을 써넣으시오.

> $f(x)=(x^3-8x)-(4x-9)=x^3-12x+9$라 하면
> $f'(x)=3x^2-12=3(x+2)(x-2)$
> $x>3$일 때, $f'(x)$□0이므로 함수 $y=f(x)$는 $x>3$에서 증가한다.
> 한편, $f(3)=0$이므로 $x>3$일 때, $f(x)$□0이다.
> 따라서 $x>3$일 때, 부등식 $x^3-8x>4x-9$가 성립한다.

021 다음은 '모든 실수 x에 대하여 부등식 $x^4+4x^3+9 \geq 2x^2+12x$가 성립한다.'를 증명하는 과정이다. □ 안에 알맞은 것을 써넣으시오.

> $f(x)=(x^4+4x^3+9)-(2x^2+12x)$
> $\quad =x^4+4x^3-2x^2-12x+9$라 하면
> $f'(x)=4x^3+12x^2-4x-12$
> $\quad =4(x+3)(x+1)(x-1)$
> $f'(x)=0$에서 $x=$□ 또는 $x=$□ 또는 $x=$□
> 함수 $y=f(x)$는 $x=-3$ 또는 $x=1$에서 최솟값 □을 가지므로 모든 실수 x에 대하여 $f(x)$□0이다.
> $\therefore x^4+4x^3+9 \geq 2x^2+12x$

4 속도와 가속도

[022-024] 수직선 위를 움직이는 점 P의 시각 t에서의 위치 x가 다음과 같을 때, 주어진 시각에서의 속도를 구하시오.

022 $x=3t+2$ $(t=1)$

023 $x=t^2-6t$ $(t=2)$

024 $x=t^3-2t+3$ $(t=3)$

[025-027] 수직선 위를 움직이는 점 P의 시각 t에서의 위치 x가 다음과 같을 때, 주어진 시각에서의 가속도를 구하시오.

025 $x=4t-1$ $(t=3)$

026 $x=t^2+2t+5$ $(t=3)$

027 $x=2t^3-9t^2+12t$ $(t=5)$

[028-031] 원점을 출발하여 수직선 위를 움직이는 점 P의 t초 후의 위치 x가 $x=t^3-6t^2$일 때, 다음을 구하시오.

028 점 P의 3초 후의 속도

029 점 P의 3초 후의 가속도

030 점 P가 다시 원점을 지날 때의 시각

031 점 P가 운동 방향을 바꿀 때까지 걸린 시간

[032-037] 지면에서 처음 속도 20 m/s로 지면과 수직인 방향으로 던진 공의 t초 후의 높이를 $f(t)$ m라 하면 $f(t)=20t-5t^2$인 관계가 있다고 한다. 다음을 구하시오.

032 공을 던진 지 1초, 3초 후의 속도

033 t초 후의 가속도

034 공이 최고 높이에 도달하는 데 걸린 시간

035 공이 최고 높이에 도달했을 때의 높이

036 공이 지면에 떨어질 때까지 걸린 시간

037 공이 지면에 떨어지는 순간의 속도

[038-040] 그림은 원점 O를 출발하여 수직선 위를 움직이는 점 P의 시각 t에 대한 속도 $v(t)$의 그래프를 나타낸 것이다. 다음을 구하시오.

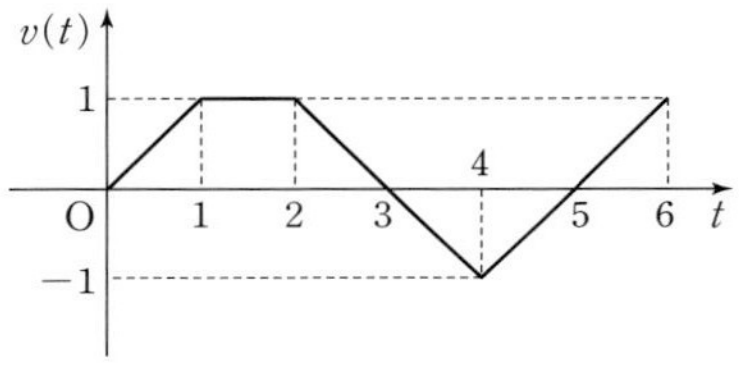

038 속도가 감소하는 시각 t의 범위

039 시각 $t=5$에서의 가속도

040 점 P의 운동 방향이 바뀌는 시각

유형 문제

정답 및 해설 066쪽

유형 01 방정식 $f(x)=k$의 실근의 개수

방정식 $f(x)=k$의 서로 다른 실근의 개수는 함수 $y=f(x)$의 그래프와 직선 $y=k$의 교점의 개수와 같다.

041

삼차함수 $y=f(x)$의 그래프가 그림과 같을 때, 방정식 $f(x)-k=0$이 서로 다른 두 실근을 갖도록 하는 모든 실수 k의 값의 합을 구하시오.

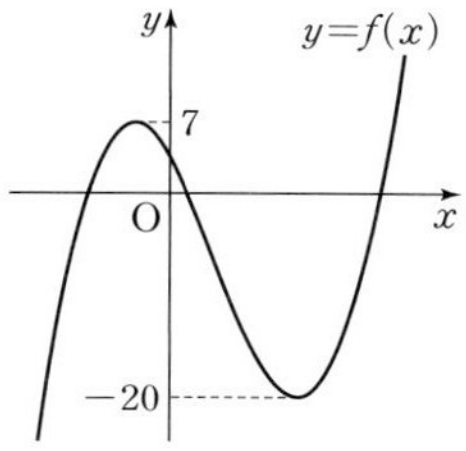

중요 **042**

x에 대한 방정식 $3x^4-4x^3-12x^2+15-k=0$이 서로 다른 네 실근을 가질 때, 실수 k의 값의 범위는?

① $-17\le k\le 10$ ② $-17<k<10$ ③ $-17<k<15$
④ $10<k<15$ ⑤ $10\le k\le 15$

043

삼차함수 $y=f(x)$의 도함수 $y=f'(x)$의 그래프가 그림과 같다. $f(-1)=4$, $f(2)=-2$일 때, x에 대한 방정식 $2f(x)+k=0$이 서로 다른 두 실근을 갖도록 하는 실수 k의 값을 구하시오.

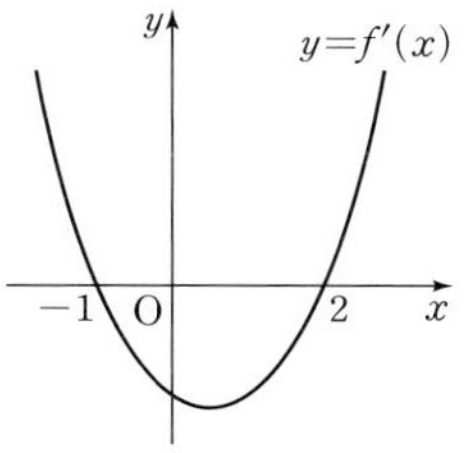

유형 02 삼차방정식의 근의 판별

삼차함수 $f(x)=ax^3+bx^2+cx+d$가 극값을 가질 때, 삼차방정식 $ax^3+bx^2+cx+d=0$의 근은

(1) (극댓값)×(극솟값)$<0 \iff$ 서로 다른 세 실근
(2) (극댓값)×(극솟값)$=0 \iff$ 한 실근과 중근 (서로 다른 두 실근)
(3) (극댓값)×(극솟값)$>0 \iff$ 한 실근과 두 허근

중요 **044**

삼차방정식 $x^3-6x^2+9x+a=0$이 서로 다른 세 실근을 가질 때, 실수 a의 값의 범위는?

① $a<-4$ ② $-4<a<0$ ③ $-4\le a\le 4$
④ $0\le a\le 4$ ⑤ $a>4$

045

삼차방정식 $x^3-3x^2-a+6=0$이 중근과 다른 한 실근을 갖도록 하는 모든 실수 a의 값의 합을 구하시오.

046

삼차방정식 $x^3+3x^2-9x+a-5=0$이 한 실근과 두 허근을 갖도록 하는 자연수 a의 최솟값을 구하시오.

중요
047

함수 $y=2x^3-3x^2-12x-5$의 그래프를 y축의 방향으로 a만큼 평행이동하였더니 함수 $y=g(x)$의 그래프가 되었다. 방정식 $g(x)=0$이 서로 다른 두 실근을 갖도록 하는 모든 실수 a의 값의 합을 구하시오.

048

함수 $f(x)=x^3-3ax^2+2$에 대하여 방정식 $f(x)=-2$가 서로 다른 세 실근을 갖도록 하는 실수 a의 값의 범위는? (단, $a\neq0$)

① $a<-1$ ② $-1<a<0$ ③ $0<a<1$
④ $a<1$ ⑤ $a>1$

049

삼차방정식 $x^3-3kx+2=0$이 오직 하나의 실근을 갖도록 하는 정수 k의 최댓값을 구하시오.

유형 03 두 그래프의 교점의 개수

두 함수 $y=f(x)$, $y=g(x)$의 그래프의 교점의 개수는 방정식 $f(x)=g(x)$의 실근의 개수와 같다.

중요
050

곡선 $y=x^3-9x$와 직선 $y=3x+k$가 서로 다른 세 점에서 만나도록 하는 상수 k의 값의 범위는?

① $-16<k<0$ ② $-16\leq k\leq16$ ③ $-16<k<16$
④ $0<k<16$ ⑤ $0\leq k\leq16$

051

곡선 $y=2x^3-3x^2-8x$와 직선 $y=4x+a$가 서로 다른 두 점에서 만나도록 하는 모든 실수 a의 값의 합을 구하시오.

052

두 곡선 $y=2x^3-3x^2-2x+1$, $y=3x^2-2x+6a$가 오직 한 점에서 만나도록 하는 자연수 a의 최솟값을 구하시오.

유형 04 방정식의 실근의 부호

(1) 방정식 $f(x)=0$의 실근
⇨ 함수 $y=f(x)$의 그래프와 x축의 교점의 x좌표
(2) 방정식 $f(x)=g(x)$의 실근
⇨ 두 함수 $y=f(x)$, $y=g(x)$의 그래프의 교점의 x좌표

053

그림은 함수 $y=f(x)$의 그래프이다. 방정식 $f(x)=a$가 서로 다른 두 개의 음의 실근과 한 개의 양의 실근을 갖도록 하는 모든 정수 a의 값의 합을 구하시오.

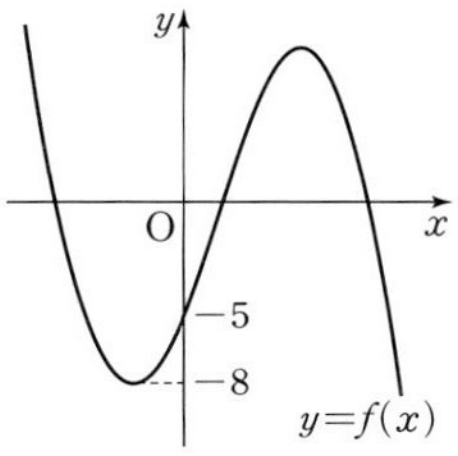

054

삼차방정식 $x^3-12x-a=0$이 오직 하나의 양의 실근을 갖도록 하는 정수 a의 최솟값을 구하시오.

055

중요

사차방정식 $x^4-x^2+a=x^2$이 서로 다른 두 개의 양의 실근과 서로 다른 두 개의 음의 실근을 갖도록 하는 실수 a의 값의 범위는?

① $-1<a<0$　② $0<a<1$　③ $-1<a<1$
④ $a\le -1$　⑤ $a>1$

유형 05 모든 실수에서 부등식이 항상 성립할 조건

(1) 모든 실수 x에 대하여 부등식 $f(x)>0$이 성립할 조건은
($f(x)$의 최솟값)>0
(2) 모든 실수 x에 대하여 부등식 $f(x)<0$이 성립할 조건은
($f(x)$의 최댓값)<0

056

모든 실수 x에 대하여 부등식 $x^4-4x^3+a-2>0$이 성립하도록 하는 실수 a의 값의 범위는?

① $-7<a<6$　② $6<a<24$　③ $12<a<29$
④ $a>12$　⑤ $a>29$

057

모든 실수 x에 대하여 부등식 $x^4-8x+a\ge 4x^3-6x^2$이 성립하도록 하는 실수 a의 최솟값을 구하시오.

058

중요

모든 실수 x에 대하여 부등식 $x^4+4a^3x+3\ge 0$이 성립하도록 하는 실수 a의 값의 범위는?

① $a\le -3$　② $-3\le a\le 1$　③ $-1\le a\le 1$
④ $1\le a\le 3$　⑤ $a\ge 3$

유형 06 주어진 구간에서 부등식이 항상 성립할 조건

(1) 어떤 구간에서 부등식 $f(x)>0$이 성립함을 보이려면
(주어진 구간에서 $f(x)$의 최솟값)>0임을 보인다.
(2) 어떤 구간에서 부등식 $f(x)>g(x)$가 성립함을 보이려면
$h(x)=f(x)-g(x)$로 놓고,
(주어진 구간에서 $h(x)$의 최솟값)>0임을 보인다.

중요
059
$x>0$일 때, 부등식 $x^3-6x^2+9x+k>0$이 성립하도록 하는 실수 k의 값의 범위는?

① $k<-1$ ② $k<0$ ③ $k>0$
④ $k\geq 0$ ⑤ $k<1$

060
$-1\leq x\leq 2$일 때, 부등식 $4x^3-3x^2\geq 6x+k$가 성립하도록 하는 실수 k의 최댓값을 구하시오.

061
$0<x<3$일 때, 두 함수 $f(x)=5x^3-8x^2+a$, $g(x)=7x^2+3$에 대하여 부등식 $f(x)\geq g(x)$가 성립하도록 하는 실수 a의 최솟값을 구하시오.

유형 07 부등식의 증명

$x>a$일 때, 부등식 $f(x)>0$이 성립할 조건
① $x>a$에서 함수 $y=f(x)$의 최솟값이 존재할 때
⇨ ($f(x)$의 최솟값)>0
② $x>a$에서 함수 $y=f(x)$가 증가하는 함수일 때 ($f'(x)>0$)
⇨ $f(a)\geq 0$

062
다음은 양의 실수 x에 대하여 부등식 $2-8x^3\geq -6x^4$이 성립함을 증명하는 과정이다.

증명

$f(x)=(2-8x^3)-(-6x^4)$ $(x>0)$이라 하면
$f'(x)=$ (가)
$x>0$에서 함수 $y=f(x)$의 최솟값은 (나) 이므로
$f(x)$ (다) 0
따라서 양의 실수 x에 대하여 부등식 $2-8x^3\geq -6x^4$이 성립한다.

위의 과정에서 (가), (나), (다)에 알맞은 것을 순서대로 적은 것은?

① $x^2(x-1)$, 1, $\geq$ ② $24x(x-1)$, 1, $\leq$
③ $24x(x-1)$, 0, $\leq$ ④ $24x^2(x-1)$, 0, $\geq$
⑤ $24x^2(x-1)$, 0, $\leq$

063
다음은 자연수 n에 대하여 $x>1$이면 부등식 $x^{n+1}+n>(n+1)x$가 성립함을 증명하는 과정이다.

증명

$f(x)=(x^{n+1}+n)-(n+1)x$라 하면
$f'(x)=(n+1)x^n-(n+1)=(n+1)$ (가)
에서 n은 자연수이고, $x>1$이므로 (나)
따라서 $x>1$에서 함수 $y=f(x)$가 증가하므로
$f(x)>$ (다)
그런데 (다) $=0$에서 $f(x)>0$
따라서 자연수 n에 대하여 $x>1$이면 부등식 $x^{n+1}+n>(n+1)x$가 성립한다.

위의 증명에서 (가), (나), (다)에 알맞은 것을 순서대로 적은 것은?

① (x^n+1), $f'(x)>0$, $f(1)$
② (x^n+1), $f'(x)<0$, $f(0)$
③ (x^n-1), $f'(x)<0$, $f(1)$
④ (x^n-1), $f'(x)>0$, $f(1)$
⑤ (x^n-1), $f'(x)>0$, $f(0)$

유형 08 수직선 위를 움직이는 점의 속도와 가속도

수직선 위를 움직이는 점 P의 시각 t에서의 위치 x가 $x=f(t)$일 때

(1) 속도: $v=\dfrac{dx}{dt}=f'(t)$ (2) 가속도: $a=\dfrac{dv}{dt}=v'(t)$

참고 속도의 절댓값 $|v|$를 속력이라고 한다.

064

원점을 출발하여 수직선 위를 움직이는 점 P의 시각 t에서의 위치 x가 $x=t^3+at^2-2t$일 때, $t=3$에서 점 P의 속도가 13이다. 상수 a의 값을 구하시오.

065

중요

원점을 출발하여 수직선 위를 움직이는 점 P의 시각 t에서의 위치 x가 $x=2t^3-3t^2-7t$일 때, 속도가 5인 순간의 점 P의 가속도를 구하시오.

066

원점을 출발하여 수직선 위를 움직이는 점 P의 시각 t에서의 위치 x가 $x=t^3-3t^2$이다. 점 P가 다시 원점을 지날 때의 가속도는?

① 0 ② 3 ③ 6
④ 9 ⑤ 12

067

수직선 위를 움직이는 두 점 P, Q의 시각 t에서의 위치가 각각 $P(t)=t^3+2t^2-12t+1$, $Q(t)=\dfrac{9}{2}t^2-6$이다. 두 점 P, Q의 속도가 같아지는 순간 두 점 P, Q 사이의 거리는?

① $\dfrac{9}{2}$ ② $\dfrac{17}{2}$ ③ 15
④ $\dfrac{37}{2}$ ⑤ $\dfrac{49}{2}$

068

중요

수직선 위를 움직이는 두 점 P, Q의 시각 t에서의 위치가 각각 $P(t)=t^2-4t+5$, $Q(t)=2t$이다. 두 점 P, Q가 두 번째로 만날 때, 두 점 P, Q의 속도를 순서대로 적은 것은?

① 6, 2 ② 5, 2 ③ 5, 1
④ 2, −2 ⑤ 1, −2

069

원점을 출발하여 수직선 위를 움직이는 점 P의 시각 t에서의 위치 x가 $x=-\dfrac{1}{3}t^3+t^2-2t$로 주어질 때, $1\le t\le 6$에서 점 P의 속력의 최댓값을 구하시오.

유형 09 속도 · 가속도와 운동 방향

(1) 수직선 위를 움직이는 점 P가 운동 방향을 바꾸는 순간의 속도는 0이다.
(2) 수직선 위를 움직이는 두 점 P, Q가
① 서로 반대 방향으로 움직일 때
⇨ (점 P의 속도)×(점 Q의 속도)<0
② 같은 방향으로 움직일 때
⇨ (점 P의 속도)×(점 Q의 속도)>0

070

원점을 출발하여 수직선 위를 움직이는 점 P의 시각 t에서의 위치 x가 $x=\frac{1}{3}t^3-\frac{5}{2}t^2+6t$라고 한다. 점 P가 출발한 후 처음으로 운동 방향을 바꿀 때의 가속도를 구하시오.

071

원점을 출발하여 수직선 위를 움직이는 두 점 P, Q의 시각 t에서의 위치를 각각 x_P, x_Q라 하면 $x_P=t^2-3t$, $x_Q=t^2-8t$이고, 두 점 P, Q가 서로 반대 방향으로 움직이는 시각은 $\alpha<t<\beta$이다. $\alpha\beta$의 값을 구하시오.

중요
072

원점을 출발하여 수직선 위를 움직이는 점 P의 시각 t에서의 위치 x가 $x=2t^3-12t^2+18t$일 때, 〈보기〉에서 옳은 것만을 있는 대로 고른 것은?

보기
ㄱ. 점 P는 출발 후 운동 방향을 두 번 바꾼다.
ㄴ. 출발 후 다시 원점에 도착하는 시각은 $t=3$이다.
ㄷ. $t=2$일 때 점 P는 원점을 향하여 움직인다.

① ㄱ ② ㄴ ③ ㄱ, ㄴ
④ ㄴ, ㄷ ⑤ ㄱ, ㄴ, ㄷ

유형 10 정지하는 물체의 속도

제동을 건 후 정지할 때까지 t초 동안 움직인 거리를 x m라 할 때
(1) 제동을 건 지 t초 후의 속도 ⇨ $v=\frac{dx}{dt}$
(2) 정지할 때의 속도 ⇨ $v=0$

073

직선 도로를 달리던 어떤 자동차가 제동을 건 후 정지할 때까지 t초 동안 움직인 거리가 x m일 때, $x=60t-5t^2$인 관계가 있다고 한다. 이 자동차가 제동을 건 후부터 정지할 때까지 걸린 시간은?

① 2초 ② 3초 ③ 4초
④ 5초 ⑤ 6초

중요
074

직선 궤도를 달리는 열차가 제동을 건 후 정지할 때까지 t초 동안 움직인 거리를 x m라 하면 $x=30t-5t^2$인 관계가 있다고 한다. 열차가 제동을 건 후 정지할 때까지 움직인 거리를 구하시오.

075

직선 궤도를 달리는 어떤 열차는 제동을 걸고 나서 멈출 때까지 t초 동안에 $30t-\frac{1}{10}ct^2$ (m)만큼 달린다고 한다. 기관사가 200 m 앞에 있는 정지선을 발견하고 열차를 멈추기 위해 제동을 걸었을 때, 열차가 정지선을 넘지 않고 멈추기 위한 양의 정수 c의 최솟값을 구하시오.

유형 11 위로 던진 물체의 위치와 속도

지면에서 지면과 수직인 방향으로 던진 물체의 t초 후의 높이를 hm라 할 때

(1) t초 후의 물체의 속도 ⇨ $v=\frac{dh}{dt}$

(2) 최고 높이에 도달했을 때의 속도 ⇨ $v=0$

중요

076

지상에서 발사된 미사일이 발사 3초 후에 목표물에 명중하였다. 발사 t초 후의 지상으로부터 미사일의 높이 $f(t)$ m가 $f(t)=20t^3-150t^2+360t$ $(0\le t\le 3)$로 관측되었을 때, 미사일이 도달한 최고 높이를 구하시오.

077

지면으로부터 10 m 높이의 지점에서 처음 속도 5 m/s로 똑바로 위로 던진 돌의 t초 후의 높이를 hm라 하면 $h=10+5t-5t^2$인 관계가 성립한다. 이 돌이 땅에 떨어질 때의 속력을 구하시오. (단, 단위는 m/s이다.)

078

지면과 수직인 방향으로 처음 속도 20 m/s로 쏘아 올린 물체의 t초 후의 높이를 hm라 하면 $h=20t-5t^2$인 관계가 성립한다. 〈보기〉에서 옳은 것만을 있는 대로 고른 것은?

보기

ㄱ. 물체의 가속도는 항상 일정하다.
ㄴ. 물체는 쏘아 올린 지 4초 후에 다시 땅에 떨어진다.
ㄷ. 이 물체는 최고 10 m까지 올라간다.

① ㄱ ② ㄷ ③ ㄱ, ㄴ
④ ㄴ, ㄷ ⑤ ㄱ, ㄴ, ㄷ

유형 12 속도의 그래프가 주어진 경우

수직선 위를 움직이는 점 P의 시각 t에서의 속도 $v(t)$의 그래프에서

(1) $v=0$이면 점 P는 움직이는 방향을 바꾸거나 정지한다.

(2) 속도 $v(t)$의 그래프에서 $t=a$에서의 가속도 ⇨ $t=a$에서의 접선의 기울기 $v'(a)$

079

수직선 위를 움직이는 점 P의 시각 t에서의 속도 $v(t)$의 그래프가 그림과 같을 때, 점 P가 운동 방향을 바꾸는 횟수는?

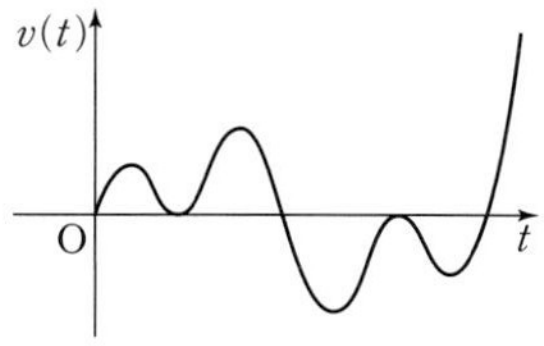

① 1 ② 2 ③ 3
④ 4 ⑤ 5

중요

080

원점을 출발하여 수직선 위를 6초 동안 움직이는 점 P의 시각 t에서의 속도 $v(t)$의 그래프가 그림과 같을 때, 〈보기〉에서 옳은 것만을 있는 대로 고른 것은?

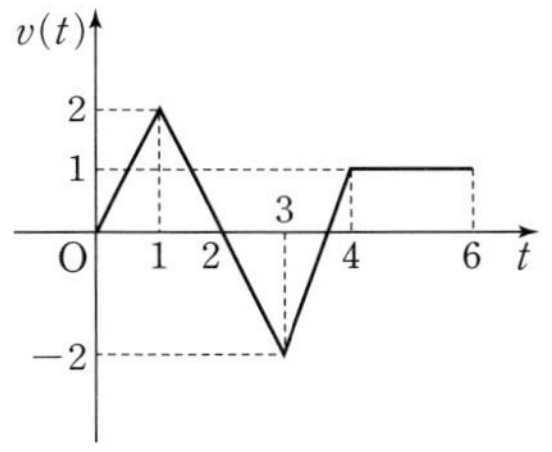

보기

ㄱ. 점 P는 출발한 후 6초 동안 움직이면서 운동 방향을 두 번 바꾼다.
ㄴ. $4<t<6$에서 점 P의 가속도는 항상 양의 값을 갖는다.
ㄷ. $1<t<2$에서 속도는 감소하고 있다.

① ㄱ ② ㄴ ③ ㄱ, ㄴ
④ ㄱ, ㄷ ⑤ ㄴ, ㄷ

유형 13 위치의 그래프가 주어진 경우

수직선 위를 움직이는 점 P의 시각 t에서의 위치 $x(t)$의 그래프에서

(1) $x'(t)>0$인 구간에서 (점 P의 속도)>0

(2) $x'(t)=0$일 때, (점 P의 속도)$=0$

(3) $x'(t)<0$인 구간에서 (점 P의 속도)<0

081

원점을 출발하여 수직선 위를 5초 동안 움직이는 점 P의 시각 t에서의 위치 x를 $x=f(t)$라 할 때, 함수 $x=f(t)$의 그래프가 그림과 같다. 다음 중 옳은 것은?

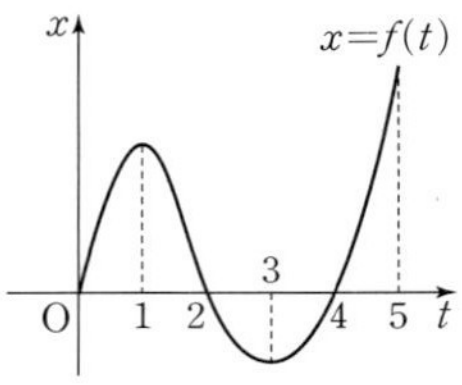

① $t=1$에서의 속도는 양수이다.

② $t=2$에서의 속도는 0이다.

③ $t=3$에서의 속도가 최소이다.

④ $t=4$에서 점 P는 수직선의 양의 방향으로 움직이고 있다.

⑤ $t=5$에서의 점 P의 좌표는 음수이다.

082

중요

원점을 출발하여 수직선 위를 움직이는 점 P의 시각 t $(0\le t\le 14)$에서의 위치를 $x(t)$라 할 때, 그림은 함수 $y=x(t)$의 그래프이다. 〈보기〉에서 옳은 것만을 있는 대로 고른 것은?

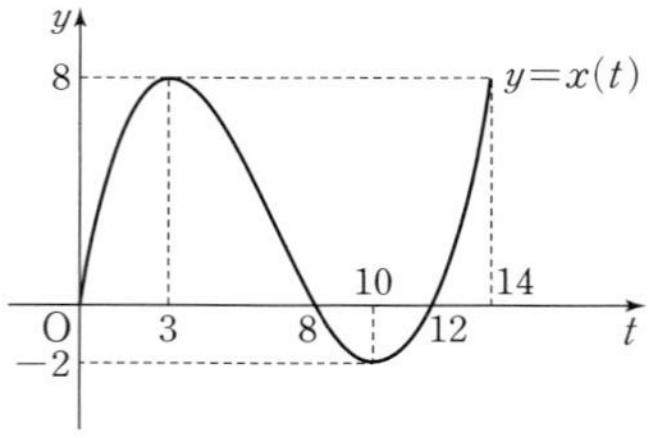

보기

ㄱ. 출발 후 점 P는 원점을 네 번 지난다.

ㄴ. $t=5$에서 점 P는 음의 방향으로 움직인다.

ㄷ. 점 P는 진행 방향을 세 번 바꾼다.

① ㄱ ② ㄴ ③ ㄷ

④ ㄱ, ㄴ ⑤ ㄴ, ㄷ

유형 14 시각에 대한 길이, 넓이, 부피의 변화율 [교육과정 外]

시각 t에서의

(1) 길이 l의 변화율: $\lim_{\Delta t\to 0}\frac{\Delta l}{\Delta t}=\frac{dl}{dt}$

(2) 넓이 S의 변화율: $\lim_{\Delta t\to 0}\frac{\Delta S}{\Delta t}=\frac{dS}{dt}$

(3) 부피 V의 변화율: $\lim_{\Delta t\to 0}\frac{\Delta V}{\Delta t}=\frac{dV}{dt}$

083

시간에 따라 길이가 변하는 고무줄이 있다. 시각 t에서의 고무줄의 길이 $l=2t^2+4t+5$일 때, $t=3$에서의 고무줄의 길이의 변화율은?

① 12 ② 14 ③ 16

④ 18 ⑤ 20

084

그림과 같이 한 변의 길이가 1 cm인 정사각형이 있다. 이 정사각형의 모든 변의 길이가 매초 4 cm씩 늘어날 때, 이 정사각형의 한 변의 길이가 17 cm인 순간의 넓이의 변화율을 구하시오.

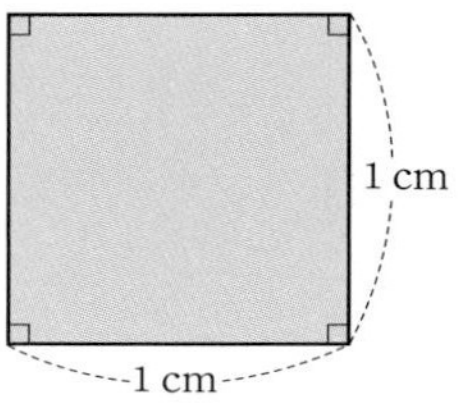

(단, 단위는 cm^2/s이다.)

085

그림과 같이 밑면이 한 변의 길이가 6 cm인 정사각형이고, 높이가 12 cm인 직육면체가 있다. 밑면의 각 변의 길이는 매초 1 cm씩 늘어나고 높이는 매초 2 cm씩 줄어들 때, 이 직육면체의 부피가 최대가 되는 순간의 겉넓이의 변화율을 구하시오.

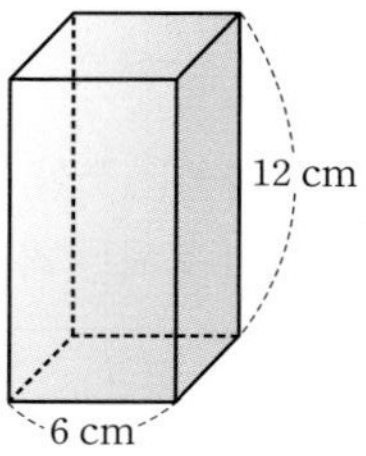

(단, 단위는 cm^2/s이다.)

086

x에 대한 방정식 $2x^3+3x^2-12x=k$가 서로 다른 두 실근을 갖도록 하는 모든 실수 k의 값의 합은?

① 5　　② 7　　③ 9
④ 11　　⑤ 13

087

삼차함수 $y=x^3-3ax^2+4a$의 그래프가 x축에 접할 때, 양수 a의 값을 구하시오.

088

두 곡선 $y=2x^3+5x^2-7x$, $y=2x^2+5x+k$가 서로 다른 세 점에서 만날 때, 자연수 k의 최댓값을 구하시오.

089

삼차방정식 $x^3-3x-k=0$이 서로 다른 두 개의 음의 실근과 한 개의 양의 실근을 가질 때, 정수 k의 값을 구하시오.

090

모든 실수 x에 대하여 부등식 $x^4-4k^3x+12>0$이 성립하도록 하는 실수 k의 값의 범위는?

① $-2<k<2$　　② $-\sqrt{2}<k<0$　　③ $-\sqrt{2}<k<\sqrt{2}$
④ $0<k<\sqrt{2}$　　⑤ $0<k<2$

091

$-1<x<2$일 때, 두 함수 $f(x)=x^3+x^2+2x$, $g(x)=x^2+5x+k$에 대하여 $f(x)\geq g(x)$가 성립하도록 하는 실수 k의 최댓값을 구하시오.

092

수직선 위를 움직이는 두 점 A, B의 시각 t에서의 위치가 각각 $x_{\mathrm{A}}=\frac{1}{3}t^3+4t^2-t$, $x_{\mathrm{B}}=\frac{2}{3}t^3-2t^2+t$일 때, 점 B의 가속도가 점 A의 가속도보다 커지는 시각은 출발한 지 몇 초 후부터인지 구하시오.

093

수직선 위를 움직이는 점 P의 시각 t에서의 위치 x가 $x=t^3+at^2+bt+9$이다. 점 P는 $t=3$에서 원점을 지나는 동시에 운동 방향을 바꾼다고 할 때, 두 상수 a, b에 대하여 $b-a$의 값을 구하시오.

094

직선 도로를 달리는 어떤 자동차가 브레이크를 밟기 시작한 후 t초 동안 미끄러지는 거리가 s m일 때, $s=24t-0.4t^2$인 관계가 있다고 한다. 이 자동차가 브레이크를 밟기 시작한 후부터 정지할 때까지 움직인 거리는?

① 320 m ② 340 m ③ 360 m
④ 380 m ⑤ 400 m

095

원점을 출발하여 수직선 위를 움직이는 점 P의 시각 t에서의 속도 $y=v(t)$의 그래프가 그림과 같다. 점 P에 대한 설명 중 〈보기〉에서 옳은 것만을 있는 대로 고르시오.

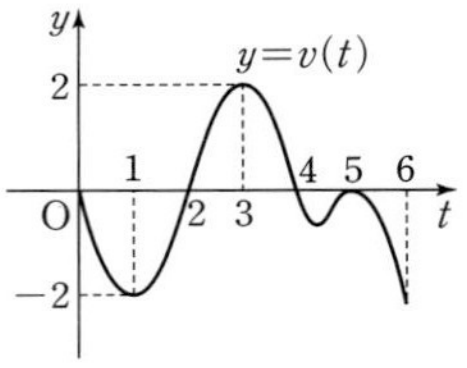

보기

ㄱ. $t=5$에서 운동 방향을 바꾼다.
ㄴ. $0<t<6$에서 운동 방향을 두 번 바꾼다.
ㄷ. $2<t<4$에서 수직선 위를 음의 방향으로 움직인다.
ㄹ. $4<t<6$에서 속도는 감소한다.

1등급 문제

096

두 함수 $f(x)=2x^3-3x^2$, $g(x)=x^2-1$에 대하여 방정식 $(g\circ f)(x)=0$의 서로 다른 실근의 개수를 구하시오.

097

$x\geq 0$일 때, 부등식 $x^3-2\geq 3k(x^2-2)$가 성립하기 위한 실수 k의 최댓값과 최솟값의 합을 구하시오.

08 부정적분

제 목		문항 번호	문항 수	확인
기본 문제		001 ~ 050	50	
유형 문제	01. 부정적분의 정의	051 ~ 056	6	
	02. 부정적분과 미분의 관계	057 ~ 062	6	
	03. 다항함수의 부정적분	063 ~ 068	6	
	04. 도함수가 주어진 경우의 부정적분	069 ~ 074	6	
	05. 기울기가 주어진 경우의 부정적분	075 ~ 080	6	
	06. 극값이 주어진 경우의 부정적분	081 ~ 083	3	
	07. 합 또는 곱으로 표현된 함수의 부정적분	084 ~ 086	3	
	08. 함수 $y=f(x)$와 그 부정적분 $y=F(x)$ 사이의 관계	087 ~ 089	3	
	09. 구간에 따라 다르게 정의된 도함수의 부정적분	090 ~ 092	3	
	10. 도함수의 그래프가 주어진 경우의 부정적분	093 ~ 098	6	
쌤이 시험에 꼭 내는 문제		099 ~ 110	12	

08 부정적분

1 부정적분

(1) 함수 $y=f(x)$에 대하여 $F'(x)=f(x)$가 되는 $y=F(x)+C$ (C는 상수)를 $y=f(x)$의 부정적분이라 하고, 기호로

$$\int f(x)\,dx$$

와 같이 나타낸다.

(2) 함수 $y=f(x)$의 부정적분 중 하나를 $y=F(x)$라 하면

$$\int f(x)\,dx=F(x)+C \text{ (단, } C\text{는 적분상수이다.)}$$

2 적분과 미분의 관계

(1) $\dfrac{d}{dx}\displaystyle\int f(x)\,dx=f(x)$

(2) $\displaystyle\int\left\{\dfrac{d}{dx}f(x)\right\}dx=f(x)+C$ (단, C는 적분상수이다.)

3 함수 $y=x^n$의 부정적분

n이 음이 아닌 정수일 때,

$$\int x^n\,dx=\frac{1}{n+1}x^{n+1}+C \text{ (단, } C\text{는 적분상수이다.)}$$

4 함수의 실수배, 합, 차의 부정적분

두 다항함수 $y=f(x)$, $y=g(x)$에 대하여

(1) $\displaystyle\int kf(x)\,dx=k\int f(x)\,dx$ (단, k는 상수이다.)

(2) $\displaystyle\int\{f(x)+g(x)\}dx=\int f(x)\,dx+\int g(x)\,dx$

(3) $\displaystyle\int\{f(x)-g(x)\}dx=\int f(x)\,dx-\int g(x)\,dx$

개념 플러스

- 미분한다.
  $$\int f(x)\,dx=F(x)+C$$
  적분한다.
- 함수 $y=f(x)$를 적분한 후 미분하면 $y=f(x)$가 되지만 미분한 후 적분하면 $y=f(x)+C$가 된다.
- $+1$
  $$\int x^n\,dx=\frac{1}{n+1}x^{n+1}+C$$
  $+1$
- $a\neq0$이고, n이 자연수일 때,
  $$\int(ax+b)^n\,dx=\frac{1}{a}\times\frac{1}{n+1}\times(ax+b)^{n+1}+C$$
  (단, C는 적분상수)
- $\int 1\,dx$는 $\int dx$로 나타내기도 한다.
- 함수의 실수배, 합, 차의 부정적분은 세 개 이상의 함수에 대해서도 성립한다.
- 적분상수가 여러 개 있을 때는 이들을 묶어서 하나의 적분상수 C로 나타낸다.

기본 문제

정답 및 해설 075쪽

1 부정적분

[001-005] 다음 등식을 만족시키는 함수 $y=f(x)$를 구하시오.
(단, C는 적분상수이다.)

001 $\int f(x)\,dx=2x+C$

002 $\int f(x)\,dx=x^2+C$

003 $\int f(x)\,dx=3x^2-5x+C$

004 $\int f(x)\,dx=x^3+4x+C$

005 $\int f(x)\,dx=-x^3+2x^2+C$

006 〈보기〉의 함수 중에서 함수 $f(x)=4x^3$의 부정적분 중 하나가 될 수 <u>없는</u> 것만을 있는 대로 고르시오.

보기	
ㄱ. $F(x)=x^4$	ㄴ. $F(x)=x^4-2x$
ㄷ. $F(x)=x^4-5$	ㄹ. $F(x)=x^4+\frac{3}{2}$

[007-008] 함수 $f(x)=x^2+2x+1$에 대하여 다음을 구하시오.

007 $f'(x)$

008 $\int f'(x)\,dx$

[009-012] 다음을 계산하시오.

009 $\frac{d}{dx}\int x^4\,dx$

010 $\int\left(\frac{d}{dx}x^4\right)dx$

011 $\frac{d}{dx}\int (x^2+2x)\,dx$

012 $\int\left\{\frac{d}{dx}(x^2+2x)\right\}dx$

2 x^n 의 부정적분

[013-020] 다음 부정적분을 구하시오.

013 $\int 1\,dx$

014 $\int 3\,dx$

015 $\int x\,dx$

016 $\int x^2\,dx$

017 $\int x^5\,dx$

018 $\int x^{99}\,dx$

019 $\int t^{10}\,dt$

020 $\int x^n\,dx$ (단, n은 음이 아닌 정수이다.)

3 함수의 실수배, 합, 차의 부정적분

[021-023] 다음 부정적분을 구하시오.

021 $\int 2x\,dx$

022 $\int 3x^2\,dx$

023 $\int 8x^3\,dx$

[024-028] 다음 부정적분을 구하시오.

024 $\int (2x+3)\,dx$

025 $\int (3x^2+6x-5)\,dx$

026 $\int (2x^3+x-1)\,dx$

027 $\int (4y-2)\,dy$

028 $\int (3t^2-2t+4)\,dt$

[029-036] 다음 부정적분을 구하시오.

029 $\int x(x-2)\,dx$

030 $\int (x-1)(x+2)\,dx$

031 $\int (x-1)(3x+2)dx$

032 $\int (x+1)^2\,dx$

033 $\int (2x-1)^2 dx$

034 $\int x(x-1)(x-2)\,dx$

035 $\int (x+1)(x^2-x+1)dx$

036 $\int (y+1)^3 dy$

[037-043] 다음 부정적분을 구하시오.

037 $\int (3x-1)dx+\int (5x-3)dx$

038 $\int (3x^2+2)dx+\int (2x-1)dx$

039 $\int (4x^2-x+2)dx-\int (x^2-7x-1)dx$

040 $\int (x^3-x+4)dx+\int (3x^3+3x^2-x-1)dx$

041 $\int (x+1)^2\,dx+\int (x-1)^2\,dx$

042 $\int (2x+3)^2\,dx-\int (2x-3)^2\,dx$

043 $\int (x+1)^3\,dx-\int (x-1)^3\,dx$

[044-046] 다음 부정적분을 구하시오.

044 $\int \frac{x^2-9}{x+3}\,dx$

045 $\int \frac{x^3+8}{x+2}\,dx$

046 $\int \frac{x^2}{x+1}\,dx-\int \frac{1}{x+1}\,dx$

4 적분상수 정하기

047 다음은 $f'(x)=4x^3-3x^2+6x-2$, $f(1)=2$를 만족시키는 함수 $y=f(x)$를 구하는 과정이다. □ 안에 알맞은 것을 써넣으시오.

> $f'(x)=4x^3-3x^2+6x-2$에서
> $f(x)=\int (4x^3-3x^2+6x-2)dx$
> $\quad\;\;=x^4-x^3+3x^2-2x+C$
> $f(1)=2$이므로
> $f(1)=$□$+C=2$
> $\therefore C=$□
> $\therefore f(x)=$□

[048-050] 다음 조건을 만족시키는 함수 $y=f(x)$를 구하시오.

048 $f'(x)=4x-5$, $f(0)=1$

049 $f'(x)=3x^2-6x+1$, $f(0)=-2$

050 $f'(x)=4x^3-6x^2+8x-5$, $f(1)=3$

유형 문제

정답 및 해설 078쪽

유형 01 부정적분의 정의

함수 $y=F(x)$의 도함수가 $y=f(x)$이다.
$\Longleftrightarrow F'(x)=f(x)$
$\Longleftrightarrow F(x)$는 $f(x)$의 부정적분 중 하나이다.
$\Longleftrightarrow \int f(x)\,dx=F(x)+C$ (단, C는 적분상수이다.)

051

함수 $y=f(x)$의 부정적분 중 하나가 $y=3x^2+x+2$일 때, $f(2)$의 값은?

① 11　② 13　③ 15
④ 17　⑤ 19

052

함수 $f(x)=2x-3$의 부정적분 중에서 $x=2$일 때의 함숫값이 5인 함수를 $y=F(x)$라 할 때, 함수 $y=F(x)$를 구하시오.

053 (중요)

등식 $\int(12x^2+ax-5)\,dx=bx^3+3x^2-cx+2$를 만족시키는 세 상수 a, b, c에 대하여 $a+b+c$의 값은?

① 11　② 12　③ 13
④ 14　⑤ 15

054

함수 $F(x)=2x^3+ax^2+bx$가 함수 $y=f(x)$의 부정적분 중 하나이고 $f(0)=2$, $f'(0)=-2$일 때, 두 상수 a, b에 대하여 ab의 값은?

① -2　② -1　③ 1
④ 2　⑤ 4

055 (중요)

두 함수 $y=F(x)$, $y=G(x)$는 각각 함수 $y=f(x)$의 부정적분 중 하나이고 $F(0)=1$, $G(0)=3$일 때, $F(1)-G(1)$의 값은?

① -3　② -2　③ -1
④ 1　⑤ 2

056

〈보기〉에서 옳은 것만을 있는 대로 고른 것은?

보기
ㄱ. $2x$의 부정적분은 x^2이다.
ㄴ. $\int 0\,dx=C$ (단, C는 적분상수이다.)
ㄷ. $\int 2x\,dx$는 $2x$의 부정적분이다.

① ㄱ　② ㄱ, ㄴ　③ ㄱ, ㄷ
④ ㄴ, ㄷ　⑤ ㄱ, ㄴ, ㄷ

유형 02 부정적분과 미분의 관계

(1) $\frac{d}{dx}\int f(x)\,dx=f(x)$

(2) $\int\left\{\frac{d}{dx}f(x)\right\}dx=f(x)+C$ (단, C는 적분상수이다.)

057

모든 실수 x에 대하여

$$\frac{d}{dx}\int(ax^2+x+4)\,dx=2x^2+bx+c$$

를 만족시키는 세 상수 a, b, c에 대하여 $a+b+c$의 값은?

① 4 ② 5 ③ 6
④ 7 ⑤ 8

중요

058

함수 $f(x)=\int\left\{\frac{d}{dx}(3x^2+2x)\right\}dx$에 대하여 $f(1)=6$일 때, $f(-1)$의 값을 구하시오.

059

함수 $f(x)=\frac{d}{dx}\int(x^2-2x+k)\,dx$의 최솟값이 -5일 때, 상수 k의 값을 구하시오.

중요

060

함수 $f(x)=\log_2(x^2+2x+a)$에 대하여

$$g(x)=\frac{d}{dx}\int f(x)\,dx$$

일 때, $g(2)=4$를 만족시키는 상수 a의 값은?

① 2 ② 4 ③ 6
④ 8 ⑤ 10

061

함수 $f(x)=2^{x+3}$에 대하여

$$G(x)=\int\left[\frac{d}{dx}\{f(x)+2\}\right]dx$$

이고 $G(1)=20$일 때, $G(-1)$의 값은?

① 1 ② 2 ③ 4
④ 8 ⑤ 16

062

함수 $f(x)=\int\left\{\frac{d}{dx}(2x^4-ax^2)\right\}dx$에 대하여

$f(1)=3$, $\lim_{x\to1}\frac{f(x)-f(1)}{x-1}=2$일 때, $f(-1)$의 값을 구하시오.

(단, a는 상수이다.)

유형 03 다항함수의 부정적분

n이 음이 아닌 정수일 때, 두 다항함수 $y=f(x)$, $y=g(x)$에 대하여

(1) $\int x^n dx=\frac{1}{n+1}x^{n+1}+C$ (단, C는 적분상수이다.)

(2) $\int kf(x)\,dx=k\int f(x)\,dx$ (단, k는 상수이다.)

(3) $\int\{f(x)\pm g(x)\}dx=\int f(x)\,dx\pm\int g(x)\,dx$

(복부호 동순)

063

함수 $y=F(x)$가

$$F(x)=10\int x^9\,dx+3\int x^2\,dx+\int 1\,dx$$

이고 $F(0)=2$일 때, $F(1)$의 값은?

① 1 ② 3 ③ 5
④ 7 ⑤ 9

064

함수 $f(x)=\int(x-1)(x+1)(x^2+1)\,dx$에 대하여 $f(0)=3$일 때, $f(1)$의 값을 구하시오.

중요
065

함수 $y=f(x)$가

$f(x)=\int(x+1)(x^2-x+1)\,dx-\int(x-1)(x^2+x+1)\,dx$

이고 $f(3)=8$일 때, $f(5)$의 값을 구하시오.

중요
066

함수 $y=f(x)$가 $f(x)=\int\frac{x^2}{x-2}\,dx-\int\frac{4}{x-2}\,dx$이고 $f(0)=-1$일 때, $f(2)$의 값은?

① 4 ② 5 ③ 6
④ 7 ⑤ 8

067

함수 $y=f(x)$가 $f(x)=\int(1+2x+3x^2+\cdots+10x^9)\,dx$이고 $f(0)=\frac{5}{2}$일 때, $f(3)$의 값은?

① $\frac{3^{10}}{2}$ ② $\frac{3^{10}}{2}+1$ ③ $\frac{3^{11}}{2}-1$
④ $\frac{3^{11}}{2}$ ⑤ $\frac{3^{11}}{2}+1$

068

함수 $f(x)=\frac{d}{dx}\int(x^2-2x+3)\,dx$에 대하여 함수 $g(x)=\int f(x)\,dx$이고 $g(1)=4$가 성립할 때, $g(4)$의 값을 구하시오.

유형 04 도함수가 주어진 경우의 부정적분

$f'(x)$가 주어지고 $f(x)$를 구할 때

⇨ $f(x)=\int f'(x)\,dx$임을 이용한다.

069

함수 $y=f(x)$에 대하여 $f'(x)=3x^2-4x+1$이고 $f(0)=3$일 때, $f(1)$의 값은?

① 2　　② 3　　③ 4　　④ 5　　⑤ 6

070 (중요)

함수 $y=f(x)$에 대하여 $f'(x)=3x^2+2ax-1$이고 $f(0)=1$, $f(1)=-1$일 때, $f(2)$의 값을 구하시오. (단, a는 상수이다.)

071

함수 $y=f(x)$의 부정적분을 구해야 하는 문제를 잘못하여 $y=f(x)$의 도함수를 구했더니 $y=-3x^2+4x-3$이 되었다. 문제의 옳은 답을 구하시오. (단, $f(0)=1$)

072

함수 $y=f(x)$의 도함수가 $f'(x)=2x+8$일 때, 모든 실수 x에 대하여 $f(x)>0$이 성립한다. 다음 중 $f(0)$의 값이 될 수 있는 것은?

① 4　　② 8　　③ 12　　④ 16　　⑤ 20

073 (중요)

함수 $y=f(x)$의 도함수가 $f'(x)=x^2+5x+a$이고 $3f(0)=2$, $\lim_{h\to0}\frac{f(1+2h)-f(1)}{h}=8$일 때, $f(1)$의 값을 구하시오.

(단, a는 상수이다.)

074

함수 $y=f(x)$가 다음 조건을 만족시킬 때, $f(2)$의 값을 구하시오.

(단, a는 상수이다.)

(가) $f'(x)=6x+a$　　(나) $\lim_{x\to1}\frac{f(x)}{x-1}=2a+1$

유형 05 기울기가 주어진 경우의 부정적분

곡선 $y=f(x)$ 위의 점 $(x, f(x))$에서의 접선의 기울기가 $f'(x)$임을 이용한다.

중요
075

점 $(0, 5)$를 지나는 곡선 $y=f(x)$ 위의 점 (x, y)에서의 접선의 기울기가 $2x+1$일 때, $f(1)$의 값은?

① 1 ② 3 ③ 5
④ 7 ⑤ 9

076

곡선 $y=f(x)$ 위의 점 (x, y)에서의 접선의 기울기가 $4x+1$이고 $2f(1)=f(2)$가 성립할 때, $f(-1)$의 값은?

① 3 ② 4 ③ 5
④ 6 ⑤ 7

077

함수 $f(x)=\int(3x^2+x+a)\,dx$에 대하여 곡선 $y=f(x)$ 위의 $x=1$인 점에서의 접선의 기울기가 2일 때, 상수 a의 값을 구하시오.

078

두 점 $(1, 3)$, $(-1, 1)$을 지나는 곡선 $y=f(x)$ 위의 임의의 점 (x, y)에서의 접선의 기울기가 x^2에 정비례할 때, $f(2)$의 값을 구하시오.

중요
079

곡선 $y=f(x)$ 위의 점 $(x, f(x))$에서의 접선의 기울기가 $2x-6$이고 $y=f(x)$의 최솟값이 3일 때, $f(1)$의 값은?

① 4 ② 5 ③ 6
④ 7 ⑤ 8

080

점 $(0, -2)$를 지나는 곡선 $y=f(x)$ 위의 임의의 점 (x, y)에서의 접선의 기울기는 $-6x+k$이다. 방정식 $f(x)=0$의 한 근이 2일 때, 다른 한 근을 구하시오. (단, k는 상수이다.)

유형 06 극값이 주어진 경우의 부정적분

미분가능한 함수 $y=f(x)$에 대하여
$f'(a)=0$이고 $x=a$의 좌우에서 $f'(x)$의 부호가
(1) 양에서 음으로 변하면 $y=f(x)$는 $x=a$에서 극대
(2) 음에서 양으로 변하면 $y=f(x)$는 $x=a$에서 극소

중요
081
함수 $y=f(x)$의 도함수가 $f'(x)=3x^2-6x-9$이고, $y=f(x)$의 극댓값이 7일 때, $y=f(x)$는 $x=a$에서 극솟값 b를 갖는다. $a+b$의 값은?

① -25 ② -22 ③ -19
④ -16 ⑤ -13

082
삼차함수 $y=f(x)$는 $x=1$에서 극값 5를 갖고
$f'(x)=6x^2-18x+a$일 때, $y=f(x)$의 다른 극값을 구하시오.
(단, a는 상수이다.)

083
$f(1)=1$, $f'(2)=0$을 만족시키는 삼차함수 $y=f(x)$가 $x=0$에서 극댓값 3을 가질 때, 극솟값을 구하시오.

유형 07 합 또는 곱으로 표현된 함수의 부정적분

미분가능한 두 함수 $y=f(x)$, $y=g(x)$에 대하여
(1) $\{f(x)+g(x)\}'=h(x)$
⇨ $f(x)+g(x)=\int h(x)dx$
(2) $\{f(x)g(x)\}'=h(x)$
⇨ $f(x)g(x)=\int h(x)dx$

084
계수가 정수인 이차함수 $y=f(x)$와 일차함수 $y=g(x)$에 대하여 $\{f(x)g(x)\}'=3x^2-4x-3$이고 $f(0)=-3$, $g(0)=-2$일 때, $f(-3)+g(3)$의 값을 구하시오.

085
$f(0)=0$, $g(0)=1$인 두 다항함수 $y=f(x)$, $y=g(x)$에 대하여
$\frac{d}{dx}\{f(x)+g(x)\}=3$, $\frac{d}{dx}\{f(x)g(x)\}=4x+2$일 때,
$f(2)+g(3)$의 값은?

① 4 ② 5 ③ 6
④ 7 ⑤ 8

중요
086
두 함수 $y=f(x)$, $y=g(x)$에 대하여 $f(0)=2$, $g(0)=-1$이고
$\frac{d}{dx}\{f(x)+g(x)\}=2x+1$, $\frac{d}{dx}\{f(x)g(x)\}=3x^2-2x+2$
인 관계가 성립할 때, $f(3)+g(2)$의 값을 구하시오.

유형 08 함수 $y=f(x)$와 그 부정적분 $y=F(x)$ 사이의 관계

미분가능한 함수 $y=f(x)$와 그 부정적분 $y=F(x)$ 사이의 관계식이 주어지면

① 주어진 등식의 양변을 x에 대하여 미분한다.
　이때 $F'(x)=f(x)$임을 이용한다.

② $y=f'(x)$가 구해진 경우, 적분을 이용하여 $y=f(x)$를 구한다.

087

다항함수 $y=f(x)$와 그 부정적분 $y=F(x)$ 사이에

$$F(x)+\int xf(x)\,dx=x^3+x^2-x+C$$

인 관계가 성립할 때, $f(3)$의 값을 구하시오.

(단, C는 적분상수이다.)

중요 **088**

다항함수 $y=f(x)$의 부정적분 중 하나를 $y=F(x)$라 할 때, 다음 조건을 만족시킨다. 함수 $y=f(x)$를 구하시오.

(가) $F(x)=xf(x)-4x^3+3x^2$	(나) $f(0)=1$

089

다항함수 $y=f(x)$에 대하여

$$xf(x)-\int f(x)\,dx=\frac{2}{3}x^3+\frac{3}{2}x^2$$

인 관계가 성립한다. $f(1)=10$일 때, $f(2)$의 값을 구하시오.

유형 09 구간에 따라 다르게 정의된 도함수의 부정적분

함수 $y=f(x)$가 $x=a$에서 연속이고

$f'(x)=\begin{cases} g(x) & (x\ge a) \\ h(x) & (x<a) \end{cases}$ 일 때,

① $f(x)=\begin{cases} \int g(x)\,dx & (x\ge a) \\ \int h(x)\,dx & (x<a) \end{cases}$

② $f(a)=\lim_{x\to a+}f(x)=\lim_{x\to a-}f(x)$이다.

090

모든 실수 x에 대하여 미분가능한 함수 $y=f(x)$의 도함수가

$$f'(x)=\begin{cases} 5 & (x<2) \\ 2x+1 & (x\ge 2) \end{cases}$$

이고 $f(0)=-6$일 때, $f(3)$의 값을 구하시오.

중요 **091**

함수 $y=f(x)$의 도함수가 $f'(x)=\begin{cases} 2x+3 & (x\ge -1) \\ k & (x<-1) \end{cases}$ 이고, $f(0)=2$, $f(-2)=5$이다. $y=f(x)$가 $x=-1$에서 연속일 때, $f(-3)$의 값은? (단, k는 상수이다.)

① 10　② 9　③ 8　④ 7　⑤ 6

092

모든 실수 x에 대하여 미분가능한 함수 $y=f(x)$의 도함수가 $f'(x)=x+|x-2|$이고 $f(0)=0$일 때, $f(3)+f(-1)$의 값을 구하시오.

유형 10 도함수의 그래프가 주어진 경우의 부정적분

그래프를 통하여 $f'(x)$의 식을 찾아 $f(x)$의 식을 구한다.

093

함수 $y=f(x)$의 도함수 $y=f'(x)$의 그래프가 그림과 같고, $y=f(x)$의 그래프가 x축에 접할 때, $f(1)$의 값은?

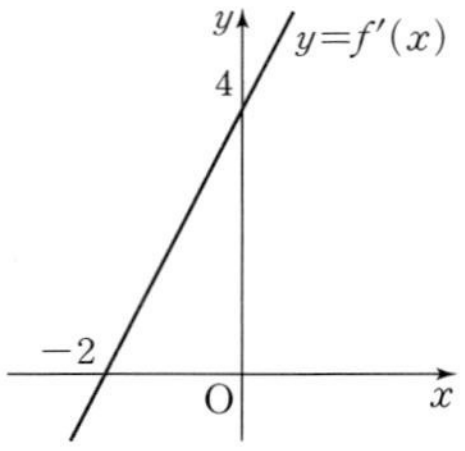

① 5　② 6　③ 7　④ 8　⑤ 9

094

함수 $y=f(x)$의 도함수 $y=f'(x)$의 그래프가 그림과 같고 $y=f(x)$의 극솟값이 1일 때, 함수 $y=f(x)$의 극댓값을 구하시오.

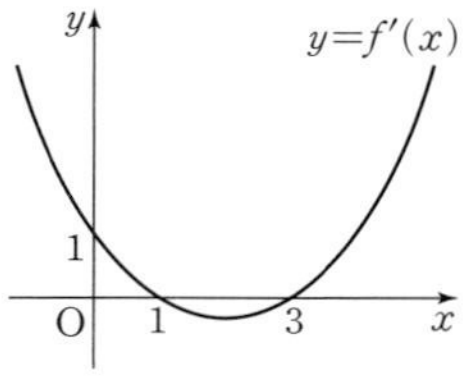

095 (중요)

함수 $y=f(x)$의 도함수를 $y=f'(x)$라 할 때, 함수 $y=f'(x)$의 그래프는 그림과 같다. $y=f(x)$의 극솟값이 3이고 극댓값이 5일 때, $f(1)$의 값은?

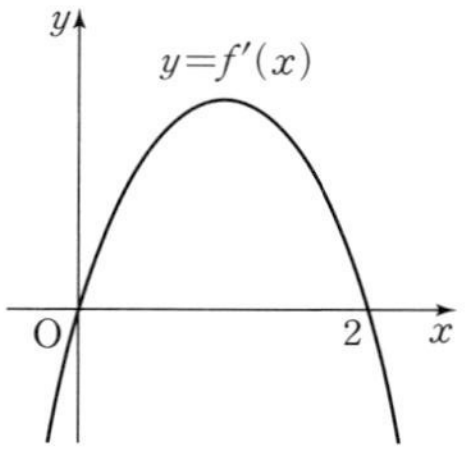

① 1　② 2　③ 3　④ 4　⑤ 5

096 (중요)

사차함수 $y=f(x)$의 도함수 $y=f'(x)$의 그래프가 그림과 같다. $y=f(x)$의 극댓값이 0이고, 극솟값이 -2일 때, $f(2)$의 값을 구하시오.

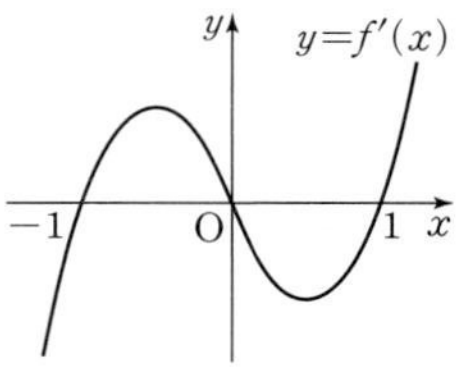

097

모든 실수 x에서 연속인 함수 $y=f(x)$의 도함수 $y=f'(x)$의 그래프가 그림과 같다. $f(-3)=2$일 때, $f(3)$의 값은?

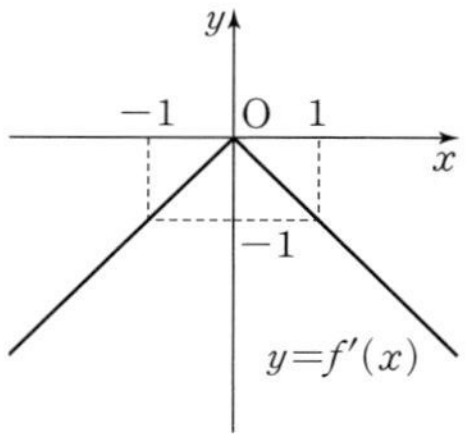

① -1　② -3　③ -5　④ -7　⑤ -9

098

함수 $y=f(x)$의 도함수 $y=f'(x)$의 그래프가 그림과 같고, $f(1)=1$을 만족시킬 때, $f(3)$의 값을 구하시오.

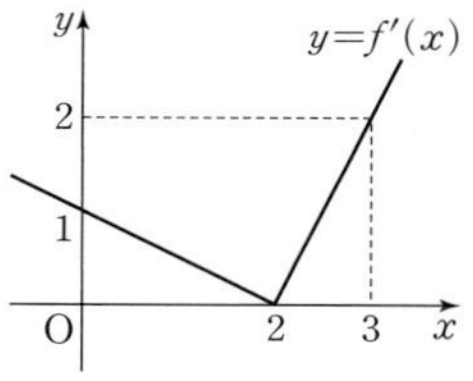

099

함수 $F(x)=x^3+ax^2+6x$가 함수 $y=f(x)$의 부정적분 중 하나이고 $f(0)=b$, $f'(0)=6$일 때, 두 상수 a, b에 대하여 ab의 값은?

① 16　② 17　③ 18　④ 19　⑤ 20

100

다항함수 $y=f(x)$에 대하여

$\frac{d}{dx}\int xf(x)\,dx=x^8+x^7+x^6+\cdots+x$일 때, $f(2)$의 값을 구하시오.

101

$f(x)=\int \frac{x^3}{x-2}\,dx+\int \frac{8}{2-x}\,dx$에 대하여

$f(0)=\frac{2}{3}$일 때, $f(1)$의 값을 구하시오.

102

다음 조건을 만족시키는 함수 $y=f(x)$에 대하여 $f(2)$의 값은?

> (가) $f'(x)=3x^2+4x-3$　　(나) $f(1)=3$

① 9　② 10　③ 11　④ 12　⑤ 13

103

함수 $y=f(x)$의 도함수가 $f'(x)=3x^2-2x+1$이고 $f(0)=0$일 때, 곡선 $y=f(x)$ 위의 $x=1$인 점에서의 접선의 방정식은?

① $y=x-1$　② $y=x+1$　③ $y=2x-1$　④ $y=2x+1$　⑤ $y=2x+2$

104

미분가능한 함수 $y=f(x)$와 그 부정적분 $y=F(x)$ 사이에 $F(x)=xf(x)-3x^3+2x^2$인 관계가 성립하고 $f(0)=2$일 때, $f(2)$의 값을 구하시오.

105

미분가능한 함수 $y=f(x)$가 임의의 두 실수 x, y에 대하여

$$f(x+y)=f(x)+f(y)+2xy$$

를 만족시킨다. $f'(0)=0$일 때, $f(3)$의 값을 구하시오.

106

함수 $y=f(x)$의 도함수가 $f'(x)=\begin{cases} 2x+k & (x\geq -1) \\ 3 & (x<-1) \end{cases}$이고, $f(0)=1$, $f(-2)=3$이다. $y=f(x)$가 $x=-1$에서 연속일 때, $f(2)$의 값을 구하시오. (단, k는 상수이다.)

107

삼차함수 $y=f(x)$의 도함수 $y=f'(x)$의 그래프가 그림과 같다. $y=f(x)$의 극댓값이 20일 때, 극솟값은?

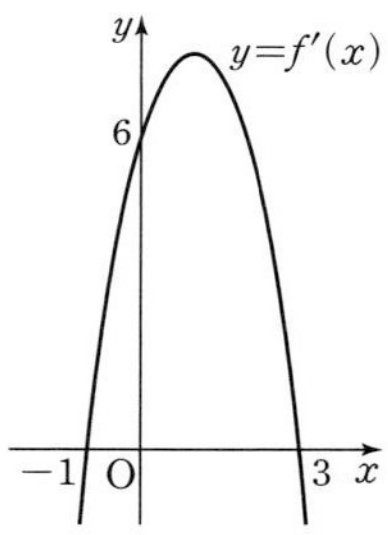

① $-\frac{4}{3}$ ② $-\frac{2}{3}$

③ $\frac{2}{3}$ ④ $\frac{4}{3}$

⑤ 2

108

함수 $f(x)=3x^2-12x+9$의 한 부정적분을 $y=F(x)$라 할 때, 방정식 $F(x)=0$이 서로 다른 세 실근을 갖도록 하는 적분상수 C의 값의 범위는 $\alpha<C<\beta$이다. $\alpha+\beta$의 값을 구하시오.

1등급 문제

109

일차함수 $y=f(x)$에 대하여

$$2\int f(x)\,dx=f(x)+xf(x)-x+3$$

이 성립한다. $f(1)=4$일 때, $f(2)$의 값을 구하시오.

110

미분가능한 함수 $y=f(x)$가 모든 실수 x, y에 대하여

$$f(x+y)=f(x)+f(y)+axy(x+y),$$

$$\lim_{x\to 1}\frac{f(x)-3}{x-1}=5$$

를 만족시킬 때, $\sum_{k=1}^{5} f(k)$의 값을 구하시오. (단, a는 상수이다.)

09 정적분

제 목		문항 번호	문항 수	확인
기본 문제		001~044	44	
유형 문제	01. 정적분의 정의	045~053	9	
	02. 적분과 미분의 관계	054~056	3	
	03. 정적분의 기본 정의	057~062	6	
	04. 정적분의 성질 (1)	063~068	6	
	05. 정적분의 성질 (2)	069~074	6	
	06. 구간별로 주어진 함수의 정적분	075~080	6	
	07. 그래프로 주어진 함수의 정적분	081~085	5	
	08. 절댓값 기호를 포함한 함수의 정적분	086~091	6	
쌤이 시험에 꼭 내는 문제		092~103	12	

09 정적분

1 정적분의 정의

(1) 구간 $[a, b]$에서 연속인 함수 $y=f(x)$의 한 부정적분을 $y=F(x)$라 할 때,

$$\int_a^b f(x)dx=\Big[F(x)\Big]_a^b=F(b)-F(a)$$

이다. 이때 $\int_a^b f(x)dx$의 값 $F(b)-F(a)$를 $y=f(x)$의 a에서 b까지의 정적분이라고 한다.

참고 부정적분 $\int f(x)\,dx$는 함수이지만 정적분 $\int_a^b f(x)\,dx$는 상수이다.

(2) 함수 $y=f(x)$가 구간 $[a, b]$에서 연속이고 $f(x)\ge 0$이면 정적분 $\int_a^b f(x)dx$는

곡선 $y=f(x)$와 x축 및 두 직선 $x=a$, $x=b$로 둘러싸인 도형의 넓이를 나타낸다.

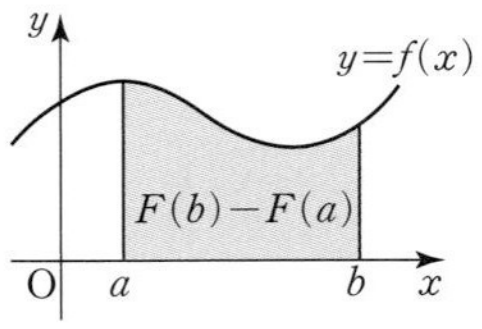

2 적분과 미분의 관계

함수 $y=f(t)$가 구간 $[a, b]$에서 연속이고 $a\le x\le b$일 때,

$$\frac{d}{dx}\int_a^x f(t)\,dt=f(x)$$

3 정적분의 기본 정의

(1) $a=b$일 때, $\int_a^b f(x)\,dx=0$

(2) $a>b$일 때, $\int_a^b f(x)\,dx=-\int_b^a f(x)\,dx$

4 정적분의 성질

세 실수 a, b, c를 포함하는 구간에서 두 함수 $y=f(x)$, $y=g(x)$가 연속일 때,

(1) $\int_a^b kf(x)\,dx=k\int_a^b f(x)\,dx$ (단, k는 상수이다.)

(2) $\int_a^b \{f(x)+g(x)\}dx=\int_a^b f(x)\,dx+\int_a^b g(x)\,dx$

(3) $\int_a^b \{f(x)-g(x)\}dx=\int_a^b f(x)\,dx-\int_a^b g(x)\,dx$

(4) $\int_a^b f(x)\,dx=\int_a^c f(x)\,dx+\int_c^b f(x)\,dx$

개념 플러스

- $\int_a^b f(x)\,dx$의 값을 구하는 것을 함수 $y=f(x)$를 a에서 b까지 적분한다고 한다. 이때 구간 $[a, b]$를 적분 구간, a를 아래끝, b를 위끝, x를 적분 변수라고 한다.
- $\Big[F(x)+C\Big]_a^b$
  $=\{F(b)+C\}-\{F(a)+C\}$
  $=F(b)-F(a)=\Big[F(x)\Big]_a^b$
  이므로 정적분의 계산에서는 적분상수를 고려하지 않는다.
- 아래끝의 상수가 달라도 미분 결과는 같다. 즉, $a\ne b$일 때,
  $\frac{d}{dx}\int_a^x f(t)dt=\frac{d}{dx}\int_b^x f(t)dt$
- 정적분의 정의는 아래끝과 위끝의 대소에 관계없이 항상 성립한다.
- 변수를 x 대신에 다른 문자를 사용하여 나타내어도 정적분의 값은 변하지 않는다.
  $\int_a^b f(x)dx=\int_a^b f(y)dy$
  $=\int_a^b f(t)dt$
- (4)는 구간에 따라 다르게 정의된 함수 또는 절댓값 기호를 포함한 함수의 정적분을 구할 때 이용한다.

기본 문제

정답 및 해설 086쪽

1 정적분의 정의

[001-009] 다음 정적분의 값을 구하시오.

001 $\int_{0}^{2} 5\,dx$

002 $\int_{0}^{2} 2x\,dx$

003 $\int_{0}^{3} x^2\,dx$

004 $\int_{1}^{3} x^3\,dx$

005 $\int_{0}^{2} (x+3)\,dx$

006 $\int_{1}^{3} (2x+3)\,dx$

007 $\int_{-1}^{2} (4t+1)\,dt$

008 $\int_{0}^{1} (x^3-5x^2+2x)\,dx$

009 $\int_{1}^{3} (8t^3+4t)\,dt$

[010-012] 다음 정적분의 값을 구하시오.

010 $\int_{0}^{3} x(x-3)\,dx$

011 $\int_{1}^{2} (t-1)^2\,dt$

012 $\int_{1}^{2} \frac{x^2-4}{x-2}\,dx$

기본 문제

2 적분과 미분의 관계

[013-015] 다음을 구하시오.

013 $\frac{d}{dx}\int_{1}^{x}(t+2)\,dt$

014 $\frac{d}{dx}\int_{0}^{x}(t^2-t-2)\,dt$

015 $\frac{d}{dx}\int_{-1}^{x}(y+1)^2\,dy$

[016-018] 다음을 x에 대하여 미분하시오.

016 $\int_{0}^{x}(t^2-t)\,dt$

017 $\int_{-2}^{x}(t^3+5t-1)\,dt$

018 $\int_{3}^{x}(y^3+1)(y+2)\,dy$

3 정적분의 기본 정의

[019-023] 다음 정적분의 값을 구하시오.

019 $\int_{1}^{1}x^3\,dx$

020 $\int_{2}^{2}(3t^2-2t+4)\,dt$

021 $\int_{2}^{-2}1\,dx$

022 $\int_{2}^{1}(8x-1)\,dx$

023 $\int_{3}^{1}(x^2-4x+2)\,dx$

정답 및 해설 086쪽

4 정적분의 성질 (1)

[024-027] $\int_0^2 f(x)\,dx=1$, $\int_0^2 g(x)\,dx=3$일 때, 다음 정적분의 값을 구하시오.

024 $\int_0^2 3f(x)\,dx$

025 $\int_0^2 3f(x)\,dx-\int_0^2 5g(x)\,dx$

026 $\int_0^2 \{f(x)+g(x)\}dx$

027 $\int_0^2 \{2f(x)-3g(x)\}dx$

[028-034] 다음 정적분의 값을 구하시오.

028 $\int_1^2 x^5\,dx+\int_1^2 (2-x^5)\,dx$

029 $\int_0^2 (x^2-4)\,dx+\int_0^2 (x^2+4)\,dx$

030 $\int_{-1}^1 (x^2+x+1)\,dx+\int_{-1}^1 (x^2-x+1)\,dx$

031 $\int_1^3 (x-1)(x+1)\,dx-\int_1^3 x^2\,dx$

032 $\int_0^1 (x+1)^2\,dx-\int_0^1 (y-1)^2\,dy$

033 $\int_{-1}^2 (2x+3)\,dx-\int_2^{-1} (2x-3)\,dx$

034 $\int_0^1 \frac{x^2}{x+1}\,dx+\int_1^0 \frac{1}{t+1}\,dt$

5 정적분의 성질 (2)

[035-039] 다음 정적분의 값을 구하시오.

035 $\int_{-1}^{2}(2x+3)\,dx+\int_{2}^{3}(2x+3)\,dx$

036 $\int_{0}^{1}3x^2\,dx+\int_{1}^{4}3x^2\,dx$

037 $\int_{-1}^{0}(3x^2-x+1)\,dx+\int_{0}^{3}(3x^2-x+1)\,dx$

038 $\int_{0}^{2}(2x+1)\,dx-\int_{3}^{2}(2t+1)\,dt$

039 $\int_{0}^{4}(2x^3+1)\,dx+\int_{4}^{3}(2x^3+1)\,dx-\int_{1}^{3}(2x^3+1)\,dx$

[040-043] 함수 $f(x)=\begin{cases} x-1 & (x\geq 1) \\ -x^2+1 & (x<1) \end{cases}$의 그래프가 그림과 같을 때, 다음 정적분의 값을 구하시오.

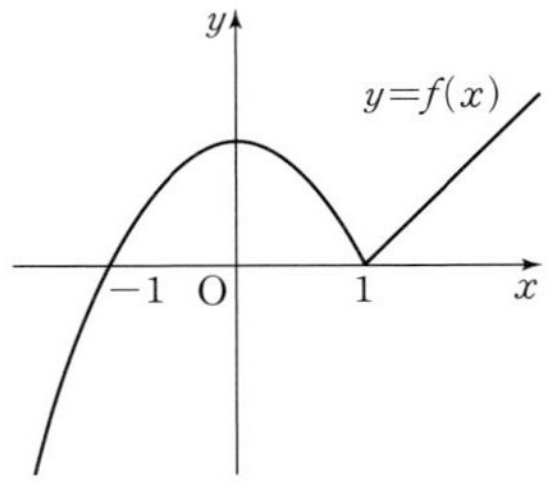

040 $\int_{-1}^{1}f(x)dx$

041 $\int_{-2}^{1}f(x)dx$

042 $\int_{1}^{3}f(x)dx$

043 $\int_{-2}^{3}f(x)dx$

044 다음은 정적분 $\int_{0}^{3}|x-1|dx$의 값을 계산하는 과정이다. □ 안에 알맞은 것을 써넣으시오.

> $|x-1|=\begin{cases} x-1 & (x\geq \square) \\ -x+1 & (x< \square) \end{cases}$ 이므로
>
> $\int_{0}^{3}|x-1|dx=\int_{0}^{\square}(-x+1)dx+\int_{\square}^{3}(x-1)dx$
>
> $=\left[-\frac{1}{2}x^2+x\right]_{0}^{\square}+\left[\frac{1}{2}x^2-x\right]_{\square}^{3}$
>
> $=\square+\square=\square$

유형 문제

정답 및 해설 088쪽

유형 01 정적분의 정의

함수 $y=f(x)$가 구간 $[a, b]$에서 연속이고 $F'(x)=f(x)$일 때,

$$\int_a^b f(x)\,dx=\Big[F(x)\Big]_a^b=F(b)-F(a)$$

045

정적분 $\int_0^1 5(x-1)(x+1)(x^2+1)\,dx$의 값을 구하시오.

046

정적분 $\int_{-1}^3 \frac{t^3+1}{t+1}\,dt$의 값은?

① $\frac{16}{3}$　② $\frac{19}{3}$　③ $\frac{22}{3}$
④ $\frac{25}{3}$　⑤ $\frac{28}{3}$

047

$\int_0^1 k(2x+1)\,dx=1$을 만족시키는 상수 k의 값은?

① $\frac{1}{4}$　② $\frac{1}{2}$　③ $\frac{2}{3}$
④ 1　⑤ 2

048 (중요)

함수 $f(x)=3x^2+2ax$가 $\int_0^1 f(x)dx=f(1)$을 만족시킬 때, 상수 a의 값을 구하시오.

049

$\int_{-k}^k (4x+1)\,dx=8$을 만족시키는 상수 k의 값은?

① 1　② 2　③ 3
④ 4　⑤ 5

050

일차함수 $y=f(x)$가 $f(2)=0$, $\int_0^1 xf(x)\,dx=\frac{1}{3}$을 만족시킬 때, $f(10)$의 값은?

① -6　② -4　③ -2
④ 2　⑤ 4

유형 문제

051

이차함수 $f(x)=ax^2+bx+1$이 다음 조건을 만족시킬 때, $f(1)$의 값을 구하시오. (단, a, b는 상수이다.)

> (가) $\lim_{x \to 1} \frac{f(x)-f(1)}{x-1}=4$ (나) $\int_0^1 f(x)dx=1$

중요 052

$f'(x)=ax-3$인 함수 $y=f(x)$가 다음 조건을 만족시킬 때, $f(3)$의 값을 구하시오. (단, a는 상수이다.)

> (가) $f(1)=1$ (나) $\int_0^1 f(x)\,dx=-\frac{5}{6}$

053

삼차함수 $y=f(x)$의 그래프가 그림과 같다. 이 곡선과 x축, y축 및 직선 $x=h$로 둘러싸인 도형의 넓이를 $S(h)$라 할 때, $\lim_{h \to 0} \frac{S(h)}{h}$의 값은? (단, $h>0$)

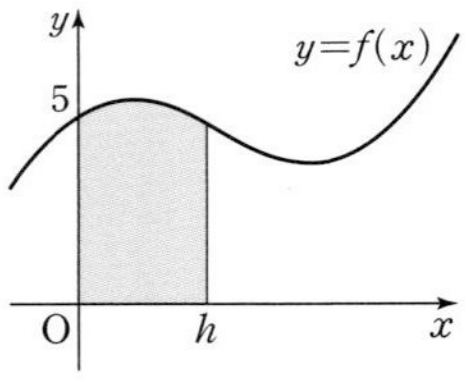

① 3 ② 4 ③ 5
④ 6 ⑤ 7

유형 02 적분과 미분의 관계

함수 $y=f(t)$가 구간 $[a, b]$에서 연속이고 $a \le x \le b$일 때,

$$\frac{d}{dx}\int_a^x f(t)\,dt=f(x)$$

054

미분가능한 함수 $y=f(x)$가 $f(x)=\int_a^x (t^2+2t+3)\,dt$일 때, $f'(1)$의 값은?

① 3 ② 4 ③ 5
④ 6 ⑤ 7

중요 055

미분가능한 함수 $y=f(x)$가 $f(x)=\int_1^x (2t^2-5t-1)dt$일 때, 곡선 $y=f(x)$ 위의 점 $(2, f(2))$에서의 접선의 기울기를 구하시오.

056

다항함수 $y=f(x)$가 모든 실수 x에 대하여

$$\int_0^x f(t)\,dt=-2x^3+6x$$

를 만족시킬 때, $\lim_{h \to 0} \frac{f(1+h)-f(1-h)}{h}$의 값을 구하시오.

유형 03 정적분의 기본 정의

(1) $a=b$일 때, $\int_a^b f(x)\,dx=0$

(2) $a>b$일 때, $\int_a^b f(x)\,dx=-\int_b^a f(x)\,dx$

057

다항함수 $y=f(x)$가 모든 실수 x에 대하여

$$\int_3^x f(t)\,dt=x^2-ax+6$$

을 만족시킬 때, 상수 a의 값은?

① 4 ② 5 ③ 6
④ 7 ⑤ 8

중요 058

다항함수 $y=f(x)$가 모든 실수 x에 대하여

$$\int_1^x f(t)\,dt=x^2-4x+a$$

를 만족시킬 때, $f(1)+a$의 값은? (단, a는 상수이다.)

① -2 ② -1 ③ 0
④ 1 ⑤ 2

059

$f(x)=\int_{-1}^x (t^2-t)\,dt$일 때, $f(-1)+f'(-1)$의 값을 구하시오.

060

다항함수 $y=f(x)$가 모든 실수 x에 대하여

$$\int_a^x f(t)\,dt=2x^2-ax-9$$

를 만족시킬 때, $f(10)$의 값을 구하시오. (단, $a>0$)

중요 061

다항함수 $y=f(x)$가 모든 실수 x에 대하여

$$\int_a^x f(t)\,dt=x^2-5x+6$$

을 만족시키는 상수 a의 값을 α와 β라 하자. $\int_\alpha^\beta f(x)\,dx$의 값을 구하시오. (단, $\alpha<\beta$)

062

$f(x)=\int_x^2 (t^2-3t)dt$일 때, 곡선 $y=f(x)$에 대하여 $x=2$에서의 접선의 y절편을 구하시오.

유형 04 정적분의 성질 (1)

두 함수 $y=f(x)$, $y=g(x)$가 연속일 때, 구간 $[a, b]$에서

(1) $\int_a^b kf(x)\,dx=k\int_a^b f(x)\,dx$ (단, k는 상수이다.)

(2) $\int_a^b \{f(x)\pm g(x)\}dx=\int_a^b f(x)\,dx\pm\int_a^b g(x)\,dx$

(복부호 동순)

063

정적분 $\int_0^1 (x^2+x+1)\,dx+\int_1^0 (x^2-x+1)\,dx$의 값은?

① 2　② $\frac{5}{3}$　③ 1

④ $\frac{5}{6}$　⑤ 0

중요

064

정적분 $\int_0^3 \frac{x^3}{x^2+x+1}\,dx-\int_0^3 \frac{1}{x^2+x+1}\,dx$의 값을 구하시오.

065

정적분 $\int_1^3 \frac{x^2+3}{x+1}\,dx-\int_3^1 \frac{4t}{t+1}\,dt$의 값을 구하시오.

066

$\int_0^2 (x^2+4x+k)\,dx-2\int_2^0 (x^2-x)\,dx=30$을 만족시키는 상수 k의 값을 구하시오.

중요

067

함수 $f(k)=\int_1^3 (x+k)^2\,dx-\int_3^1 (2x^2+1)\,dx$는 $k=a$일 때, 최솟값 b를 갖는다. 두 상수 a, b에 대하여 $\frac{b}{a}$의 값을 구하시오.

068

모든 실수 x에 대하여 연속인 두 함수 f, g가

$$\int_0^1 \{f(x)+g(x)\}dx=4,\quad \int_0^1 \{f(x)-g(x)\}dx=8$$

을 만족시킬 때, 정적분 $\int_0^1 \{3f(x)+2g(x)\}dx$의 값을 구하시오.

정답 및 해설 090쪽

유형 05 정적분의 성질 (2)

세 실수 a, b, c를 포함하는 구간에서 함수 $y=f(x)$가 연속일 때,

$$\int_a^c f(x)\,dx+\int_c^b f(x)\,dx=\int_a^b f(x)\,dx$$

참고 a, b, c의 대소에 관계없이 항상 성립한다.

069

정적분

$$\int_{-2}^{1}(3x^2+2x+1)\,dx+\int_1^2(3x^2+2x+1)\,dx$$

의 값을 구하시오.

070 (중요)

정적분

$$\int_{-1}^{0}(3x^2+2x)\,dx+\int_0^1(3y^2+2y)\,dy+\int_1^2(3z^2+2z)\,dz$$

의 값을 구하시오.

071

함수 $f(x)=2x$일 때,

$$\int_0^1 f(x)\,dx+\int_1^2 f(x)\,dx+\cdots+\int_{n-1}^{n} f(x)\,dx$$

를 간단히 나타내면?

① $2n$ ② $4n$ ③ n^2
④ $2n^2$ ⑤ $4n^2$

072 (중요)

실수 전체의 집합에서 연속인 함수 $y=f(x)$에 대하여

$\int_0^2 f(x)\,dx=1$, $\int_1^3 f(x)\,dx=2$, $\int_1^2 f(x)\,dx=3$일 때,

$\int_0^3 f(x)\,dx$의 값은?

① -2 ② -1 ③ 0
④ 1 ⑤ 2

073

다항함수 $y=f(x)$에 대하여

$$\int_{-2}^{1} f(x)\,dx-\int_3^1 f(y)\,dy+\int_3^a f(z)\,dz=0$$

이 성립하도록 하는 상수 a의 값을 구하시오.

074

다항함수 $y=f(t)$에 대하여 $\int_x^{x+1} f(t)dt=x^2$일 때,

정적분 $\int_0^{10} f(t)dt$의 값을 구하시오.

유형 06 구간별로 주어진 함수의 정적분

$a<c<b$인 세 상수 a, b, c에 대하여 실수 전체의 집합에서 연속인 함수 $y=f(x)$가

$f(x)=\begin{cases} g(x) & (x<c) \\ h(x) & (x\ge c) \end{cases}$ 일 때,

$$\int_a^b f(x)\,dx=\int_a^c g(x)\,dx+\int_c^b h(x)\,dx$$

중요
075

함수 $f(x)=\begin{cases} 3x^2+4x+1 & (x\le 0) \\ 1-2x & (x>0) \end{cases}$ 일 때, 정적분 $\int_{-2}^{2} f(x)dx$의 값은?

① -2 ② -1 ③ 0
④ 1 ⑤ 2

076

함수 $f(x)=\begin{cases} x^2 & (0\le x<1) \\ -x+2 & (1\le x\le 2) \end{cases}$ 일 때, 정적분 $\int_0^2 xf(x)\,dx$의 값을 구하시오.

077

함수 $f(x)=\begin{cases} 2x+1 & (x<1) \\ -x^2+4 & (x\ge 1) \end{cases}$ 에 대하여

$\int_k^2 f(x)\,dx=\frac{11}{3}$을 만족시키는 모든 k의 값의 합은? (단, $k<1$)

① -1 ② -2 ③ -3
④ -4 ⑤ -5

078

함수 $f(x)=\begin{cases} x^2 & (x<1) \\ 2x-1 & (x\ge 1) \end{cases}$에 대하여

$\int_1^3 f(x-1)\,dx$의 값은?

① 1 ② $\frac{5}{3}$ ③ $\frac{7}{3}$
④ 3 ⑤ $\frac{11}{3}$

중요
079

실수 전체의 집합에서 연속인 함수 $f(x)=\begin{cases} x+a & (x\ge 2) \\ 4-2x & (x<2) \end{cases}$ 에 대하여 $\int_a^4 f(x)\,dx$의 값을 구하시오. (단, a는 상수이다.)

080

실수 전체의 집합에서 연속인 함수 $y=f(x)$가 다음 조건을 만족시킬 때, 정적분 $\int_{-1}^{1} f(x)dx$의 값을 구하시오.

(가) $f(0)=0$
(나) $f'(x)=\begin{cases} 1 & (x<0) \\ x^2-2x-2 & (x>0) \end{cases}$

유형 07 그래프로 주어진 함수의 정적분

그래프를 보고 구간을 나누어 함수의 식을 구한 후,
$\int_a^b f(x)\,dx=\int_a^c g(x)\,dx+\int_c^b h(x)\,dx$임을 이용한다.

081

함수 $y=f(x)$ $(0\le x\le 4)$의 그래프가 그림과 같을 때, $\int_0^4 f(x)\,dx$의 값을 구하시오.

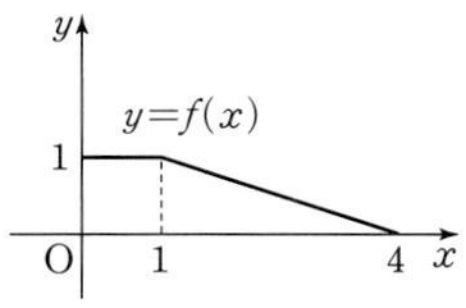

082

중요

함수 $y=f(x)$의 그래프가 그림과 같을 때, 정적분 $\int_{-2}^{2} xf(x)\,dx$의 값을 구하시오.

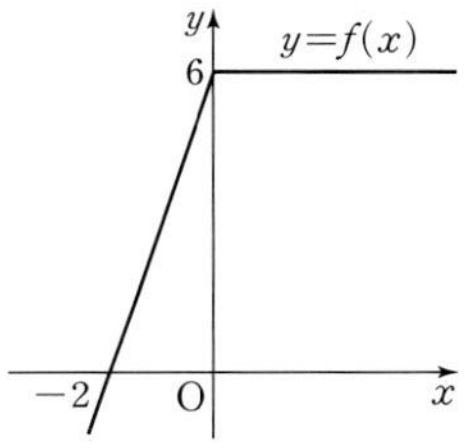

083

실수 전체의 집합에서 연속인 함수 $y=f(x)$의 도함수 $y=f'(x)$의 그래프가 그림과 같다. $f(0)=1$일 때, $\int_{-1}^{1} f(x)\,dx$의 값은?

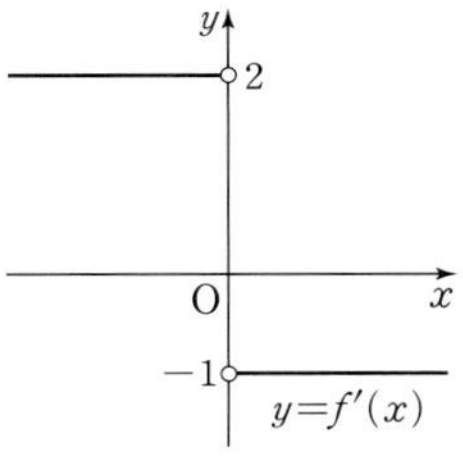

① $-\frac{1}{3}$ ② $-\frac{1}{4}$
③ 0 ④ $\frac{1}{2}$
⑤ 1

084

함수 $y=f(x)$의 그래프가 그림과 같을 때, 정적분 $\int_1^3 f(x-1)\,dx$의 값은?

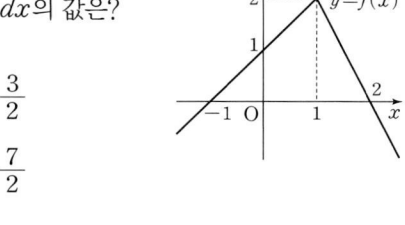

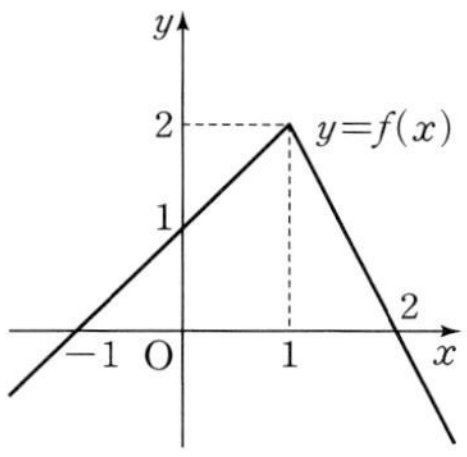

① $\frac{1}{2}$ ② $\frac{3}{2}$
③ $\frac{5}{2}$ ④ $\frac{7}{2}$
⑤ $\frac{9}{2}$

085

함수 $y=f(x)$의 그래프가 그림과 같을 때,
$\int_{-a}^{a} f(x)\,dx=3$을 만족시키는 상수 a의 값을 구하시오.

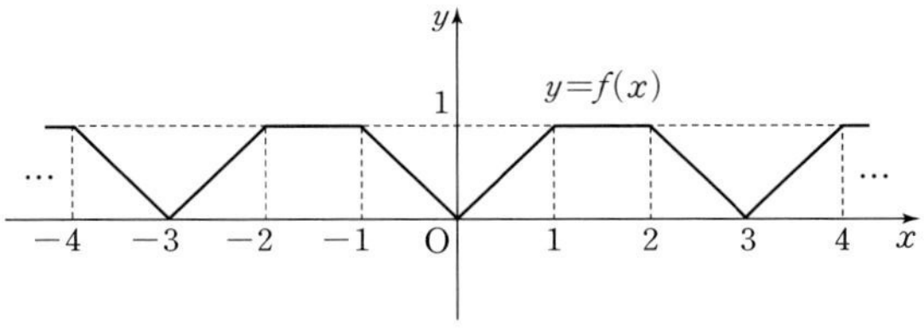

유형 08 절댓값 기호를 포함한 함수의 정적분

절댓값 기호 안의 식의 값이 0이 되게 하는 x의 값을 경계로 적분 구간을 나눈 후,

$\int_a^b f(x)\,dx=\int_a^c f(x)\,dx+\int_c^b f(x)\,dx$임을 이용한다.

086

정적분 $\int_0^2 (2x+1+|x-1|)\,dx$의 값을 구하시오.

087 (중요)

정적분 $\int_0^2 |x(x-1)|\,dx$의 값은?

① $\frac{5}{6}$ ② 1 ③ $\frac{7}{6}$
④ $\frac{11}{6}$ ⑤ 2

088

정적분 $\int_{-2}^0 |x^2-1|\,dx-\int_2^0 |1-x^2|\,dx$의 값을 구하시오.

089

정적분 $\int_0^2 \frac{|x^2-1|}{x+1}\,dx$의 값은?

① $\frac{1}{2}$ ② 1 ③ $\frac{3}{2}$
④ 2 ⑤ $\frac{5}{2}$

090 (중요)

정적분 $\int_0^4 (|x-2|+|x-3|)\,dx$의 값을 구하시오.

091

정적분 $\int_{-2}^2 (k-|x|)\,dx=8$일 때, 상수 k의 값은?

① 2 ② 3 ③ 4
④ 5 ⑤ 6

092

$\int_{0}^{2}(x^2+2kx+3)dx=\frac{2}{3}$를 만족시키는 상수 k의 값을 구하시오.

093

함수 $y=f(x)$가 다음 조건을 만족시킬 때 $\int_{0}^{1}f(x)dx$의 값을 구하시오.

(가) $f'(x)=6x+4$	(나) $f(1)=5$

094

함수 $f(x)=\int_{1}^{x}(2t-5)(t^2+1)dt$일 때, $\lim_{h\to 0}\frac{f(1+h)-f(1)}{h}$의 값은?

① -8 ② -6 ③ -4
④ -2 ⑤ 0

095

다항함수 $y=f(x)$가 모든 실수 x에 대하여

$$\int_{2}^{x}f(t)dt=x^2+x+a$$

를 만족시킬 때, $f(a)$의 값을 구하시오. (단, a는 상수이다.)

096

$\int_{0}^{2}(x+k)^2dx-\int_{0}^{2}(x-k)^2dx=8$을 만족시키는 상수 k의 값은?

① -2 ② -1 ③ 0
④ 1 ⑤ 2

097

정적분 $\int_{1}^{3}\frac{x^2}{x^2+1}dx-\int_{5}^{3}\frac{x^2}{x^2+1}dx+\int_{1}^{5}\frac{1}{x^2+1}dx$의 값은?

① 0 ② 1 ③ 2
④ 3 ⑤ 4

098

모든 실수 x에서 연속인 함수 $y=f(x)$에 대하여

$$\int_1^3 f(x)\,dx=a,\ \int_2^4 f(x)\,dx=b,\ \int_3^4 f(x)\,dx=c$$

일 때, 정적분 $\int_1^2 f(x)\,dx$의 값을 $a,\ b,\ c$로 나타내면?

① $a+b+c$　② $a-b+c$　③ $a+b-c$
④ $-a+b+c$　⑤ $-a-b+c$

099

함수 $f(x)=\begin{cases} 3x^2 & (x<1) \\ 4x-x^2 & (x\ge 1)\end{cases}$ 일 때, 정적분 $\int_{-1}^2 f(x)\,dx$의 값은?

① $\frac{14}{3}$　② 5　③ $\frac{16}{3}$
④ $\frac{17}{3}$　⑤ 6

100

함수 $y=f(x)$의 그래프가 그림과 같을 때, 정적분 $\int_0^2 xf(x)\,dx$의 값을 구하시오.

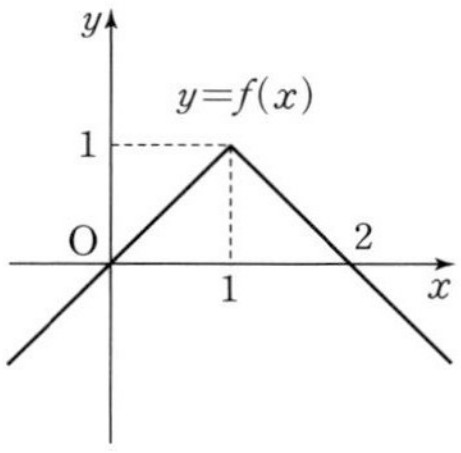

101

함수 $f(x)=|x|$에 대하여 정적분

$$\int_1^3 f(x)\,dx-\int_2^3 f(x)\,dx+\int_{-2}^1 f(x)\,dx$$

의 값을 구하시오.

1등급 문제

102

등식

$$\int_0^1 x\,dx+\frac{1}{2}\int_0^1 x^2\,dx+\frac{1}{3}\int_0^1 x^3\,dx+\cdots+\frac{1}{n}\int_0^1 x^n\,dx=\frac{10}{11}$$

이 성립할 때, 자연수 n의 값을 구하시오.

103

함수 $y=f(x)$의 도함수 $y=f'(x)$의 그래프가 그림과 같고 $f(-2)=-2$일 때, 정적분 $\int_{-2}^2 |f(x)|\,dx$의 값을 구하시오. (단, 곡선 부분은 이차함수의 일부이다.)

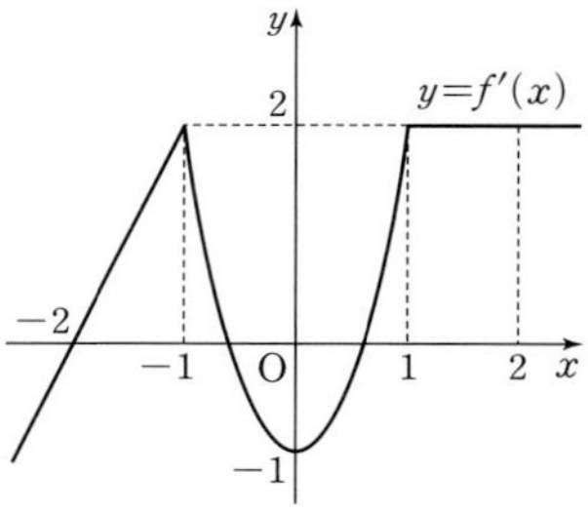

10 정적분의 응용

제 목		문항 번호	문항 수	확인
기본 문제		001～040	40	
유형 문제	01. 우함수와 기함수의 정적분 (1)	041～043	3	
	02. 우함수와 기함수의 정적분 (2)	044～049	6	
	03. 주기함수의 정적분	050～055	6	
	04. 직선 $x=k$에 대하여 대칭인 함수의 정적분	056～058	3	
	05. 정적분을 포함한 함수	059～064	6	
	06. 적분 구간에 변수가 있는 함수	065～070	6	
	07. $\int_a^x (x-t)f(t)dt$ 꼴을 포함한 등식	071～073	3	
	08. 정적분과 극대 · 극소	074～079	6	
	09. 정적분과 최대 · 최소	080～082	3	
	10. 정적분을 포함한 함수의 극한	083～088	6	
쌤이 시험에 꼭 내는 문제		089～100	12	

10 정적분의 응용

1 우함수와 기함수의 정적분

함수 $y=f(x)$가 구간 $[-a,\ a]$에서 연속이고

(1) $f(-x)=f(x)$일 때, $\int_{-a}^{a} f(x)dx=2\int_{0}^{a} f(x)dx$ ← 우함수

(2) $f(-x)=-f(x)$일 때, $\int_{-a}^{a} f(x)dx=0$ ← 기함수

참고 다항함수는 모든 항이 짝수차이면 우함수, 홀수차이면 기함수이다.

① (우함수)×(우함수)=(우함수)

② (우함수)×(기함수)=(기함수)

③ (기함수)×(기함수)=(우함수)

2 주기함수의 정적분

함수 $y=f(x)$가 임의의 실수 x에 대하여

$f(x+p)=f(x)$ (p는 0이 아닌 상수)일 때,

(1) $\int_{a+np}^{b+np} f(x)dx=\int_{a}^{b} f(x)dx$ (단, n은 정수이다.)

(2) $\int_{a}^{a+np} f(x)dx=n\int_{0}^{p} f(x)dx$ (단, n은 정수이다.)

참고 주기함수의 그래프

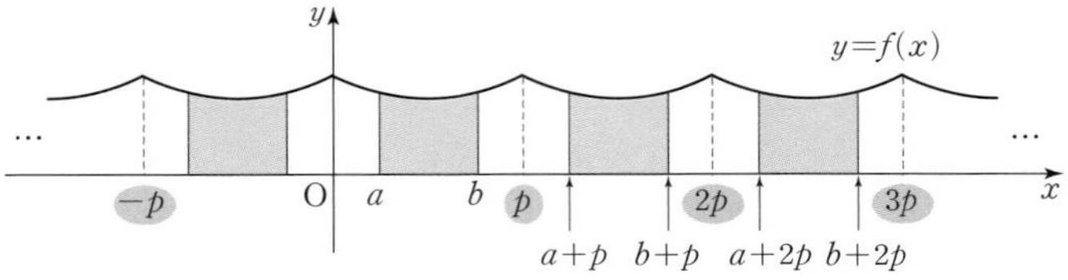

3 정적분으로 정의된 함수의 미분

(1) $\frac{d}{dx}\int_{a}^{x} f(t)dt=f(x)$ (단, a는 상수이다.)

(2) $\frac{d}{dx}\int_{x}^{x+a} f(t)dt=f(x+a)-f(x)$ (단, a는 상수이다.)

4 정적분으로 정의된 함수의 극한

(1) $\lim_{x\to a}\frac{1}{x-a}\int_{a}^{x} f(t)\,dt=f(a)$

(2) $\lim_{x\to 0}\frac{1}{x}\int_{a}^{x+a} f(t)\,dt=f(a)$

개념 플러스

- 우함수와 기함수의 그래프

(1) 우함수의 그래프

⇨ y축에 대하여 대칭

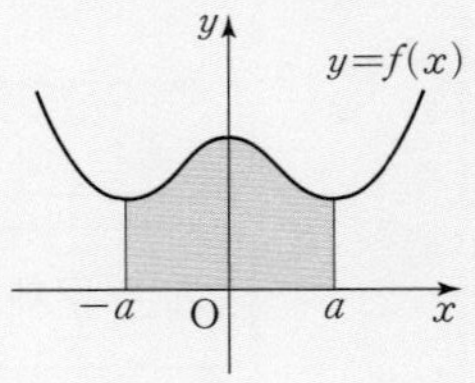

(2) 기함수의 그래프

⇨ 원점에 대하여 대칭

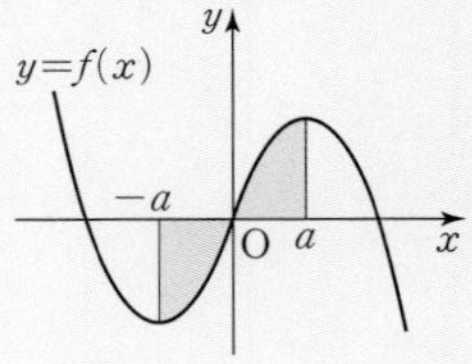

- 함수 $y=f(x)$에 대하여 $f(x+p)=f(x)$ (p는 0이 아닌 상수)가 성립할 때, 함수 $y=f(x)$를 주기함수라 하고 위의 식을 만족시키는 최소의 양수를 주기라고 한다.

- 두 함수 $y=\int_{a}^{x} f(t)dt$, $y=\int_{x}^{x+a} f(t)dt$는 t에 대한 함수가 아닌 x에 대한 함수이다.

- 정적분의 위끝과 아래끝이 모두 상수이면 정적분의 결과도 상수이다. 그러나 정적분의 위끝 또는 아래끝에 변수가 있으면 정적분의 결과는 그 변수에 대한 함수이다.

기본 문제

정답 및 해설 095쪽

1 우함수와 기함수의 정적분

[001-008] 함수 $y=f(x)$가 다음과 같거나 다음을 만족시킬 때, 〈보기〉에서 옳은 설명을 고르시오.

보기

ㄱ. y축에 대하여 대칭인 함수이다.
ㄴ. 원점에 대하여 대칭인 함수이다.

001 $y=3$

002 $y=2x$

003 $y=x^2$

004 $y=3x^3$

005 $y=x^2-1$

006 $y=10x^3-5x$

007 $f(-x)=f(x)$

008 $f(-x)=-f(x)$

[009-014] 다음 정적분의 값을 구하시오.

009 $\int_{-1}^{1} 3\,dx$

010 $\int_{-1}^{1} 2x\,dx$

011 $\int_{-1}^{1} x^2\,dx$

012 $\int_{-2}^{2} 3x^3\,dx$

013 $\int_{-1}^{1} (x^2-1)\,dx$

014 $\int_{-1}^{1} (10x^3-5x)\,dx$

[015-018] 다음 정적분의 값을 구하시오.

015 $\int_{-1}^{1}(3x^2+x-2)\,dx$

016 $\int_{-1}^{1}(x-1)^2\,dx$

017 $\int_{-2}^{2}(2x-1)(3x+2)\,dx$

018 $\int_{-1}^{1}t(t-1)^2\,dt$

[019-020] 다음 정적분의 값을 구하시오.

019 $\int_{-1}^{1}(x^3+3x+2)dx-\int_{-1}^{1}(x^3-3x+2)dx$

020 $\int_{-1}^{0}(4x^3+3x^2+2x+1)dx+\int_{0}^{1}(4x^3+3x^2+2x+1)dx$

2 주기함수의 정적분

[021-024] $0\le x\le 2$에서 $f(x)=(x-1)^2$이고, 모든 실수 x에 대하여 $f(x+2)=f(x)$인 함수 $y=f(x)$의 그래프는 그림과 같다. 다음 물음에 답하시오.

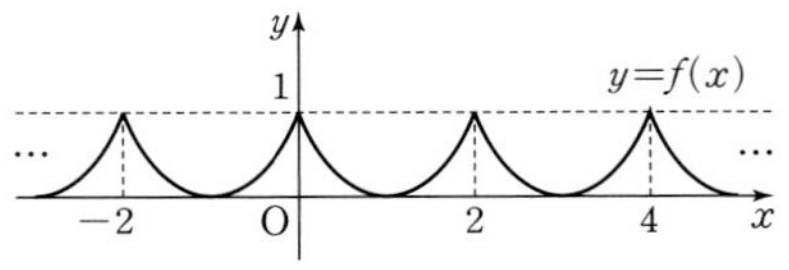

021 함수 $y=f(x)$의 주기를 구하시오.

022 다음 $\square$ 안에 알맞은 수를 써넣으시오.

$$\int_{0}^{2}f(x)\,dx=\int_{\square}^{4}f(x)\,dx=\int_{\square}^{-4}f(x)\,dx=\square$$

023 정적분 $\int_{20}^{22}f(x)dx$의 값을 구하시오.

024 정적분 $\int_{0}^{12}f(x)dx$의 값을 구하시오.

3 정적분으로 정의된 함수의 미분

[025-027] 임의의 실수 x에 대하여 다음 등식이 성립할 때, $y=f(x)$를 구하시오.

025 $\int_1^x f(t)dt=x^2+4x-5$

026 $\int_{-1}^x f(t)dt=x^3+3x^2-2$

027 $\int_0^x f(t)dt=x^4+2x^3-4x^2+5x$

028 다음은 정적분으로 정의된 함수 $y=\int_2^x(t^3+6t^2-2)\,dt$를 x에 대하여 미분하는 과정이다. □ 안에 알맞은 것을 써넣으시오.

> $f(t)=t^3+6t^2-2$라 하고, 함수 $y=f(t)$의 한 부정적분을 $y=F(t)$라 하면
>
> $y'=\dfrac{d}{dx}\int_2^x(t^3+6t^2-2)\,dt$
>
> $=\dfrac{d}{dx}\int_2^x f(t)\,dt$
>
> $=\dfrac{d}{dx}\Big[F(t)\Big]_{\square}^{\square}$
>
> $=\dfrac{d}{dx}\{\boxed{}\}$
>
> $=f(x)$
>
> $=\boxed{}$

[029-030] 다음 정적분으로 정의된 함수를 x에 대하여 미분하시오.

029 $y=\int_1^x(3t^2-6)\,dt$

030 $y=\int_0^x(t^3+2t^2+3)\,dt$

031 다음은 정적분으로 정의된 함수 $y=\int_x^{x+1}(t^2+1)dt$를 x에 대하여 미분하는 과정이다. □ 안에 알맞은 것을 써넣으시오.

> $f(t)=t^2+1$이라 하고, $y=f(t)$의 한 부정적분을 $y=F(t)$라 하면
>
> $y'=\dfrac{d}{dx}\int_x^{x+1}(t^2+1)dt$
>
> $=\dfrac{d}{dx}\int_x^{x+1}f(t)dt$
>
> $=\dfrac{d}{dx}\Big[F(t)\Big]_{\square}^{\boxed{}}$
>
> $=\dfrac{d}{dx}\Big\{F(x+1)-F(x)\Big\}$
>
> $=f(\boxed{})-f(\square)$
>
> $=\{(x+1)^2+1\}-(x^2+1)$
>
> $=\boxed{}$

032 정적분으로 정의된 함수 $y=\int_x^{x+1}(3t+1)dt$를 x에 대하여 미분하시오.

4 정적분으로 정의된 함수의 극한

033 다음은 정적분으로 정의된 함수

$y=\dfrac{1}{x-1}\displaystyle\int_{1}^{x}(3t^2-4t+1)\,dt$에 대하여 $x\to1$일 때의 극한을 구하는 과정이다. $\square$ 안에 알맞은 것을 써넣으시오.

> $f(t)=3t^2-4t+1$이라 하고, 함수 $y=f(t)$의 한 부정적분을 $y=F(t)$라 하면
>
> $\displaystyle\lim_{x\to1}\frac{1}{x-1}\int_{1}^{x}(3t^2-4t+1)\,dt$
>
> $\displaystyle=\lim_{x\to1}\frac{1}{x-1}\int_{1}^{x}f(t)\,dt$
>
> $\displaystyle=\lim_{x\to1}\frac{\Big[F(t)\Big]_{\square}^{\square}}{x-1}$
>
> $\displaystyle=\lim_{x\to1}\frac{\square}{x-1}$
>
> $=\square$
>
> $=f(1)$
>
> $=\square$

[034-036] 다음 극한값을 구하시오.

034 $\displaystyle\lim_{x\to1}\frac{1}{x-1}\int_{1}^{x}(4t+2)\,dt$

035 $\displaystyle\lim_{x\to2}\frac{1}{x-2}\int_{2}^{x}(2t^2+3)\,dt$

036 $\displaystyle\lim_{x\to-1}\frac{1}{x+1}\int_{-1}^{x}(t+1)(t+3)dt$

037 다음은 $\displaystyle\lim_{h\to0}\frac{1}{h}\int_{1}^{1+h}(3x^2+2x-4)dx$의 값을 구하는 과정이다. $\square$ 안에 알맞은 것을 써넣으시오.

> $f(x)=3x^2+2x-4$라 하고, $y=f(x)$의 한 부정적분을 $y=F(x)$라 하면
>
> $\displaystyle\lim_{h\to0}\frac{1}{h}\int_{1}^{1+h}(3x^2+2x-4)dx$
>
> $\displaystyle=\lim_{h\to0}\frac{1}{h}\int_{1}^{1+h}f(x)dx$
>
> $\displaystyle=\lim_{h\to0}\frac{1}{h}\Big[F(x)\Big]_{\square}^{\square}$
>
> $\displaystyle=\lim_{h\to0}\frac{\square}{h}$
>
> $=\square$
>
> $=f(1)$
>
> $=\square$

[038-040] 다음 극한값을 구하시오.

038 $\displaystyle\lim_{h\to0}\frac{1}{h}\int_{0}^{h}(x^3-3x+2)\,dx$

039 $\displaystyle\lim_{h\to0}\frac{1}{h}\int_{2}^{h+2}(x^3-2x^2+5x-1)\,dx$

040 $\displaystyle\lim_{x\to0}\frac{1}{x}\int_{3}^{x+3}(t^2-2t)\,dt$

유형 문제

정답 및 해설 098쪽

유형 01 우함수와 기함수의 정적분 (1)

$\int_{-a}^{a} f(x)dx$와 같이 적분 구간이 $[-a, a]$인 정적분은 $y=f(x)$가 우함수인지 기함수인지 파악한 후, 다음을 이용하여 정적분의 값을 구한다.

(1) f가 우함수 ⇨ $\int_{-a}^{a} f(x)dx=2\int_{0}^{a} f(x)dx$

(2) f가 기함수 ⇨ $\int_{-a}^{a} f(x)dx=0$

중요
041

정적분 $\int_{-2}^{2} (x^5-2x^3+3x^2-3x+1)\,dx$의 값을 구하시오.

042

함수 $f(x)=5x^4+3x^2+1$에 대하여 정적분

$\int_{-1}^{2} f(x)dx+\int_{2}^{1} f(t)dt$의 값은?

① 6 ② 7 ③ 8
④ 9 ⑤ 10

043

일차함수 $f(x)=ax+b$에 대하여

$$\int_{-1}^{1} xf(x)\,dx=2,\ \int_{-1}^{1} x^2f(x)\,dx=-6$$

이 성립할 때, $a+b$의 값을 구하시오. (단, a, b는 상수이다.)

유형 02 우함수와 기함수의 정적분 (2)

함수 $y=f(x)$가 구간 $[-a, a]$에서 연속이고

(1) $f(-x)=f(x)$일 때 ⇨ $\int_{-a}^{a} f(x)\,dx=2\int_{0}^{a} f(x)\,dx$

(2) $f(-x)=-f(x)$일 때 ⇨ $\int_{-a}^{a} f(x)\,dx=0$

044

다항함수 $y=f(x)$가 모든 실수 x에 대하여 $f(-x)=-f(x)$이고, $\int_{1}^{2} f(x)dx=2$를 만족시킬 때, 정적분 $\int_{-1}^{2} f(x)dx$의 값은?

① -2 ② 2 ③ 4
④ 6 ⑤ 8

045

실수 전체의 집합에서 연속인 함수 $y=f(x)$가 모든 실수 x에 대하여 $f(x)-f(-x)=0$을 만족시킨다.

$\int_{0}^{1} f(x)\,dx=3$, $\int_{0}^{2} f(x)\,dx=5$일 때, $\int_{-2}^{1} f(x)\,dx$의 값을 구하시오.

중요
046

다항함수 $y=f(x)$가 다음 조건을 만족시킨다.

(가) $f(-x)=f(x)$	(나) $\int_{0}^{1} f(x)dx=-3$

정적분 $\int_{-1}^{1}(x-2)f(x)dx$의 값을 구하시오.

유형 문제

047
다음 조건을 만족시키는 두 다항함수 $y=f(x)$, $y=g(x)$에 대하여 정적분 $\int_{-a}^{a}\{f(x)+g(x)\}dx+\int_{-a}^{a}f(x)g(x)dx$의 값을 구하시오.

(가) $f(x)=-f(-x)$, $g(-x)=g(x)$
(나) $\int_{0}^{a}f(x)dx=10$, $\int_{0}^{a}g(x)dx=20$

중요
048
두 다항함수 $y=f(x)$, $y=g(x)$가 임의의 실수 x에 대하여

$$f(-x)=f(x),\ g(-x)=-g(x)$$

를 만족시키고 $\int_{-2}^{2}f(x)\,dx=6$, $\int_{-2}^{0}g(x)\,dx=4$일 때, 정적분 $\int_{0}^{2}f(x)\,dx+\int_{0}^{2}g(t)\,dt$의 값은?

① -2 ② -1 ③ 1
④ 2 ⑤ 3

049
사차함수 $y=f(x)$가

$$f(-x)=f(x),\ f'(1)=0,\ f(0)=-3$$

을 만족시키고 $\int_{-1}^{1}f(x)\,dx=8$일 때, $f(-1)$의 값을 구하시오.

유형 03 주기함수의 정적분

함수 $y=f(x)$가 임의의 실수 x에 대하여
$f(x+p)=f(x)$ (p는 0이 아닌 상수)
일 때,
(1) $\int_{a+np}^{b+np}f(x)\,dx=\int_{a}^{b}f(x)\,dx$ (단, n은 정수이다.)
(2) $\int_{a}^{a+np}f(x)\,dx=n\int_{0}^{p}f(x)\,dx$ (단, n은 정수이다.)

중요
050
실수 전체의 집합에서 연속인 함수 $y=f(x)$가 모든 실수 x에 대하여 $f(x+5)=f(x)$이고, $\int_{1}^{6}f(x)dx=10$을 만족시킬 때, 정적분 $\int_{1}^{11}f(x)dx$의 값을 구하시오.

051
실수 전체의 집합에서 연속인 함수 $y=f(x)$가 다음 조건을 만족시킬 때, 정적분 $\int_{-3}^{3}f(x)\,dx$의 값을 구하시오.

(가) $-1\le x\le 1$일 때, $f(x)=x^2$
(나) 임의의 실수 x에 대하여 $f(x)=f(x+2)$

052
실수 전체의 집합에서 연속인 함수 $y=f(x)$가 모든 실수 x에 대하여 $f(x)=f(x+4)$를 만족시킬 때, 다음 중 정적분 $\int_{1}^{2}f(x)\,dx$와 그 값이 같은 것은?

① $\int_{99}^{100}f(x)\,dx$ ② $-\int_{99}^{100}f(x)\,dx$
③ $\int_{100}^{101}f(x)\,dx$ ④ $-\int_{100}^{101}f(x)\,dx$
⑤ $\int_{101}^{102}f(x)\,dx$

053

실수 전체의 집합에서 연속인 함수

$$f(x)=\begin{cases} -x-1 & (-1\le x<0) \\ x-1 & (0\le x\le 1) \end{cases}$$

이 모든 실수 x에 대하여 $f(x+2)=f(x)$를 만족시킬 때, 정적분 $\int_{-10}^{10} f(x)dx$의 값을 구하시오.

054

실수 전체의 집합에서 연속인 함수 $y=f(x)$가 모든 실수 x에 대하여 다음 조건을 만족시킨다.

(가) $f(x-2)=f(x+2)$
(나) $\int_{-2}^{2} f(x)\,dx=2$
(다) $\int_{2}^{4} f(x)\,dx=1$

정적분 $\int_{0}^{30} f(x)\,dx$의 값은?

① 5 ② 8 ③ 10
④ 13 ⑤ 15

중요

055

실수 전체의 집합에서 연속인 함수 $y=f(x)$가 임의의 실수 x에 대하여 다음 조건을 만족시킨다.

(가) $f(-x)=f(x)$	(나) $f(x+4)=f(x)$

$\int_{0}^{2} f(x)\,dx=8$일 때, 정적분 $\int_{-8}^{4} f(x)\,dx$의 값을 구하시오.

유형 04 직선 $x=k$에 대하여 대칭인 함수의 정적분

(1) $f(k+x)=f(k-x)$이면 $x=k$에 대하여 대칭
(2) $f(2k-x)=f(x)$이면 $x=k$에 대하여 대칭

중요

056

실수 전체의 집합에서 연속인 함수 $y=f(x)$가 $f(2+x)=f(2-x)$를 만족시키고 $\int_{1}^{3} f(x)dx=6$, $\int_{3}^{5} f(x)dx=4$일 때, 정적분 $\int_{-1}^{2} f(x)dx$의 값은?

① 6 ② 7 ③ 8
④ 9 ⑤ 10

057

실수 전체의 집합에서 연속인 함수 $y=f(x)$가 모든 실수 x에 대하여 $f(2-x)=f(x)$이고, $\int_{-1}^{2} f(x)dx=7$, $\int_{1}^{2} f(x)dx=2$를 만족시킬 때, 정적분 $\int_{1}^{3} f(x)dx$의 값을 구하시오.

058

실수 전체의 집합에서 연속인 함수 $y=f(x)$가 모든 실수 x에 대하여 $f(2-x)=f(x)$, $f(x+4)=f(x)$를 만족시킨다. $\int_{1}^{3} f(x)dx=3$일 때, 정적분 $\int_{-5}^{13} f(x)dx$의 값을 구하시오.

유형 05 정적분을 포함한 함수

$f(x)=g(x)+\int_a^b f(t)dt$ 꼴의 등식이 주어지면 $y=f(x)$는 다음과 같은 순서로 구한다.

① $\int_a^b f(t)dt=k$ (k는 상수)로 놓는다.

② $f(x)=g(x)+k$를 ①의 식에 대입하여 k의 값을 구한다.

③ k의 값을 $f(x)=g(x)+k$에 대입하여 $y=f(x)$를 구한다.

중요

059

$f(x)=6x-\int_0^1 f(t)\,dt$를 만족시키는 다항함수 $y=f(x)$에 대하여 $f(1)$의 값은?

① $\frac{7}{2}$ ② $\frac{9}{2}$ ③ $\frac{11}{2}$

④ $\frac{13}{2}$ ⑤ $\frac{15}{2}$

060

다항함수 $y=f(x)$에 대하여

$$f(x)=4x^2+3x+\int_0^1 tf(t)dt$$

가 성립할 때, $f(1)$의 값을 구하시오.

061

다항함수 $y=f(x)$가 임의의 실수 x에 대하여

$$f(x)=3x^2+\int_0^1 (2x+1)f(t)dt$$

를 만족시킬 때, $f(2)$의 값을 구하시오.

중요

062

일차함수 $y=f(x)$가

$$f(x)=2x+\int_0^2 f(t)dt-\int_0^4 f(t)dt$$

라 할 때, $f(2)$의 값은?

① -8 ② -4 ③ 0

④ 4 ⑤ 8

063

다항함수 $y=f(x)$가 $f(x)=4x^3-2x+\int_0^1 tf'(t)dt$를 만족시킬 때, $f(1)$의 값을 구하시오.

064

두 다항함수 $y=f(x)$, $y=g(x)$에 대하여

$$f(x)=x+1+\int_0^2 g(t)\,dt,\ g(x)=2x-3+\int_0^1 f(t)\,dt$$

일 때, $f(2)g(2)$의 값을 구하시오.

유형 06 적분 구간에 변수가 있는 함수

(1) $\frac{d}{dx}\int_a^x f(t)dt=f(x)$ (단, a는 상수이다.)

(2) $\frac{d}{dx}\int_x^{x+a} f(t)dt=f(x+a)-f(x)$ (단, a는 상수이다.)

065

다항함수 $y=f(x)$가 $\int_1^x f(t)dt=x^2+3x+a$를 만족시킬 때, $a+f(0)$의 값을 구하시오. (단, a는 상수이다.)

중요 **066**

다항함수 $y=f(x)$에 대하여 $\int_1^x f(t)dt=x^3+ax^2-3x+5$가 성립할 때, $f(1)$의 값은? (단, a는 상수이다.)

① -6　② -3　③ 0　④ 3　⑤ 6

067

실수 전체의 집합에서 미분가능한 함수 $y=f(x)$에 대하여 $f(x)=x\int_2^x (2t+3)dt$가 성립할 때, $f'(2)$의 값을 구하시오.

068

실수 전체의 집합에서 미분가능한 함수 $y=f(x)$에 대하여 함수 $f(x)=\int_x^{x+1}(t^3+2t)dt$가 성립할 때, 정적분 $\int_0^2 f'(x)dx$의 값은?

① 12　② 16　③ 18　④ 20　⑤ 24

중요 **069**

다항함수 $y=f(x)$에 대하여

$$\int_0^x f(t)dt=x^3-2x^2-2x\int_0^1 f(t)dt$$

일 때, $f(0)=a$라 하자. $60a$의 값을 구하시오.

(단, a는 상수이다.)

070

함수 $y=f(x)$가 모든 실수 x에 대하여 미분가능하고

$$f(x)=x^3+ax^2+bx+\int_2^x (3t^2-6t)dt$$

가 성립한다. $y=f(x)$가 $x-1$, $x-2$로 나누어떨어질 때, $f(-2)$의 값을 구하시오. (단, a, b는 상수이다.)

유형 07 $\int_a^x (x-t)f(t)dt$ 꼴을 포함한 등식

$\int_a^x (x-t)f(t)dt$를 포함한 등식은

$x\int_a^x f(t)dt-\int_a^x tf(t)dt$로 변형한 후, 양변을 x에

대하여 두 번 미분하여 $y=f(x)$를 구한다.

중요

071

모든 실수 x에 대하여 미분가능한 함수 $y=f(x)$가

$$\int_a^x (x-t)f(t)\,dt=x^3+2x^2-3x-8$$

을 만족시킬 때, $f(2)$의 값은? (단, a는 상수이다.)

① 15 ② 16 ③ 17
④ 18 ⑤ 19

072

모든 실수 x에 대하여 미분가능한 함수 $y=f(x)$가

$$\int_1^x (x-t)f(t)dt=x^3-ax^2-7x+4$$

를 만족시킨다. $f(1)=b$일 때, $a+b$의 값을 구하시오.

(단, a, b는 상수이다.)

073

모든 실수 x에 대하여 미분가능한 함수 f가

$$\int_0^x (x-t)f'(t)dt=x^5$$

을 만족시킨다. $f(0)=3$일 때, $f(1)$의 값을 구하시오.

유형 08 정적분과 극대 · 극소

① 함수 $f(x)=\int_a^x g(t)\,dt$의 양변을 x에 대하여 미분한 후 $f'(x)=g(x)=0$을 만족시키는 x의 값 b를 구한다.

② $x=b$의 좌우에서 $f'(x)$의 부호를 조사하여 극대, 극소를 찾는다.

074

함수 $f(x)=\int_{-1}^x t(t-1)dt$의 극댓값과 극솟값을 각각 M, m이라 할 때, $M+m$의 값을 구하시오.

중요

075

함수 $f(x)=\int_0^x (t-3)(t-a)\,dt$가 $x=3$에서 극솟값 0을 가질 때, $y=f(x)$의 극댓값을 구하시오. (단, a는 상수이다.)

076

함수 $f(x)=\int_0^x (t^2+at+b)dt$가 $x=-1$에서 극댓값 $\frac{5}{3}$를 가질 때, $y=f(x)$의 극솟값을 구하시오. (단, a, b는 상수이다.)

중요
077
등식 $f(x)=x^3-\frac{9}{2}x^2+6x+2\int_0^2 f(x)\,dx$를 만족시키는 함수 $y=f(x)$의 극댓값을 구하시오.

078
함수 $f(x)=\int_0^x (t^2-4t+a)dt$가 극댓값과 극솟값을 모두 갖도록 하는 자연수 a의 최댓값은?

① 1　② 2　③ 3
④ 4　⑤ 5

079
최솟값이 -3인 이차함수 $y=f(x)$의 그래프가 그림과 같을 때, $F(x)=\int_0^x f(t)dt$를 만족시키는 함수 $y=F(x)$의 극솟값을 구하시오.

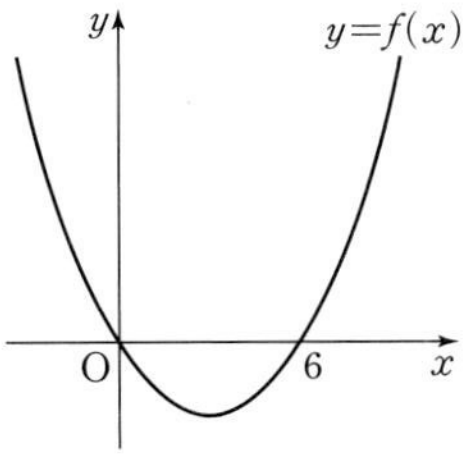

유형 09 정적분과 최대 · 최소

정적분으로 나타내어진 함수의 최댓값, 최솟값은

(1) $\frac{d}{dx}\int_a^x f(t)\,dt=f(x)$

(2) $\frac{d}{dx}\int_x^{x+a} f(t)\,dt=f(x+a)-f(x)$

임을 이용한다.

080
$0\le x\le 3$에서 함수 $f(x)=\int_0^x (t-1)(t-5)\,dt$의 최댓값을 구하시오.

중요
081
모든 실수 x에 대하여 함수 $y=f(x)$가

$$\int_0^x (x-t)f(t)\,dt=\frac{1}{2}x^4-3x^2$$

을 만족시킬 때, $y=f(x)$의 최솟값을 구하시오.

082
그림은 이차함수 $y=f(x)$의 그래프이다. 함수 $g(x)=\int_x^{x+1} f(t)\,dt$가 $x=a$에서 최댓값을 가질 때, 상수 a의 값은?

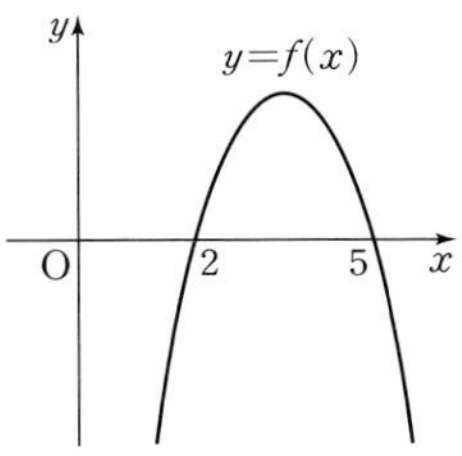

① 2　② 3
③ 4　④ 5
⑤ 6

유형 10 정적분을 포함한 함수의 극한

함수 $y=f(t)$의 한 부정적분을 $y=F(t)$라 하면

(1) $\lim_{x \to a} \frac{1}{x-a} \int_a^x f(t)\,dt = \lim_{x \to a} \frac{F(x)-F(a)}{x-a}$
$= F'(a) = f(a)$

(2) $\lim_{x \to 0} \frac{1}{x} \int_a^{x+a} f(t)\,dt = \lim_{x \to 0} \frac{F(x+a)-F(a)}{x}$
$= F'(a) = f(a)$

중요

083

함수 $f(x)=x^3-2x^2+x+1$일 때, $\lim_{x \to 2} \frac{1}{x-2} \int_2^x f(t)\,dt$의 값은?

① 2　② 3　③ 4　④ 5　⑤ 6

084

$\lim_{x \to 1} \frac{1}{x^2-1} \int_1^x (2t-1)(3t+1)\,dt$의 값을 구하시오.

085

$\lim_{x \to 0} \frac{1}{x} \int_2^{2+x} (t^2+t-4)\,dt$의 값을 구하시오.

086

$\lim_{h \to 0} \frac{1}{h} \int_1^{1+3h} (x^3-2x^2-1)\,dx$의 값은?

① -6　② -7　③ -8　④ -9　⑤ -10

중요

087

$\lim_{h \to 0} \frac{1}{h} \int_{2-h}^{2+h} (3x^3-2x^2-x+1)\,dx$의 값을 구하시오.

088

함수 $f(x)=x^3+x^2-4x-7$일 때,

$$\lim_{x \to 2} \frac{1}{x-2} \int_0^{x-2} \{(t-1)f(t)+3\}\,dt$$

의 값을 구하시오.

089

정적분 $\int_{-1}^{1}(1+2x+3x^2+\cdots+100x^{99})dx$의 값은?

① 10　② 50　③ 100
④ 200　⑤ 500

090

모든 실수 x에 대하여 연속인 함수 $y=f(x)$가 다음 조건을 만족시킬 때, $\int_{-2}^{3}f(x)dx$의 값을 구하시오.

> (가) 모든 실수 x에 대하여 $f(-x)=-f(x)$
> (나) $\int_{-2}^{1}f(x)dx=-2$, $\int_{-1}^{3}f(x)dx=6$

091

함수 $y=f(x)$의 그래프가 그림과 같을 때, 정적분 $\int_{-2}^{2}xf(x)\,dx$의 값은?

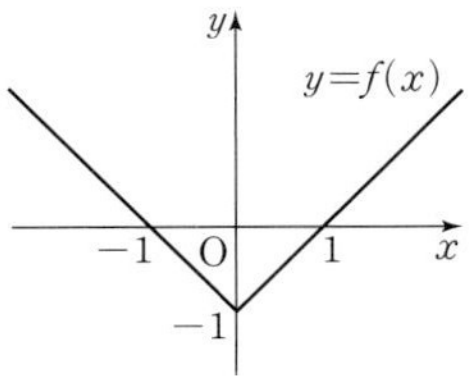

① -2　② -1
③ 0　④ 1
⑤ 2

092

실수 전체의 집합에서 연속인 함수 $y=f(x)$가 모든 실수 x에 대하여 $f(x+3)=f(x)$이고, $\int_{1}^{4}f(x)\,dx=3$을 만족시킬 때, 정적분 $\int_{1}^{100}f(x)\,dx$의 값을 구하시오.

093

실수 전체의 집합에서 연속인 함수 $y=f(x)$가 모든 실수 x에 대하여 $f(2+x)=f(2-x)$이고, $\int_{-1}^{3}f(x)dx=6$, $\int_{2}^{3}f(x)dx=4$를 만족시킬 때, 정적분 $\int_{3}^{5}f(x)dx$의 값을 구하시오.

094

다항함수 $y=f(x)$가 $f(x)=4x^3+3x^2+2\int_{0}^{1}f(t)dt$를 만족시킬 때, $f(0)$의 값은?

① -4　② -2　③ 0
④ 2　⑤ 4

095

다항함수 $y=f(x)$가

$$xf(x)=2x^3-3x^2+\int_1^x f(t)\,dt$$

를 만족시킬 때, $f(2)$의 값을 구하시오.

096

$\int_1^x (x-t)f(t)dt=x^3-x^2-x+1$을 만족시키고 실수 전체의 집합에서 미분가능한 함수 $y=f(x)$에 대하여 $\int_0^2 f(x)dx$의 값을 구하시오.

097

함수 $f(x)=\int_0^x (t-1)(t-2)\,dt$의 극댓값과 극솟값의 합은?

① 1　② $\frac{3}{2}$　③ 2　④ $\frac{5}{2}$　⑤ 3

098

$-1\le x\le 1$에서 함수 $f(x)=\int_x^{x+1} (t^3-t)\,dt$의 최댓값을 M, 최솟값을 m이라 할 때, $M-m$의 값을 구하시오.

1등급 문제

099

다음 조건을 만족시키는 다항함수 $y=f(x)$를 구하시오.

(가) $\int_1^x (4t+5)f(t)\,dt=3(x+2)\int_1^x f(t)\,dt$
(나) $f(0)=1$

100

다항함수 $y=f(x)$가

$$(x-1)f(x)=(x-1)^2+\int_{-1}^x f(t)dt$$

를 만족시킬 때, $\lim_{x\to 0}\frac{1}{x}\int_1^{x+1} f(t)dt$의 값을 구하시오.

11 정적분의 활용

제 목		문항 번호	문항 수	확인
기본 문제		001～033	33	
유형 문제	01. 곡선과 x축 사이의 넓이	034～039	6	
	02. 곡선과 y축 사이의 넓이 [교육과정 外]	040～042	3	
	03. 곡선과 직선 사이의 넓이	043～045	3	
	04. 두 곡선 사이의 넓이	046～051	6	
	05. 곡선과 접선 사이의 넓이	052～057	6	
	06. 절댓값 기호를 포함한 함수의 그래프의 넓이	058～060	3	
	07. 두 도형의 넓이가 같은 경우	061～066	6	
	08. 두 곡선 사이의 넓이의 응용	067～069	3	
	09. 역함수의 그래프와 넓이	070～075	6	
	10. 위치의 변화량	076～078	3	
	11. 속도와 움직인 거리	079～084	6	
	12. 위로 쏘아 올린 물체의 속도와 거리	085～087	3	
	13. 그래프에서의 위치와 움직인 거리	088～092	5	
쌤이 시험에 꼭 내는 문제		093～104	12	

11 정적분의 활용

1 곡선과 x축 사이의 넓이

구간 $[a, b]$에서 연속인 곡선 $y=f(x)$와 x축 및 두 직선 $x=a$, $x=b$ $(a<b)$로 둘러싸인 도형의 넓이 S는

$$S=\int_a^b |f(x)|\,dx$$

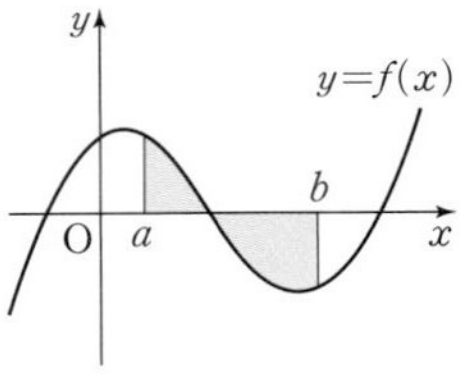

2 곡선과 직선 사이의 넓이

직선 $y=f(x)$와 곡선 $y=g(x)$의 교점의 x좌표가 a, b $(a<b)$일 때, 곡선과 직선으로 둘러싸인 도형의 넓이 S는

$$S=\int_a^b |f(x)-g(x)|\,dx$$

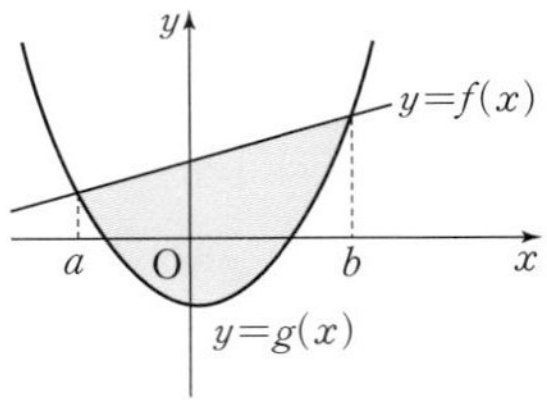

3 두 곡선 사이의 넓이

구간 $[a, b]$에서 연속인 두 곡선 $y=f(x)$, $y=g(x)$와 두 직선 $x=a$, $x=b$ $(a<b)$로 둘러싸인 도형의 넓이 S는

$$S=\int_a^b |f(x)-g(x)|\,dx$$

참고 $S=\int_a^b \{(\text{위 그래프의 식})-(\text{아래 그래프의 식})\}\,dx$

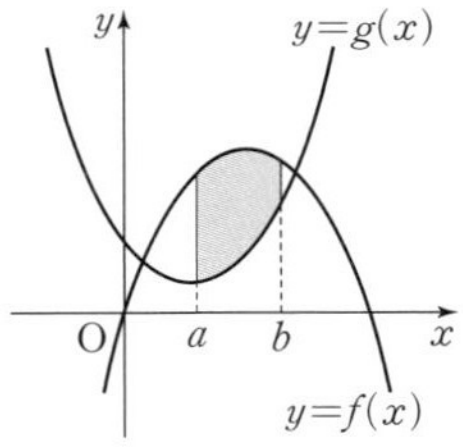

4 수직선 위를 움직이는 점의 위치와 위치의 변화량, 움직인 거리

수직선 위를 움직이는 점 P의 시각 t에서의 속도를 $v(t)$, 시각 $t=a$에서의 위치를 $s(a)$라 할 때,

(1) 시각 t에서의 점 P의 위치 $s(t)$는

➡ $s(t)=s(a)+\int_a^t v(t)\,dt$

(2) 시각 $t=a$에서 $t=b$까지 점 P의 위치의 변화량

➡ $\int_a^b v(t)\,dt$

(3) 시각 $t=a$에서 $t=b$까지 점 P가 움직인 거리 s는

➡ $s=\int_a^b |v(t)|\,dt$

참고 위치 $\underset{\text{적분}}{\overset{\text{미분}}{\rightleftarrows}}$ 속도

개념 플러스

- 구간 $[a, b]$에서 연속인 곡선 $y=f(x)$에 대하여

(i) $f(x)\ge 0$일 때,

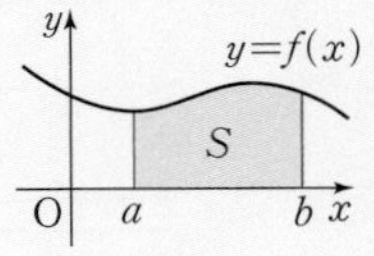

$S=\int_a^b f(x)dx$

(ii) $f(x)\le 0$일 때,

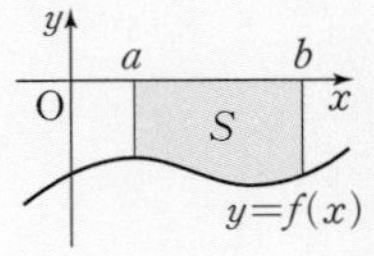

$S=\int_a^b \{-f(x)\}dx$

(iii) $f(x)$의 값이 양수인 경우와 음수인 경우가 있을 때는 $f(x)$의 값이 양수인 구간과 음수인 구간으로 나누어 넓이를 구한다.

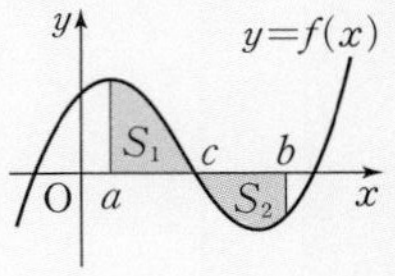

$S=S_1+S_2$
$=\int_a^c f(x)\,dx+\int_c^b \{-f(x)\}dx$

- 수직선 위를 움직이는 점 P의 시각 t에서의 속도를 $v(t)$라 할 때,
(1) $v(t)>0$ ⇨ 점 P는 양의 방향으로
(2) $v(t)<0$ ⇨ 점 P는 음의 방향으로
움직인다.

- 시각 $t=a$에서 $t=c$ $(a<b<c)$까지 수직선 위를 움직이는 점 P에 대하여

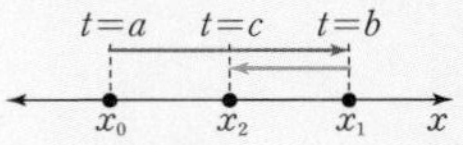

(1) 점 P의 위치의 변화량
⇨ $|x_2-x_0|$
(2) 점 P가 움직인 거리
⇨ $|x_1-x_0|+|x_1-x_2|$

기본 문제

1 곡선과 x축 사이의 넓이

[001-005] 다음 그래프에서 색칠한 부분의 넓이를 정적분을 이용하여 구하시오.

001

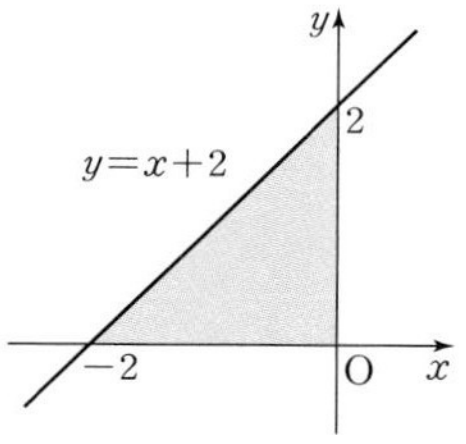

002

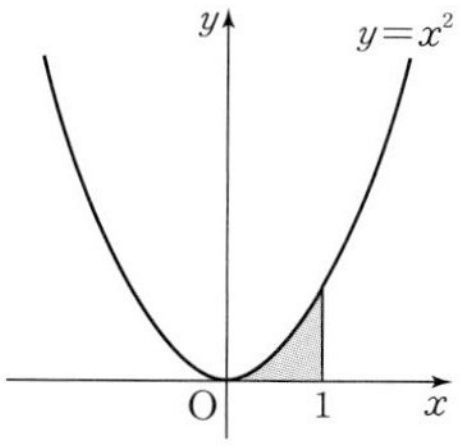

003

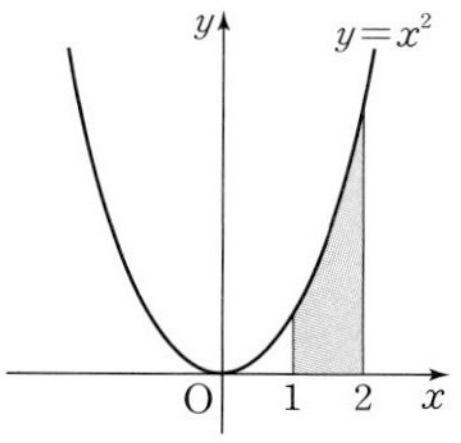

004

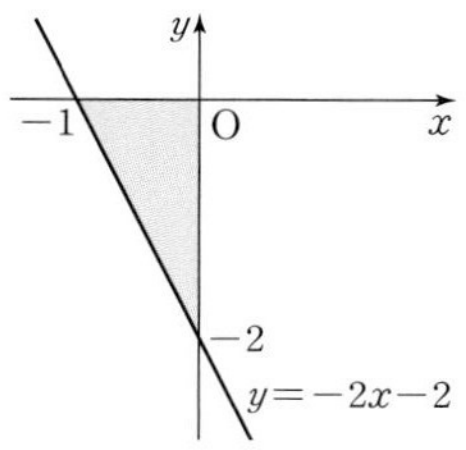

005

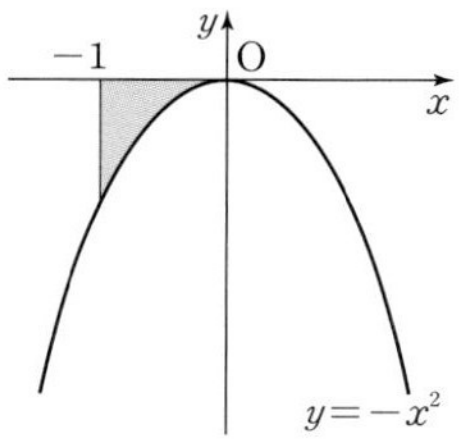

006 다음은 곡선 $y=-x^2+x$와 x축으로 둘러싸인 도형의 넓이를 구하는 과정이다. □ 안에 알맞은 것을 써넣으시오.

> 곡선과 x축의 교점의 x좌표는
> $-x^2+x=0$에서
> $x(x-1)=0$
> $\therefore x=0$ 또는 $x=1$
> 구간 [□, □]에서
> $-x^2+x\ge 0$이므로 구하는 넓이는
> $S=\int_{\square}^{\square}(-x^2+x)dx$
> $=\left[-\frac{1}{3}x^3+\frac{1}{2}x^2\right]_{\square}^{\square}=\square$
>
> 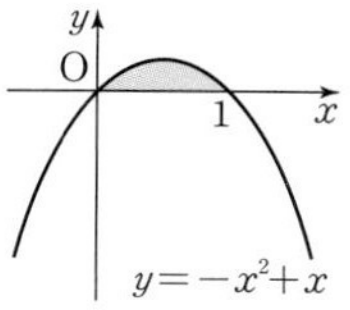
>

[007-009] 다음 곡선과 x축으로 둘러싸인 도형의 넓이를 구하시오.

007 $y=(x+3)(x-3)$

008 $y=x(x-4)$

009 $y=x^2-3x+2$

기본 문제

[010-013] 다음 그래프에서 색칠한 부분의 넓이를 정적분을 이용하여 구하시오.

010

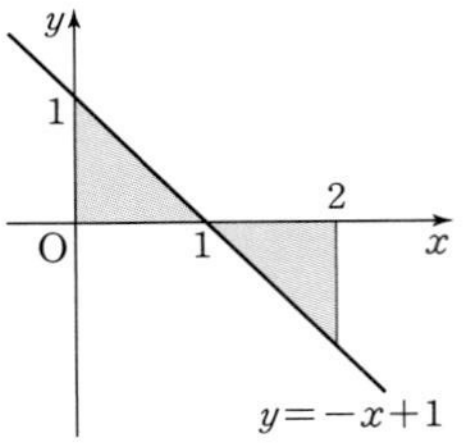

011

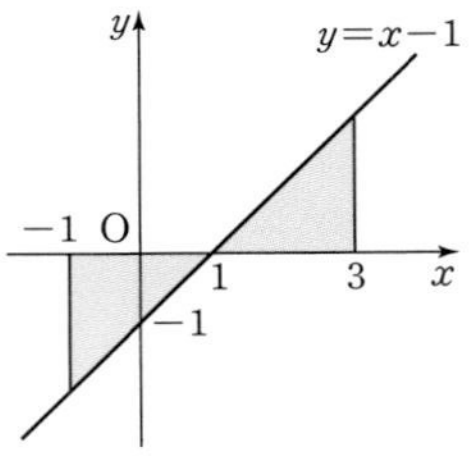

012

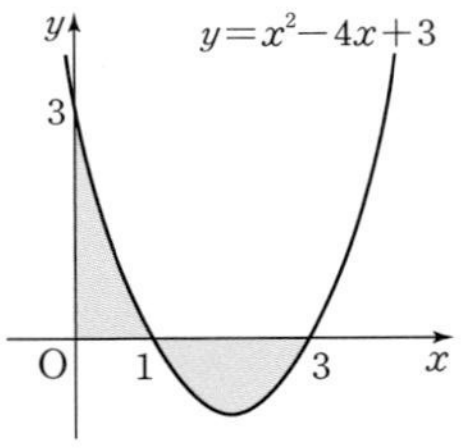

013

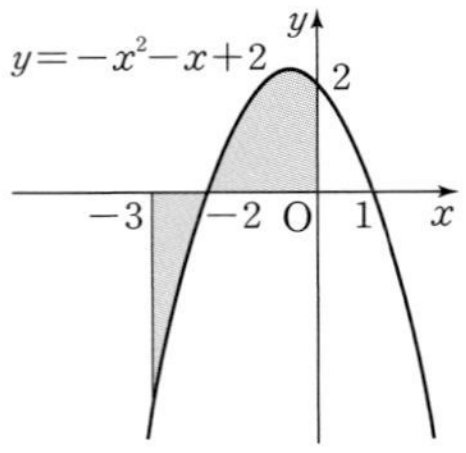

2 곡선과 직선 사이의 넓이

014 다음은 곡선 $y=x^2-2x$와 직선 $y=x$로 둘러싸인 도형의 넓이를 구하는 과정이다. $\square$ 안에 알맞은 것을 써넣으시오.

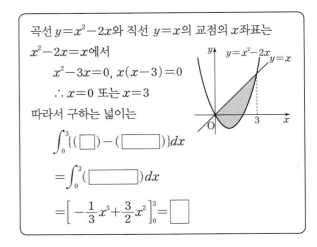

> 곡선 $y=x^2-2x$와 직선 $y=x$의 교점의 x좌표는
> $x^2-2x=x$에서
> $x^2-3x=0$, $x(x-3)=0$
> $\therefore x=0$ 또는 $x=3$
> 따라서 구하는 넓이는
> $\int_0^3 \{(\square)-(\square)\}dx$
> $=\int_0^3 (\square)dx$
> $=\left[-\frac{1}{3}x^3+\frac{3}{2}x^2\right]_0^3=\square$
>
> 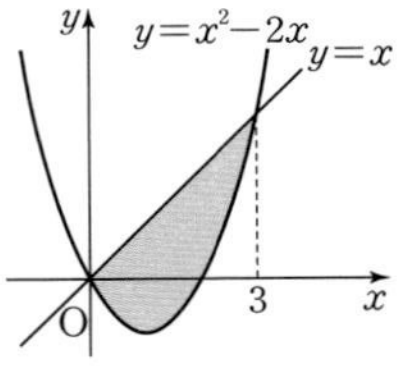
>

[015-017] 다음 그래프에서 색칠한 부분의 넓이를 구하시오.

015

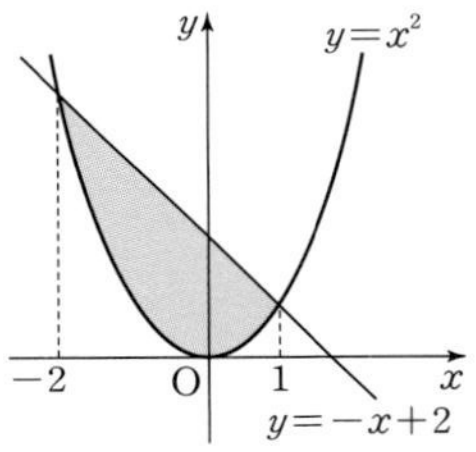

016

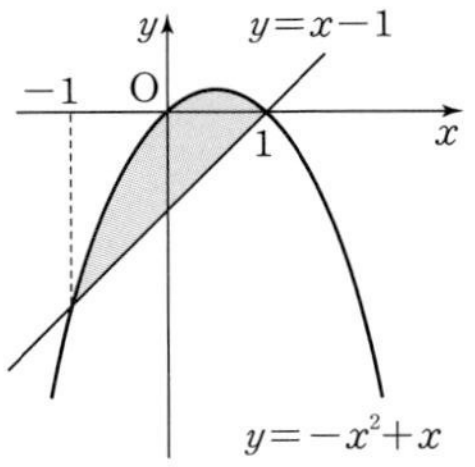

017

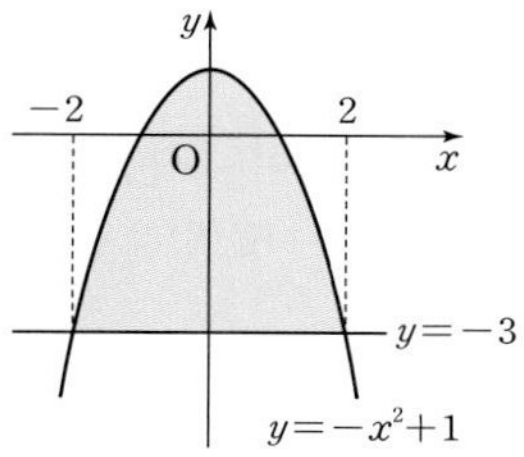

[018-020] 다음 두 함수의 그래프로 둘러싸인 도형의 넓이를 구하시오.

018 $y=-x^2+6x,\ y=2x$

019 $y=x^2-4x,\ y=x-4$

020 $y=-4x^2+6,\ y=-4x-2$

3 두 곡선 사이의 넓이

021 다음은 두 곡선 $y=x^2-3x$와 $y=-x^2+7x-8$로 둘러싸인 도형의 넓이를 구하는 과정이다. □ 안에 알맞은 것을 써넣으시오.

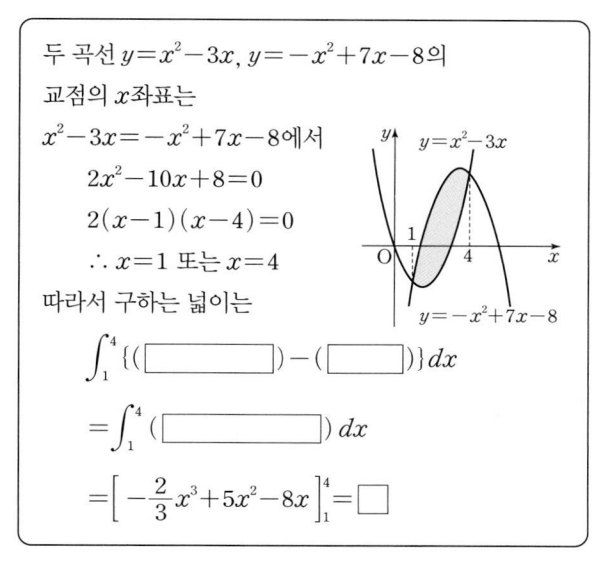

> 두 곡선 $y=x^2-3x,\ y=-x^2+7x-8$의 교점의 x좌표는
> $x^2-3x=-x^2+7x-8$에서
> $2x^2-10x+8=0$
> $2(x-1)(x-4)=0$
> $\therefore x=1$ 또는 $x=4$
> 따라서 구하는 넓이는
> $\int_1^4 \{(\square)-(\square)\}dx$
> $=\int_1^4 (\square)\,dx$
> $=\left[-\frac{2}{3}x^3+5x^2-8x\right]_1^4=\square$
>
> 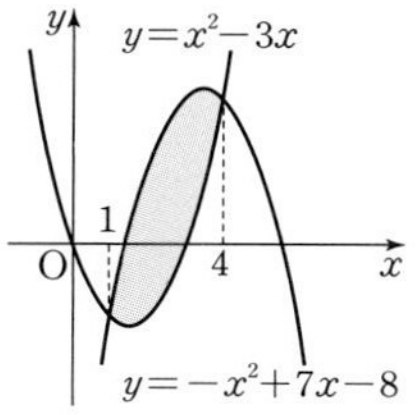
>

[022-024] 다음 그래프에서 색칠한 부분의 넓이를 구하시오.

022

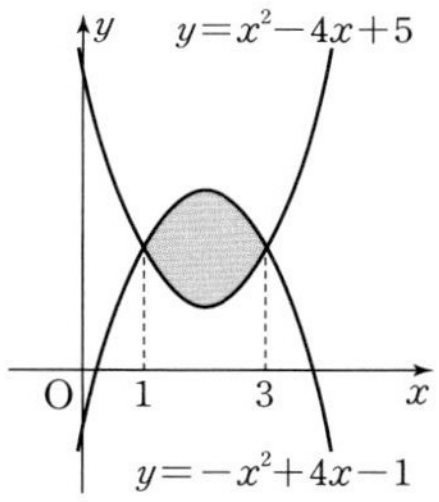

023

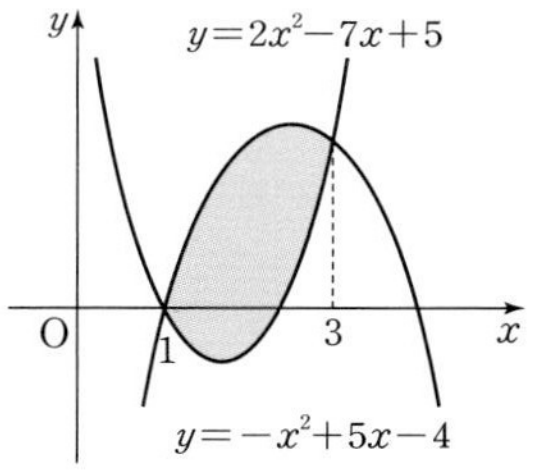

024

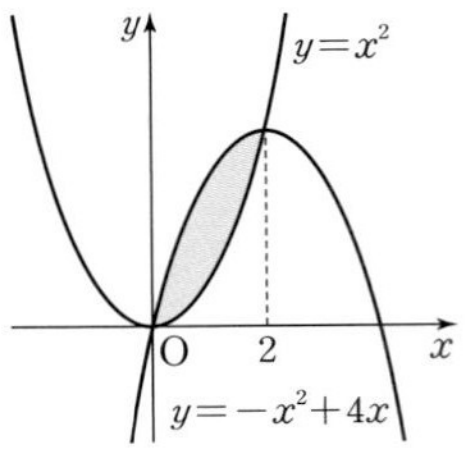

[025-027] 다음 두 곡선으로 둘러싸인 도형의 넓이를 구하시오.

025 $y=x^2-8$, $y=-x^2$

026 $y=2x^2-6$, $y=-x^2+3x$

027 $y=x^2-1$, $y=-x^2-2x+3$

4 속도와 거리

[028-030] 원점을 출발하여 수직선 위를 움직이는 점 P의 시각 t에서의 속도가 $v(t)=3t^2-6t$일 때, 다음을 구하시오.

028 시각 $t=2$에서의 점 P의 위치

029 시각 $t=1$에서 $t=4$까지 점 P의 위치의 변화량

030 시각 $t=0$에서 $t=4$까지 점 P가 움직인 거리

[031-033] 원점을 출발하여 수직선 위를 움직이는 점 P의 시각 t에서의 속도를 $v(t)$라 할 때, $0\le t\le 3$에서의 $y=v(t)$의 그래프가 그림과 같다. 다음을 구하시오.

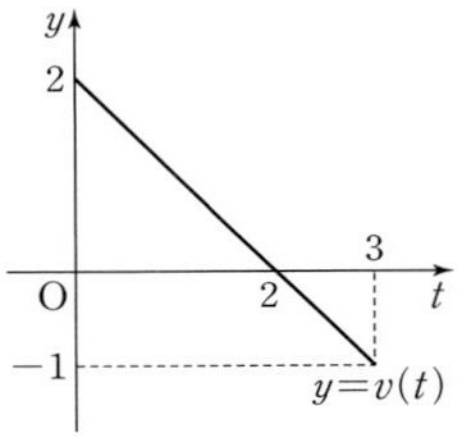

031 시각 $t=1$에서의 점 P의 위치

032 시각 $t=1$에서 $t=3$까지 점 P의 위치의 변화량

033 시각 $t=1$에서 $t=3$까지 점 P가 움직인 거리

유형 문제

정답 및 해설 110쪽

유형 01 곡선과 x축 사이의 넓이

곡선 $y=f(x)$와 x축으로 둘러싸인 도형의 넓이를 S라 하면

$$S=S_1+S_2$$
$$=\int_a^b f(x)\,dx-\int_b^c f(x)\,dx$$

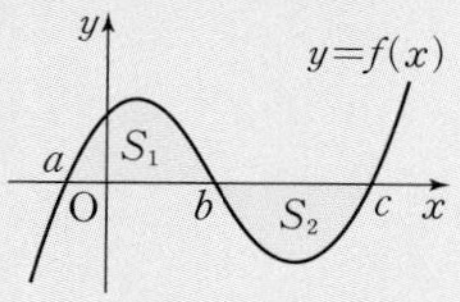

참고 포물선 $y=a(x-\alpha)(x-\beta)(\alpha<\beta)$와 x축으로 둘러싸인 도형의 넓이는

$$S=\frac{|a|(\beta-\alpha)^3}{6}$$

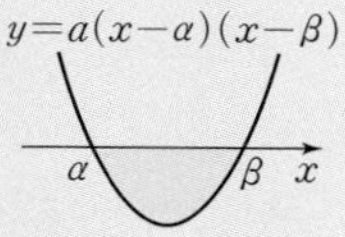

034

곡선 $y=-x^2+2x$와 x축으로 둘러싸인 도형의 넓이를 S_1, 곡선 $y=3x^2-12$와 x축으로 둘러싸인 도형의 넓이를 S_2라 할 때, $3S_1+S_2$의 값은?

① 32 ② 34 ③ 36 ④ 38 ⑤ 40

035 (중요)

곡선 $y=x^3-2x^2-3x$와 x축으로 둘러싸인 도형의 넓이를 구하시오.

036

곡선 $y=x^2+2x$와 x축 및 두 직선 $x=-1$, $x=1$로 둘러싸인 도형의 넓이를 구하시오.

037 (중요)

곡선 $y=x^2-ax$와 x축으로 둘러싸인 도형의 넓이가 $\frac{4}{3}$일 때, 양수 a의 값을 구하시오.

038

함수 $f(x)=\begin{cases} x^2-4x+8 & (x\ge 2) \\ -x^2+4x & (x<2) \end{cases}$의 그래프와 x축 및 직선 $x=4$로 둘러싸인 도형의 넓이는?

① 12 ② 14 ③ 16 ④ 18 ⑤ 20

039

함수 $y=f(x)$가 등식 $\int_3^x f(t)dt=x^3+kx^2$을 만족시킬 때, 함수 $y=f(x)$의 그래프와 x축으로 둘러싸인 도형의 넓이를 구하시오. (단, k는 상수이다.)

유형 문제

유형 02 곡선과 y축 사이의 넓이 [교육과정 外]

곡선 $x=g(y)$와 y축으로 둘러싸인 도형의 넓이를 S라 하면

$S=S_1+S_2$

$=\int_a^b g(y)\,dy-\int_b^c g(y)\,dy$

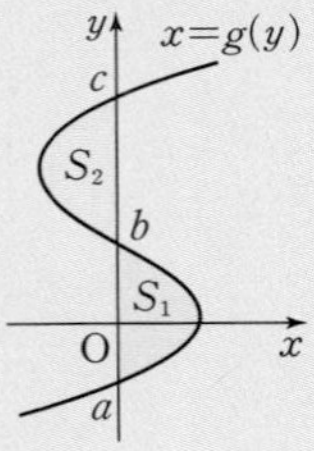

040

그림과 같이 곡선 $y^2=x+1$과 y축, 직선 $y=2$로 둘러싸인 색칠한 도형의 넓이는?

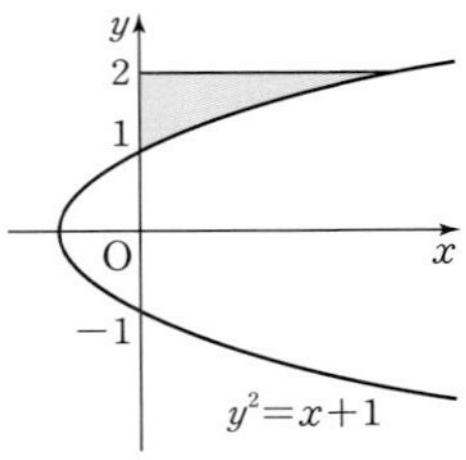

① $\frac{1}{3}$ ② $\frac{2}{3}$ ③ 1 ④ $\frac{4}{3}$ ⑤ $\frac{5}{3}$

041

곡선 $y=\sqrt{x}$와 y축 및 직선 $y=a$로 둘러싸인 도형의 넓이가 $\frac{1}{3}$일 때, 상수 a의 값을 구하시오. (단, $x\geq 0$)

042

그림과 같이 곡선 $x=y(y^2-1)$과 y축으로 둘러싸인 도형의 넓이를 구하시오.

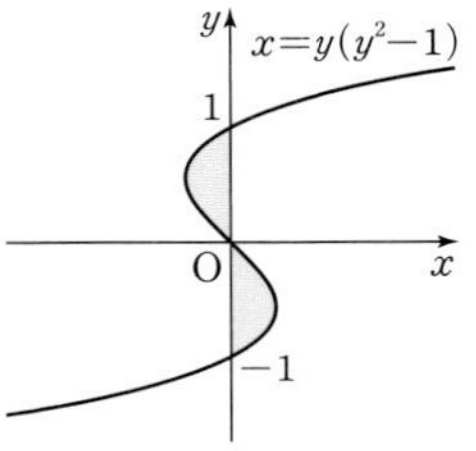

유형 03 곡선과 직선 사이의 넓이

곡선과 직선 사이의 넓이를 구할 때는

① 곡선과 직선을 그려 위치 관계를 파악한다.

② 곡선과 직선의 교점의 x좌표를 구하여 적분 구간을 정한다.

③ {(위 그래프의 식)−(아래 그래프의 식)}을 정적분한다.

참고 곡선 $y=ax^2+bx+c$와 직선 $y=mx+n$의 교점의 x좌표를 α, β $(\alpha<\beta)$라 하면 곡선과 직선으로 둘러싸인 도형의 넓이는 $S=\frac{|a|(\beta-\alpha)^3}{6}$

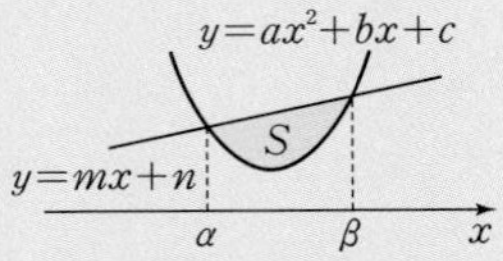

043

곡선 $y=x^2-3x+7$과 직선 $y=2x+3$으로 둘러싸인 도형의 넓이를 S라 할 때, $2S$의 값을 구하시오.

중요

044

곡선 $y=x^3-8x$와 직선 $y=x$로 둘러싸인 도형의 넓이는?

① $\frac{81}{2}$ ② $\frac{83}{2}$ ③ $\frac{85}{2}$ ④ $\frac{87}{2}$ ⑤ $\frac{89}{2}$

045

곡선 $y=x^2-3x+1$과 직선 $y=-x+k$로 둘러싸인 도형의 넓이가 36일 때, 상수 k의 값을 구하시오.

유형 04 두 곡선 사이의 넓이

두 곡선 사이의 넓이를 구할 때는
① 두 곡선을 그려 위치 관계를 파악한다.
② 두 곡선의 교점의 x좌표를 구하여 적분 구간을 정한다.
③ {(위 곡선의 식)−(아래 곡선의 식)}을 정적분한다.

중요
046

두 곡선 $y=x^2-2x-5$, $y=-x^2+4x+3$으로 둘러싸인 도형의 넓이는?

① $\frac{121}{3}$ ② 41 ③ $\frac{125}{3}$
④ $\frac{127}{3}$ ⑤ 43

047

두 곡선 $y=x^3-3x^2+2x$, $y=x^2-x$로 둘러싸인 도형의 넓이를 구하시오.

048

곡선 $y=x^2$을 x축에 대하여 대칭이동한 후 다시 x축의 방향으로 -2만큼, y축의 방향으로 10만큼 평행이동한 곡선을 $y=g(x)$라 하자. 두 곡선 $y=x^2$, $y=g(x)$로 둘러싸인 도형의 넓이를 구하시오.

049

곡선 $f(x)=x^2-2x+1$을 y축의 방향으로 a만큼 평행이동시킨 곡선을 $y=g(x)$라 하자. 두 곡선 $y=f(x)$, $y=g(x)$와 y축 및 직선 $x=6$으로 둘러싸인 도형의 넓이가 24일 때, 양수 a의 값을 구하시오.

중요
050

두 곡선 $f(x)=x^3-(a+1)x^2+ax$, $g(x)=x^2-ax$가 $x=2$에서 접할 때, 두 곡선으로 둘러싸인 도형의 넓이를 구하시오.
(단, a는 상수이다.)

051

그림과 같이 원 $x^2+y^2=1$과 곡선 $y=-x^2-2x-1$로 둘러싸인 도형의 넓이를 $\frac{\pi}{a}-\frac{1}{b}$이라 할 때, 두 상수 a, b에 대하여 $a+b$의 값은?

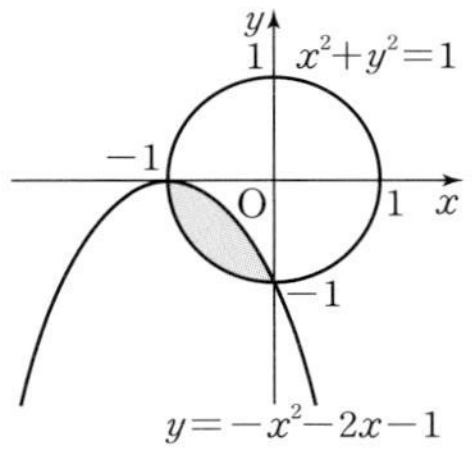

① 5 ② 6
③ 7 ④ 8
⑤ 9

유형 05 곡선과 접선 사이의 넓이

곡선 $y=f(x)$와 $y=f(x)$ 위의 점 $(a, f(a))$에서의 접선으로 둘러싸인 도형의 넓이를 구할 때는
① $f'(a)$와 접점의 좌표를 이용하여 접선의 방정식을 구한다.
② 곡선과 접선을 좌표평면 위에 나타내어 곡선과 접선 사이의 넓이를 구한다.

052

곡선 $y=x^2+1$과 이 곡선 위의 점 $(2, 5)$에서의 접선 및 y축으로 둘러싸인 도형의 넓이를 S라 할 때, $6S$의 값을 구하시오.

053

그림과 같이 곡선 $y=x^3$ $(x\geq0)$ 위의 점 $(1, 1)$에서의 접선과 x축 및 이 곡선으로 둘러싸인 도형의 넓이를 구하시오.

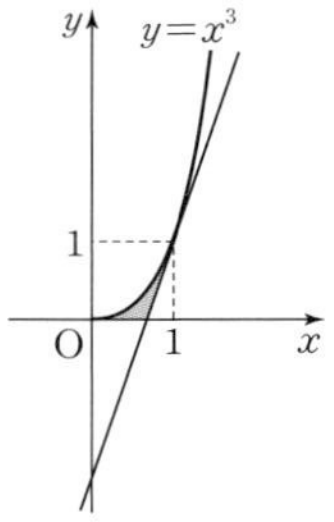

054 (중요)

곡선 $y=x^3-4x^2+2x+3$ 위의 점 $(0, 3)$에서의 접선과 이 곡선으로 둘러싸인 도형의 넓이는?

① $\frac{58}{3}$ ② $\frac{61}{3}$ ③ $\frac{64}{3}$
④ $\frac{67}{3}$ ⑤ $\frac{70}{3}$

055

곡선 $y=x^3-x$ 위의 점 $O(0, 0)$에서의 접선에 수직이고, 점 O를 지나는 직선과 이 곡선으로 둘러싸인 도형의 넓이를 구하시오.

056 (중요)

곡선 $y=x^2$ 위의 점 $(1, 1)$에서의 접선과 곡선 $y=ax^2-1$ $(a>0)$로 둘러싸인 도형의 넓이가 $\frac{16}{3}$일 때, 상수 a의 값을 구하시오.

057 (중요)

곡선 $y=x^2+2$와 점 $(0, -2)$에서 이 곡선에 그은 두 개의 접선으로 둘러싸인 도형의 넓이는?

① $\frac{8}{3}$ ② $\frac{10}{3}$ ③ 4
④ $\frac{14}{3}$ ⑤ $\frac{16}{3}$

유형 06 절댓값 기호를 포함한 함수의 그래프의 넓이

① 함수 $y=|f(x)|$의 그래프는 함수 $y=f(x)$의 그래프에서 x축 아래에 있는 부분을 x축에 대하여 대칭시켜 그린다.
② 둘러싸인 도형의 교점의 x좌표 a, b를 구하여
$\int_a^b \{(\text{위 그래프의 식})-(\text{아래 그래프의 식})\}dx$를 계산한다.

058

그림과 같이 곡선 $y=|x^2-4|$와 x축으로 둘러싸인 도형의 넓이는?

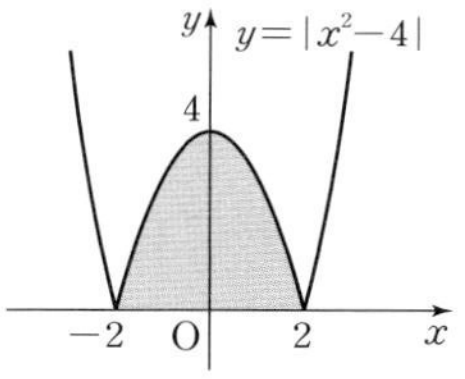

① 8 ② $\frac{28}{3}$ ③ 10 ④ $\frac{32}{3}$ ⑤ 12

059

곡선 $y=x|x-1|$과 x축 및 직선 $x=2$로 둘러싸인 도형의 넓이를 구하시오.

060 (중요)

함수 $y=|x^2-1|$의 그래프와 직선 $y=x+1$로 둘러싸인 도형의 넓이의 합을 구하시오.

유형 07 두 도형의 넓이가 같은 경우

그림과 같이 곡선 $y=f(x)$와 x축 및 y축으로 둘러싸인 두 도형 A, B의 넓이가 서로 같을 때,

$$\int_0^\beta f(x)\,dx=0$$

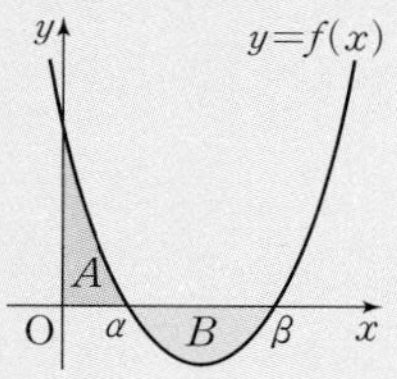

061 (중요)

곡선 $y=(x-1)(x-a)$ $(a>1)$와 x축 및 y축으로 둘러싸인 두 도형의 넓이가 서로 같을 때, 상수 a의 값은?

① 2 ② $\frac{5}{2}$ ③ 3 ④ $\frac{7}{2}$ ⑤ 4

062

곡선 $y=-x^2+4x$와 x축 및 직선 $x=k$ $(k>4)$로 둘러싸인 두 도형의 넓이가 서로 같을 때, 상수 k의 값을 구하시오.

063

곡선 $y=x^3-(a+3)x^2+3ax$ $(0<a<3)$와 x축으로 둘러싸인 두 도형의 넓이가 서로 같을 때, 상수 a의 값을 구하시오.

064

곡선 $y=x^2(x-3)$과 직선 $x=a\,(a>3)$ 및 x축으로 둘러싸인 두 도형의 넓이가 서로 같을 때, 상수 a의 값을 구하시오.

중요
065

그림과 같이 곡선 $y=x^2-2x+p$와 x축, y축으로 둘러싸인 도형의 넓이를 A라 하고, 이 곡선과 x축으로 둘러싸인 도형의 넓이를 B라 하자.
$A : B=1 : 2$일 때, 상수 p의 값은?

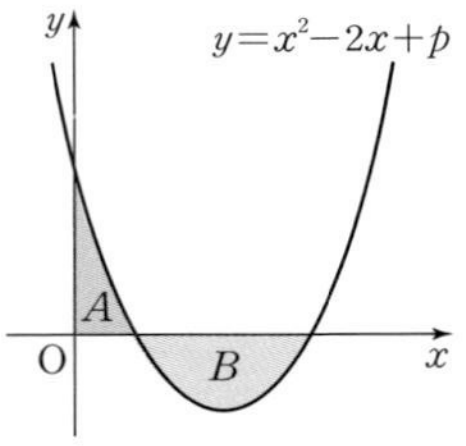

① $\frac{1}{4}$　② $\frac{2}{3}$　③ $\frac{3}{4}$
④ $\frac{4}{3}$　⑤ $\frac{5}{3}$

066

그림과 같이 두 곡선 $y=-x^2(x-2)$, $y=ax(x-2)\,(a<0)$로 둘러싸인 두 도형의 넓이가 서로 같을 때, 상수 a의 값을 구하시오.

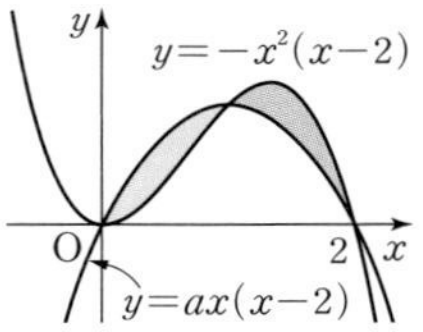

유형 08 두 곡선 사이의 넓이의 응용

색칠한 도형의 넓이 $S\ (S=S_1+S_2)$를 곡선 $y=g(x)$가 이등분할 때,
$S=S_1+S_2=2S_1$
$=2\int_0^a \{f(x)-g(x)\}dx$

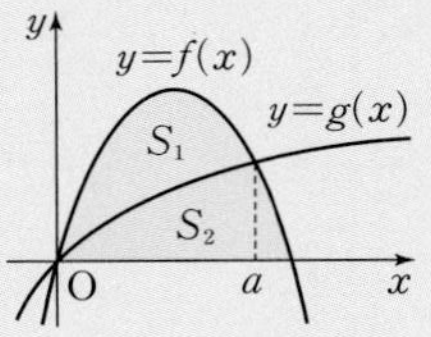

중요
067

곡선 $y=x^2-2x$와 직선 $y=mx$로 둘러싸인 도형의 넓이는 곡선 $y=x^2-2x$와 x축으로 둘러싸인 도형의 넓이의 2배이다. 상수 m에 대하여 $(m+2)^3$의 값을 구하시오. (단, $m>0$)

068

곡선 $y=ax^2$이 곡선 $y=4x-x^2$과 x축으로 둘러싸인 도형의 넓이를 이등분할 때, 양수 a의 값은?

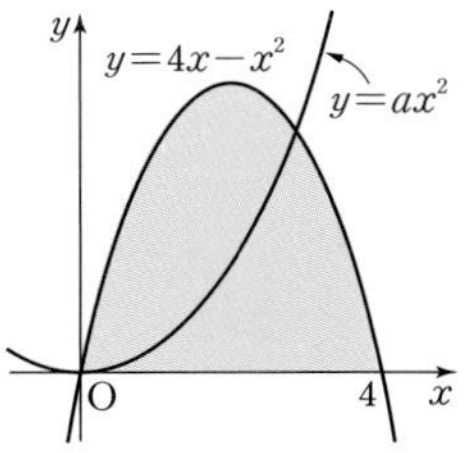

① $\sqrt{2}-1$　② $\sqrt{2}$
③ 2　④ $\sqrt{2}+1$
⑤ 3

069

곡선 $y=x^2$과 점 $(1, 4)$를 지나는 직선으로 둘러싸인 도형의 넓이의 최솟값을 구하시오.

유형 09 역함수의 그래프와 넓이

함수 $y=f(x)$와 그 역함수 $y=f^{-1}(x)$의 그래프의 교점의 x좌표가 α, β일 때, 두 곡선으로 둘러싸인 도형의 넓이 S는

$$S=\int_{\alpha}^{\beta}|f(x)-f^{-1}(x)|\,dx$$
$$=2\int_{\alpha}^{\beta}|x-f(x)|\,dx$$

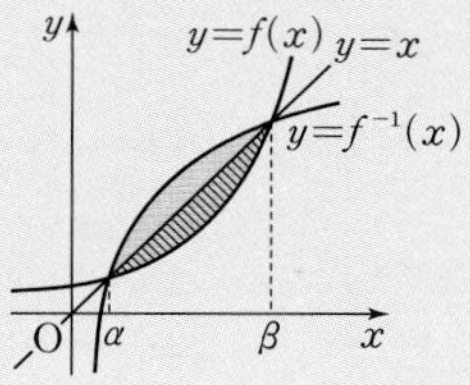

참고 함수 $y=f(x)$와 그 역함수 $y=f^{-1}(x)$의 그래프는 직선 $y=x$에 대하여 대칭이다.

070

함수 $f(x)=x^2\ (x\geq 0)$과 그 역함수 $g(x)=\sqrt{x}$의 그래프로 둘러싸인 도형의 넓이는?

① $\frac{1}{6}$　② $\frac{1}{3}$　③ $\frac{1}{2}$　④ $\frac{2}{3}$　⑤ 1

071

함수 $y=f(x)$와 그 역함수 $y=g(x)$의 그래프가 그림과 같을 때, $\int_0^1 f(x)\,dx+\int_1^4 g(x)\,dx$의 값을 구하시오.

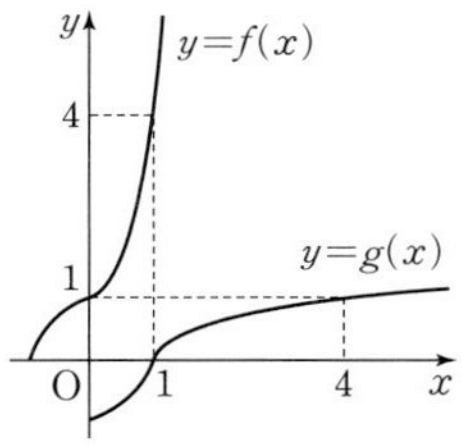

072 (중요)

그림과 같이 함수 $y=f(x)$와 그 역함수 $y=g(x)$의 그래프가 두 점 $(1, 1)$, $(3, 3)$에서 만난다. $\int_1^3 f(x)\,dx=\frac{5}{2}$일 때, 두 곡선 $y=f(x)$와 $y=g(x)$로 둘러싸인 도형의 넓이를 구하시오.

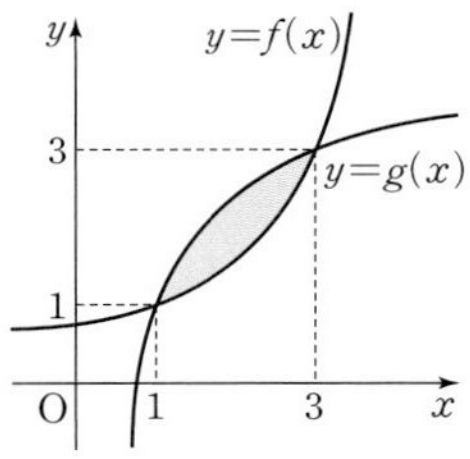

073 (중요)

함수 $f(x)=x^2+1\ (x\geq 0)$과 그 역함수 $y=g(x)$에 대하여 $\int_0^1 f(x)\,dx+\int_1^2 g(x)\,dx$의 값을 구하시오.

074

함수 $f(x)=x^3+2x-2$의 역함수를 $y=g(x)$라 할 때, $\int_1^2 f(x)dx+\int_1^{10} g(x)dx$의 값을 구하시오.

075

함수 $f(x)=ax^2\ (x\geq 0)$의 역함수를 $y=g(x)$라 하자. 그림과 같이 두 곡선 $y=f(x)$, $y=g(x)$로 둘러싸인 도형의 넓이가 3일 때, 양수 a의 값은?

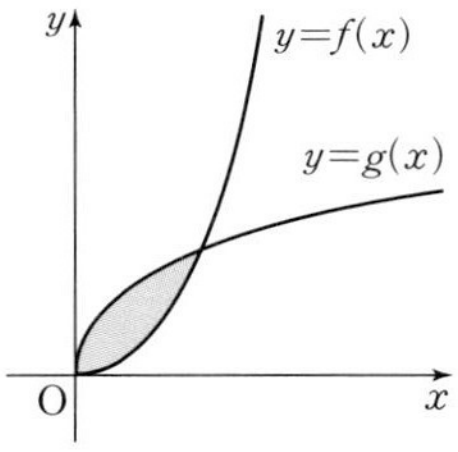

① $\frac{1}{6}$　② $\frac{1}{5}$　③ $\frac{1}{4}$　④ $\frac{1}{3}$　⑤ $\frac{1}{2}$

유형 10 위치의 변화량

수직선 위를 움직이는 점 P의 시각 t에서의 속도를 $v(t)$, 시각 $t=a$에서의 위치를 $s(a)$라 할 때,

(1) 시각 t에서의 점 P의 위치 $s(t)$는

⇨ $s(t)=s(a)+\int_a^t v(t)\,dt$

(2) 시각 $t=a$에서 $t=b$까지 점 P의 위치의 변화량

⇨ $\int_a^b v(t)\,dt$

076

원점을 출발하여 수직선 위를 움직이는 물체의 시각 t에서의 속도가 $v(t)=3t^2-4t+5$일 때, $t=3$에서의 점 P의 위치는?

① 22 ② 24 ③ 26
④ 28 ⑤ 30

077

x축 위를 움직이는 점 P가 $x=1$을 출발한 지 t초 후의 속도가 $v(t)=2t+a$이다. 점 P가 1초 후에 $x=4$에 있기 위한 상수 a의 값을 구하시오.

078

중요

원점을 동시에 출발하여 수직선 위를 움직이는 두 점 P, Q의 시각 t에서의 속도가 각각

$v_P(t)=6t^2-2t+6,\ v_Q(t)=3t^2+12t-4$

일 때, 두 점 P, Q가 출발 후 처음으로 다시 만나는 위치를 구하시오.

유형 11 속도와 움직인 거리

(1) 수직선 위를 움직이는 점 P의 시각 t에서의 속도가 $v(t)$일 때, 시각 $t=a$에서 $t=b$까지 점 P가 움직인 거리 s는

⇨ $s=\int_a^b |v(t)|\,dt$

(2) 움직이는 물체가 정지하거나 운동 방향을 바꿀 때, (속도)$=0$이다.

079

원점을 출발하여 수직선 위를 움직이는 점 P의 t초 후의 속도가 $v(t)=8-2t$일 때, 점 P가 원점을 출발하여 5초 동안 움직인 거리를 구하시오.

080

중요

직선 도로에서 매초 20 m의 속도로 달리는 자동차가 제동을 건 지 t초 후의 속도는 $v(t)=20-4t$ (m/s)라고 한다. 제동을 건 후 정지할 때까지 이 자동차가 달린 거리는?

① 30 m ② 40 m ③ 50 m
④ 60 m ⑤ 70 m

081

원점을 출발하여 수직선 위를 움직이는 점 P의 시각 t에서의 속도가 $v(t)=6-2t$이다. 점 P가 다시 원점으로 돌아올 때까지 움직인 거리를 구하시오.

082

고속열차의 출발한 지 t분 후의 속도는 2분 동안은 $v(t)=\frac{3}{4}t^2+\frac{1}{2}t$이고, 그 이후로는 일정한 속도를 유지한다. 출발 후 10분 동안 이 고속열차가 달린 거리를 구하시오.

083

어느 놀이동산에서 2분 동안 운행되고 있는 열차의 출발한 지 t초 후의 운행 속도 $v(t)$(m/s)가

$$v(t)=\begin{cases} \frac{1}{2}t & (0\le t<10) \\ k & (10\le t<100) \\ \frac{1}{4}(120-t) & (100\le t\le 120) \end{cases}$$

일 때, 이 열차가 출발 후 정지할 때까지 운행한 거리를 구하시오.

(단, k는 상수이다.)

084

좌표평면 위의 원점을 출발하여 x축 위를 움직이는 점 P의 t초 후의 위치가 $x(t)=2t^3-6t^2-18t$일 때, 〈보기〉에서 옳은 것만을 있는 대로 고른 것은?

보기

ㄱ. 점 P의 출발 후 2초 후의 속력은 18이다.
ㄴ. 점 P는 움직이는 동안 운동 방향을 두 번 바꾼다.
ㄷ. 점 P가 출발 후 4초 동안 움직인 거리는 68이다.

① ㄱ　② ㄷ　③ ㄱ, ㄴ
④ ㄱ, ㄷ　⑤ ㄴ, ㄷ

유형 12 위로 쏘아 올린 물체의 속도와 거리

똑바로 위로 쏘아 올린 물체가 최고 높이에 도달할 때, (속도)=0이다.

085

지면으로부터 높이가 20 m인 곳에서 50 m/s의 속도로 똑바로 위로 던진 물체의 t초 후의 속도를 $v(t)$ m/s라 하면 $v(t)=50-10t$이다. 이 물체가 최고점에 도달하였을 때, 지면으로부터 물체까지의 높이를 구하시오.

중요
086

지상 30 m의 높이에서 98 m/s의 속도로 똑바로 쏘아 올린 물체의 t초 후의 속도는 $v(t)=98-9.8t$ (m/s)일 때, 물체가 지면에 떨어질 때까지 움직인 거리는 몇 m인가?

① 980 m　② 990 m　③ 1000 m
④ 1010 m　⑤ 1020 m

087

지면에서 60 m/s의 속도로 똑바로 위로 발사한 물체의 t초 후의 속도가 $v(t)=-10t+60$ (m/s)일 때, 물체가 지면에 닿는 순간의 속도를 구하시오.

유형 13 그래프에서의 위치와 움직인 거리

수직선 위를 움직이는 점 P의 시각 t에서의 속도를 $v(t)$라 할 때, 시각 $t=a$에서 $t=b$까지 점 P가 움직인 거리 s는

$$s=\int_a^b |v(t)|dt$$

이고, 이는 $y=v(t)$의 그래프와 t축 및 두 직선 $t=a$, $t=b$로 둘러싸인 도형의 넓이와 같다.

088

원점을 출발하여 수직선 위를 움직이는 점 P의 시각 $t\,(0\le t\le 6)$에서의 속도 $v(t)$의 그래프가 그림과 같다. $t=4$에서의 점 P의 위치를 구하시오.

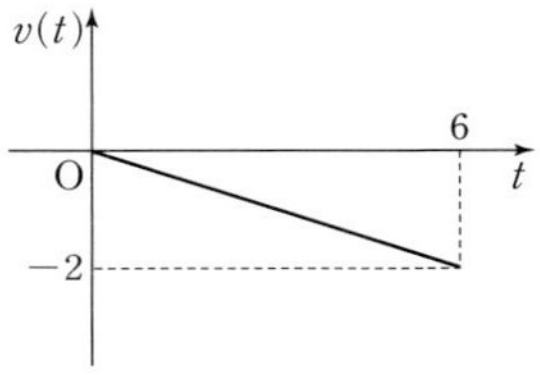

089

그림은 원점을 출발하여 수직선 위를 움직이는 두 점 P, Q의 t초 후의 속도 $y=f(t)$, $y=g(t)$의 그래프를 나타낸 것이다. 두 점 P, Q는 원점을 출발한 지 몇 초 후에 다시 만나는지 구하시오.

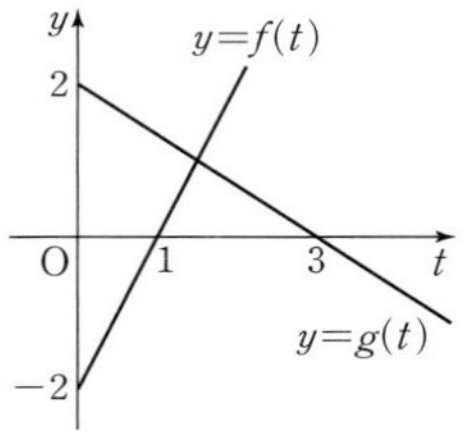

090 (중요)

그림은 원점을 출발하여 수직선 위를 움직이는 물체의 시각 $t\,(0\le t\le 5)$에서의 속도 $v(t)$의 그래프이다. $t=5$에서의 물체의 위치를 a, $t=0$에서 $t=5$까지 물체가 움직인 거리를 b라 할 때, $a+b$의 값을 구하시오.

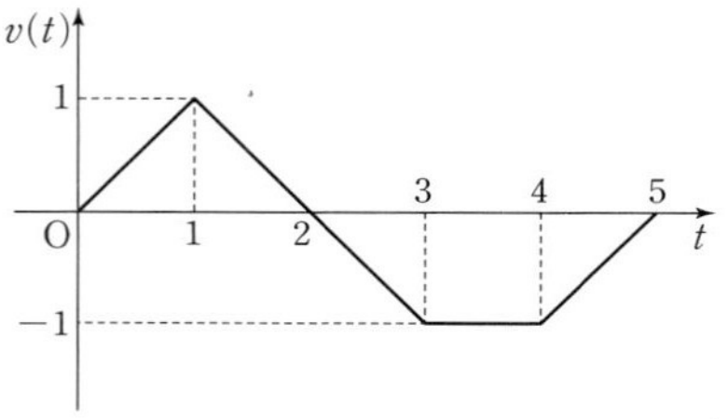

091 (중요)

원점을 출발하여 수직선 위를 움직이는 점 P의 시각 $t\,(0\le t\le 8)$에서의 속도 $v(t)$의 그래프가 그림과 같을 때, 〈보기〉에서 옳은 것만을 있는 대로 고른 것은?

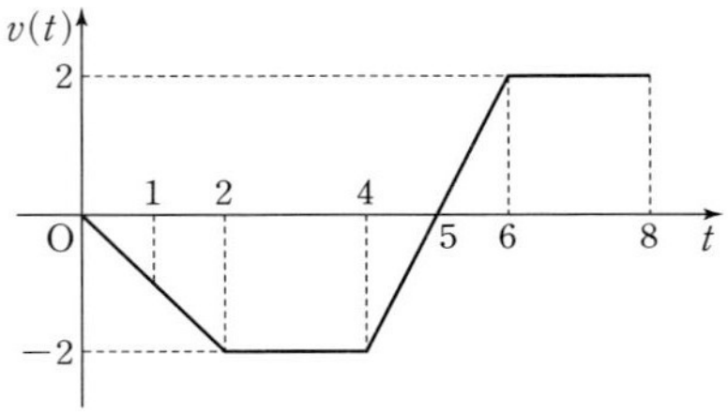

보기

ㄱ. 점 P는 출발하고 나서 방향을 한 번 바꾼다.
ㄴ. 점 P는 $t=8$일 때, 원점에 있다.
ㄷ. 점 P는 $t=5$일 때, 원점으로부터 가장 멀리 떨어져 있다.

① ㄴ ② ㄷ ③ ㄱ, ㄴ ④ ㄱ, ㄷ ⑤ ㄴ, ㄷ

092

좌표평면 위의 원점을 출발한 세 점 A, B, C가 x축을 따라 이동하여 30초 후에 모두 동시에 만난다고 한다. 그림은 세 점 A, B, C의 t초 후의 속도 $v(t)$를 각각 나타낸 그래프이다.

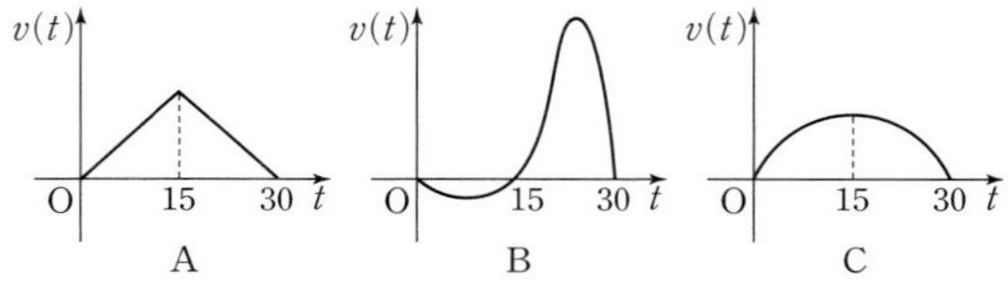

〈보기〉에서 옳은 것만을 있는 대로 고른 것은?

보기

ㄱ. 세 점 A, B, C는 모두 가속도가 0인 순간이 적어도 한 번 존재한다.
ㄴ. $15\le t\le 30$에서 점 B의 평균 속력이 가장 빠르다.
ㄷ. 두 점 A, C의 속도 그래프와 t축으로 둘러싸인 도형의 넓이는 각각 같다.

① ㄴ ② ㄷ ③ ㄱ, ㄴ ④ ㄱ, ㄷ ⑤ ㄴ, ㄷ

093

그림과 같이 이차함수 $y=x^2-4x+3$의 그래프와 x축 및 y축으로 둘러싸인 도형의 넓이는?

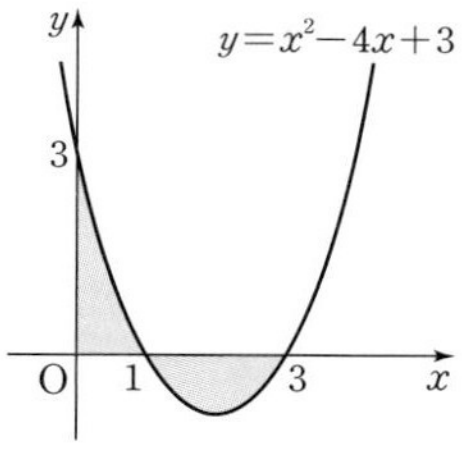

① $\frac{4}{3}$　② 2　③ $\frac{8}{3}$　④ 3　⑤ $\frac{10}{3}$

094

그림과 같이 곡선 $y=-x^2+2x$와 직선 $y=-x$로 둘러싸인 도형의 넓이를 구하시오.

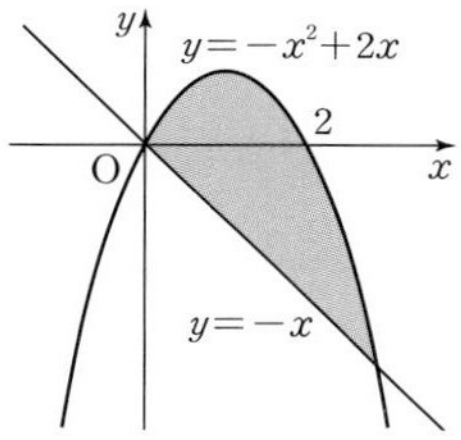

095

두 곡선 $y=x^3-2x$, $y=x^2$으로 둘러싸인 두 도형의 넓이를 각각 S_1, S_2라 할 때, S_2-S_1를 구하시오. (단, $S_1<S_2$)

096

곡선 $y=x^3+1$ 위의 점 $(-1, 0)$에서의 접선과 이 곡선으로 둘러싸인 도형의 넓이는?

① $\frac{21}{4}$　② $\frac{23}{4}$　③ $\frac{25}{4}$　④ $\frac{27}{4}$　⑤ $\frac{29}{4}$

097

그림과 같이 곡선 $y=|3x(x-1)|$과 x축 및 직선 $x=2$로 둘러싸인 도형의 넓이를 구하시오.

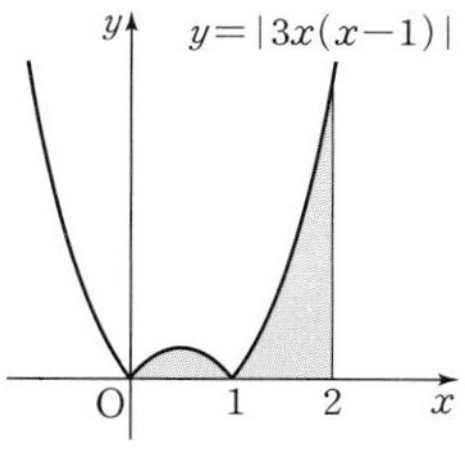

098

그림과 같이 곡선 $y=9-x^2\ (x\geq 0)$과 y축 및 두 직선 $y=k\ (0<k<9)$, $x=3$으로 둘러싸인 두 도형의 넓이가 서로 같을 때, 상수 k의 값을 구하시오.

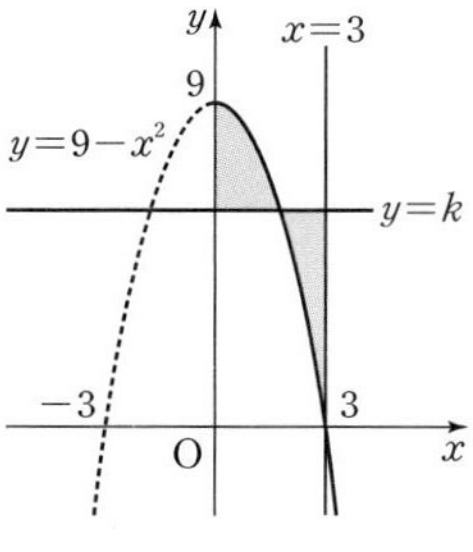

099

그림과 같이 함수 $y=f(x)$와 그 역함수 $y=g(x)$의 그래프가 두 점 $(0, 0)$, $(3, 3)$에서 만난다.

$\int_0^3 f(x)\,dx=3$일 때, 색칠한 부분의 넓이를 구하시오.

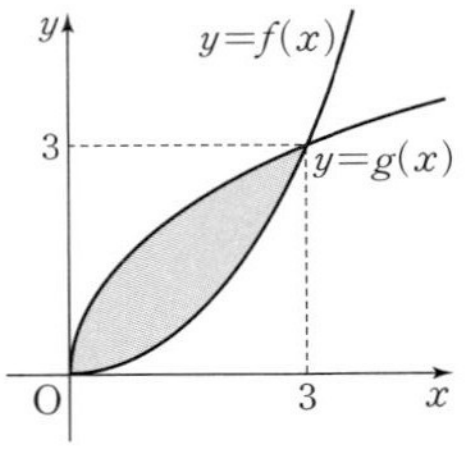

100

원점을 출발하여 수직선 위를 움직이는 점 P의 t초 후의 속도가 $v(t)=(-3t^2+2t+6)$ cm/s이다. 점 P가 원점을 출발한 후 원점으로 다시 돌아오는 것은 몇 초 후인가?

① 2초 ② 3초 ③ 4초
④ 5초 ⑤ 6초

101

지상 10 m의 높이에서 30 m/s의 속도로 똑바로 위로 쏘아 올린 공의 t초 후의 속도는 $v(t)=30-10t$ (m/s)라고 한다. 공을 쏘아 올린 지 2초 후부터 5초 후까지 공이 움직인 거리를 구하시오.

102

원점을 출발하여 수직선 위를 7초 동안 움직이는 점 P의 t초 후의 속도 $v(t)$의 그래프가 그림과 같을 때, 〈보기〉에서 옳은 것만을 있는 대로 고르시오.

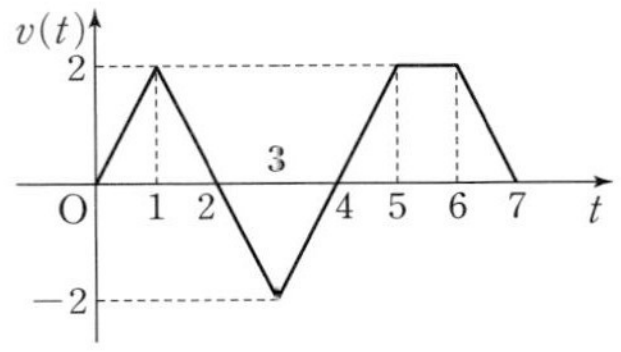

보기

ㄱ. 점 P는 출발 후 1초 동안 멈춘 적이 있었다.
ㄴ. 점 P는 움직이는 동안 운동 방향을 4번 바꿨다.
ㄷ. 점 P는 출발하고 나서 4초 후 출발점에 있었다.

1등급 문제

103

그림과 같이 곡선 $f(x)=x^2-5x+4$와 x축, y축으로 둘러싸인 도형의 넓이를 S_1, 곡선 $y=f(x)$와 x축으로 둘러싸인 도형의 넓이를 S_2, 곡선 $y=f(x)$와 x축, 직선 $x=k$ $(k>4)$로 둘러싸인 도형의 넓이를 S_3이라 하자. S_1, S_2, S_3이 이 순서대로 등차수열을 이룰 때, $\int_0^k f(x)\,dx$의 값을 구하시오.

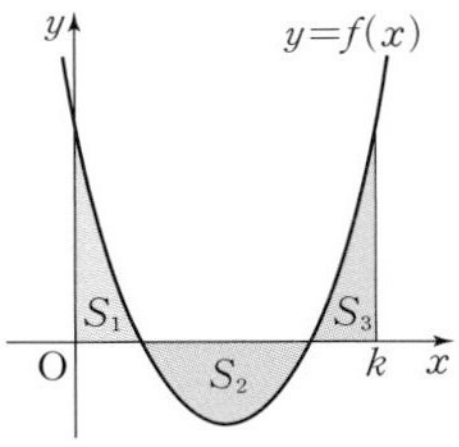

104

함수 $f(x)=x^2-4x+5$에 대하여 곡선 $y=f(x)$를 x축의 양의 방향으로 k만큼 평행이동한 곡선을 $y=g(x)$라 하고, 두 곡선 $y=f(x)$, $y=g(x)$에 동시에 접하는 직선을 l이라 하자. 두 곡선 $y=f(x)$, $y=g(x)$와 직선 l로 둘러싸인 도형의 넓이가 $\frac{16}{3}$일 때, k의 값을 구하시오. (단, $k>0$)

빠른 정답 확인

01 함수의 극한
본문 007~020쪽

001 1　002 5　003 3
004 1　005 0　006 0
007 ∞　008 0　009 4
010 ∞　011 $-\infty$　012 -1
013 -2　014 2　015 ∞
016 0　017 1
018 극한값은 존재하지 않는다.　019 0
020 -1　021 -1　022 -1
023 0　024 4　025 -2
026 1　027 -1　028 1
029 9　030 1　031 -6
032 $-\frac{3}{2}$　033 5　034 6
035 -4　036 4　037 -1
038 12　039 $\frac{1}{2}$　040 0
041 ∞　042 2　043 $\frac{2}{3}$
044 ∞　045 0　046 $\frac{3}{2}$
047 2　048 4　049 4
050 4　051 3　052 0
053 3
054 1　055 ⑤　056 ③
057 ①　058 7　059 4
060 ④　061 ②　062 $\frac{1}{3}$
063 2　064 -1　065 2
066 0　067 ④　068 -1
069 0　070 $\frac{1}{2}$　071 $-\frac{3}{4}$
072 3　073 ④　074 12
075 2　076 20　077 ②
078 ④　079 $-\frac{2}{3}$　080 $\frac{4}{3}$
081 1　082 2　083 ⑤
084 ③　085 1　086 $\frac{1}{16}$
087 9　088 ①　089 1
090 ④　091 7　092 -5
093 12　094 7　095 60
096 4　097 ②　098 8
099 ④　100 4
101 ③　102 1　103 6
104 ③　105 4　106 0
107 ⑤　108 152　109 -8
110 -4
111 2　112 1

02 함수의 연속
본문 023~036쪽

001 $[-1, 4]$　002 $(3, 5]$　003 $[-5, 10)$
004 $[-2, \infty)$　005 $(-\infty, 1)$　006 $\{x \mid -3 \le x \le 3\}$
007 $\{x \mid -2 < x < 6\}$　008 $\{x \mid 1 \le x < 7\}$　009 $\{x \mid x \ge 0\}$
010 $\{x \mid x < 5\}$　011 $(-\infty, \infty)$　012 $(-\infty, \infty)$
013 $(-\infty, 3)$, $(3, \infty)$　014 $[-2, \infty)$　015 ㄱ
016 ㄴ　017 ㄷ　018 연속
019 불연속　020 연속　021 연속
022 불연속　023 연속　024 $(-\infty, \infty)$
025 $(-\infty, \infty)$　026 $(-\infty, \infty)$　027 $\left[\frac{3}{2}, \infty\right)$
028 $(-\infty, -3)$, $(-3, \infty)$
029 $(-\infty, 1)$, $(1, \infty)$　030 ㄴ, ㅁ, ㅂ
031 ㄱ, ㄴ, ㄷ　032 최댓값: 없다, 최솟값: 0
033 최댓값: 0, 최솟값: -1
034 최댓값: 1, 최솟값: 0
035 최댓값: 15, 최솟값: 0
036 최댓값: -1, 최솟값: $-\sqrt{7}$
037 최댓값: 없다, 최솟값: 없다.
038 (가) : 연속, (나) : 사잇값의 정리
039 $f(0)=-1$, $f(1)=4$
040 연속, <, 사잇값의 정리
041 ㄴ　042 ㄱ, ㄴ　043 3
044 ④　045 4　046 ③
047 20　048 8　049 -3
050 ③　051 3　052 ⑤
053 ②　054 -18　055 7
056 ①　057 $\frac{1}{2}$　058 18
059 2　060 6　061 3
062 ③　063 ③　064 -6
065 $\frac{1}{3}$　066 4　067 ㄱ, ㄴ, ㄹ
068 -2　069 10　070 18
071 ③　072 -2　073 ⑤
074 ③　075 ②　076 -2
077 ㄷ　078 ②　079 2
080 ②　081 96　082 ③
083 3개　084 ②　085 4
086 ⑤　087 -2　088 ④
089 -5　090 1　091 2
092 3　093 ④　094 ㄷ
095 ②
096 4　097 ②

03 미분계수

본문 039~052쪽

001 b, a, Δx, Δx
002 1
003 -2
004 3
005 3
006 Δx, Δx, h, h, a, a
007 1
008 2
009 6
010 -4
011 2
012 16
013 -2
014 $\frac{1}{3}$, $\frac{1}{3}$, 3
015 $\frac{1}{2}$
016 $\frac{1}{5}$
017 -1
018 2, 2, 2, 6
019 3
020 5
021 -1
022 -3, $-\frac{3}{2}$, $-\frac{3}{2}$, $-\frac{3}{2}$
023 10
024 -12
025 -3
026 -2
027 $x+1$, $\frac{1}{2}$, 1
028 $x+1$, 2, 4
029 x^2+x+1, 3, $\frac{3}{2}$
030 $\frac{3}{2}$
031 6
032 1
033 1, 2, 4
034 -1, 0, 3
035 -1, 0, 2, 3, 4
036 2, 4
037 1
038 (가): A, (나): B
039 연속, 1, -1, 미분가능하지 않다.
040 1, 1, 1, $=$, 연속, 2, 2, 미분가능하다.
041 3
042 ①
043 4
044 5
045 ①
046 -8
047 ③
048 1
049 40
050 1
051 ①
052 -4
053 ⑤
054 12
055 5
056 ②
057 -3
058 4
059 ①
060 12
061 $\frac{2}{3}$
062 ②
063 6
064 1
065 4
066 15
067 ⑤
068 1
069 2
070 ②
071 4
072 ④
073 ②
074 $\frac{1}{3}$
075 12
076 ⑤
077 ①
078 ⑤
079 4
080 12
081 ④
082 ④
083 ②
084 ③
085 ③
086 ①
087 2
088 12
089 ⑤
090 12
091 ①
092 4
093 4
094 ④
095 40
096 ②
097 4
098 4

04 도함수

본문 055~070쪽

001 도함수, Δx, Δx
002 $2h$, 2
003 $f'(x)=1$
004 $f'(x)=3$
005 $f'(x)=0$
006 $x+h$, $x+h$, $h^2+2hx-5h$, $2x-5$
007 $f'(x)=2x$
008 $f'(x)=2x+1$
009 7
010 $y'=2x$
011 $y'=3x^2$
012 $y'=5x^4$
013 $y'=8x^7$
014 $y'=0$
015 $y'=-2x$
016 $y'=10x^4$
017 $y'=1$
018 $y'=2$
019 $y'=-3$
020 $y'=2x$
021 $y'=2x+3$
022 $y'=3x^2-4x$
023 $y'=3x^2+8x-3$
024 $y'=-x^4+x^2-3$
025 2
026 5
027 -1
028 0
029 -4
030 -29
031 -1
032 0
033 4
034 -5
035 6
036 -1
037 5
038 7
039 -9
040 1, 2, $2x+1$, $2x+4$, $4x+5$
041 $y'=2x+2$
042 $y'=2x-1$
043 $y'=-15x^2-5$
044 $y'=3x^2-2x+2$
045 $y'=3x^2-2x-2$
046 8
047 $f'(x)=2x+2$
048 4
049 4
050 5
051 15
052 10
053 5
054 $\frac{5}{2}$
055 3
056 5
057 0
058 2
059 2
060 3
061 (가): $x+h$, (나): $x+h$, (다): $3x^2$
062 (가): $f(x+h)-f(x)$, (나): $\lim_{h\to 0} g(x+h)$, (다): $f'(x)g(x)+f(x)g'(x)$
063 ④
064 5
065 2
066 3
067 ⑤
068 ④
069 ③
070 -19
071 ④
072 14
073 2
074 ④
075 ④
076 7
077 28
078 $\frac{1}{12}$
079 ②
080 7
081 ④
082 ③
083 $\frac{1}{36}$
084 104
085 ③
086 25
087 7
088 ②
089 -2
090 2
091 ④
092 22
093 ③
094 2
095 2
096 ②
097 30
098 ⑤
099 ⑤
100 ③
101 25
102 ①
103 9
104 5
105 ④
106 -2
107 5
108 ①
109 -9
110 18
111 ⑤
112 ④
113 -7
114 48
115 ②
116 ①
117 ②
118 42
119 -4
120 ③
121 -3
122 -3
123 8
124 ①
125 16

05 접선의 방정식과 평균값 정리 본문 073~086쪽

001 $y=2x+3$ **002** $y=3x$ **003** $y=x+1$
004 $y=5x+25$ **005** $y=-3x-5$ **006** 4
007 2 **008** 1 **009** $y=2x$
010 $y=\frac{3}{2}x-2$ **011** $y=2x-1$ **012** 3
013 -2 **014** 11 **015** -3
016 -5 **017** -2 **018** $y=4x-2$
019 $y=2x-2$ **020** $y=3x+2$ **021** $y=5x-2$
022 $y=-4x+7$ **023** $(1, 1)$ **024** $(1, 0)$
025 $(1, 1)$ **026** $-2a+5$, $(1, 4)$, 4, 1, $3x+1$
027 $y=3x-8$ **028** $y=5x+2$
029 $y=2x+1$ 또는 $y=2x-3$ **030** $y=2x-1$
031 $y=-4$
032 a^2-5a+5, $2a-5$, a, $(3, -2)$, $-x+1$, $3x-11$
033 0 **034** $\frac{1}{2}$ **035** 1
036 $f'(c)$ **037** 1 **038** 2
039 ① **040** 2 **041** 1
042 3 **043** ⑤ **044** ④
045 ① **046** -10 **047** 21
048 1 **049** ④ **050** -1
051 ② **052** 2 **053** -5
054 -5 **055** ② **056** -1
057 32 **058** ③ **059** $y=x+2$
060 ① **061** -8 **062** 7
063 ③ **064** $\frac{9}{2}$ **065** 3
066 ④ **067** 4 **068** 10
069 $-\frac{3}{2}$ **070** ③ **071** -1
072 4 **073** $\frac{1}{2}$ **074** ④
075 1 **076** $\frac{1}{2}$ **077** ③
078 ④ **079** 2 **080** 10
081 ② **082** 5 **083** 6
084 ⑤ **085** ④
086 5 **087** 2 **088** ⑤
089 3 **090** ② **091** -3
092 0 **093** 54 **094** ②
095 2
096 $y=8x-11$ **097** 20

06 증가 · 감소와 극대 · 극소 본문 089~104쪽

001 구간 $[1, 3]$ **002** 구간 $(-\infty, 1]$, $[3, \infty)$
003 증가 **004** 감소 **005** 증가
006 감소 **007** $>$, $<$, 증가, 감소
008 구간 $(-\infty, \infty)$에서 증가
009 구간 $[1, \infty)$에서 증가, 구간 $(-\infty, 1]$에서 감소
010 구간 $(-\infty, 3]$에서 증가, 구간 $[3, \infty)$에서 감소
011 구간 $(-\infty, 0]$, $[2, \infty)$에서 증가, 구간 $[0, 2]$에서 감소
012 구간 $[0, 4]$에서 증가, 구간 $(-\infty, 0]$, $[4, \infty)$에서 감소
013 -1, 3 **014** -2, 2 **015** -1, 0, 1
016 0, 1 **017** 0, 2 **018** 1
019 -3 **020** 0 **021** 0
022 4 **023** 1 **024** $x=3$ 또는 $x=7$
025 $x=1$ 또는 $x=3$ **026** 1, 3, 5, 1 **027** 5
028 1 **029**

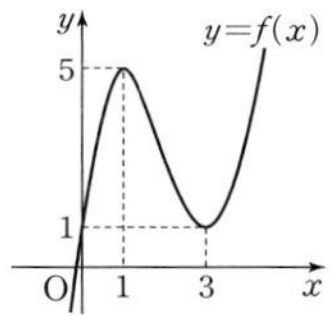

030 $(-1, 3)$, $(1, -1)$ **031** $(-1, -3)$, $(1, 5)$
032 $(0, 2)$, $(1, 3)$, $(2, 2)$
033 극솟값: -13
034 극댓값: -20, 극솟값: -24
035 극댓값: 5, 극솟값: -3
036 극댓값: 0, 극솟값: -1
037

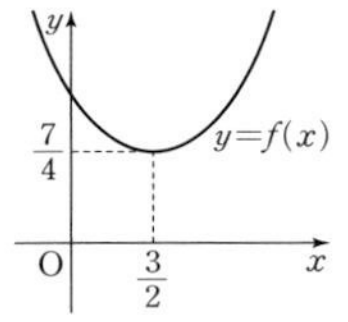

극솟값: $\frac{7}{4}$

038

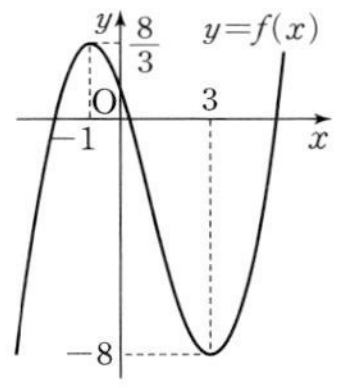

극댓값: $\frac{8}{3}$
극솟값: -8

039

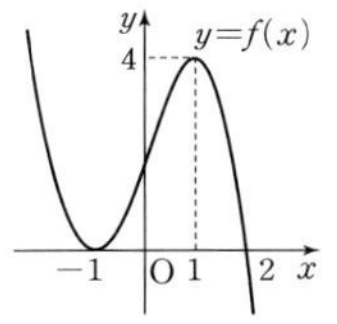

극댓값: 4
극솟값: 0

040

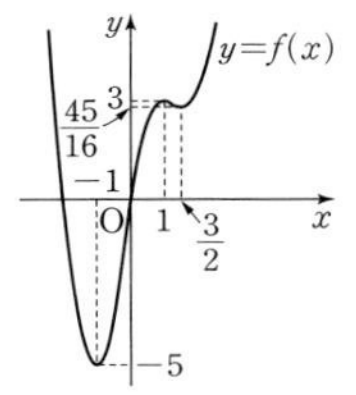

극댓값: 3
극솟값: -5, $\frac{45}{16}$

041 최댓값: 2, 최솟값: -6
042 최댓값: 2, 최솟값: -5
043 최댓값: 3, 최솟값: -5
044 최댓값: 6, 최솟값: 2
045 최댓값: -1, 최솟값: -5

046 ⑤ 047 11 048 9
049 ⑤ 050 ③ 051 ③
052 13 053 ① 054 21
055 ② 056 7 057 ④
058 $2\sqrt{5}$ 059 2 060 ①
061 -7 062 1 063 2
064 ① 065 9 066 6
067 16 068 ④ 069 ③
070 6 071 7 072 45
073 ③ 074 8 075 1
076 ④ 077 10 078 ②
079 ④ 080 ③ 081 5
082 6 083 ② 084 ㄷ
085 ③ 086 2 087 ②
088 ⑤ 089 9 090 2
091 -28 092 ④ 093 4
094 $\sqrt{5}$ 095 $8\sqrt{2}$ 096 $\frac{1}{2}$
097 $\frac{5}{3}$ cm 098 $\frac{2}{3}$ 099 4
100 ③ 101 1 102 4
103 ① 104 5 105 5
106 -2 107 ⑤ 108 1
109 30
110 2 111 $\frac{22}{9}$

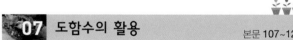

07 도함수의 활용

본문 107~120쪽

001 $x=2$ 또는 $x=3$ 또는 $x=4$
002 $x=1$ 또는 $x=3$ 또는 $x=5$
003 1, 3, 1, 3, 3, -1, 3, 3 004 2
005 1 006 3 007 3
008 2 009 2 010 ㄱ
011 ㄴ 012 ㄷ 013 ㄷ
014 ㄱ 015 극대, 극소, $<$ 016 $0<k<1$
017 $k=0$ 또는 $k=1$ 018 $k<0$ 또는 $k>1$ 019 $3x^2-3$, 1, 0
020 $>$, $>$ 021 -3, -1, 1, 0, $\geq$
022 3 023 -2 024 25
025 0 026 2 027 42
028 -9 029 6 030 6초
031 4초 032 10 m/s, -10 m/s
033 -10 m/s^2 034 2초 035 20 m
036 4초 037 -20 m/s 038 $2\leq t\leq 4$
039 1 040 3, 5
041 -13 042 ④ 043 $k=-8$ 또는 $k=4$
044 ② 045 8 046 11
047 23 048 ⑤ 049 0
050 ③ 051 -13 052 1
053 -13 054 17 055 ②
056 ⑤ 057 8 058 ③
059 ③ 060 -5 061 23
062 ④ 063 ④ 064 -2
065 18 066 ⑤ 067 ⑤
068 ① 069 26 070 -1
071 6 072 ⑤ 073 ⑤
074 45 m 075 12 076 280 m
077 15 m/s 078 ③ 079 ②
080 ④ 081 ④ 082 ②
083 ③ 084 136 cm^2/s 085 0 cm^2/s
086 ⑤ 087 1 088 19
089 1 090 ③ 091 -2
092 6초 093 8 094 ③
095 ㄴ
096 3 097 $\frac{\sqrt{3}+1}{2}$

08 부정적분

본문 123~136쪽

001 $f(x)=2$ 002 $f(x)=2x$ 003 $f(x)=6x-5$
004 $f(x)=3x^2+4$ 005 $f(x)=-3x^2+4x$ 006 ㄴ
007 $2x+2$ 008 x^2+2x+C 009 x^4
010 x^4+C 011 x^2+2x 012 x^2+2x+C
013 $x+C$ 014 $3x+C$ 015 $\frac{1}{2}x^2+C$
016 $\frac{1}{3}x^3+C$ 017 $\frac{1}{6}x^6+C$ 018 $\frac{1}{100}x^{100}+C$
019 $\frac{1}{11}t^{11}+C$ 020 $\frac{1}{n+1}x^{n+1}+C$ 021 x^2+C
022 x^3+C 023 $2x^4+C$ 024 x^2+3x+C
025 x^3+3x^2-5x+C 026 $\frac{1}{2}x^4+\frac{1}{2}x^2-x+C$
027 $2y^2-2y+C$ 028 t^3-t^2+4t+C 029 $\frac{1}{3}x^3-x^2+C$
030 $\frac{1}{3}x^3+\frac{1}{2}x^2-2x+C$
031 $x^3-\frac{1}{2}x^2-2x+C$ 032 $\frac{1}{3}x^3+x^2+x+C$
033 $\frac{4}{3}x^3-2x^2+x+C$ 034 $\frac{1}{4}x^4-x^3+x^2+C$
035 $\frac{1}{4}x^4+x+C$
036 $\frac{1}{4}y^4+y^3+\frac{3}{2}y^2+y+C$ 037 $4x^2-4x+C$
038 x^3+x^2+x+C 039 x^3+3x^2+3x+C
040 $x^4+x^3-x^2+3x+C$ 041 $\frac{2}{3}x^3+2x+C$
042 $12x^2+C$ 043 $2x^3+2x+C$ 044 $\frac{1}{2}x^2-3x+C$
045 $\frac{1}{3}x^3-x^2+4x+C$ 046 $\frac{1}{2}x^2-x+C$
047 1, 1, $x^4-x^3+3x^2-2x+1$
048 $f(x)=2x^2-5x+1$
049 $f(x)=x^3-3x^2+x-2$
050 $f(x)=x^4-2x^3+4x^2-5x+5$

051 ② 052 $F(x)=x^2-3x+7$
053 ⑤ 054 ① 055 ②
056 ④ 057 ④ 058 2
059 -4 060 ④ 061 ④
062 3 063 ③ 064 $\frac{11}{5}$
065 12 066 ② 067 ⑤
068 19 069 ② 070 -1
071 $y=-\frac{1}{4}x^4+\frac{2}{3}x^3-\frac{3}{2}x^2+x+C$ 072 ⑤
073 $\frac{3}{2}$ 074 14 075 ④
076 ③ 077 -2 078 10
079 ④ 080 $\frac{1}{3}$ 081 ②
082 4 083 -1 084 7
085 ⑤ 086 12 087 8
088 $f(x)=6x^2-6x+1$ 089 16
090 10 091 ① 092 5
093 ⑤ 094 $\frac{13}{9}$ 095 ④
096 16 097 ④ 098 $\frac{9}{4}$
099 ③ 100 255 101 6
102 ⑤ 103 ③ 104 12
105 9 106 -3 107 ①
108 -4
109 $\frac{13}{2}$ 110 255

09 정적분

본문 139~152쪽

001 10 002 4 003 9
004 20 005 8 006 14
007 9 008 $-\frac{5}{12}$ 009 176
010 $-\frac{9}{2}$ 011 $\frac{1}{3}$ 012 $\frac{7}{2}$
013 $x+2$ 014 x^2-x-2 015 $(x+1)^2$
016 x^2-x 017 x^3+5x-1 018 $(x^3+1)(x+2)$
019 0 020 0 021 -4
022 -11 023 $\frac{10}{3}$ 024 3
025 -12 026 4 027 -7
028 2 029 $\frac{16}{3}$ 030 $\frac{16}{3}$
031 -2 032 2 033 6
034 $-\frac{1}{2}$ 035 20 036 64
037 28 038 12 039 $\frac{3}{2}$
040 $\frac{4}{3}$ 041 0 042 2
043 2 044 1, 1, 1, 1, 1, 1, $\frac{1}{2}$, 2, $\frac{5}{2}$

045 -4 046 ⑤ 047 ②
048 -2 049 ④ 050 ②
051 2 052 35 053 ③
054 ④ 055 -3 056 -24
057 ② 058 ④ 059 2
060 37 061 0 062 -4
063 ③ 064 $\frac{3}{2}$ 065 10
066 9 067 -10 068 14
069 20 070 12 071 ③
072 ③ 073 -2 074 285
075 ③ 076 $\frac{11}{12}$ 077 ①
078 ③ 079 18 080 $-\frac{7}{4}$
081 $\frac{5}{2}$ 082 8 083 ④
084 ③ 085 2 086 7
087 ② 088 4 089 ②
090 9 091 ②
092 -2 093 1 094 ②
095 -11 096 ④ 097 ⑤
098 ② 099 ④ 100 1
101 4
102 10 103 $\frac{25}{6}$

10 정적분의 응용

본문 155~168쪽

001 ㄱ 002 ㄴ 003 ㄱ
004 ㄴ 005 ㄱ 006 ㄴ
007 ㄱ 008 ㄴ 009 6
010 0 011 $\frac{2}{3}$ 012 0
013 $-\frac{4}{3}$ 014 0 015 -2
016 $\frac{8}{3}$ 017 24 018 $-\frac{4}{3}$
019 0 020 4 021 2
022 2, -6, $\frac{2}{3}$ 023 $\frac{2}{3}$ 024 4
025 $f(x)=2x+4$ 026 $f(x)=3x^2+6x$
027 $f(x)=4x^3+6x^2-8x+5$
028 x, 2, $F(x)-F(2)$, x^3+6x^2-2 029 $y'=3x^2-6$
030 $y'=x^3+2x^2+3$ 031 $x+1$, x, $x+1$, x, $2x+1$
032 $y'=3$ 033 x, 1, $F(x)-F(1)$, $F'(1)$, 0
034 6 035 11
036 0 037 $1+h$, 1, $F(1+h)-F(1)$, $F'(1)$, 1
038 2 039 9 040 3
041 20 042 ① 043 -6
044 ② 045 8 046 12
047 40 048 ② 049 12
050 20 051 2 052 ⑤

053 -10 054 ⑤ 055 48
056 ② 057 5 058 27
059 ② 060 11 061 7
062 ③ 063 4 064 3
065 -1 066 ① 067 14
068 ④ 069 40 070 -24
071 ② 072 8 073 8
074 $\frac{3}{2}$ 075 $\frac{4}{3}$ 076 -9
077 $-\frac{1}{6}$ 078 ③ 079 -12
080 $\frac{7}{3}$ 081 -6 082 ②
083 ② 084 2 085 2
086 ① 087 30 088 10
089 ③ 090 4 091 ③
092 99 093 -2 094 ①
095 2 096 8
097 ② 098 $\frac{5}{2}$
099 $f(x)=x^2-2x+1$ 100 2

11 정적분의 활용

본문 171~186쪽

001 2 002 $\frac{1}{3}$ 003 $\frac{7}{3}$
004 1 005 $\frac{1}{3}$
006 0, 1, 1, 0, 1, 0, $\frac{1}{6}$ 007 36 008 $\frac{32}{3}$
009 $\frac{1}{6}$ 010 1 011 4
012 $\frac{8}{3}$ 013 $\frac{31}{6}$
014 x, x^2-2x, $-x^2+3x$, $\frac{9}{2}$ 015 $\frac{9}{2}$
016 $\frac{4}{3}$ 017 $\frac{32}{3}$ 018 $\frac{32}{3}$
019 $\frac{9}{2}$ 020 18
021 $-x^2+7x-8$, x^2-3x, $-2x^2+10x-8$, 9 022 $\frac{8}{3}$
023 4 024 $\frac{8}{3}$ 025 $\frac{64}{3}$
026 $\frac{27}{2}$ 027 9 028 -4
029 18 030 24 031 $\frac{3}{2}$
032 0 033 1
034 ③ 035 $\frac{71}{6}$ 036 2
037 2 038 ③ 039 4
040 ④ 041 1 042 $\frac{1}{2}$
043 9 044 ① 045 9
046 ③ 047 $\frac{37}{12}$ 048 $\frac{64}{3}$
049 4 050 $\frac{4}{3}$ 051 ③
052 16 053 $\frac{1}{12}$ 054 ③
055 2 056 $\frac{1}{2}$ 057 ⑤
058 ④ 059 1 060 $\frac{13}{6}$
061 ③ 062 6 063 $\frac{3}{2}$
064 4 065 ② 066 -1
067 16 068 ① 069 $4\sqrt{3}$
070 ② 071 4 072 3
073 2 074 19 075 ④
076 ② 077 2 078 24
079 17 080 ③ 081 18
082 35 083 525 m 084 ④
085 145 m 086 ④ 087 -60 m/s
088 $-\frac{8}{3}$ 089 3초 090 2
091 ④ 092 ⑤
093 ③ 094 $\frac{9}{2}$ 095 $\frac{9}{4}$
096 ④ 097 3 098 6
099 3 100 ② 101 25 m
102 ㄷ
103 $\frac{9}{2}$ 104 4

아름다운 샘 BOOK LIST

개념기본서 수학의 기본을 다지는 최고의 수학 개념기본서

❖ 수학의 샘

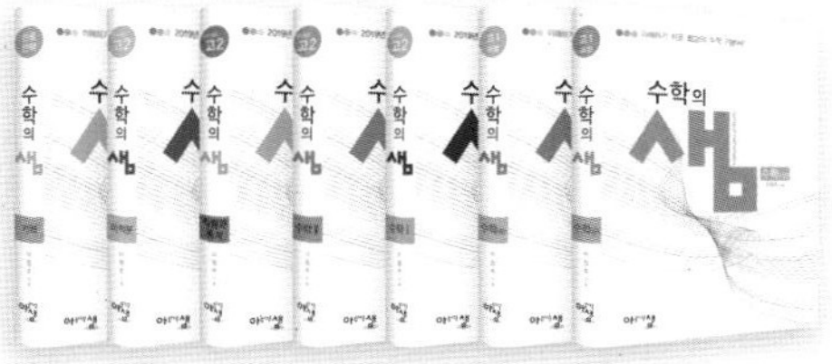

- 수학(상)
- 수학(하)
- 수학 Ⅰ
- 수학 Ⅱ
- 확률과 통계
- 미적분
- 기하

Total 내신문제집 한 권으로 끝내는 내신 대비 문제집

❖ Total 짱

- 수학(상)
- 수학(하)
- 수학 Ⅰ
- 수학 Ⅱ
- 확률과 통계
- 미적분
- 기하

문제기본서 {기본, 유형}, {유형, 심화}로 구성된 수준별 문제기본서

❖ 아샘 Hi Math

- 수학(상)
- 수학(하)
- 수학 Ⅰ
- 수학 Ⅱ
- 확률과 통계
- 미적분
- 기하

❖ 아샘 Hi High

- 수학(상)
- 수학(하)
- 수학 Ⅰ
- 수학 Ⅱ
- 확률과 통계
- 미적분

수능 기출유형 문제집 수능 대비하는 수준별·유형별 문제집

❖ 짱 쉬운 유형 / 확장판

- 수학 Ⅰ
- 수학 Ⅱ
- 확률과 통계
- 미적분
- 기하

- 수학 Ⅰ
- 수학 Ⅱ
- 확률과 통계

❖ 짱 중요한 유형

- 수학 Ⅰ
- 수학 Ⅱ
- 확률과 통계
- 미적분
- 기하

❖ 짱 어려운 유형

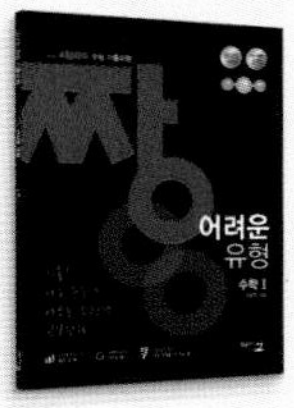

- 수학 Ⅰ
- 수학 Ⅱ
- 확률과 통계
- 미적분

중간·기말고사 교재 학교 시험 대비 실전모의고사

❖ 아샘 내신 FINAL (고1 수학, 고2 수학 Ⅰ, 고2 수학 Ⅱ)

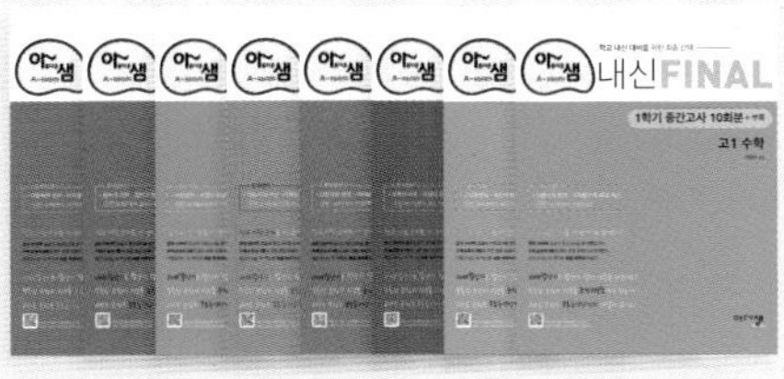

- 1학기 중간고사
- 1학기 기말고사
- 2학기 중간고사
- 2학기 기말고사

수능 실전모의고사 수능 대비 파이널 실전모의고사

❖ 짱 Final 실전모의고사

- 수학 영역

예비 고1 교재 고교 수학의 기본을 다지는 참 쉬운 기본서

❖ 그래 할 수 있어

- 수학(상)
- 수학(하)

내신 기출유형 문제집 내신 대비하는 수준별·유형별 문제집

❖ 짱 쉬운 내신

- 수학(상)
- 수학(하)

❖ 짱 중요한 내신

- 수학(상)
- 수학(하)

기본기를 다지는
문제기본서 하이 매쓰

Hi Math

수학 Ⅱ

펴낸이 (주)아름다운샘
펴낸곳 (주)아름다운샘
등록번호 제324-2013-41호
주소 서울시 강동구 상암로 257, 진승빌딩 3F
전화 02-892-7878
팩스 02-892-7874

아~름다운 샘 A~ssam

Hi Math
수학 Ⅱ

정답 및 해설

정답 및 해설

01 함수의 극한

본책 007 ~ 020쪽

001 함수 $y=x+2$의 그래프에서
x의 값이 -1과 다른 값을 가지면서
-1에 한없이 가까워질 때
$f(x)$의 값은 1에 한없이 가까워지므로
$\lim_{x\to-1}(x+2)=1$

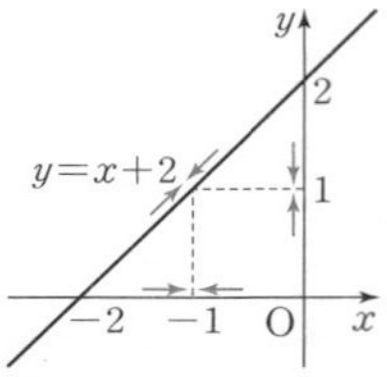

답 1

002 함수 $y=x^2-4$의 그래프에서
x의 값이 3과 다른 값을 가지면서
3에 한없이 가까워질 때
$f(x)$의 값은 5에 한없이 가까워지므로
$\lim_{x\to3}(x^2-4)=5$

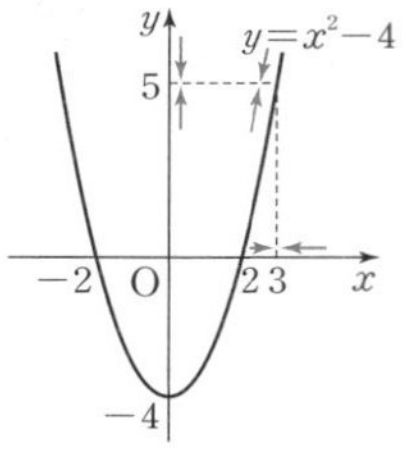

답 5

003 함수 $y=\sqrt{2x+3}$의 그래프에서
x의 값이 3과 다른 값을 가지면서
3에 한없이 가까워질 때
$f(x)$의 값도 3에 한없이 가까워지므로
$\lim_{x\to3}\sqrt{2x+3}=3$

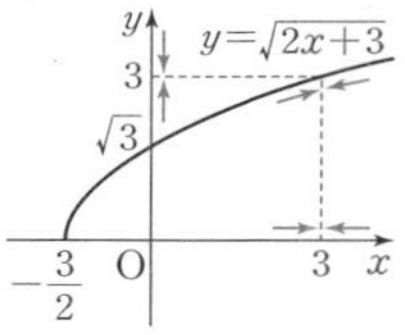

답 3

004 함수 $y=\frac{1}{x^2}$의 그래프에서
x의 값이 -1과 다른 값을 가지면서
-1에 한없이 가까워질 때
$f(x)$의 값은 1에 한없이 가까워지므로
$\lim_{x\to-1}\frac{1}{x^2}=1$

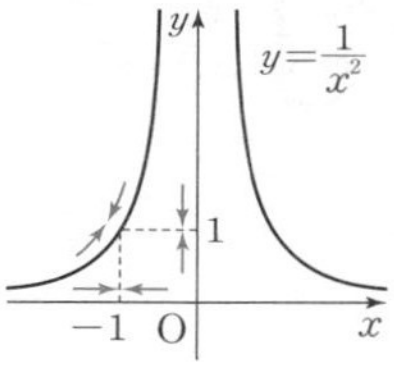

답 1

005 $f(x)=3x^2$이라 하면
함수 $y=f(x)$의 그래프는 그림과 같다.
x의 값이 0과 다른 값을 가지면서
0에 한없이 가까워질 때
$f(x)$의 값도 0에 한없이 가까워지므로
$\lim_{x\to0}3x^2=0$

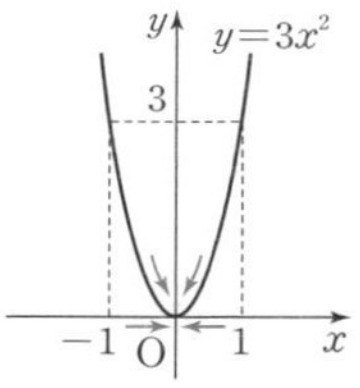

답 0

006 $f(x)=\frac{1}{x}$이라 하면
함수 $y=f(x)$의 그래프는 그림과 같다.
x의 값이 한없이 커질 때
$f(x)$의 값은 0에 한없이 가까워지므로
$\lim_{x\to\infty}\frac{1}{x}=0$

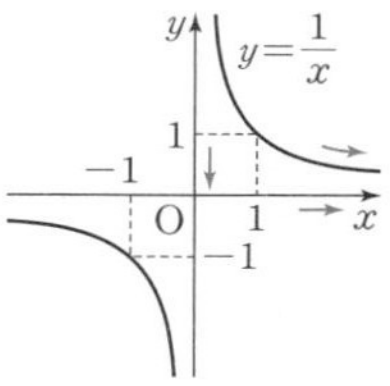

답 0

007 $f(x)=x^2$이라 하면
함수 $y=f(x)$의 그래프는 그림과 같다.
x의 값이 음수이면서 그 절댓값이 한없이 커질 때 $f(x)$의 값은 한없이 커지므로
$\lim_{x\to-\infty}x^2=\infty$

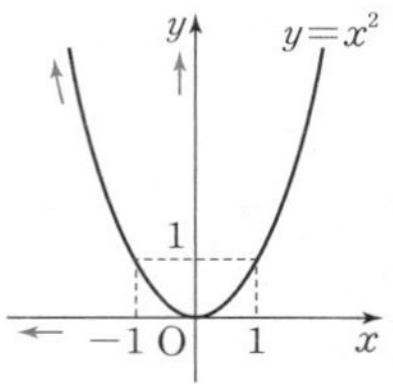

답 ∞

008 $\lim_{x\to-1}f(x)=0$ 답 0

009 $\lim_{x\to0}f(x)=4$ 답 4

010 $\lim_{x\to\infty}f(x)=\infty$ 답 ∞

011 $\lim_{x\to-\infty}f(x)=-\infty$ 답 $-\infty$

[012-015] 함수 $y=f(x)$의 그래프는 그림과 같다.

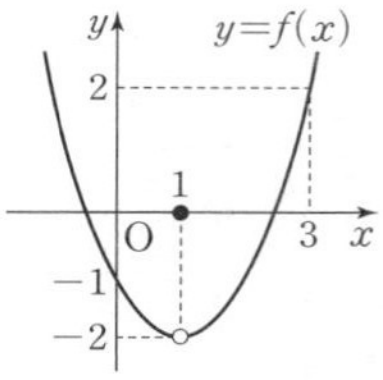

012 $\lim_{x\to0}f(x)=-1$ 답 -1

013 $\lim_{x\to1}f(x)=-2$ 답 -2

014 $\lim_{x\to3}f(x)=2$ 답 2

015 $\lim_{x\to\infty}f(x)=\infty$ 답 ∞

016 $\lim_{x\to-1-}f(x)=0$ 답 0

017 $\lim_{x\to-1+}f(x)=1$ 답 1

018 $\lim_{x\to-1-}f(x)\neq\lim_{x\to-1+}f(x)$이므로 극한값 $\lim_{x\to-1}f(x)$는 존재하지 않는다.
답 극한값은 존재하지 않는다.

019 $f(-1)=0$ 답 0

020 $\lim_{x\to1-}f(x)=-1$ 답 -1

021 $\lim_{x\to1+}f(x)=-1$ 답 -1

022 $\lim_{x\to1-}f(x)=-1$, $\lim_{x\to1+}f(x)=-1$

$\therefore \lim_{x\to1}f(x)=-1$ 　답 -1

023 $f(1)=0$ 　답 0

[024-025] 함수 $y=f(x)$의 그래프는 그림과 같다.

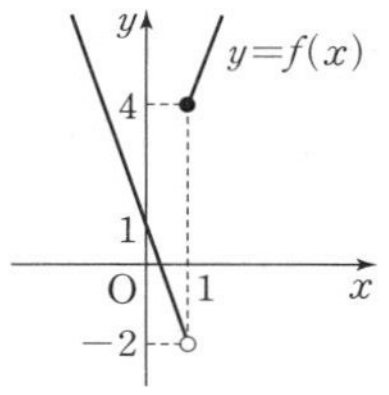

024 $\lim_{x\to1+}f(x)=4$ 　답 4

025 $\lim_{x\to1-}f(x)=-2$ 　답 -2

[026-027] $f(x)=\dfrac{|x|}{x}$라 하면

$f(x)=\begin{cases}1 & (x>0)\\ -1 & (x<0)\end{cases}$

이므로 함수 $y=f(x)$의 그래프는 그림과 같다.

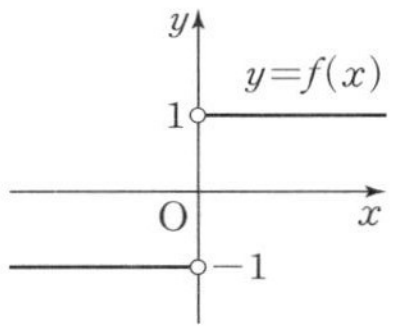

026 $\lim_{x\to0+}\dfrac{|x|}{x}=1$ 　답 1

027 $\lim_{x\to0-}\dfrac{|x|}{x}=-1$ 　답 -1

028 $f(x)=\dfrac{x-2}{|x-2|}$라 하면

$f(x)=\begin{cases}1 & (x>2)\\ -1 & (x<2)\end{cases}$

이므로 함수 $y=f(x)$의 그래프는 그림과 같다.

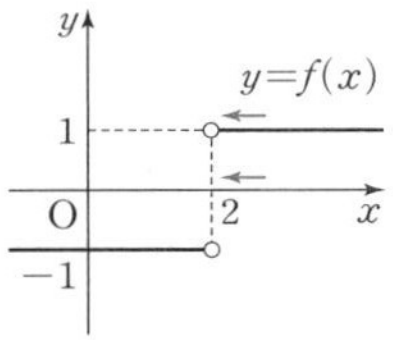

$\therefore \lim_{x\to2+}\dfrac{x-2}{|x-2|}=1$ 　답 1

029 $\lim_{x\to1}\{3f(x)\}=3\lim_{x\to1}f(x)$

$=3\times3=9$ 　답 9

030 $\lim_{x\to1}\{f(x)+g(x)\}=\lim_{x\to1}f(x)+\lim_{x\to1}g(x)$

$=3+(-2)=1$ 　답 1

031 $\lim_{x\to1}\{f(x)g(x)\}=\lim_{x\to1}f(x)\times\lim_{x\to1}g(x)$

$=3\times(-2)=-6$ 　답 -6

032 $\lim_{x\to1}\dfrac{f(x)}{g(x)}=\dfrac{\lim_{x\to1}f(x)}{\lim_{x\to1}g(x)}$

$=-\dfrac{3}{2}$ 　답 $-\dfrac{3}{2}$

033 $\lim_{x\to2}(3x-1)=\lim_{x\to2}3x+\lim_{x\to2}(-1)$

$=3\lim_{x\to2}x-1$

$=3\times2-1$

$=5$ 　답 5

034 $\lim_{x\to1}(3x^2-2x+5)=\lim_{x\to1}3x^2+\lim_{x\to1}(-2x)+\lim_{x\to1}5$

$=3\lim_{x\to1}x^2-2\lim_{x\to1}x+5$

$=3\times1^2-2\times1+5$

$=6$ 　답 6

035 $\lim_{x\to-1}\dfrac{x^2-3x}{2x+1}=\dfrac{\lim_{x\to-1}x^2-3\lim_{x\to-1}x}{2\lim_{x\to-1}x+\lim_{x\to-1}1}$

$=\dfrac{(-1)^2-3\times(-1)}{2\times(-1)+1}$

$=-4$ 　답 -4

036 $\lim_{x\to1}\dfrac{(x-1)(x+3)}{x-1}=\lim_{x\to1}(x+3)=4$ 　답 4

037 $\lim_{x\to2}\dfrac{x^2-5x+6}{x-2}=\lim_{x\to2}\dfrac{(x-2)(x-3)}{x-2}$

$=\lim_{x\to2}(x-3)=-1$ 　답 -1

038 $\lim_{x\to2}\dfrac{x^3-8}{x-2}=\lim_{x\to2}\dfrac{(x-2)(x^2+2x+4)}{x-2}$

$=\lim_{x\to2}(x^2+2x+4)=12$ 　답 12

039 $\lim_{x\to1}\dfrac{\sqrt{x}-1}{x-1}=\lim_{x\to1}\dfrac{(\sqrt{x}-1)(\sqrt{x}+1)}{(x-1)(\sqrt{x}+1)}$

$=\lim_{x\to1}\dfrac{x-1}{(x-1)(\sqrt{x}+1)}$

$=\lim_{x\to1}\dfrac{1}{\sqrt{x}+1}=\dfrac{1}{2}$ 　답 $\dfrac{1}{2}$

[040-043] 주어진 식의 분자, 분모를 분모의 최고차항으로 각각 나눈다.

040 $\lim_{x\to\infty}\dfrac{2x+1}{x^2-1}=\lim_{x\to\infty}\dfrac{\dfrac{2}{x}+\dfrac{1}{x^2}}{1-\dfrac{1}{x^2}}=0$ 　답 0

041 $\lim_{x\to\infty}\dfrac{2x^2-3x+1}{x-2}=\lim_{x\to\infty}\dfrac{2x-3+\dfrac{1}{x}}{1-\dfrac{2}{x}}=\infty$ 　답 ∞

042 $\lim_{x\to\infty}\dfrac{2x^2+x+3}{x^2-1}=\lim_{x\to\infty}\dfrac{2+\dfrac{1}{x}+\dfrac{3}{x^2}}{1-\dfrac{1}{x^2}}=2$ 　답 2

043 $\lim_{x\to\infty}\dfrac{2x^2-3x+4}{3x^2+5x-1}=\lim_{x\to\infty}\dfrac{2-\dfrac{3}{x}+\dfrac{4}{x^2}}{3+\dfrac{5}{x}-\dfrac{1}{x^2}}=\dfrac{2}{3}$ 　답 $\dfrac{2}{3}$

044 $\lim_{x\to\infty}(x^2-x)=\lim_{x\to\infty}x^2\left(1-\frac{1}{x}\right)=\infty$ 답 ∞

045 $\lim_{x\to\infty}(\sqrt{x^2+1}-x)=\lim_{x\to\infty}\frac{(\sqrt{x^2+1}-x)(\sqrt{x^2+1}+x)}{\sqrt{x^2+1}+x}$

$=\lim_{x\to\infty}\frac{x^2+1-x^2}{\sqrt{x^2+1}+x}$

$=\lim_{x\to\infty}\frac{\frac{1}{x}}{\sqrt{1+\frac{1}{x^2}}+1}=0$ 답 0

046 $\lim_{x\to\infty}(\sqrt{x^2+3x}-x)=\lim_{x\to\infty}\frac{(\sqrt{x^2+3x}-x)(\sqrt{x^2+3x}+x)}{\sqrt{x^2+3x}+x}$

$=\lim_{x\to\infty}\frac{x^2+3x-x^2}{\sqrt{x^2+3x}+x}$

$=\lim_{x\to\infty}\frac{3}{\sqrt{1+\frac{3}{x}}+1}=\frac{3}{2}$ 답 $\frac{3}{2}$

047 $\lim_{x\to\infty}\frac{1}{\sqrt{x^2+x}-x}=\lim_{x\to\infty}\frac{\sqrt{x^2+x}+x}{(\sqrt{x^2+x}-x)(\sqrt{x^2+x}+x)}$

$=\lim_{x\to\infty}\frac{\sqrt{x^2+x}+x}{x^2+x-x^2}$

$=\lim_{x\to\infty}\frac{\sqrt{1+\frac{1}{x}}+1}{1}=2$ 답 2

048 $\lim_{x\to1}4x=4\times1=4$ 답 4

049 $\lim_{x\to1}(2x^2-x+3)=2\times1^2-1+3=4$ 답 4

050 모든 실수 x에 대하여 $4x\le f(x)\le2x^2-x+3$이고

$\lim_{x\to1}4x=\lim_{x\to1}(2x^2-x+3)=4$이므로

$\lim_{x\to1}f(x)=4$ 답 4

051 $\lim_{x\to1}\frac{8}{ax-1}=\frac{8}{a-1}=4$

$4a-4=8$ $\quad\therefore a=3$ 답 3

052 $x\to0$일 때 (분자)$\to0$이고, 0이 아닌 극한값이 존재하므로 (분모)$\to0$이어야 한다.

$\lim_{x\to0}(x+a)=0$ $\quad\therefore a=0$ 답 0

053 $x\to2$일 때 (분모)$\to0$이고, 극한값이 존재하므로 (분자)$\to0$이어야 한다.

$\lim_{x\to2}(ax-6)=2a-6=0$

$\therefore a=3$ 답 3

054 $\lim_{x\to1+}f(x)=1$, $\lim_{x\to1-}f(x)=0$

따라서 $a=1$, $b=0$이므로

$a-b=1$ 답 1

055 $\lim_{x\to-1-}f(x)=1$, $\lim_{x\to1+}f(x)=-1$

$\therefore \lim_{x\to-1-}f(x)+f(0)+\lim_{x\to1+}f(x)$

$=1+2+(-1)=2$ 답 ⑤

056 $x+2=t$로 놓으면 $x\to-1+$일 때 $t\to1+$이므로

$\lim_{x\to-1+}f(x+2)=\lim_{t\to1+}f(t)=0$ 답 ③

057 $\lim_{x\to1+}f(x)=1$이고

$x-1=t$로 놓으면 $x\to1+$일 때 $t\to0+$이므로

$\lim_{x\to1+}f(x-1)=\lim_{t\to0+}f(t)=-2$

$\therefore \lim_{x\to1+}\{f(x)f(x-1)\}=1\times(-2)=-2$ 답 ①

058 $\lim_{x\to1-}f(x)=\lim_{x\to1-}(x+3)=4$

$\lim_{x\to1+}f(x)=\lim_{x\to1+}\{-(x-1)^2+3\}=3$

$\therefore \lim_{x\to1-}f(x)+\lim_{x\to1+}f(x)=4+3=7$ 답 7

059 $\lim_{x\to1+}f(x)=\lim_{x\to1+}(x^2-2x+a)=1-2+a=4$

$\therefore a=5$

$\lim_{x\to1-}f(x)=\lim_{x\to1-}(-x+b)=-1+b=-2$

$\therefore b=-1$

$\therefore a+b=5+(-1)=4$ 답 4

060 ㄱ. $\lim_{x\to-1+}f(x)=1$, $\lim_{x\to-1-}f(x)=1$

$\therefore \lim_{x\to-1}f(x)=1$

ㄴ. $\lim_{x\to1+}f(x)=-1$, $\lim_{x\to1-}f(x)=-1$

$\therefore \lim_{x\to1}f(x)=-1$

ㄷ. $\lim_{x\to2+}f(x)=3$, $\lim_{x\to2-}f(x)=2$이므로

극한값 $\lim_{x\to2}f(x)$는 존재하지 않는다.

따라서 극한값이 존재하는 것은 ㄱ, ㄴ이다. 답 ④

061 극한값 $\lim_{x\to2}f(x)$가 존재하려면

$\lim_{x\to2-}f(x)=\lim_{x\to2+}f(x)$이어야 한다.

$\lim_{x\to2-}f(x)=\lim_{x\to2-}(-x+k)=-2+k$

$\lim_{x\to2+}f(x)=\lim_{x\to2+}(x^2-4x+4)=0$이므로

$-2+k=0$ $\quad\therefore k=2$ 답 ②

062 $\lim_{x\to-1}f(x)$의 값이 존재하려면

$\lim_{x\to-1+}f(x)=\lim_{x\to-1-}f(x)$이어야 한다.

$\lim_{x\to-1+}f(x)=\lim_{x\to-1+}(x^2+a)=1+a$

$\lim_{x\to-1-}f(x)=\lim_{x\to-1-}(x^2-x-2a)=2-2a$이므로

$1+a=2-2a$ $\quad\therefore a=\frac{1}{3}$ 답 $\frac{1}{3}$

063 $f(x)=t$로 놓으면 $x\to1+$일 때 $t\to0+$이므로

$\lim_{x\to1+}f(f(x))=\lim_{t\to0+}f(t)=2$ 답 2

064 $x \to 1-$일 때, $g(x)=-1$이므로

$\lim_{x\to 1-} f(g(x))=f(-1)=0$

$f(x)=t$로 놓으면 $x\to -1+$일 때 $t\to 1-$이므로

$\lim_{x\to -1+} g(f(x))=\lim_{t\to 1-} g(t)=-1$

$\therefore \lim_{x\to 1-} f(g(x))+\lim_{x\to -1+} g(f(x))=-1$ 답 -1

065 $f(x)=t$로 놓으면

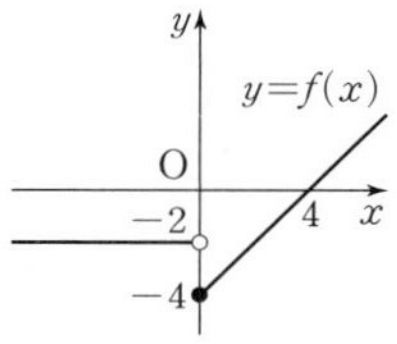

$x\to 0-$일 때 $t=-2$이므로

$\lim_{x\to 0-} f(f(x))=f(-2)=-2$

또 $x\to 4+$일 때 $t\to 0+$이므로

$\lim_{x\to 4+} f(f(x))=\lim_{t\to 0+} f(t)$

$=\lim_{t\to 0+} (t-4)=-4$

$\therefore \lim_{x\to 0-} f(f(x))-\lim_{x\to 4+} f(f(x))=(-2)-(-4)=2$

답 2

066 $A=\lim_{x\to 0+}\dfrac{1-x^2}{1+|x|}=\lim_{x\to 0+}\dfrac{(1+x)(1-x)}{1+x}$

$=\lim_{x\to 0+}(1-x)=1$

$B=\lim_{x\to 0-}\dfrac{1-x^2}{1+|x|}=\lim_{x\to 0-}\dfrac{(1+x)(1-x)}{1-x}$

$=\lim_{x\to 0-}(1+x)=1$

$\therefore A-B=1-1=0$ 답 0

067 $a>1$이므로 $x\to 1$일 때, $|x-a|=-(x-a)$

$\lim_{x\to 1}\dfrac{-(x-a)-(a-1)}{x-1}=\lim_{x\to 1}\dfrac{-x+1}{x-1}=-1$ 답 ④

068 $2<x<3$일 때, $4<x+2<5$이므로

$[x+2]=4$

$\therefore \lim_{x\to 2+}[x+2]=4=\alpha$

$-3<x<-2$일 때, $-5<x-2<-4$이므로

$[x-2]=-5$

$\therefore \lim_{x\to -2-}[x-2]=-5=\beta$

$\therefore \alpha+\beta=4+(-5)=-1$ 답 -1

069 $\lim_{x\to 3}\{2f(x)+3\}=7$에서 $\lim_{x\to 3} f(x)=2$

$3g(x)-f(x)=h(x)$로 놓으면

$g(x)=\dfrac{h(x)+f(x)}{3}$이고 $\lim_{x\to 3} h(x)=4$이므로

$\lim_{x\to 3} g(x)=\lim_{x\to 3}\left\{\dfrac{h(x)+f(x)}{3}\right\}$

$=\dfrac{1}{3}\lim_{x\to 3} h(x)+\dfrac{1}{3}\lim_{x\to 3} f(x)$

$=\dfrac{4}{3}+\dfrac{2}{3}=2$

$\therefore \lim_{x\to 3}\{f(x)-g(x)\}=\lim_{x\to 3} f(x)-\lim_{x\to 3} g(x)$

$=2-2=0$ 답 0

070 $\lim_{x\to 0}\dfrac{f(x)-x^2}{f(x)+x^2}=\lim_{x\to 0}\dfrac{\dfrac{f(x)}{x^2}-1}{\dfrac{f(x)}{x^2}+1}$

$=\dfrac{3-1}{3+1}=\dfrac{1}{2}$ 답 $\dfrac{1}{2}$

071 $\lim_{x\to\infty} f(x)=\infty$, $\lim_{x\to\infty}\{f(x)-g(x)\}=3$에서

$\lim_{x\to\infty}\dfrac{f(x)-g(x)}{f(x)}=0$

즉, $\lim_{x\to\infty}\dfrac{f(x)-g(x)}{f(x)}=\lim_{x\to\infty}\left\{1-\dfrac{g(x)}{f(x)}\right\}=0$이므로

$\lim_{x\to\infty}\dfrac{g(x)}{f(x)}=1$

주어진 식의 분자, 분모를 각각 $f(x)$로 나누면

$\lim_{x\to\infty}\dfrac{f(x)-4g(x)}{3f(x)+g(x)}=\lim_{x\to\infty}\dfrac{1-4\times\dfrac{g(x)}{f(x)}}{3+\dfrac{g(x)}{f(x)}}$

$=\dfrac{1-4\times 1}{3+1}=-\dfrac{3}{4}$ 답 $-\dfrac{3}{4}$

072 $\lim_{x\to -2}\dfrac{x^2+x-2}{x^2+3x+2}=\lim_{x\to -2}\dfrac{(x+2)(x-1)}{(x+2)(x+1)}$

$=\lim_{x\to -2}\dfrac{x-1}{x+1}=3$ 답 3

073 $\lim_{x\to 0}\dfrac{\sqrt{1+x}-1}{x}=\lim_{x\to 0}\dfrac{(\sqrt{1+x}-1)(\sqrt{1+x}+1)}{x(\sqrt{1+x}+1)}$

$=\lim_{x\to 0}\dfrac{x}{x(\sqrt{1+x}+1)}$

$=\lim_{x\to 0}\dfrac{1}{\sqrt{1+x}+1}$

$=\dfrac{1}{2}$ 답 ④

074 $\lim_{x\to -1}\dfrac{x^3+x^2+x+1}{\sqrt{x+10}-3}$

$=\lim_{x\to -1}\dfrac{x^2(x+1)+(x+1)}{\sqrt{x+10}-3}$

$=\lim_{x\to -1}\dfrac{(x^2+1)(x+1)(\sqrt{x+10}+3)}{(\sqrt{x+10}-3)(\sqrt{x+10}+3)}$

$=\lim_{x\to -1}\dfrac{(x^2+1)(x+1)(\sqrt{x+10}+3)}{x+1}$

$=\lim_{x\to -1}(x^2+1)(\sqrt{x+10}+3)$

$=2\times 6=12$ 답 12

075 $\lim_{x\to 1}\dfrac{2(x^4-1)}{(x^2-1)f(x)}=\lim_{x\to 1}\dfrac{2(x^2-1)(x^2+1)}{(x^2-1)f(x)}$

$=\lim_{x\to 1}\dfrac{2(x^2+1)}{f(x)}$

$=\dfrac{4}{f(1)}=2$

$\therefore f(1)=2$ 답 2

참고
일반적으로 함수 $y=f(x)$가
(i) 다항함수
(ii) $x=a$일 때 (분모)$\neq0$인 분수함수
이면 $\lim_{x\to a} f(x)=f(a)$임을 이용하여 극한값을 구하면 된다.

076 $\lim_{x\to4}\frac{(x-4)f(x)}{\sqrt{x}-2}=\lim_{x\to4}\frac{(x-4)f(x)(\sqrt{x}+2)}{(\sqrt{x}-2)(\sqrt{x}+2)}$
$=\lim_{x\to4}\frac{(x-4)f(x)(\sqrt{x}+2)}{x-4}$
$=\lim_{x\to4}f(x)(\sqrt{x}+2)$
$=5\times(\sqrt{4}+2)=20$
답 20

077 $(f\circ g)(x)=f(g(x))=f(2x-1)=(2x-1)^2$
$(g\circ f)(x)=g(f(x))=g(x^2)=2x^2-1$
$\therefore \lim_{x\to1}\frac{(f\circ g)(x)-(g\circ f)(x)}{x^3-x^2-x+1}$
$=\lim_{x\to1}\frac{(2x-1)^2-(2x^2-1)}{(x-1)^2(x+1)}$
$=\lim_{x\to1}\frac{2x^2-4x+2}{(x-1)^2(x+1)}$
$=\lim_{x\to1}\frac{2(x-1)^2}{(x-1)^2(x+1)}$
$=\lim_{x\to1}\frac{2}{x+1}=1$
답 ②

078 ㄱ. $\lim_{x\to\infty}\frac{3x+1}{x^2+2x-3}=\lim_{x\to\infty}\frac{\frac{3}{x}+\frac{1}{x^2}}{1+\frac{2}{x}-\frac{3}{x^2}}=0$ (거짓)
ㄴ. $\lim_{x\to\infty}\frac{2x^2}{3x^2-1}=\lim_{x\to\infty}\frac{2}{3-\frac{1}{x^2}}=\frac{2}{3}$ (참)
ㄷ. $\lim_{x\to\infty}\frac{\sqrt{x^2+1}+x}{2x}=\lim_{x\to\infty}\frac{\sqrt{1+\frac{1}{x^2}}+1}{2}=1$ (참)
따라서 옳은 것은 ㄴ, ㄷ이다.
답 ④

079 $x=-t$로 놓으면 $x\to-\infty$일 때 $t\to\infty$이므로
$\lim_{x\to-\infty}\frac{3+2x}{\sqrt{4x^2-1}+\sqrt{x^2+5}}=\lim_{t\to\infty}\frac{3-2t}{\sqrt{4t^2-1}+\sqrt{t^2+5}}$
$=\lim_{t\to\infty}\frac{\frac{3}{t}-2}{\sqrt{4-\frac{1}{t^2}}+\sqrt{1+\frac{5}{t^2}}}$
$=\frac{-2}{2+1}=-\frac{2}{3}$
답 $-\frac{2}{3}$

080 $\lim_{x\to\infty}\frac{f(x)}{x}=\alpha$ (α는 실수)라 하면
$\lim_{x\to\infty}\frac{4x^2+5f(x)}{3x^2-f(x)}=\lim_{x\to\infty}\frac{4+\frac{f(x)}{x}\times\frac{5}{x}}{3-\frac{f(x)}{x}\times\frac{1}{x}}$
$=\frac{4+\alpha\times0}{3-\alpha\times0}=\frac{4}{3}$
답 $\frac{4}{3}$

081 $\lim_{x\to\infty}(\sqrt{x^2+x}-\sqrt{x^2-x})$
$=\lim_{x\to\infty}\frac{(\sqrt{x^2+x}-\sqrt{x^2-x})(\sqrt{x^2+x}+\sqrt{x^2-x})}{\sqrt{x^2+x}+\sqrt{x^2-x}}$
$=\lim_{x\to\infty}\frac{2x}{\sqrt{x^2+x}+\sqrt{x^2-x}}$
$=\lim_{x\to\infty}\frac{2}{\sqrt{1+\frac{1}{x}}+\sqrt{1-\frac{1}{x}}}=1$
답 1

082 $\lim_{x\to\infty}\frac{\sqrt{x+5}-\sqrt{x+3}}{\sqrt{x+1}-\sqrt{x}}$
$=\lim_{x\to\infty}\frac{(\sqrt{x+5}-\sqrt{x+3})(\sqrt{x+5}+\sqrt{x+3})(\sqrt{x+1}+\sqrt{x})}{(\sqrt{x+1}-\sqrt{x})(\sqrt{x+1}+\sqrt{x})(\sqrt{x+5}+\sqrt{x+3})}$
$=\lim_{x\to\infty}\frac{2(\sqrt{x+1}+\sqrt{x})}{\sqrt{x+5}+\sqrt{x+3}}$
$=\lim_{x\to\infty}\frac{2\left(\sqrt{1+\frac{1}{x}}+1\right)}{\sqrt{1+\frac{5}{x}}+\sqrt{1+\frac{3}{x}}}=2$
답 2

083 $x=-t$로 놓으면 $x\to-\infty$일 때 $t\to\infty$이므로
$\lim_{x\to-\infty}(\sqrt{x^2-5x}+x)=\lim_{t\to\infty}(\sqrt{t^2+5t}-t)$
$=\lim_{t\to\infty}\frac{(\sqrt{t^2+5t}-t)(\sqrt{t^2+5t}+t)}{\sqrt{t^2+5t}+t}$
$=\lim_{t\to\infty}\frac{5t}{\sqrt{t^2+5t}+t}$
$=\lim_{t\to\infty}\frac{5}{\sqrt{1+\frac{5}{t}}+1}=\frac{5}{2}$
답 ⑤

084 $\lim_{x\to0}\frac{1}{x}\left(1-\frac{2}{x+2}\right)=\lim_{x\to0}\left(\frac{1}{x}\times\frac{x}{x+2}\right)$
$=\lim_{x\to0}\frac{1}{x+2}=\frac{1}{2}$
답 ③

085 $\lim_{x\to1}\frac{16}{x-1}\left(\frac{1}{4}-\frac{1}{x+3}\right)=\lim_{x\to1}\left\{\frac{16}{x-1}\times\frac{x-1}{4(x+3)}\right\}$
$=\lim_{x\to1}\frac{4}{x+3}=1$
답 1

086 $\lim_{x\to\infty}x\left(\frac{1}{2}-\frac{\sqrt{x}}{\sqrt{4x+1}}\right)$
$=\lim_{x\to\infty}\frac{x(\sqrt{4x+1}-2\sqrt{x})}{2\sqrt{4x+1}}$
$=\lim_{x\to\infty}\frac{x(\sqrt{4x+1}-2\sqrt{x})(\sqrt{4x+1}+2\sqrt{x})}{2\sqrt{4x+1}(\sqrt{4x+1}+2\sqrt{x})}$
$=\lim_{x\to\infty}\frac{x}{8x+2+4\sqrt{4x^2+x}}$
$=\lim_{x\to\infty}\frac{1}{8+\frac{2}{x}+4\sqrt{4+\frac{1}{x}}}$
$=\frac{1}{8+8}=\frac{1}{16}$
답 $\frac{1}{16}$

087 $\lim_{x\to-1}\frac{x^2+ax+b}{x+1}=3$에서 $x\to-1$일 때, (분모)$\to0$이므로 (분자)$\to0$이어야 한다.

즉, $\lim_{x\to -1}(x^2+ax+b)=0$이므로 $1-a+b=0$

$\therefore b=a-1$ ⋯⋯ ㉠

㉠을 주어진 식에 대입하면

$$\lim_{x\to -1}\frac{x^2+ax+b}{x+1}=\lim_{x\to -1}\frac{x^2+ax+a-1}{x+1}=\lim_{x\to -1}\frac{(x+1)(x-1+a)}{x+1}=\lim_{x\to -1}(x-1+a)=-2+a=3$$

$\therefore a=5$

$a=5$를 ㉠에 대입하면 $b=4$

$\therefore a+b=9$ 답 9

088 $\lim_{x\to 1}\frac{x-1}{\sqrt{x^2+a}-b}=2$에서 $x\to 1$일 때, (분자)$\to 0$이고 0이 아닌 극한값이 존재하므로 (분모)$\to 0$이어야 한다.

즉, $\lim_{x\to 1}(\sqrt{x^2+a}-b)=0$이므로 $\sqrt{1+a}-b=0$

$\therefore b=\sqrt{1+a}$ ⋯⋯ ㉠

$$\therefore \lim_{x\to 1}\frac{x-1}{\sqrt{x^2+a}-b}=\lim_{x\to 1}\frac{x-1}{\sqrt{x^2+a}-\sqrt{1+a}}=\lim_{x\to 1}\frac{(x-1)(\sqrt{x^2+a}+\sqrt{1+a})}{(\sqrt{x^2+a}-\sqrt{1+a})(\sqrt{x^2+a}+\sqrt{1+a})}=\lim_{x\to 1}\frac{(x-1)(\sqrt{x^2+a}+\sqrt{1+a})}{x^2-1}=\lim_{x\to 1}\frac{\sqrt{x^2+a}+\sqrt{1+a}}{x+1}=\sqrt{1+a}=2$$

즉, $\sqrt{1+a}=2$에서 $1+a=4$

$\therefore a=3$

$a=3$을 ㉠에 대입하면 $b=2$

$\therefore ab=6$ 답 ①

089 $\lim_{x\to\infty}(\sqrt{x^2-kx}-x)$

$$=\lim_{x\to\infty}\frac{(\sqrt{x^2-kx}-x)(\sqrt{x^2-kx}+x)}{\sqrt{x^2-kx}+x}=\lim_{x\to\infty}\frac{-kx}{\sqrt{x^2-kx}+x}=\lim_{x\to\infty}\frac{-k}{\sqrt{1-\frac{k}{x}}+1}=\frac{-k}{2}=-\frac{1}{2}$$

$\therefore k=1$ 답 1

090 $y=f(x)$가 다항함수이고 $\lim_{x\to\infty}\frac{f(x)}{3x+1}=1$이므로 $f(x)$는 일차항의 계수가 3인 일차식이다.

즉, $f(x)=3x+a$ (a는 상수)로 놓으면

$\lim_{x\to 1}f(x)=\lim_{x\to 1}(3x+a)=3+a=1$

$\therefore a=-2$

따라서 $f(x)=3x-2$이므로

$f(2)=6-2=4$ 답 ④

091 $\lim_{x\to\infty}\frac{f(x)}{x^2-1}=2$이므로 $f(x)$는 이차항의 계수가 2인 이차식이다.

$f(x)=2x^2+ax+b$ (a, b는 상수)로 놓으면

$f(-1)=-1$, $f(2)=-1$이므로

$f(-1)=2-a+b=-1$, $-a+b=-3$ ⋯⋯ ㉠

$f(2)=8+2a+b=-1$, $2a+b=-9$ ⋯⋯ ㉡

㉠, ㉡을 연립하여 풀면

$a=-2$, $b=-5$

따라서 $f(x)=2x^2-2x-5$이므로

$f(-2)=2\times 4-2\times(-2)-5=7$ 답 7

다른 풀이

$f(-1)=-1$, $f(2)=-1$이므로

$f(-1)+1=0$, $f(2)+1=0$ ⋯⋯ ㉠

한편, $g(x)=f(x)+1$로 놓으면

㉠에서 $y=g(x)$는 $g(-1)=g(2)=0$을 만족시키는 이차항의 계수가 2인 이차함수이다.

즉, $g(x)=2(x+1)(x-2)$이므로

$f(x)=2(x+1)(x-2)-1$

$\therefore f(-2)=2\times(-1)\times(-4)-1=7$

092 $\lim_{x\to\infty}\frac{x^2-3}{f(x)}=\frac{1}{3}$이므로 $f(x)$는 이차항의 계수가 3인 이차식이다.

$f(x)=3x^2+ax+b$ (a, b는 상수)로 놓으면

$\lim_{x\to -2}\frac{f(x)}{x^2-4}=\lim_{x\to -2}\frac{3x^2+ax+b}{x^2-4}=2$에서

$x\to -2$일 때, (분모)$\to 0$이므로 (분자)$\to 0$이어야 한다.

$f(-2)=12-2a+b=0$

$\therefore b=2a-12$ ⋯⋯ ㉠

즉, $f(x)=3x^2+ax+2a-12$이므로

$$\lim_{x\to -2}\frac{f(x)}{x^2-4}=\lim_{x\to -2}\frac{3x^2+ax+2a-12}{x^2-4}=\lim_{x\to -2}\frac{(x+2)(3x+a-6)}{(x+2)(x-2)}=\lim_{x\to -2}\frac{3x+a-6}{x-2}=\frac{-6+a-6}{-4}=2$$

$a-12=-8$ $\therefore a=4$

$a=4$를 ㉠에 대입하면 $b=-4$

따라서 $f(x)=3x^2+4x-4$이므로

$\lim_{x\to -1}f(x)=3-4-4=-5$ 답 -5

093 $\lim_{x\to\infty}\frac{f(x)-2x^3}{3x^2}=-1$에서 $f(x)-2x^3$은 이차항의 계수가 -3인 이차식이므로

$a=2$, $b=-3$

$\lim_{x\to -1}\frac{f(x)}{x+1}=\lim_{x\to -1}\frac{2x^3-3x^2+c}{x+1}=12$에서

$x\to -1$일 때, (분모)$\to 0$이므로 (분자)$\to 0$이어야 한다.

$\lim_{x\to -1}(2x^3-3x^2+c)=-5+c=0$

$\therefore c=5$

$$\therefore \lim_{x\to 2}\frac{f(x)-9}{x-2}=\lim_{x\to 2}\frac{2x^3-3x^2-4}{x-2}$$
$$=\lim_{x\to 2}\frac{(x-2)(2x^2+x+2)}{x-2}$$
$$=\lim_{x\to 2}(2x^2+x+2)$$
$$=8+2+2=12$$

답 12

094 $\lim_{x\to\infty}\frac{f(x)}{x^3}=0$이므로 $f(x)$는 2차 이하의 다항식이다.

$f(x)=ax^2+bx+c$ (a, b, c는 상수)로 놓으면

$\lim_{x\to 0}\frac{f(x)}{x}=\lim_{x\to 0}\frac{ax^2+bx+c}{x}=5$에서

$x\to 0$일 때, (분모)$\to 0$이므로 (분자)$\to 0$이어야 한다.

즉, $f(0)=0$이므로 $c=0$

$\lim_{x\to 0}\frac{ax^2+bx}{x}=\lim_{x\to 0}(ax+b)=5$이므로

$b=5$

또 방정식 $f(x)=x$의 한 근이 -2이므로 $f(-2)=-2$에서

$4a-10=-2$ $\quad\therefore a=2$

따라서 $f(x)=2x^2+5x$이므로

$f(1)=2+5=7$

답 7

095 $\lim_{x\to -1}\frac{f(x)}{x+1}=12$에서 $x\to -1$일 때, (분모)$\to 0$이므로

(분자)$\to 0$이어야 한다.

$\therefore \lim_{x\to -1}f(x)=f(-1)=0$

$\lim_{x\to 2}\frac{f(x)}{x-2}=6$에서 $x\to 2$일 때, (분모)$\to 0$이므로

(분자)$\to 0$이어야 한다.

$\therefore \lim_{x\to 2}f(x)=f(2)=0$

즉, $y=f(x)$는 $(x+1)(x-2)$를 인수로 갖는다.

$f(x)=(x+1)(x-2)(ax+b)$ (a, b는 상수)로 놓으면

$$\lim_{x\to -1}\frac{f(x)}{x+1}=\lim_{x\to -1}(x-2)(ax+b)$$
$$=-3(-a+b)=12$$

$\therefore a-b=4$ $\quad\cdots\cdots$ ㉠

$$\lim_{x\to 2}\frac{f(x)}{x-2}=\lim_{x\to 2}(x+1)(ax+b)$$
$$=3(2a+b)=6$$

$\therefore 2a+b=2$ $\quad\cdots\cdots$ ㉡

㉠, ㉡을 연립하여 풀면 $a=2$, $b=-2$

따라서 $f(x)=(x+1)(x-2)(2x-2)$이므로

$f(4)=5\times 2\times 6=60$

답 60

096 $\frac{3x^2+5x}{x^2-2x+3}<f(x)<\frac{3x+1}{x}$에서

$\lim_{x\to 1}\frac{3x^2+5x}{x^2-2x+3}=\lim_{x\to 1}\frac{3x+1}{x}=4$이므로

$\lim_{x\to 1}f(x)=4$

답 4

참고

$f(x)<h(x)<g(x)$이고 $\lim_{x\to a}f(x)=\lim_{x\to a}g(x)=\alpha$일 때도

$\lim_{x\to a}h(x)=\alpha$가 성립한다.

097 임의의 양의 실수 x에 대하여 $2x^2+x+2>0$이므로 주어진 부등식의 각 변을 $2x^2+x+2$로 나누면

$$\frac{x}{2x^2+x+2}<f(x)<\frac{x+3}{2x^2+x+2}$$
$$\frac{x^2}{2x^2+x+2}<xf(x)<\frac{x^2+3x}{2x^2+x+2}\quad(\because x>0)$$

$\lim_{x\to\infty}\frac{x^2}{2x^2+x+2}=\lim_{x\to\infty}\frac{x^2+3x}{2x^2+x+2}=\frac{1}{2}$이므로

$\lim_{x\to\infty}xf(x)=\frac{1}{2}$

답 ②

098 $2x+3<f(x)<2x+7$에서

$(2x+3)^3<\{f(x)\}^3<(2x+7)^3$

$x\to\infty$일 때 $x>0$이므로 $x^3+1>0$

따라서 주어진 부등식의 각 변을 x^3+1로 나누면

$$\frac{(2x+3)^3}{x^3+1}<\frac{\{f(x)\}^3}{x^3+1}<\frac{(2x+7)^3}{x^3+1}$$

$\lim_{x\to\infty}\frac{(2x+3)^3}{x^3+1}=\lim_{x\to\infty}\frac{(2x+7)^3}{x^3+1}=8$이므로

$\lim_{x\to\infty}\frac{\{f(x)\}^3}{x^3+1}=8$

답 8

099 좌표평면 위의 두 점 $\mathrm{A}(-1, 0)$, $\mathrm{P}(t, t+1)$에 대하여

$\overline{\mathrm{AP}}=\sqrt{\{t-(-1)\}^2+(t+1)^2}=\sqrt{2t^2+4t+2}$

$\overline{\mathrm{OP}}=\sqrt{t^2+(t+1)^2}=\sqrt{2t^2+2t+1}$

$$\therefore \lim_{t\to\infty}(\overline{\mathrm{AP}}-\overline{\mathrm{OP}})$$
$$=\lim_{t\to\infty}(\sqrt{2t^2+4t+2}-\sqrt{2t^2+2t+1})$$
$$=\lim_{t\to\infty}\frac{(\sqrt{2t^2+4t+2}-\sqrt{2t^2+2t+1})(\sqrt{2t^2+4t+2}+\sqrt{2t^2+2t+1})}{\sqrt{2t^2+4t+2}+\sqrt{2t^2+2t+1}}$$
$$=\lim_{t\to\infty}\frac{2t+1}{\sqrt{2t^2+4t+2}+\sqrt{2t^2+2t+1}}$$
$$=\lim_{t\to\infty}\frac{2+\frac{1}{t}}{\sqrt{2+\frac{4}{t}+\frac{2}{t^2}}+\sqrt{2+\frac{2}{t}+\frac{1}{t^2}}}$$
$$=\frac{2}{2\sqrt{2}}=\frac{\sqrt{2}}{2}$$

답 ④

100 함수 $y=-ax^2+a$의 그래프와 정사각형이 제1사분면에서 만나는 점을 $(t, -at^2+a)$ $(t>0)$라 하면 정사각형의 가로의 길이와 세로의 길이는 같으므로

$2t=-at^2+a$, $at^2+2t-a=0$

$\therefore t=\frac{-1+\sqrt{1+a^2}}{a}\quad(\because t>0)$

따라서 정사각형의 넓이는

$$S(a)=(2t)^2=\left(2\times\frac{-1+\sqrt{1+a^2}}{a}\right)^2$$
$$=4\times\frac{1-2\sqrt{1+a^2}+1+a^2}{a^2}$$
$$=\frac{4a^2+8-8\sqrt{1+a^2}}{a^2}$$
$$\therefore \lim_{a\to\infty}S(a)=\lim_{a\to\infty}\frac{4a^2+8-8\sqrt{1+a^2}}{a^2}$$
$$=\lim_{a\to\infty}\left(4+\frac{8}{a^2}-8\sqrt{\frac{1}{a^4}+\frac{1}{a^2}}\right)=4$$

답 4

101 $\lim_{x\to1-}f(x)+\lim_{x\to1+}f(x)=1+(-1)=0$ 답 ③

102 $\lim_{x\to2+}f(x)=4$, $\lim_{x\to2-}f(x)=2+2k$

$\lim_{x\to2}f(x)$의 값이 존재하려면

$\lim_{x\to2+}f(x)=\lim_{x\to2-}f(x)$이어야 하므로

$4=2+2k$

$\therefore k=1$ 답 1

103 $f(x)=t$로 놓으면 $x\to0+$일 때 $t\to1-$이므로

$\lim_{x\to0+}f(f(x))=\lim_{t\to1-}f(t)=3$

또 $x\to0-$일 때 $t\to1+$이므로

$\lim_{x\to0-}f(f(x))=\lim_{t\to1+}f(t)=3$

$\therefore \lim_{x\to0+}f(f(x))+\lim_{x\to0-}f(f(x))=3+3=6$ 답 6

104 ㄱ. $x<3$일 때, $x-3<0$이므로 $|x-3|=-(x-3)$

$\therefore \lim_{x\to3-}\frac{x-3}{|x-3|}=\lim_{x\to3-}\frac{x-3}{-(x-3)}=-1$

ㄴ. (i) $x<1$일 때, $x-1<0$이므로

$|x-1|=-(x-1)$

$\lim_{x\to1-}\frac{x^2-1}{|x-1|}=\lim_{x\to1-}\frac{(x-1)(x+1)}{-(x-1)}$

$=\lim_{x\to1-}\{-(x+1)\}=-2$

(ii) $x>1$일 때, $x-1>0$이므로

$|x-1|=x-1$

$\lim_{x\to1+}\frac{x^2-1}{|x-1|}=\lim_{x\to1+}\frac{(x-1)(x+1)}{x-1}$

$=\lim_{x\to1+}(x+1)=2$

(i), (ii)에서 $\lim_{x\to1-}\frac{x^2-1}{|x-1|}\neq\lim_{x\to1+}\frac{x^2-1}{|x-1|}$이므로

극한값 $\lim_{x\to1}\frac{x^2-1}{|x-1|}$은 존재하지 않는다.

ㄷ. (i) $1<x<2$일 때, $[x]=1$

$\therefore \lim_{x\to2-}[x]=1$

(ii) $2<x<3$일 때, $[x]=2$

$\therefore \lim_{x\to2+}[x]=2$

(i), (ii)에서 $\lim_{x\to2-}[x]\neq\lim_{x\to2+}[x]$이므로 극한값 $\lim_{x\to2}[x]$는 존재하지 않는다.

ㄹ. $1<x<2$일 때, $-2<-x<-1$이므로

$-1<1-x<0$

즉, $[1-x]=-1$이므로

$\therefore \lim_{x\to1+}[1-x]=-1$

따라서 극한값이 존재하는 것은 ㄱ, ㄹ의 2개이다. 답 ③

105 $\lim_{x\to2}\frac{x-2}{x-\sqrt{3x-2}}=\lim_{x\to2}\frac{(x-2)(x+\sqrt{3x-2})}{(x-\sqrt{3x-2})(x+\sqrt{3x-2})}$

$=\lim_{x\to2}\frac{(x-2)(x+\sqrt{3x-2})}{x^2-3x+2}$

$=\lim_{x\to2}\frac{(x-2)(x+\sqrt{3x-2})}{(x-1)(x-2)}$

$=\lim_{x\to2}\frac{x+\sqrt{3x-2}}{x-1}$

$=4$ 답 4

106 $\lim_{x\to2}\frac{x^2-4}{x^2+ax}=b$에서 $x\to2$일 때, (분자)$\to0$이고 0이 아닌 극한값이 존재하므로 (분모)$\to0$이어야 한다.

즉, $\lim_{x\to2}(x^2+ax)=0$이므로 $4+2a=0$

$\therefore a=-2$

$\therefore \lim_{x\to2}\frac{x^2-4}{x^2+ax}=\lim_{x\to2}\frac{x^2-4}{x^2-2x}$

$=\lim_{x\to2}\frac{(x+2)(x-2)}{x(x-2)}$

$=\lim_{x\to2}\frac{x+2}{x}$

$=2=b$

$\therefore a+b=(-2)+2=0$ 답 0

107 $\lim_{x\to-2}\frac{\sqrt{x^2-x-2}+ax}{x+2}=b$에서 $x\to-2$일 때, (분모)$\to0$이므로 (분자)$\to0$이어야 한다.

즉, $\lim_{x\to-2}(\sqrt{x^2-x-2}+ax)=0$이므로

$2-2a=0 \quad \therefore a=1$

$\therefore \lim_{x\to-2}\frac{\sqrt{x^2-x-2}+x}{x+2}$

$=\lim_{x\to-2}\frac{(\sqrt{x^2-x-2}+x)(\sqrt{x^2-x-2}-x)}{(x+2)(\sqrt{x^2-x-2}-x)}$

$=\lim_{x\to-2}\frac{-(x+2)}{(x+2)(\sqrt{x^2-x-2}-x)}$

$=\lim_{x\to-2}\frac{-1}{\sqrt{x^2-x-2}-x}$

$=-\frac{1}{4}=b$

$\therefore a+b=1+\left(-\frac{1}{4}\right)=\frac{3}{4}$ 답 ⑤

108 $\lim_{x\to\infty}\frac{ax^2+bx+c}{x^2+2x-3}=6$이므로 $a=6$

$\lim_{x\to1}\frac{6x^2+bx+c}{x^2+2x-3}=4$에서 $x\to1$일 때, (분모)$\to0$이므로 (분자)$\to0$이어야 한다.

즉, $\lim_{x\to1}(6x^2+bx+c)=0$이므로 $6+b+c=0$

$\therefore c=-b-6 \quad \cdots\cdots$ ㉠

$\therefore \lim_{x\to1}\frac{6x^2+bx+c}{x^2+2x-3}=\lim_{x\to1}\frac{6x^2+bx-b-6}{x^2+2x-3}$

$=\lim_{x\to1}\frac{(x-1)(6x+b+6)}{(x-1)(x+3)}$

$=\lim_{x\to1}\frac{6x+b+6}{x+3}$

$=\frac{12+b}{4}=4$

$\therefore b=4$

$b=4$를 ㉠에 대입하면 $c=-10$

따라서 $a=6$, $b=4$, $c=-10$이므로

$a^2+b^2+c^2=36+16+100=152$ 답 152

109 $f(x)=ax(x-2)$ $(a>0)$로 놓으면

$$\lim_{x\to2}\frac{f(x)}{x-2}=\lim_{x\to2}\frac{ax(x-2)}{x-2}$$
$$=\lim_{x\to2}ax=2a=8$$

따라서 $a=4$이므로 $f(x)=4x(x-2)$

$$\therefore \lim_{x\to-2}\frac{f(x+2)}{x+2}=\lim_{x\to-2}\frac{4x(x+2)}{x+2}$$
$$=\lim_{x\to-2}4x$$
$$=-8$$

답 -8

110 $\lim_{x\to1}\frac{f(x)-x}{x-1}=0$에서 $x\to1$일 때, (분모)$\to0$이므로 (분자)$\to0$이어야 한다.

$\lim_{x\to1}\{f(x)-x\}=\{\lim_{x\to1}f(x)\}-1=0$이므로

$\lim_{x\to1}f(x)=1$, 즉 $\lim_{x\to1+}f(x)=1$

$\lim_{x\to1}\frac{x^2-1}{g(x)-4}=2$에서 $x\to1$일 때, (분자)$\to0$이고 0이 아닌 극한값이 존재하므로 (분모)$\to0$이어야 한다.

$\lim_{x\to1}\{g(x)-4\}=\{\lim_{x\to1}g(x)\}-4=0$이므로

$\lim_{x\to1}g(x)=4$, 즉 $\lim_{x\to1+}g(x)=4$

$(2x^2-6)f(x)\le h(x)\le(x^2-2x)g(x)$에서

$\lim_{x\to1+}(2x^2-6)f(x)=(-4)\times1=-4$

$\lim_{x\to1+}(x^2-2x)g(x)=(-1)\times4=-4$

$\therefore \lim_{x\to1+}h(x)=-4$

답 -4

111 $\lim_{x\to1}\frac{x^3+ax+b}{(x-1)^2}=c$에서 $x\to1$일 때, (분모)$\to0$이므로 (분자)$\to0$이어야 한다.

즉, $\lim_{x\to1}(x^3+ax+b)=1+a+b=0$

$\therefore b=-a-1$ ······㉠

$$\lim_{x\to1}\frac{x^3+ax+b}{(x-1)^2}=\lim_{x\to1}\frac{x^3+ax-a-1}{(x-1)^2}$$
$$=\lim_{x\to1}\frac{(x-1)(x^2+x+a+1)}{(x-1)^2}$$
$$=\lim_{x\to1}\frac{x^2+x+a+1}{x-1}=c \quad \cdots\cdots㉡$$

㉡에서 $x\to1$일 때, (분모)$\to0$이므로 (분자)$\to0$이어야 한다.

$\lim_{x\to1}(x^2+x+a+1)=1+1+a+1=0$

$\therefore a=-3$

(i) $a=-3$을 ㉠에 대입하면

$b=2$

(ii) $a=-3$을 ㉡에 대입하면

$$\lim_{x\to1}\frac{x^2+x-2}{x-1}=\lim_{x\to1}\frac{(x-1)(x+2)}{x-1}$$
$$=\lim_{x\to1}(x+2)=3$$

$\therefore c=3$

$\therefore a+b+c=2$

답 2

112 두 점 $\mathrm{O}(0, 0)$, $\mathrm{P}(t, \sqrt{t})$를 지나는 직선의 기울기는 $\frac{\sqrt{t}}{t}$이므로 이 직선에 수직인 직선의 기울기는 $-\sqrt{t}$이다.

즉, 직선 l은 기울기가 $-\sqrt{t}$이고, 점 $\mathrm{P}(t, \sqrt{t})$를 지나므로

$y-\sqrt{t}=-\sqrt{t}(x-t)$

$\therefore y=-\sqrt{t}x+(t+1)\sqrt{t}$

이 직선의 x절편과 y절편이 각각 $f(t)$, $g(t)$이므로

$f(t)=t+1$, $g(t)=(t+1)\sqrt{t}$

$$\therefore \lim_{t\to\infty}\frac{g(t)-f(t)}{g(t)+f(t)}=\lim_{t\to\infty}\frac{(t+1)\sqrt{t}-(t+1)}{(t+1)\sqrt{t}+(t+1)}$$
$$=\lim_{t\to\infty}\frac{(t+1)(\sqrt{t}-1)}{(t+1)(\sqrt{t}+1)}$$
$$=\lim_{t\to\infty}\frac{\sqrt{t}-1}{\sqrt{t}+1}$$
$$=\lim_{t\to\infty}\frac{1-\frac{1}{\sqrt{t}}}{1+\frac{1}{\sqrt{t}}}=1$$

답 1

02 함수의 연속

본책 023~036쪽

001 답 $[-1, 4]$

002 답 $(3, 5]$

003 답 $[-5, 10)$

004 답 $[-2, \infty)$

005 답 $(-\infty, 1)$

006 답 $\{x \mid -3 \le x \le 3\}$

007 답 $\{x \mid -2 < x < 6\}$

008 답 $\{x \mid 1 \le x < 7\}$

009 답 $\{x \mid x \ge 0\}$

010 답 $\{x \mid x < 5\}$

011 주어진 함수의 정의역은 실수 전체의 집합이므로 $(-\infty, \infty)$
답 $(-\infty, \infty)$

012 주어진 함수의 정의역은 실수 전체의 집합이므로 $(-\infty, \infty)$
답 $(-\infty, \infty)$

013 $x=3$에서 함숫값이 정의되지 않으므로 주어진 함수의 정의역은 $(-\infty, 3)$, $(3, \infty)$ 답 $(-\infty, 3)$, $(3, \infty)$

014 주어진 함수의 정의역은 $x+2 \ge 0$
즉, $x \ge -2$인 실수의 집합이므로 $[-2, \infty)$ 답 $[-2, \infty)$

015 $x=2$에서 함숫값 $f(2)$가 정의되어 있지 않으므로 불연속이다.
답 ㄱ

016 $\lim_{x \to 2-} f(x) \ne \lim_{x \to 2+} f(x)$이므로 극한값 $\lim_{x \to 2} f(x)$가 존재하지 않아 불연속이다.
답 ㄴ

017 함숫값 $f(2)=4$이고, 극한값 $\lim_{x \to 2} f(x)=3$이다.
따라서 $\lim_{x \to 2} f(x) \ne f(2)$이므로 불연속이다. 답 ㄷ

018 $f(1)=1$, $\lim_{x \to 1} f(x)=1$이므로
$\lim_{x \to 1} f(x)=f(1)$
따라서 $y=f(x)$는 $x=1$에서 연속이다.

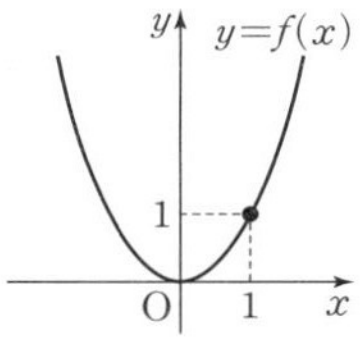

답 연속

019 $x=1$에서 함숫값 $f(1)$이 정의되어 있지 않으므로 $y=f(x)$는 $x=1$에서 불연속이다.

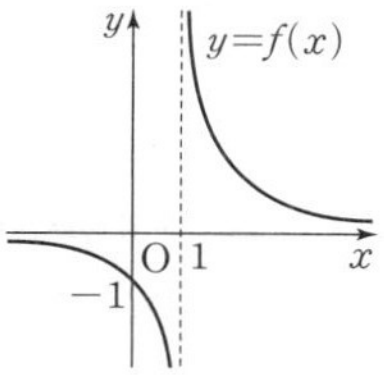

답 불연속

020 $f(1)=1$, $\lim_{x \to 1} f(x)=1$이므로
$\lim_{x \to 1} f(x)=f(1)$
따라서 $y=f(x)$는 $x=1$에서 연속이다.

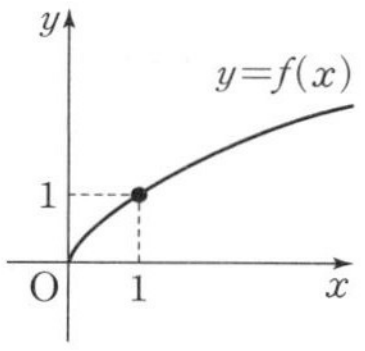

답 연속

021 $f(1)=0$, $\lim_{x \to 1} f(x)=0$이므로
$\lim_{x \to 1} f(x)=f(1)$
따라서 $y=f(x)$는 $x=1$에서 연속이다.

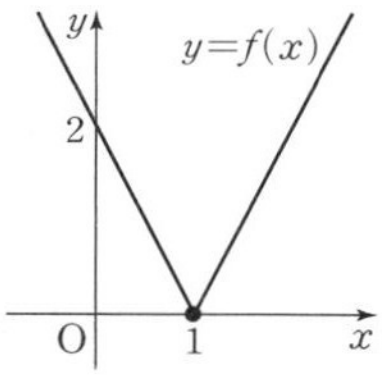

답 연속

022 $f(1)=-1$,

$$\begin{aligned}\lim_{x \to 1} f(x) &= \lim_{x \to 1} \frac{x^2-1}{x-1} \\ &= \lim_{x \to 1} \frac{(x-1)(x+1)}{x-1} \\ &= \lim_{x \to 1} (x+1) \\ &= 2\end{aligned}$$

이므로
$\lim_{x \to 1} f(x) \ne f(1)$
따라서 $y=f(x)$는 $x=1$에서 불연속이다.

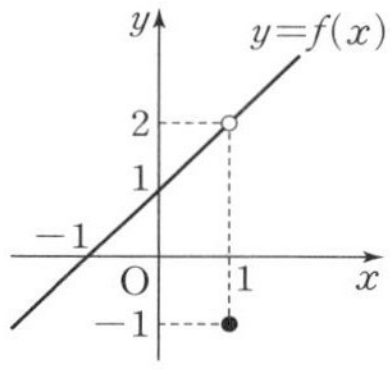

답 불연속

023 $f(1)=2$이고,

$$\begin{aligned}\lim_{x \to 1+} f(x) &= \lim_{x \to 1+} (x+1) \\ &= 2,\end{aligned}$$

$$\begin{aligned}\lim_{x \to 1-} f(x) &= \lim_{x \to 1-} \frac{4}{x+1} \\ &= 2\end{aligned}$$

에서 $\lim_{x \to 1} f(x)=2$이므로
$\lim_{x \to 1} f(x)=f(1)$
따라서 $y=f(x)$는 $x=1$에서 연속이다.

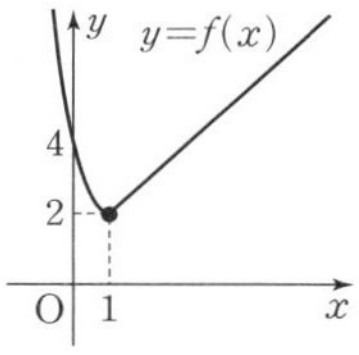

답 연속

024 $f(x)=3x+2$는 모든 실수 x에서 연속이다.
따라서 함수 $y=f(x)$가 연속인 구간은 $(-\infty, \infty)$이다.

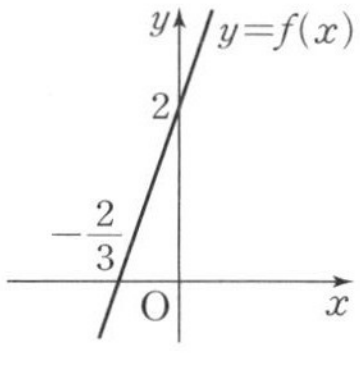

답 $(-\infty, \infty)$

025 $f(x)=x^2-2x+3$
$\quad=(x-1)^2+2$
는 모든 실수 x에서 연속이다.
따라서 함수 $y=f(x)$가 연속인 구간은 $(-\infty, \infty)$이다.

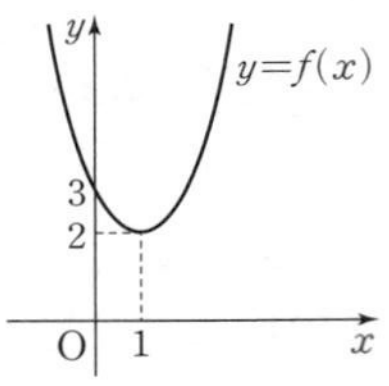

답 $(-\infty, \infty)$

026 $f(x)=|x+2|$는 모든 실수 x에서 연속이다.
따라서 함수 $y=f(x)$가 연속인 구간은 $(-\infty, \infty)$이다.

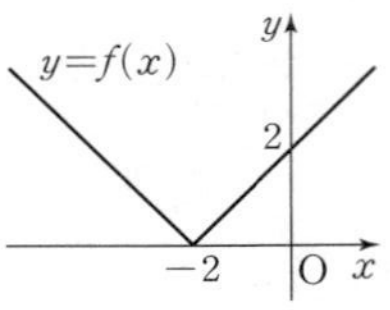

답 $(-\infty, \infty)$

027 $f(x)=\sqrt{2x-3}$은 $2x-3\geq 0$,
즉 $x\geq\frac{3}{2}$인 구간에서 연속이다.
따라서 함수 $y=f(x)$가 연속인 구간은 $\left[\frac{3}{2}, \infty\right)$이다.

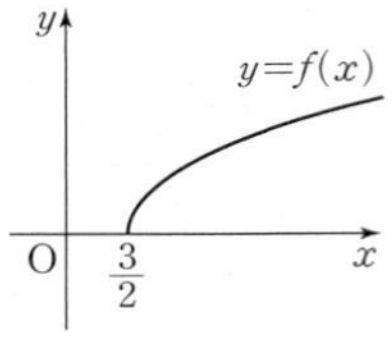

답 $\left[\frac{3}{2}, \infty\right)$

028 $f(x)=\frac{x+1}{x+3}=-\frac{2}{x+3}+1$은
$x+3\neq 0$, 즉 $x\neq -3$인 모든 실수 x에서 연속이다.
따라서 함수 $y=f(x)$가 연속인 구간은 $(-\infty, -3)$, $(-3, \infty)$이다.

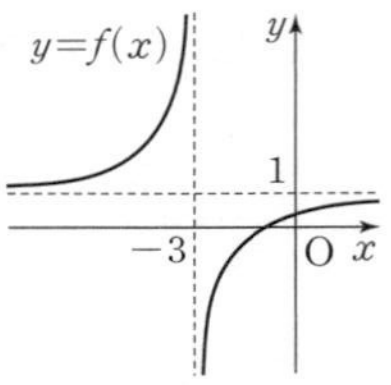

답 $(-\infty, -3)$, $(-3, \infty)$

029 $f(x)=\frac{x^2-1}{x-1}$은 $x-1\neq 0$, 즉 $x\neq 1$인 모든 실수 x에서 연속이다.
따라서 함수 $y=f(x)$가 연속인 구간은 $(-\infty, 1)$, $(1, \infty)$이다.

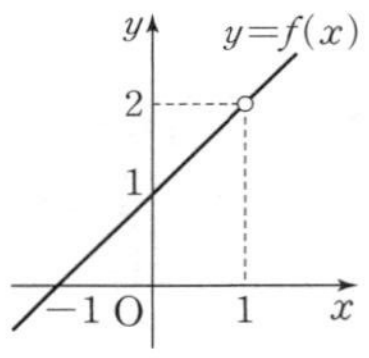

답 $(-\infty, 1)$, $(1, \infty)$

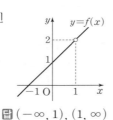

030 ㄱ. 함숫값 $f(0)$이 정의되어 있지 않으므로 불연속이다.
ㄷ. 함숫값 $f(0)$이 정의되어 있지 않고, 극한값 $\lim_{x\to 0}f(x)$도 존재하지 않으므로 불연속이다.
ㄹ. 함숫값 $f(0)=2$이고, 극한값 $\lim_{x\to 0}f(x)=1$이다.
즉, $\lim_{x\to 0}f(x)\neq f(0)$이므로 불연속이다.
따라서 함수 $y=f(x)$가 실수 전체의 집합에서 연속인 것은 ㄴ, ㅁ, ㅂ이다.

답 ㄴ, ㅁ, ㅂ

031 두 함수 $y=f(x)$, $y=g(x)$가 실수 전체의 집합에서 연속이므로 $x=a$ (a는 실수)에서도 연속이다.
$\therefore \lim_{x\to a}f(x)=f(a)$, $\lim_{x\to a}g(x)=g(a)$

ㄱ. 임의의 실수 a에 대하여
$\lim_{x\to a}\{f(x)+g(x)\}=\lim_{x\to a}f(x)+\lim_{x\to a}g(x)=f(a)+g(a)$
이므로 함수 $y=f(x)+g(x)$는 실수 전체의 집합에서 연속이다.
ㄴ. 임의의 실수 a에 대하여
$\lim_{x\to a}\{f(x)-g(x)\}=\lim_{x\to a}f(x)-\lim_{x\to a}g(x)=f(a)-g(a)$
이므로 함수 $y=f(x)-g(x)$는 실수 전체의 집합에서 연속이다.
ㄷ. 임의의 실수 a에 대하여
$\lim_{x\to a}\{f(x)g(x)\}=\lim_{x\to a}f(x)\times\lim_{x\to a}g(x)=f(a)g(a)$
이므로 함수 $y=f(x)g(x)$는 실수 전체의 집합에서 연속이다.
ㄹ. 어떤 실수 a에 대하여 $g(a)=0$이면 $\frac{f(a)}{g(a)}$의 값이 정의되지 않으므로 함수 $y=\frac{f(x)}{g(x)}$는 $x=a$에서 불연속이다.
따라서 모든 실수에서 연속인 함수는 ㄱ, ㄴ, ㄷ이다.

답 ㄱ, ㄴ, ㄷ

032 함수 $y=f(x)$는 $x=-1$에서 불연속이므로 닫힌구간 $[-1, 1]$에서 최댓값을 갖지 않고, $x=-1$ 또는 $x=1$일 때 최솟값 0을 갖는다.

답 최댓값: 없다, 최솟값: 0

033 함수 $y=f(x)$는 닫힌구간 $[1, 3]$에서 연속이다.
$f(1)=f(3)=0$, $f(2)=-1$이므로 $x=1$ 또는 $x=3$일 때 최댓값 0, $x=2$일 때 최솟값 -1을 갖는다.

답 최댓값: 0, 최솟값: -1

034 $f(x)=x$의 그래프는 그림과 같으므로
닫힌구간 $[0, 1]$에서 연속이다.
$f(0)=0$, $f(1)=1$이므로 $x=0$일 때
최솟값 0, $x=1$일 때 최댓값 1을 갖는다.

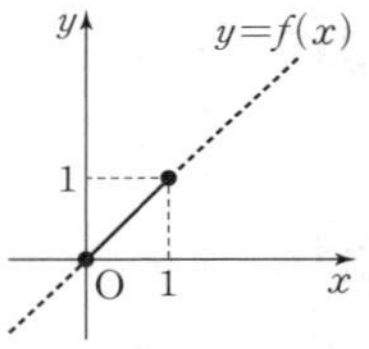

답 최댓값: 1, 최솟값: 0

035 $f(x)=x^2+2x=(x+1)^2-1$의
그래프는 그림과 같으므로
닫힌구간 $[0, 3]$에서 연속이다.
$f(0)=0$, $f(3)=15$이므로
$x=0$일 때 최솟값 0, $x=3$일 때
최댓값 15를 갖는다.

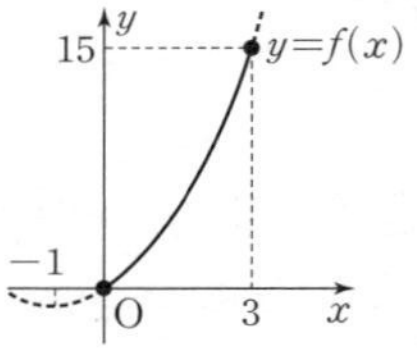

답 최댓값: 15, 최솟값: 0

036 $f(x)=-\sqrt{x-5}$의 그래프는 그림과
같으므로 닫힌구간 $[6, 12]$에서 연속이다.
$f(6)=-1$, $f(12)=-\sqrt{7}$이므로
$x=12$일 때 최솟값 $-\sqrt{7}$, $x=6$일 때
최댓값 -1을 갖는다.

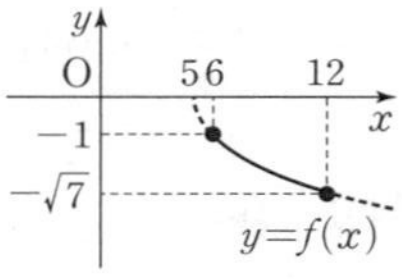

답 최댓값: -1, 최솟값: $-\sqrt{7}$

037 $f(x)=\dfrac{1}{x-2}$의 그래프는 그림과 같으므로 $x=2$에서 불연속이고,

$\lim_{x\to2-}f(x)=-\infty$, $\lim_{x\to2+}f(x)=\infty$

따라서 최댓값과 최솟값은 없다.

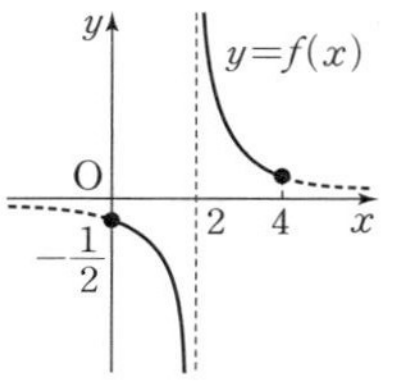

답 최댓값: 없다, 최솟값: 없다

038 함수 $f(x)=x^2-x$는 구간 $(-\infty, \infty)$에서 연속이므로 닫힌구간 $[1, 2]$에서 연속이다.

또 $f(1)=0$, $f(2)=2$이므로 $f(1)\neq f(2)$이고, $0<\sqrt{2}<2$이므로 사잇값의 정리에 의하여 $f(c)=\sqrt{2}$를 만족시키는 c가 열린구간 $(1, 2)$에 적어도 하나 존재한다.

답 (가): 연속, (나): 사잇값의 정리

039 $f(0)=-1$, $f(1)=1^2+4\times1-1=4$

답 $f(0)=-1$, $f(1)=4$

040 $y=f(x)$는 이차함수이므로 닫힌구간 $[0, 1]$에서 연속이고 $f(0)f(1)=(-1)\times4=-4<0$이므로 사잇값의 정리에 의하여 방정식 $f(x)=0$은 열린구간 $(0, 1)$에서 적어도 하나의 실근을 갖는다.

답 연속, $<$, 사잇값의 정리

041 ㄱ. 함수 $y=f(x)$는 $x=2$에서 정의되지 않는다. (거짓)

ㄴ. $\lim_{x\to2}f(x)=\lim_{x\to2}\dfrac{x^2-4}{x-2}=\lim_{x\to2}\dfrac{(x-2)(x+2)}{x-2}$

$=\lim_{x\to2}(x+2)=4$ (참)

ㄷ. 함수 $y=f(x)$는 $x=2$에서 정의되지 않으므로 불연속이다. (거짓)

따라서 옳은 것은 ㄴ뿐이다.

답 ㄴ

042 ㄱ. $f(1)=1$, $\lim_{x\to1}f(x)=1$이므로

$\lim_{x\to1}f(x)=f(1)$

즉, 함수 $y=f(x)$는 $x=1$에서 연속이다.

ㄴ. $f(1)=0$, $\lim_{x\to1}f(x)=0$이므로

$\lim_{x\to1}f(x)=f(1)$

즉, 함수 $y=f(x)$는 $x=1$에서 연속이다.

ㄷ. $x=1$일 때의 함숫값 $f(1)$이 정의되지 않으므로 함수 $y=f(x)$는 $x=1$에서 불연속이다.

ㄹ. $f(1)=3$, $\lim_{x\to1}f(x)=\lim_{x\to1}\dfrac{x^2-1}{x-1}=\lim_{x\to1}(x+1)=2$이므로

$\lim_{x\to1}f(x)\neq f(1)$

즉, 함수 $y=f(x)$는 $x=1$에서 불연속이다.

따라서 $x=1$에서 연속인 함수는 ㄱ, ㄴ이다.

답 ㄱ, ㄴ

043 $x=-1$에서 연속이려면 $\lim_{x\to-1}f(x)=f(-1)$이어야 하므로

$$f(-1)=\lim_{x\to-1}\frac{x^3+1}{x+1}=\lim_{x\to-1}\frac{(x+1)(x^2-x+1)}{x+1}=\lim_{x\to-1}(x^2-x+1)=3$$

답 3

044 그림에서 $f(a)=c$이고,

$\lim_{x\to a+}f(x)=c$, $\lim_{x\to a-}f(x)=b$로

$\lim_{x\to a+}f(x)\neq\lim_{x\to a-}f(x)$이므로

$\lim_{x\to a}f(x)$의 값이 존재하지 않는다.

따라서 함수 $y=f(x)$는 $x=a$에서 불연속이다.

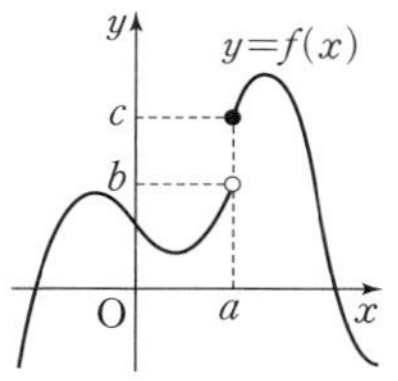

답 ④

045 (i) $\lim_{x\to1-}f(x)\neq\lim_{x\to1+}f(x)$이므로 극한값 $\lim_{x\to1}f(x)$가 존재하지 않아 불연속이다.

(ii) $\lim_{x\to2-}f(x)=\lim_{x\to2+}f(x)$이므로 극한값 $\lim_{x\to2}f(x)$가 존재하지만, $\lim_{x\to2}f(x)\neq f(2)$이므로 $x=2$에서 불연속이다.

(iii) $\lim_{x\to3-}f(x)=\lim_{x\to3+}f(x)$이므로 극한값 $\lim_{x\to3}f(x)$가 존재하지만, $\lim_{x\to3}f(x)\neq f(3)$이므로 $x=3$에서 불연속이다.

따라서 함수 $y=f(x)$의 그래프에서 극한값이 존재하지 않는 x는 1뿐이므로 $a=1$, 불연속인 x는 1, 2, 3이므로 $b=3$이다.

$\therefore a+b=4$

답 4

046 ㄱ. $\lim_{x\to3+}f(x)=0$, $\lim_{x\to3-}f(x)=0$

$\therefore \lim_{x\to3}f(x)=0$ (거짓)

ㄴ. $f(1)=1$, $\lim_{x\to1}f(x)=2$이므로 $\lim_{x\to1}f(x)\neq f(1)$

즉, 함수 $y=f(x)$는 $x=1$에서 불연속이다. (거짓)

ㄷ. 주어진 그림에서 함수 $y=f(x)$는 $x=1$, $x=2$, $x=3$에서 불연속이다. (참)

따라서 옳은 것은 ㄷ뿐이다.

답 ③

047 $0<x<2$일 때, $y=\left[\frac{1}{2}x\right]=0$

$2\le x<4$일 때, $y=\left[\frac{1}{2}x\right]=1$

$4\le x<6$일 때, $y=\left[\frac{1}{2}x\right]=2$

$6\le x<8$일 때, $y=\left[\frac{1}{2}x\right]=3$

$8\le x<10$일 때, $y=\left[\frac{1}{2}x\right]=4$

즉, 함수 $y=\left[\frac{1}{2}x\right]$의 그래프는 그림과 같다.

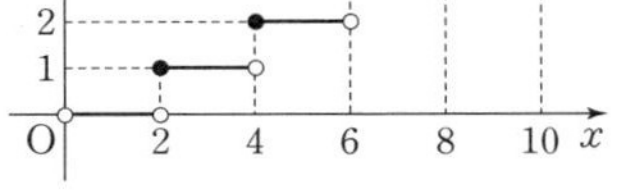

따라서 함수 $y=\left[\frac{1}{2}x\right]$는 $x=2$, $x=4$, $x=6$, $x=8$에서 불연속이므로 불연속이 되는 모든 x의 값의 합은

$2+4+6+8=20$

답 20

048 열린구간 $(0, 3)$, 즉 $0<x<3$에서 $0<x^2<9$이므로
$0<x^2<1$일 때, $[x^2]=0$
$1\le x^2<2$일 때, $[x^2]=1$
$2\le x^2<3$일 때, $[x^2]=2$
$3\le x^2<4$일 때, $[x^2]=3$
⋮
$8\le x^2<9$일 때, $[x^2]=8$
따라서 열린구간 $(0, 3)$에서 불연속이 되는 x의 개수는
$1, \sqrt{2}, \sqrt{3}, \cdots, \sqrt{8}$의 8이다. 답 8

049 함수 $y=f(x)$가 $x=2$에서 연속이므로 $f(2)=\lim_{x\to 2}f(x)$이어야 한다.
$f(2)=2^2+2+a=6+a$
$\lim_{x\to 2+} f(x)=\lim_{x\to 2+} (x^2+x+a)=2^2+2+a=6+a$
$\lim_{x\to 2-} f(x)=\lim_{x\to 2-} (x+1)=3$
즉, $6+a=3$이므로
$a=-3$ 답 -3

050 함수 $f(x)=\begin{cases} x^2+x+2a & (x\le 1) \\ -x+a^2 & (x>1) \end{cases}$ 이 실수 전체의 집합에서
연속이므로 $\lim_{x\to 1-} f(x)=\lim_{x\to 1+} f(x)$이어야 한다.
$1+1+2a=-1+a^2$
$a^2-2a-3=0$
$(a+1)(a-3)=0$
$\therefore a=3(\because a>0)$ 답 ③

051 함수 $y=f(x)$가 모든 실수 x에 대하여 연속이 되려면 $x=a$에서 연속이어야 하므로 $f(a)=\lim_{x\to a}f(x)$이어야 한다.
$f(a)=a+6$
$\lim_{x\to a-} f(x)=\lim_{x\to a-} (x+6)=a+6$
$\lim_{x\to a+} f(x)=\lim_{x\to a+} x^2=a^2$
즉, $a+6=a^2$에서 $a^2-a-6=0$
$(a+2)(a-3)=0$ $\therefore a=3$ $(\because a>0)$ 답 3

052 함수 $y=f(x)$가 $x=3$에서 연속이어야 하므로
$f(3)=\lim_{x\to 3}f(x)$이어야 한다.
$f(3)=b$
$\lim_{x\to 3-} f(x)=\lim_{x\to 3-} 3x=9$
$\lim_{x\to 3+} f(x)=\lim_{x\to 3+} \{a(x-3)^2+b\}=b$
$\therefore b=9$
또 함수 $y=f(x)$는 $x=6$에서도 연속이어야 하므로
$f(6)=\lim_{x\to 6}f(x)$이어야 한다.
$f(6)=9a+9$
$\lim_{x\to 6-} f(x)=\lim_{x\to 6-} \{a(x-3)^2+9\}=9a+9$
$\lim_{x\to 6+} f(x)=\lim_{x\to 6+} 3x=18$
즉, $9a+9=18$ $\therefore a=1$
$\therefore a+b=10$ 답 ⑤

053 $f(x)=\begin{cases} x(x-1) & (x<-1 \text{ 또는 } x>1) \\ -x^2+ax+b & (-1\le x\le 1) \end{cases}$ 이므로
$x=\pm 1$에서 연속이면 모든 실수 x에서 연속이다.
$f(-1)=\lim_{x\to -1-} x(x-1)=\lim_{x\to -1+} (-x^2+ax+b)$에서
$2=-1-a+b$
$\therefore a-b=-3$ ······㉠
$f(1)=\lim_{x\to 1-} (-x^2+ax+b)=\lim_{x\to 1+} x(x-1)$에서
$-1+a+b=0$
$\therefore a+b=1$ ······㉡
㉠, ㉡을 연립하여 풀면 $a=-1$, $b=2$
$\therefore ab=(-1)\times 2=-2$ 답 ②

054 $f(0)=3$이므로 $b=3$
함수 $y=f(x)$가 실수 전체의 집합에서 연속이려면 $x=1$에서 연속이어야 하므로
$\lim_{x\to 1+} f(x)=\lim_{x\to 1-} f(x)=f(1)$
$3-a=1+3=3-a$
$\therefore a=-1$
또 $x=-1$에서 연속이어야 하므로
$\lim_{x\to -1+} f(x)=\lim_{x\to -1-} f(x)=f(-1)$
$1+3=-2+c=-2+c$
$\therefore c=6$
$\therefore abc=(-1)\times 3\times 6=-18$ 답 -18

055 함수 $y=f(x)$가 모든 실수 x에서 연속이므로 $x=3$에서도 연속이다.
즉, $f(3)=\lim_{x\to 3}f(x)$
$$\therefore a=\lim_{x\to 3}\frac{x^2+x-12}{x-3}=\lim_{x\to 3}\frac{(x-3)(x+4)}{x-3}=\lim_{x\to 3}(x+4)=7$$
답 7

056 함수 $y=f(x)$가 모든 실수 x에서 연속이 되려면 $x=1$에서도 연속이어야 한다.
즉, $\lim_{x\to 1}f(x)=f(1)$에서
$\lim_{x\to 1}\dfrac{x^2+ax+b}{x-1}=4$ ······㉠
㉠에서 $x\to 1$일 때, (분모)$\to 0$이므로 (분자)$\to 0$이어야 한다.
즉, $\lim_{x\to 1}(x^2+ax+b)=1+a+b=0$
$\therefore b=-a-1$
$b=-a-1$을 ㉠에 대입하면
$$\lim_{x\to 1}\frac{x^2+ax-a-1}{x-1}=\lim_{x\to 1}\frac{(x-1)(x+1+a)}{x-1}=\lim_{x\to 1}(x+1+a)=2+a=4$$
$\therefore a=2$, $b=-3$
$\therefore ab=-6$ 답 ①

057 함수 $y=f(x)$가 열린구간 $(-1, 1)$에서 연속이려면 $x=0$에서 연속이어야 한다.

즉, $f(0)=\lim_{x\to0}f(x)$

$$\therefore k=\lim_{x\to0}\frac{\sqrt{1+x}-\sqrt{1-x}}{2x}$$
$$=\lim_{x\to0}\frac{(\sqrt{1+x}-\sqrt{1-x})(\sqrt{1+x}+\sqrt{1-x})}{2x(\sqrt{1+x}+\sqrt{1-x})}$$
$$=\lim_{x\to0}\frac{2x}{2x(\sqrt{1+x}+\sqrt{1-x})}$$
$$=\lim_{x\to0}\frac{1}{\sqrt{1+x}+\sqrt{1-x}}$$
$$=\frac{1}{2}$$

답 $\frac{1}{2}$

058 함수 $y=f(x)$가 $x=2$에서 연속이므로

$\lim_{x\to2}f(x)=f(2)$

$\therefore \lim_{x\to2}\frac{\sqrt{x+7}-a}{x-2}=b$ ……㉠

㉠에서 $x\to2$일 때, (분모)$\to0$이므로 (분자)$\to0$이어야 한다.

즉, $\lim_{x\to2}(\sqrt{x+7}-a)=3-a=0$ $\therefore a=3$

$a=3$을 ㉠에 대입하면

$$\lim_{x\to2}\frac{\sqrt{x+7}-3}{x-2}=\lim_{x\to2}\frac{(\sqrt{x+7}-3)(\sqrt{x+7}+3)}{(x-2)(\sqrt{x+7}+3)}$$
$$=\lim_{x\to2}\frac{x-2}{(x-2)(\sqrt{x+7}+3)}$$
$$=\lim_{x\to2}\frac{1}{\sqrt{x+7}+3}$$
$$=\frac{1}{6}$$

$\therefore b=\frac{1}{6}$

$\therefore \frac{a}{b}=\frac{3}{\frac{1}{6}}=18$

답 18

059 $\lim_{x\to\infty}g(x)=\lim_{x\to\infty}\frac{f(x)}{x-1}=2$이므로 $f(x)=2x+a$ 꼴이다.

함수 $y=g(x)$는 모든 실수 x에서 연속이므로

$\lim_{x\to1}g(x)=\lim_{x\to1}\frac{2x+a}{x-1}=k$이어야 한다.

$x\to1$일 때, (분모) $\to0$이고 극한값은 일정한 값이므로 (분자) $\to0$이어야 한다.

$2+a=0$ $\therefore a=-2$

$\therefore f(x)=2x-2$

$\lim_{x\to1}g(x)=\lim_{x\to1}\frac{2x-2}{x-1}=\lim_{x\to1}2=2$

$\therefore k=2$

답 2

060 이차함수 $y=g(x)$는 모든 실수 x에서 연속이고, 함수 $y=f(x)$는 모든 실수 x에 대하여 연속이므로 $x=3$에서도 연속이다. 즉, $\lim_{x\to3}f(x)=f(3)$에서

$\lim_{x\to3}\frac{g(x)}{x-3}=a$ ……㉠

㉠에서 $x\to3$일 때, (분모)$\to0$이므로 (분자)$\to0$이어야 한다.

즉, $\lim_{x\to3}g(x)=g(3)=0$

$y=g(x)$는 이차항의 계수가 2인 이차함수이므로

$g(x)=2(x-3)(x+b)$

이 식을 ㉠에 대입하면

$$\lim_{x\to3}\frac{g(x)}{x-3}=\lim_{x\to3}\frac{2(x-3)(x+b)}{x-3}$$
$$=\lim_{x\to3}2(x+b)$$
$$=6+2b=a \quad \cdots\cdots ㉡$$

한편, $f(x)=\begin{cases}2(x+b) & (x\neq3)\\ a & (x=3)\end{cases}$이므로

$f(3)-f(0)=a-2(0+b)=a-2b=6$ ($\because$ ㉡)

답 6

061 $x\neq-1$일 때, $f(x)=\frac{x^2+5x+4}{x+1}$

함수 $y=f(x)$가 모든 실수 x에 대하여 연속이므로 $x=-1$에서 연속이다.

$$\therefore f(-1)=\lim_{x\to-1}f(x)$$
$$=\lim_{x\to-1}\frac{x^2+5x+4}{x+1}$$
$$=\lim_{x\to-1}\frac{(x+1)(x+4)}{x+1}$$
$$=\lim_{x\to-1}(x+4)$$
$$=3$$

답 3

062 $x\neq1$일 때, $f(x)=\frac{\sqrt{x+3}-2}{x-1}$

함수 $y=f(x)$가 $x>0$인 모든 실수에서 연속이므로 $x=1$에서 연속이다.

$$\therefore f(1)=\lim_{x\to1}f(x)$$
$$=\lim_{x\to1}\frac{\sqrt{x+3}-2}{x-1}$$
$$=\lim_{x\to1}\frac{(\sqrt{x+3}-2)(\sqrt{x+3}+2)}{(x-1)(\sqrt{x+3}+2)}$$
$$=\lim_{x\to1}\frac{x-1}{(x-1)(\sqrt{x+3}+2)}$$
$$=\lim_{x\to1}\frac{1}{\sqrt{x+3}+2}$$
$$=\frac{1}{4}$$

답 ③

063 $x\neq1$일 때, $f(x)=\frac{ax^2-bx}{x-1}$

함수 $y=f(x)$가 모든 실수 x에서 연속이므로 $x=1$에서 연속이다.

$f(1)=\lim_{x\to1}f(x)=\lim_{x\to1}\frac{ax^2-bx}{x-1}=3$ ……㉠

㉠에서 $x\to1$일 때, (분모)$\to0$이므로 (분자)$\to0$이어야 한다.

즉, $\lim_{x\to1}(ax^2-bx)=a-b=0$이므로 $b=a$

$b=a$를 ㉠에 대입하면

$$\lim_{x\to1}\frac{ax^2-ax}{x-1}=\lim_{x\to1}\frac{ax(x-1)}{x-1}$$
$$=\lim_{x\to1}ax$$
$$=a=3$$

$\therefore b=3$

$\therefore ab=9$

답 ③

064 함수 $y=f(x)$가 모든 실수 x에서 연속이므로 $x=1$에서 연속이다.

$\therefore \lim_{x\to1}f(x)=f(1)$

즉, $\lim_{x\to1}f(x)$의 값이 존재하므로

$\lim_{x\to1-}f(x)=\lim_{x\to1-}ax=a$,

$\lim_{x\to1+}f(x)=\lim_{x\to1+}(2x+b)=2+b$

에서 $a=2+b$ ······㉠

$f(x+4)=f(x)$이므로 $f(4)=f(0)$에서 $8+b=0$

$\therefore b=-8$

이를 ㉠에 대입하면 $a=-6$

따라서 $f(x)=\begin{cases}-6x & (0\le x\le 1)\\ 2x-8 & (1<x\le 4)\end{cases}$이므로

$f(1)=-6$

답 -6

065 함수 $y=f(x)$가 모든 실수 x에서 연속이므로 $x=3$에서 연속이다.

$\therefore \lim_{x\to3}f(x)=f(3)$

즉, $\lim_{x\to3}f(x)$의 값이 존재하므로

$\lim_{x\to3-}f(x)=\lim_{x\to3-}\frac{1}{3}x=1$,

$\lim_{x\to3+}f(x)=\lim_{x\to3+}(ax+b)=3a+b$

에서 $3a+b=1$ ······㉠

$f(x-2)=f(x+4)$의 양변에 x 대신 $x+2$를 대입하면

$f(x)=f(x+6)$이므로 $f(0)=f(6)$

$6a+b=0$ ······㉡

㉠, ㉡을 연립하여 풀면

$a=-\frac{1}{3}$, $b=2$

$\therefore f(x)=\begin{cases}\frac{1}{3}x & (0\le x<3)\\ -\frac{1}{3}x+2 & (3\le x\le 6)\end{cases}$

$\therefore f(17)=f(11)=f(5)=-\frac{1}{3}\times5+2=\frac{1}{3}$

답 $\frac{1}{3}$

066 함수 $y=f(x)$가 모든 실수 x에서 연속이므로 $x=2$에서 연속이다.

$\therefore \lim_{x\to2}f(x)=f(2)$

즉, $\lim_{x\to2}f(x)$의 값이 존재하므로

$\lim_{x\to2-}f(x)=\lim_{x\to2-}(x^2+ax-2b)=4+2a-2b$,

$\lim_{x\to2+}f(x)=\lim_{x\to2+}(2x-4)=0$

에서 $4+2a-2b=0$

$\therefore a-b=-2$ ······㉠

$f(x-2)=f(x+2)$의 양변에 x대신 $x+2$를 대입하면

$f(x)=f(x+4)$이므로 $f(0)=f(4)$

$-2b=4$ $\quad\therefore b=-2$ ······㉡

㉡을 ㉠에 대입하면 $a=-4$

$\therefore f(x)=\begin{cases}x^2-4x+4 & (0\le x<2)\\ 2x-4 & (2\le x\le 4)\end{cases}$

$\therefore f(a-2b)=f(0)=4$

답 4

067 ㄱ. 함수 $y=f(x)$가 $x=a$에서 연속이므로 연속함수의 성질에 의해 $y=2f(x)$도 $x=a$에서 연속이다.
또, 함수 $y=2f(x)$, $y=g(x)$가 $x=a$에서 연속이므로 연속함수의 성질에 의해 $y=2f(x)+g(x)$도 $x=a$에서 연속이다.

ㄴ. 두 함수 $y=f(x)$, $y=g(x)$가 모두 $x=a$에서 연속이므로 연속함수의 성질에 의해 $y=f(x)g(x)$도 $x=a$에서 연속이다.

ㄷ. $g(a)=0$이면 $\frac{f(a)}{g(a)}$의 값이 정의되지 않으므로
$y=\frac{f(x)}{g(x)}$는 $x=a$에서 불연속이다.

ㄹ. 두 함수 $y=f(x)$, $y=g(x)$가 모두 $x=a$에서 연속이므로 연속함수의 성질에 의해 $y=f(x)-g(x)$도 $x=a$에서 연속이다.
또, 함수 $y=f(x)-g(x)$가 $x=a$에서 연속이므로 연속함수의 성질에 의해
$y=\{f(x)-g(x)\}\{f(x)-g(x)\}$
$=\{f(x)-g(x)\}^2$
도 $x=a$에서 연속이다.

따라서 $x=a$에서 항상 연속인 함수는 ㄱ, ㄴ, ㄹ이다.

답 ㄱ, ㄴ, ㄹ

068 $h(x)=f(x)g(x)$라 하면

$\lim_{x\to1-}h(x)=\lim_{x\to1-}f(x)g(x)$
$=\lim_{x\to1-}\{(-x)(x^2+2x-5)\}$
$=\lim_{x\to1-}(-x^3-2x^2+5x)$
$=2$

$\lim_{x\to1+}h(x)=\lim_{x\to1+}f(x)g(x)$
$=\lim_{x\to1+}\{(x+k)(x^2+2x-5)\}$
$=\lim_{x\to1+}\{x^3+(k+2)x^2+(2k-5)x-5k\}$
$=-2k-2$

$h(1)=f(1)g(1)=-2(1+k)$

함수 $y=h(x)$가 $x=1$에서 연속이므로 $\lim_{x\to1}h(x)=h(1)$

즉, $2=-2k-2$이므로

$k=-2$

답 -2

069 두 다항함수 $y=f(x)$와 $y=g(x)$는 모든 실수에서 연속이므로 함수 $h(x)=\frac{f(x)}{g(x)}$가 모든 실수에서 연속이 되려면 임의의 실수 x에 대하여 $g(x)=x^2-2ax+5a\ne0$이어야 한다.

이차방정식 $x^2-2ax+5a=0$의 판별식을 D라 하면

$\frac{D}{4}=a^2-5a<0$에서 $a(a-5)<0$

$\therefore 0<a<5$

따라서 구하는 정수 a의 값의 합은

$1+2+3+4=10$

답 10

070 함수 $y=g(x)$가 $x=3$에서 불연속이므로

함수 $y=f(x)g(x)$가 모든 실수 x에서 연속이려면 $x=3$에서 연속이어야 한다.

$h(x)=f(x)g(x)$라 하면

$\lim_{x\to 3-} h(x)=\lim_{x\to 3-} \{f(x)g(x)\}=a-18$

$\lim_{x\to 3+} h(x)=\lim_{x\to 3+} \{f(x)g(x)\}=2(a-18)$

$h(3)=f(3)g(3)=2(a-18)$

함수 $y=h(x)$가 $x=3$에서 연속이므로 $\lim_{x\to 3} h(x)=h(3)$

즉, $a-18=2(a-18)$이므로 $a=18$ 답 18

071 ㄱ. $\lim_{x\to 1+} \{f(x)g(x)\}=(-1)\times 1=-1$

$\lim_{x\to 1-} \{f(x)g(x)\}=1\times(-1)=-1$

$\therefore \lim_{x\to 1}\{f(x)g(x)\}=-1$ (참)

ㄴ. $\lim_{x\to -1+} \{f(x)g(x)\}=(-1)\times(-1)=1$

$\lim_{x\to -1-} \{f(x)g(x)\}=1\times(-1)=-1$

즉, $\lim_{x\to -1} \{f(x)g(x)\}$의 값이 존재하지 않으므로

함수 $y=f(x)g(x)$는 $x=-1$에서 불연속이다. (거짓)

ㄷ. $\lim_{x\to 1+} \{f(x)+g(x)\}=(-1)+1=0$

$\lim_{x\to 1-} \{f(x)+g(x)\}=1+(-1)=0$

$\therefore \lim_{x\to 1}\{f(x)+g(x)\}=0$

$f(1)+g(1)=(-1)+1=0$

즉, $\lim_{x\to 1}\{f(x)+g(x)\}=f(1)+g(1)$이므로

함수 $y=f(x)+g(x)$는 $x=1$에서 연속이다. (참)

따라서 옳은 것은 ㄱ, ㄷ이다. 답 ③

072 $x=0$에서 연속이려면 $\lim_{x\to 0+} g(x)=\lim_{x\to 0-} g(x)=g(0)$이어야 하므로

$\lim_{x\to 0-} f(x)\{f(x)+k\}=2(2+k)=4+2k$

$\lim_{x\to 0+} f(x)\{f(x)+k\}=0(0+k)=0$

$g(0)=f(0)\{f(0)+k\}=2(2+k)=4+2k$

$\therefore 4+2k=0 \qquad \therefore k=-2$ 답 -2

073 ㄱ. $\lim_{x\to -1+} f(x)=1, \ \lim_{x\to -1-} f(x)=0$

즉, $\lim_{x\to -1} f(x)$의 값은 존재하지 않는다. (참)

ㄴ. $f(x)=t$로 놓으면

$x\to 1+$일 때, $t\to 1+$이므로

$\lim_{x\to 1+} f(f(x))=\lim_{t\to 1+} f(t)=1$

$x\to 1-$일 때, $t\to 1-$이므로

$\lim_{x\to 1-} f(f(x))=\lim_{t\to 1-} f(t)=1$

$\therefore \lim_{x\to 1} f(f(x))=1$ (참)

ㄷ. $f(x)=t$로 놓으면

$x\to -1+$일 때, $t\to 1-$이므로

$\lim_{x\to -1+} f(f(x))=\lim_{t\to 1-} f(t)=1$

$x\to -1-$일 때, $t\to 0-$이므로

$\lim_{x\to -1-} f(f(x))=\lim_{t\to 0-} f(t)=0$

$\therefore \lim_{x\to -1+} f(f(x))\neq \lim_{x\to -1-} f(f(x))$

즉, $\lim_{x\to -1} f(f(x))$의 값이 존재하지 않으므로 $y=f(f(x))$는 $x=-1$에서 불연속이다. (참)

따라서 ㄱ, ㄴ, ㄷ 모두 옳다. 답 ⑤

074 ㄱ. $\lim_{x\to 1-}\{f(x)g(x)\}=0\times 1=0$

$\lim_{x\to 1+}\{f(x)g(x)\}=1\times 0=0$

$\therefore \lim_{x\to 1}\{f(x)g(x)\}=0$ (참)

ㄴ. $g(f(0))=g(0)=1$

$f(x)=t$로 놓으면

$x\to 0-$일 때, $t\to 0-$이므로

$\lim_{x\to 0-} g(f(x))=\lim_{t\to 0-} g(t)=1$

$x\to 0+$일 때, $t\to 1-$이므로

$\lim_{x\to 0+} g(f(x))=\lim_{t\to 1-} g(t)=1$

$\therefore \lim_{x\to 0} g(f(x))=1$

즉, $\lim_{x\to 0} g(f(x))=g(f(0))$이므로 함수 $y=g(f(x))$는 $x=0$에서 연속이다. (참)

ㄷ. $f(g(1))=f(0)=0$

$\lim_{x\to 1-} g(x)=1$이므로 $\lim_{x\to 1-} f(g(x))=f(1)=0$

$\lim_{x\to 1+} g(x)=0$이므로 $\lim_{x\to 1+} f(g(x))=f(0)=0$

$\therefore \lim_{x\to 1} f(g(x))=0$

즉, $\lim_{x\to 1} f(g(x))=f(g(1))$이므로 함수 $y=f(g(x))$는 $x=1$에서 연속이다. (거짓)

따라서 옳은 것은 ㄱ, ㄴ이다. 답 ③

075 ① $\lim_{x\to 1+} f(x)=1, \ \lim_{x\to 1-} f(x)=2$이므로 $\lim_{x\to 1} f(x)$의 값은 존재하지 않는다.

② 함수 $y=f(x)$는 $x=0$에서 불연속이므로 닫힌구간 $[-1, 3]$에서 최솟값을 갖지 않는다.

③ 주어진 그래프에서 $\lim_{x\to -1} f(x)=2$

④ 주어진 그래프에서 불연속이 되는 x의 개수는 0, 1의 2이다.

⑤ 열린구간 $(0, 4)$에서 $x=1$일 때, 최댓값 $f(1)=2$를 갖는다.

따라서 옳지 않은 것은 ②이다. 답 ②

076 함수 $y=f(x)$의 그래프는 그림과 같다.

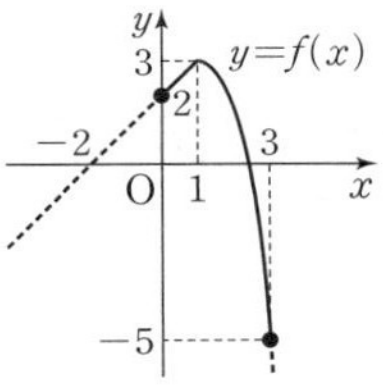

함수 $y=f(x)$는 닫힌구간 $[0, 3]$에서 연속이므로 최댓값과 최솟값을 갖는다.

최댓값은 $M=f(1)=3$,

최솟값은 $m=f(3)=-5$이므로

$M+m=-2$ 답 -2

077 닫힌구간 $[a, b]$에서 연속인 함수는 반드시 최댓값과 최솟값을 갖는다.

ㄱ. $f(x)=x, g(x)=x^2$일 때, 두 함수는 닫힌구간 $[-1, 1]$에서 연속이지만 함수 $\frac{f(x)}{g(x)}=\frac{x}{x^2}$는 $x=0$에서 불연속이다.

또한, $\lim_{x\to 0+} \frac{f(x)}{g(x)}=\infty, \ \lim_{x\to 0-} \frac{f(x)}{g(x)}=-\infty$이므로 함수

$y=\frac{f(x)}{g(x)}$는 닫힌구간 $[-1, 1]$에서 최댓값과 최솟값을 갖지 않는다.

ㄴ. $f(x)=\frac{1}{x}$, $g(x)=x-2$일 때, 두 함수는 닫힌구간 $[1, 3]$에서 연속이지만 함수 $f(g(x))=\frac{1}{x-2}$은 $x=2$에서 불연속이다.

또한, $\lim_{x\to 2+} f(g(x))=\infty$, $\lim_{x\to 2-} f(g(x))=-\infty$이므로 함수 $y=f(g(x))$는 닫힌구간 $[1, 3]$에서 최댓값과 최솟값을 갖지 않는다.

ㄷ. 함수 $y=f(x)+g(x)$는 닫힌구간 $[a, b]$에서 연속이므로 반드시 최댓값과 최솟값을 갖는다.

따라서 반드시 최댓값과 최솟값을 갖는 함수는 ㄷ뿐이다.

답 ㄷ

078 $f(x)=x^3+x-9$라 하면 함수 $y=f(x)$는 모든 실수 x에 대하여 연속이고

$f(0)=-9<0$, $f(1)=-7<0$, $f(2)=1>0$,

$f(3)=21>0$, $f(4)=59>0$, $f(5)=121>0$

따라서 $f(1)f(2)<0$이므로 사잇값의 정리에 의하여 $f(x)=0$의 실근이 존재하는 구간은 $(1, 2)$이다.

답 ②

079 $y=f(x)$는 모든 실수 x에서 연속이고, $f(-1)>0$, $f(0)<0$, $f(1)>0$이므로 사잇값의 정리에 의하여 방정식 $f(x)=0$은 열린구간 $(-1, 0)$, $(0, 1)$에서 각각 적어도 하나의 실근을 가지므로 방정식 $f(x)=0$은 적어도 2개의 실근을 갖는다.

$\therefore n=2$

답 2

080 함수 $y=f(x)$가 닫힌구간 $[-1, 3]$에서 연속이고,

$f(-1)f(1)<0$이므로 사잇값의 정리에 의하여 방정식 $f(x)=0$은 열린구간 $(-1, 1)$에서 적어도 하나의 실근을 갖는다.

또 $f(-1)f(1)<0$, $f(-1)f(3)>0$이면 $f(1)f(3)<0$이므로 사잇값의 정리에 의하여 방정식 $f(x)=0$은 열린구간 $(1, 3)$에서 적어도 하나의 실근을 갖는다.

따라서 방정식 $f(x)=0$은 $-1<x<3$에서 적어도 2개의 실근을 갖는다.

$\therefore n=2$

답 ②

081 $f(x)=(x-95)(x-96)+(x-96)(x-97)+(x-97)(x-95)$

라 하면 $f(95)=2>0$, $f(96)=-1<0$, $f(97)=2>0$

따라서 $f(95)f(96)<0$, $f(96)f(97)<0$이므로 사잇값의 정리에 의하여 방정식 $f(x)=0$은 열린구간 $(95, 96)$, $(96, 97)$에서 각각 한 개의 실근을 갖는다.

$\alpha>\beta$이므로 α는 열린구간 $(96, 97)$에 속한다.

$\therefore n=96$

답 96

082 ㄱ. $g(x)=f(x)-x$라 하면

$g(0)=f(0)-0=1$, $g(2)=f(2)-2=-3$이고, $y=g(x)$가 닫힌구간 $[0, 2]$에서 연속이므로 사잇값의 정리에 의하여 방정식 $g(x)=0$은 열린구간 $(0, 2)$에서 적어도 하나의 실근을 갖는다.

ㄴ. $g(x)=f(x)+x-1$이라 하면

$g(0)=0$, $g(2)=0$이므로 열린구간 $(0, 2)$에서 방정식 $g(x)=0$이 실근을 갖는지 알 수 없다.

ㄷ. $g(x)=xf(x)+1$이라 하면

$g(0)=1$, $g(2)=-1$이고, $y=g(x)$가 닫힌구간 $[0, 2]$에서 연속이므로 사잇값의 정리에 의하여 방정식 $g(x)=0$은 열린구간 $(0, 2)$에서 적어도 하나의 실근을 갖는다.

따라서 반드시 실근을 갖는 것은 ㄱ, ㄷ이다.

답 ③

083 (가), (나)에서 $f(0)=0$, $f(2)=0$이므로

$f(x)=x(x-2)Q(x)$ (단, $y=Q(x)$는 다항함수이다.) ……㉠

로 놓을 수 있다.

㉠을 (가)에 대입하면

$$\lim_{x\to 0}\frac{x(x-2)Q(x)}{x}=\lim_{x\to 0}(x-2)Q(x)=-2Q(0)=1$$

$\therefore Q(0)=-\frac{1}{2}$ ……㉡

㉠을 (나)에 대입하면

$$\lim_{x\to 2}\frac{x(x-2)Q(x)}{x-2}=\lim_{x\to 2}xQ(x)=2Q(2)=2$$

$\therefore Q(2)=1$ ……㉢

$y=Q(x)$는 다항함수이므로 모든 실수 x에서 연속이고

㉡, ㉢에서 $Q(0)Q(2)<0$이므로 사잇값의 정리에 의하여 방정식 $Q(x)=0$은 열린구간 $(0, 2)$에서 적어도 한 개의 실근을 갖는다.

따라서 방정식 $f(x)=0$은 두 실근 0, 2를 갖고, $0<x<2$일 때 적어도 한 개의 실근을 가지므로 닫힌구간 $[0, 3]$에서 적어도 3개의 실근을 갖는다.

답 3개

084 몸무게가 70 kg → 82 kg → 75 kg으로 변하므로

①, ② 몸무게가 72 kg 또는 74 kg인 때는 70 kg → 82 kg일 때 적어도 한 번 있었다.

③, ④, ⑤ 몸무게가 76 kg 또는 78 kg 또는 80 kg인 때는 70 kg → 82 kg일 때와 82 kg → 75 kg일 때 각각 적어도 한 번 있었으므로 적어도 두 번 있었다.

따라서 옳지 않은 것은 ②이다.

답 ②

085 지하철의 속도는 A역과 C역 사이에서 연속적으로 변한다.

A역과 B역 사이에서 지하철이 최고 속도를 내는 지점을 P라 하고, B역과 C역 사이에서 지하철이 최고 속도를 내는 지점을 Q라 하자.

A역에서의 지하철의 속도는 0 km/h이고, P지점에서의 지하철의 속도는 110 km/h이므로 속도가 80 km/h인 지점은 A역과 P지점 사이에 적어도 한 군데가 존재한다.

B역과 C역 사이에서도 같은 방법으로 생각하면 A역과 C역 사이에 지하철의 속도가 80 km/h인 곳은 적어도 4군데이다.

$\therefore n=4$

답 4

086 ① $f(0)$이 정의되지 않으므로 $x=0$에서 불연속이다.

② $\lim_{x\to 0+} f(x)=\lim_{x\to 0+}[x-1]=-1$

$\lim_{x\to 0-} f(x)=\lim_{x\to 0-}[x-1]=-2$

즉, $\lim_{x\to 0} f(x)$가 존재하지 않으므로 $x=0$에서 불연속이다.

③ $\lim_{x\to0+} f(x)=\lim_{x\to0+}\frac{x}{x}=1$

$\lim_{x\to0-} f(x)=\lim_{x\to0-}\frac{-x}{x}=-1$

즉, $\lim_{x\to0}f(x)$가 존재하지 않으므로 $x=0$에서 불연속이다.

④ $\lim_{x\to0+} f(x)=\lim_{x\to0+}\frac{1}{x}=\infty$

$\lim_{x\to0-} f(x)=\lim_{x\to0-}\frac{1}{x}=-\infty$

즉, $\lim_{x\to0}f(x)$가 존재하지 않으므로 $x=0$에서 불연속이다.

⑤ $f(0)=0$, $\lim_{x\to0}f(x)=\lim_{x\to0}x(x+1)=0$이므로

$\lim_{x\to0}f(x)=f(0)$

즉, 함수 $y=f(x)$는 $x=0$에서 연속이다.

따라서 $x=0$에서 연속인 함수는 ⑤ 이다. 답 ⑤

087 함수 $y=f(x)$가 모든 실수 x에 대하여 연속이려면 $x=1$, $x=3$에서 연속이어야 한다.

(i) $x=1$에서 연속이어야 하므로

$f(1)=\lim_{x\to1+}f(x)$에서 $1+b+4=1+a$

$\therefore a-b=4$ ……㉠

(ii) $x=3$에서 연속이어야 하므로

$f(3)=\lim_{x\to3-}f(x)$에서 $9+3b+4=3+a$

$\therefore a-3b=10$ ……㉡

㉠, ㉡을 연립하여 풀면

$a=1$, $b=-3$

$\therefore a+b=-2$ 답 -2

088 $y=f(x)$가 $x=3$에서 연속이므로 $\lim_{x\to3}f(x)=f(3)$

$\therefore \lim_{x\to3}\frac{\sqrt{x^2-x+3}-a}{x-3}=b$ ……㉠

$x\to3$일 때, (분모)$\to0$이므로 (분자)$\to0$이어야 한다.

$\lim_{x\to3}(\sqrt{x^2-x+3}-a)=3-a=0$

$\therefore a=3$

$a=3$을 ㉠에 대입하면

$\lim_{x\to3}\frac{\sqrt{x^2-x+3}-3}{x-3}$

$=\lim_{x\to3}\frac{(\sqrt{x^2-x+3}-3)(\sqrt{x^2-x+3}+3)}{(x-3)(\sqrt{x^2-x+3}+3)}$

$=\lim_{x\to3}\frac{(x-3)(x+2)}{(x-3)(\sqrt{x^2-x+3}+3)}$

$=\lim_{x\to3}\frac{x+2}{\sqrt{x^2-x+3}+3}=\frac{5}{6}$

$\therefore b=\frac{5}{6}$

따라서 $a+b=3+\frac{5}{6}=\frac{23}{6}$ 답 ④

089 $x\neq-1$일 때, $f(x)=\frac{x^2-3x+a}{x+1}$

함수 $y=f(x)$가 $x=-1$에서 연속이므로

$f(-1)=\lim_{x\to-1}f(x)=\lim_{x\to-1}\frac{x^2-3x+a}{x+1}$ ……㉠

$\lim_{x\to-1}\frac{x^2-3x+a}{x+1}$의 값이 존재하고,

$x\to-1$일 때, (분모)$\to0$이므로 (분자)$\to0$이어야 한다.

즉, $\lim_{x\to-1}(x^2-3x+a)=1+3+a=0$이므로 $a=-4$

이 값을 ㉠에 대입하면

$\lim_{x\to-1}\frac{x^2-3x-4}{x+1}=\lim_{x\to-1}\frac{(x-4)(x+1)}{x+1}$

$=\lim_{x\to-1}(x-4)$

$=-5$

$\therefore f(-1)=-5$ 답 -5

090 함수 $y=f(x)$가 모든 실수 x에서 연속이므로 $y=f(x)$는 $x=1$에서 연속이다.

$\therefore \lim_{x\to1}f(x)=f(1)$

즉, $\lim_{x\to1}f(x)$의 값이 존재하므로

$\lim_{x\to1-}f(x)=\lim_{x\to1-}2x=2$,

$\lim_{x\to1+}f(x)=\lim_{x\to1+}(ax+b)=a+b$

에서 $a+b=2$ ……㉠

또한, $f(x+3)=f(x)$이므로 $f(3)=f(0)$

$3a+b=0$ ……㉡

㉠, ㉡을 연립하여 풀면 $a=-1$, $b=3$

따라서 $f(x)=\begin{cases}2x & (0\le x<1)\\ -x+3 & (1\le x\le3)\end{cases}$이므로

$f(8)=f(5)=f(2)=1$ 답 1

091 $\lim_{x\to0-}f(x)=1$, $\lim_{x\to0+}f(x)=-3$, $f(0)=1$,

$\lim_{x\to0}g(x)=g(0)=6-3a$이므로

$\lim_{x\to0-}\frac{g(x)}{f(x)}=6-3a$, $\lim_{x\to0+}\frac{g(x)}{f(x)}=\frac{6-3a}{-3}=a-2$,

$\frac{g(0)}{f(0)}=6-3a$

함수 $y=\frac{g(x)}{f(x)}$가 $x=0$에서 연속이므로

$\lim_{x\to0-}\frac{g(x)}{f(x)}=\lim_{x\to0+}\frac{g(x)}{f(x)}=\frac{g(0)}{f(0)}$이다.

따라서 $6-3a=a-2$이므로 $a=2$ 답 2

092 함수 $y=f(x)$가 $x=1$, 2, 3에서 불연속이므로 $x=1$, 2, 3에서 함수 $y=g(x)$의 연속성을 조사해 보면

(i) $\lim_{x\to1}f(x)=1$이므로

$\lim_{x\to1}g(x)=\lim_{x\to1}(x-3)f(x)$

$=\lim_{x\to1}(x-3)\times\lim_{x\to1}f(x)$

$=(-2)\times1$

$=-2$

$g(1)=-2f(1)$

$=-2\times2$

$=-4$

이므로 $\lim_{x\to1}g(x)\neq g(1)$

따라서 $y=g(x)$는 $x=1$에서 불연속이다.

(ii) $\lim_{x\to2+} g(x)=\lim_{x\to2+}(x-3)f(x)$

$=\lim_{x\to2+}(x-3)\times\lim_{x\to2+}f(x)$

$=(-1)\times1$

$=-1$

$\lim_{x\to2-} g(x)=\lim_{x\to2-}(x-3)f(x)$

$=\lim_{x\to2-}(x-3)\times\lim_{x\to2-}f(x)$

$=(-1)\times2$

$=-2$

이므로 $\lim_{x\to2+} g(x)\neq\lim_{x\to2-} g(x)$

따라서 $\lim_{x\to2} g(x)$가 존재하지 않으므로 $y=g(x)$는 $x=2$에서 불연속이다.

(iii) $\lim_{x\to3} f(x)=0$이므로

$\lim_{x\to3} g(x)=\lim_{x\to3}(x-3)f(x)$

$=\lim_{x\to3}(x-3)\times\lim_{x\to3}f(x)$

$=0\times0$

$=0$

$g(3)=0$

이므로 $\lim_{x\to3} g(x)=g(3)$

따라서 $y=g(x)$는 $x=3$에서 연속이다.

(i), (ii), (iii)에 의하여 닫힌구간 $[0, 4]$에서 함수 $y=g(x)$가 불연속이 되는 x의 값은 1, 2이므로 구하는 합은 $1+2=3$

답 3

093 ㄱ. $\lim_{x\to-1+} f(x)=0$, $\lim_{x\to-1-} f(x)=0$

따라서 $\lim_{x\to-1+} f(x)+\lim_{x\to-1-} f(x)=0$ (참)

ㄴ. 함수 $y=f(x+1)$의 그래프는 함수 $y=f(x)$의 그래프를 x축의 방향으로 -1만큼 평행이동한 것이므로 함수 $y=f(x+1)$의 그래프는 그림과 같다.

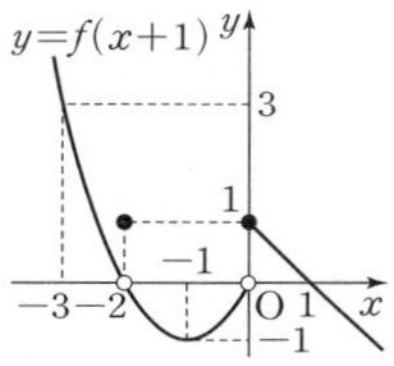

극한값 $\lim_{x\to0} f(x+1)$이 존재하지 않으므로 함수 $y=f(x+1)$은 $x=0$에서 불연속이다. (거짓)

ㄷ. $h(x)=(x+1)f(x)$라 하면

$h(-1)=0\times f(-1)=0\times1=0$

$\lim_{x\to-1} h(x)=\lim_{x\to-1}(x+1)f(x)=0\times0=0$

따라서 $\lim_{x\to-1} h(x)=h(-1)$이므로 함수 $y=h(x)$는 $x=-1$에서 연속이다.

즉, 함수 $y=(x+1)f(x)$는 $x=-1$에서 연속이다. (참)

그러므로 옳은 것은 ㄱ, ㄷ이다.

답 ④

094 ㄱ, ㄴ은 다음 그림과 같은 경우 성립하지 않는다.

ㄱ.

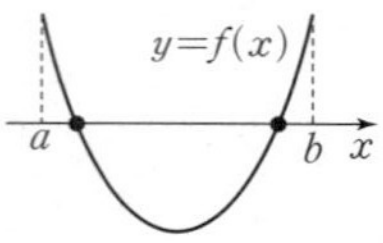

ㄴ.

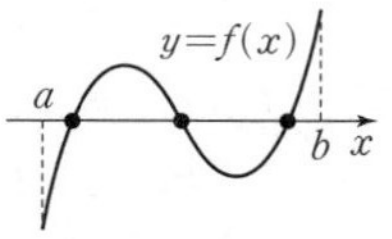

ㄷ. 최대·최소 정리에 의하여 $y=f(x)$는 닫힌구간 $[a, b]$에서 반드시 최댓값과 최솟값을 갖는다.

따라서 옳은 것은 ㄷ뿐이다.

답 ㄷ

095 $f(x)=\cos x-x+1$이라 하면 $y=f(x)$는 모든 실수 x에 대하여 연속이고, $f\left(\frac{\pi}{3}\right)>0$, $f\left(\frac{\pi}{2}\right)<0$이므로 사잇값의 정리에 의하여 열린구간 $\left(\frac{\pi}{3}, \frac{\pi}{2}\right)$에서 실근을 갖는다.

답 ②

096 함수 $y=f(x)$가 $x=n$에서 연속이므로

$\lim_{x\to n} f(x)=f(n)$

(i) $n-1\le x<n$일 때, $[x]=n-1$이므로

$\lim_{x\to n-} f(x)=\lim_{x\to n-}\frac{[x]^2+3x}{[x]}$

$=\frac{(n-1)^2+3n}{n-1}$

$=\frac{n^2+n+1}{n-1}$

(ii) $n\le x<n+1$일 때, $[x]=n$이므로

$\lim_{x\to n+} f(x)=\lim_{x\to n+}\frac{[x]^2+3x}{[x]}$

$=\frac{n^2+3n}{n}$

$=n+3$

극한값 $\lim_{x\to n} f(x)$가 존재하므로

$\frac{n^2+n+1}{n-1}=n+3$ (단, $n\neq1$)

$n^2+n+1=n^2+2n-3$ $\quad\therefore n=4$

따라서 $\lim_{x\to4} f(x)=f(4)=7$이므로 함수 $y=f(x)$는 $x=4$에서 연속이다.

답 4

097 ㄱ. $g(x)=f(x)f(-x)$에서

$\lim_{x\to0-} g(x)=\lim_{x\to0-} f(x)f(-x)=1\times(-1)=-1$

$\lim_{x\to0+} g(x)=\lim_{x\to0+} f(x)f(-x)=(-1)\times1=-1$

따라서 $\lim_{x\to0} g(x)=-1$ (거짓)

ㄴ. $h(x)=f(x)+f(-x)$에서

$\lim_{x\to0-} h(x)=\lim_{x\to0-}\{f(x)+f(-x)\}=1+(-1)=0$

$\lim_{x\to0+} h(x)=\lim_{x\to0+}\{f(x)+f(-x)\}=(-1)+1=0$

$h(0)=f(0)+f(-0)=2f(0)=2\times0=0$

따라서 $\lim_{x\to0} h(x)=h(0)$이므로 함수 $y=h(x)$는 $x=0$에서 연속이다. (참)

ㄷ. ㄱ, ㄴ에서 $\lim_{x\to0} g(x)=-1$, $\lim_{x\to0} h(x)=0$, $h(0)=0$이므로

$\lim_{x\to0}\{g(x)+h(x)\}=-1+0=-1$ ……㉠

한편 $g(0)=f(0)f(-0)=f(0)^2=0$이므로

$g(0)+h(0)=0$ ……㉡

㉠, ㉡에서 $\lim_{x\to0}\{g(x)+h(x)\}\neq g(0)+h(0)$이므로

함수 $y=g(x)+h(x)$는 $x=0$에서 불연속이다.

따라서 함수 $y=g(x)+h(x)$는 실수 전체의 집합에서 연속은 아니다. (거짓)

따라서 옳은 것은 ㄴ뿐이다.

답 ②

03 미분계수

본책 039~052쪽

001 함수 $y=f(x)$에서 x의 값이 a에서 b까지 변할 때의 평균변화율은

$$\frac{\Delta y}{\Delta x}=\frac{f(b)-f(a)}{\boxed{b}-\boxed{a}}=\frac{f(a+\boxed{\Delta x})-f(a)}{\boxed{\Delta x}}$$

답 b, a, Δx, Δx

002 $\frac{\Delta y}{\Delta x}=\frac{f(3)-f(1)}{3-1}=\frac{5-3}{2}=1$ 답 1

003 $\frac{\Delta y}{\Delta x}=\frac{f(2)-f(1)}{2-1}=\frac{-1-1}{1}=-2$ 답 -2

004 $\frac{\Delta y}{\Delta x}=\frac{f(3)-f(0)}{3-0}=\frac{5-(-4)}{3}=3$ 답 3

005 $\frac{\Delta y}{\Delta x}=\frac{f(1)-f(-1)}{1-(-1)}=\frac{2-(-4)}{2}=3$ 답 3

006 함수 $y=f(x)$의 $x=a$에서의 미분계수 $f'(a)$는

$$f'(a)=\lim_{\Delta x\to 0}\frac{f(a+\boxed{\Delta x})-f(a)}{\boxed{\Delta x}}$$
$$=\lim_{h\to 0}\frac{f(a+\boxed{h})-f(a)}{\boxed{h}}$$
$$=\lim_{x\to a}\frac{f(x)-f(\boxed{a})}{x-\boxed{a}}$$

답 Δx, Δx, h, h, a, a

007 $f'(1)=\lim_{h\to 0}\frac{f(1+h)-f(1)}{h}$

$=\lim_{h\to 0}\frac{\{(1+h)+2\}-(1+2)}{h}$

$=\lim_{h\to 0}\frac{h}{h}=1$ 답 1

008 $f'(1)=\lim_{h\to 0}\frac{f(1+h)-f(1)}{h}$

$=\lim_{h\to 0}\frac{\{2(1+h)-1\}-(2-1)}{h}$

$=\lim_{h\to 0}\frac{2h}{h}=2$ 답 2

009 $f'(1)=\lim_{h\to 0}\frac{f(1+h)-f(1)}{h}$

$=\lim_{h\to 0}\frac{3(1+2h+h^2)-3}{h}$

$=\lim_{h\to 0}3(2+h)=6$ 답 6

010 $f'(1)=\lim_{h\to 0}\frac{f(1+h)-f(1)}{h}$

$=\lim_{h\to 0}\frac{\{(1+h)^2-6(1+h)\}-(1-6)}{h}$

$=\lim_{h\to 0}\frac{(1+2h+h^2-6-6h)+5}{h}$

$=\lim_{h\to 0}(h-4)=-4$ 답 -4

011 $f'(2)=\lim_{x\to 2}\frac{f(x)-f(2)}{x-2}$

$=\lim_{x\to 2}\frac{(2x+4)-8}{x-2}$

$=\lim_{x\to 2}\frac{2(x-2)}{x-2}=2$ 답 2

012 $f'(2)=\lim_{x\to 2}\frac{f(x)-f(2)}{x-2}$

$=\lim_{x\to 2}\frac{4x^2-16}{x-2}$

$=\lim_{x\to 2}\frac{4(x+2)(x-2)}{x-2}$

$=\lim_{x\to 2}4(x+2)=16$ 답 16

013 $f'(2)=\lim_{x\to 2}\frac{f(x)-f(2)}{x-2}$

$=\lim_{x\to 2}\frac{-x^2+2x}{x-2}$

$=\lim_{x\to 2}\frac{-x(x-2)}{x-2}$

$=\lim_{x\to 2}(-x)=-2$ 답 -2

014 $\lim_{h\to 0}\frac{f(a+h)-f(a)}{3h}=\boxed{\frac{1}{3}}\lim_{h\to 0}\frac{f(a+h)-f(a)}{h}$

$=\boxed{\frac{1}{3}}f'(a)=\boxed{3}$ 답 $\frac{1}{3}$, $\frac{1}{3}$, 3

015 $\lim_{h\to 0}\frac{f(a+h)-f(a)}{2h}=\frac{1}{2}\lim_{h\to 0}\frac{f(a+h)-f(a)}{h}$

$=\frac{1}{2}f'(a)$

$=\frac{1}{2}$ 답 $\frac{1}{2}$

016 $\lim_{h\to 0}\frac{f(a+h)-f(a)}{5h}=\frac{1}{5}\lim_{h\to 0}\frac{f(a+h)-f(a)}{h}$

$=\frac{1}{5}f'(a)$

$=\frac{1}{5}$ 답 $\frac{1}{5}$

017 $\lim_{h\to 0}\frac{f(a+h)-f(a)}{-h}=-\lim_{h\to 0}\frac{f(a+h)-f(a)}{h}$

$=-f'(a)$

$=-1$ 답 -1

018 $\lim_{h\to 0}\frac{f(a+2h)-f(a)}{h}=\lim_{h\to 0}\frac{f(a+2h)-f(a)}{\boxed{2}h}\times\boxed{2}$

$=\boxed{2}f'(a)=\boxed{6}$ 답 2, 2, 2, 6

019 $\lim_{h\to 0}\frac{f(a+3h)-f(a)}{h}=\lim_{h\to 0}\frac{f(a+3h)-f(a)}{3h}\times 3$

$=3f'(a)$

$=3$ 답 3

020 $\displaystyle\lim_{h\to0}\frac{f(a+5h)-f(a)}{h}=\lim_{h\to0}\frac{f(a+5h)-f(a)}{5h}\times5$

$=5f'(a)$

$=5$ 답 5

021 $\displaystyle\lim_{h\to0}\frac{f(a-h)-f(a)}{h}=\lim_{h\to0}\frac{f(a-h)-f(a)}{-h}\times(-1)$

$=-f'(a)$

$=-1$ 답 -1

022 $\displaystyle\lim_{h\to0}\frac{f(a-3h)-f(a)}{2h}=\lim_{h\to0}\frac{f(a-3h)-f(a)}{\boxed{-3}\,h}\times\left(\boxed{-\frac{3}{2}}\right)$

$=\boxed{-\dfrac{3}{2}}f'(a)$

$=\boxed{-\dfrac{3}{2}}$

답 $-3,\ -\frac{3}{2},\ -\frac{3}{2},\ -\frac{3}{2}$

023 $\displaystyle\lim_{h\to0}\frac{f(a+5h)-f(a)}{3h}=\lim_{h\to0}\frac{f(a+5h)-f(a)}{5h}\times\frac{5}{3}$

$=\dfrac{5}{3}f'(a)$

$=\dfrac{5}{3}\times6=10$ 답 10

024 $\displaystyle\lim_{h\to0}\frac{f(a+4h)-f(a)}{-2h}=\lim_{h\to0}\frac{f(a+4h)-f(a)}{4h}\times(-2)$

$=-2f'(a)$

$=-2\times6=-12$ 답 -12

025 $\displaystyle\lim_{h\to0}\frac{f(a-h)-f(a)}{2h}=\lim_{h\to0}\frac{f(a-h)-f(a)}{-h}\times\left(-\frac{1}{2}\right)$

$=-\dfrac{1}{2}f'(a)$

$=-\dfrac{1}{2}\times6=-3$ 답 -3

026 $\displaystyle\lim_{h\to0}\frac{f(a)-f(a+2h)}{6h}=\lim_{h\to0}\frac{f(a+2h)-f(a)}{2h}\times\left(-\frac{1}{3}\right)$

$=-\dfrac{1}{3}f'(a)$

$=-\dfrac{1}{3}\times6=-2$ 답 -2

027 $\displaystyle\lim_{x\to1}\frac{f(x)-f(1)}{x^2-1}=\lim_{x\to1}\left\{\frac{f(x)-f(1)}{x-1}\times\frac{1}{\boxed{x+1}}\right\}$

$=\boxed{\dfrac{1}{2}}f'(1)=\boxed{1}$ 답 $x+1,\ \frac{1}{2},\ 1$

028 $\displaystyle\lim_{x\to1}\frac{f(x^2)-f(1)}{x-1}=\lim_{x\to1}\left\{\frac{f(x^2)-f(1)}{x^2-1}\times(\boxed{x+1})\right\}$

$=\boxed{2}f'(1)$

$=\boxed{4}$ 답 $x+1,\ 2,\ 4$

029 $\displaystyle\lim_{x\to1}\frac{x^3-1}{f(x)-f(1)}=\lim_{x\to1}\left\{\frac{x-1}{f(x)-f(1)}\times(\boxed{x^2+x+1})\right\}$

$=\boxed{3}\times\dfrac{1}{f'(1)}=\boxed{\dfrac{3}{2}}$

답 $x^2+x+1,\ 3,\ \frac{3}{2}$

030 $\displaystyle\lim_{x\to1}\frac{f(x)-f(1)}{x^2-1}=\lim_{x\to1}\left\{\frac{f(x)-f(1)}{x-1}\times\frac{1}{x+1}\right\}$

$=\dfrac{1}{2}f'(1)$

$=\dfrac{3}{2}$ 답 $\frac{3}{2}$

031 $\displaystyle\lim_{x\to1}\frac{f(x^2)-f(1)}{x-1}=\lim_{x\to1}\left\{\frac{f(x^2)-f(1)}{x^2-1}\times(x+1)\right\}$

$=2f'(1)=6$ 답 6

032 $\displaystyle\lim_{x\to1}\frac{x^3-1}{f(x)-f(1)}=\lim_{x\to1}\left\{\frac{x-1}{f(x)-f(1)}\times(x^2+x+1)\right\}$

$=3\times\dfrac{1}{f'(1)}=1$ 답 1

033 연결되어 있는 점이 연속이므로 연속인 점의 x좌표는 1, 2, 4이다.

답 1, 2, 4

034 연결되어 있지 않고 끊어져 있는 점에서 불연속이므로 불연속인 점의 x좌표는 -1, 0, 3이다. 답 -1, 0, 3

035 불연속인 점, 뾰족한 점에서 미분가능하지 않으므로 미분가능하지 않은 점의 x좌표는 -1, 0, 2, 3, 4이다.

답 -1, 0, 2, 3, 4

036 연속이지만 미분가능하지 않은 점의 x좌표는 2, 4이다.

답 2, 4

037 연속이면서 미분가능한 점의 x좌표는 1이다. 답 1

038 미분가능한 함수는 모두 연속함수이지만 연속함수 중에는 미분가능하지 않은 함수도 있으므로 두 집합 A, B의 포함 관계는 $B\subset A$ 답 (가): A, (나): B

039 (i) $f(0)=0$이고, $\displaystyle\lim_{x\to0}f(x)=\lim_{x\to0}|x|=0$이므로

$\displaystyle\lim_{x\to0}f(x)=f(0)$

따라서 함수 $y=f(x)$는 $x=0$에서 $\boxed{\text{연속}}$이다.

(ii) $\displaystyle f'(0)=\lim_{h\to0}\frac{f(0+h)-f(0)}{h}=\lim_{h\to0}\frac{|h|}{h}$

$\displaystyle\lim_{h\to0+}\frac{|h|}{h}=\lim_{h\to0+}\frac{h}{h}=\boxed{1}$,

$\displaystyle\lim_{h\to0-}\frac{|h|}{h}=\lim_{h\to0-}\frac{-h}{h}=\boxed{-1}$

이므로 $f'(0)$이 존재하지 않는다.

따라서 함수 $y=f(x)$는 $x=0$에서 $\boxed{\text{미분가능하지 않다.}}$

답 연속, 1, -1, 미분가능하지 않다.

040 (i) $f(1)=\boxed{1}$이고, $\lim_{x\to1+}f(x)=\lim_{x\to1+}x^2=\boxed{1}$,

$\lim_{x\to1-}f(x)=\lim_{x\to1-}(2x-1)=\boxed{1}$이므로

$\lim_{x\to1}f(x)\boxed{=}f(1)$

따라서 함수 $y=f(x)$는 $x=1$에서 $\boxed{\text{연속}}$이다.

(ii) $\lim_{h\to0+}\frac{f(1+h)-f(1)}{h}=\lim_{h\to0+}\frac{(1+h)^2-1}{h}$

$=\lim_{h\to0+}\frac{h(2+h)}{h}$

$=\boxed{2}$,

$\lim_{h\to0-}\frac{f(1+h)-f(1)}{h}=\lim_{h\to0-}\frac{\{2(1+h)-1\}-1}{h}$

$=\lim_{h\to0-}\frac{2h}{h}$

$=\boxed{2}$

이므로 $f'(1)$이 존재한다.

따라서 함수 $y=f(x)$는 $x=1$에서 $\boxed{\text{미분가능하다.}}$

답 1, 1, 1, =, 연속, 2, 2, 미분가능하다.

041 x의 값이 1에서 k까지 변할 때의 함수 $y=f(x)$의 평균변화율은

$\frac{f(k)-f(1)}{k-1}=\frac{k^2+2k-3}{k-1}$

$=\frac{(k+3)(k-1)}{k-1}$

$=k+3$

즉, $k+3=6$이므로

$k=3$

답 3

042 x의 값이 2에서 4까지 변할 때의 함수 $y=f(x)$의 평균변화율은

$\frac{f(4)-f(2)}{4-2}=\frac{(32+4a+1)-(8+2a+1)}{2}$

$=\frac{2a+24}{2}$

$=a+12$

즉, $a+12=9$이므로

$a=-3$

답 ①

043 x의 값이 1에서 3까지 변할 때의 함수 $y=f(x)$의 평균변화율은

$\frac{f(3)-f(1)}{3-1}=\frac{-6-(-4)}{2}=-1$

또 x의 값이 0에서 k까지 변할 때의 함수 $y=f(x)$의 평균변화율은

$\frac{f(k)-f(0)}{k-0}=\frac{k^2-5k}{k}=k-5$

즉, $k-5=-1$이므로

$k=4$

답 4

044 x의 값이 1에서 4까지 변할 때의 함수 $y=f(x)$의 평균변화율은

$\frac{f(4)-f(1)}{4-1}=5$

이고, 이는 두 점 $A(1, f(1))$, $B(4, f(4))$를 지나는 직선 AB의 기울기와 같으므로 구하는 기울기는 5이다.

답 5

045 그림에서 곡선 $y=f(x)$ 위의 네 점 $A(a, f(a))$, $B(b, f(b))$, $C(c, f(c))$, $D(d, f(d))$에 대하여 직선 AB의 기울기가 α, 직선 BC의 기울기가 β, 직선 CD의 기울기가 γ이므로

$\alpha<\beta<\gamma$

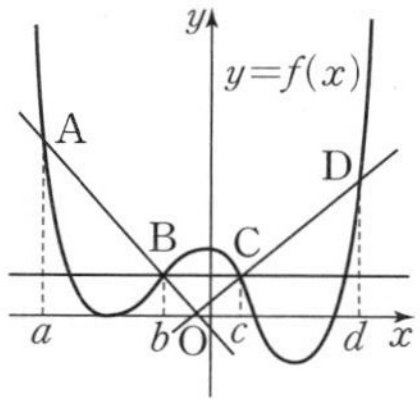

답 ①

046 직선 AB의 기울기가 2이므로

$\frac{f(5)-f(1)}{5-1}=2$

$\therefore f(5)-f(1)=8$

$f(0)=f(5)$이므로 x의 값이 0에서 1까지 변할 때의 평균변화율은

$\frac{f(1)-f(0)}{1-0}=f(1)-f(5)$

$=-\{f(5)-f(1)\}$

$=-8$

답 −8

047 닫힌구간 [1, 4]에서 함수 $y=f(x)$의 평균변화율이 2이므로

$\frac{f(4)-f(1)}{4-1}=\frac{(16+4a+b)-(1+a+b)}{3}$

$=\frac{15+3a}{3}$

$=5+a=2$

즉, $a=-3$이므로

$f(x)=x^2-3x+b$

$\therefore f'(3)=\lim_{h\to0}\frac{f(3+h)-f(3)}{h}$

$=\lim_{h\to0}\frac{\{(3+h)^2-3(3+h)+b\}-(9-9+b)}{h}$

$=\lim_{h\to0}\frac{h(3+h)}{h}$

$=\lim_{h\to0}(3+h)=3$

답 ③

048 x의 값이 a에서 $a+2$까지 변할 때의 함수 $y=f(x)$의 평균변화율은

$\frac{f(a+2)-f(a)}{(a+2)-a}=\frac{\{(a+2)^2-2\}-(a^2-2)}{2}$

$=\frac{4a+4}{2}=2a+2$

또 함수 $y=f(x)$의 $x=2$에서의 미분계수는

$f'(2)=\lim_{h\to0}\frac{f(2+h)-f(2)}{h}$

$=\lim_{h\to0}\frac{\{(2+h)^2-2\}-2}{h}$

$=\lim_{h\to0}\frac{h^2+4h}{h}$

$=\lim_{h\to0}(h+4)=4$

즉, $2a+2=4$이므로

$a=1$

답 1

049 x의 값이 0에서 4까지 변할 때의 함수 $y=f(x)$의 평균변화율은

$\frac{f(4)-f(0)}{4-0}=\frac{24}{4}=6$

$\therefore a=6$

또 함수 $y=f(x)$의 $x=b$에서의 미분계수는

$$f'(b)=\lim_{h\to0}\frac{f(b+h)-f(b)}{h}$$
$$=\lim_{h\to0}\frac{\{(b+h)^2+2(b+h)\}-(b^2+2b)}{h}$$
$$=\lim_{h\to0}\frac{h(h+2b+2)}{h}$$
$$=\lim_{h\to0}(h+2b+2)$$
$$=2b+2$$

즉, $2b+2=6$이므로

$b=2$

$\therefore a^2+b^2=36+4=40$ 답 40

050 $x=a$에서의 미분계수가 2이므로 $f'(a)=2$

$$\therefore \lim_{h\to0}\frac{f(a+h)-f(a)}{2h}=\frac{1}{2}\lim_{h\to0}\frac{f(a+h)-f(a)}{h}$$
$$=\frac{1}{2}f'(a)$$
$$=\frac{1}{2}\times2=1$$

답 1

051 $$\lim_{h\to0}\frac{f(1-2h)-f(1)}{h}=\lim_{h\to0}\frac{f(1-2h)-f(1)}{-2h}\times(-2)$$
$$=-2f'(1)$$

답 ①

052 $$\lim_{h\to0}\frac{f(2-h)-f(2)}{3h}=\lim_{h\to0}\frac{f(2-h)-f(2)}{-h}\times\left(-\frac{1}{3}\right)$$
$$=-\frac{1}{3}f'(2)$$
$$=-\frac{1}{3}\times12=-4$$

답 -4

053 $$\lim_{h\to0}\frac{f(2+2h)-f(2)}{5h}=\lim_{h\to0}\frac{f(2+2h)-f(2)}{2h}\times\frac{2}{5}$$
$$=\frac{2}{5}f'(2)$$

$\frac{2}{5}f'(2)=4$이므로

$f'(2)=10$ 답 ⑤

054 $f(0)=6$, $f'(0)=6$이므로

$$\lim_{h\to0}\frac{f(2h)-6}{h}=\lim_{h\to0}\frac{f(0+2h)-f(0)}{h}$$
$$=\lim_{h\to0}\frac{f(0+2h)-f(0)}{2h}\times2$$
$$=2f'(0)$$
$$=2\times6=12$$

답 12

055 $f(3)=10$, $f'(3)=5$이므로

$$\lim_{h\to0}\frac{10-f(3-h)}{h}=\lim_{h\to0}\frac{f(3)-f(3-h)}{h}$$
$$=\lim_{h\to0}\frac{f(3-h)-f(3)}{-h}$$
$$=f'(3)$$
$$=5$$

답 5

056 $$\lim_{h\to0}\frac{f(a+3h)-f(a+h)}{3h}$$
$$=\lim_{h\to0}\frac{f(a+3h)-f(a)-\{f(a+h)-f(a)\}}{3h}$$
$$=\lim_{h\to0}\frac{f(a+3h)-f(a)}{3h}-\lim_{h\to0}\frac{f(a+h)-f(a)}{h}\times\frac{1}{3}$$
$$=f'(a)-\frac{1}{3}f'(a)$$
$$=\frac{2}{3}f'(a)$$

답 ②

057 $$\lim_{h\to0}\frac{f(3+2h)-f(3-h)}{h}$$
$$=\lim_{h\to0}\frac{f(3+2h)-f(3)-\{f(3-h)-f(3)\}}{h}$$
$$=\lim_{h\to0}\frac{f(3+2h)-f(3)}{2h}\times2+\lim_{h\to0}\frac{f(3-h)-f(3)}{-h}$$
$$=2f'(3)+f'(3)$$
$$=3f'(3)$$
$$=3\times(-1)$$
$$=-3$$

답 -3

058 $$\lim_{h\to0}\frac{f(2h)-f(-h)}{2h}$$
$$=\lim_{h\to0}\frac{f(0+2h)-f(0)-\{f(0-h)-f(0)\}}{2h}$$
$$=\lim_{h\to0}\frac{f(0+2h)-f(0)}{2h}+\lim_{h\to0}\frac{f(0-h)-f(0)}{-h}\times\frac{1}{2}$$
$$=f'(0)+\frac{1}{2}f'(0)$$
$$=\frac{3}{2}f'(0)$$

$\frac{3}{2}f'(0)=6$이므로

$f'(0)=4$ 답 4

059 $$\lim_{x\to2}\frac{f(x)-f(2)}{x^2-4}=\lim_{x\to2}\left\{\frac{f(x)-f(2)}{x-2}\times\frac{1}{x+2}\right\}$$
$$=\frac{1}{4}f'(2)$$
$$=\frac{1}{4}$$

답 ①

060 $$\lim_{x\to2}\frac{f(x^2)-f(4)}{x-2}=\lim_{x\to2}\left\{\frac{f(x^2)-f(4)}{x^2-4}\times(x+2)\right\}$$
$$=4f'(4)$$
$$=4\times3$$
$$=12$$

답 12

061 $$\lim_{x\to1}\frac{x^2-1}{f(x)-f(1)}=\lim_{x\to1}\left\{\frac{x-1}{f(x)-f(1)}\times(x+1)\right\}$$
$$=\lim_{x\to1}\left\{\frac{1}{\frac{f(x)-f(1)}{x-1}}\times(x+1)\right\}$$
$$=\frac{2}{f'(1)}$$
$$=\frac{2}{3}$$

답 $\frac{2}{3}$

062 $f(2)=-3$이므로

$$\lim_{x\to2}\frac{f(x)+3}{x^3-8}=\lim_{x\to2}\frac{f(x)-f(2)}{x^3-8}$$
$$=\lim_{x\to2}\left\{\frac{f(x)-f(2)}{x-2}\times\frac{1}{x^2+2x+4}\right\}$$
$$=\frac{1}{12}f'(2)$$
$$=\frac{1}{12}\times3=\frac{1}{4}$$

답 ②

063 $\lim_{x\to1}\frac{f(x^2)-3}{x-1}=6$에서 $x\to1$일 때, (분모)$\to0$이므로 (분자)$\to0$이어야 한다.

즉, $\lim_{x\to1}\{f(x^2)-3\}=0$이므로

$f(1)=3$

$$\therefore \lim_{x\to1}\frac{f(x^2)-3}{x-1}=\lim_{x\to1}\frac{f(x^2)-f(1)}{x-1}$$
$$=\lim_{x\to1}\left\{\frac{f(x^2)-f(1)}{x^2-1}\times(x+1)\right\}$$
$$=2f'(1)$$

$2f'(1)=6$이므로 $f'(1)=3$

$\therefore f(1)+f'(1)=3+3=6$

답 6

064 $$\lim_{x\to2}\frac{2f(x)-xf(2)}{x-2}$$
$$=\lim_{x\to2}\frac{2f(x)-2f(2)-\{xf(2)-2f(2)\}}{x-2}$$
$$=\lim_{x\to2}\frac{2\{f(x)-f(2)\}}{x-2}-\lim_{x\to2}\frac{f(2)(x-2)}{x-2}$$
$$=2f'(2)-f(2)$$
$$=2\times3-5=1$$

답 1

065 $$\lim_{h\to0}\frac{f(1+h)-f(1-h)}{h}$$
$$=\lim_{h\to0}\frac{f(1+h)-f(1)-\{f(1-h)-f(1)\}}{h}$$
$$=\lim_{h\to0}\frac{f(1+h)-f(1)}{h}+\lim_{h\to0}\frac{f(1-h)-f(1)}{-h}$$
$$=f'(1)+f'(1)$$
$$=2f'(1)$$

즉, $2f'(1)=8$이므로

$f'(1)=4$

$\frac{1}{n}=h$로 놓으면 $n\to\infty$일 때, $h\to0$이므로

$$\lim_{n\to\infty}n\left\{f\left(1+\frac{1}{n}\right)-f(1)\right\}=\lim_{h\to0}\frac{f(1+h)-f(1)}{h}$$
$$=f'(1)=4$$

답 4

066 $\frac{1}{n}=h$로 놓으면 $n\to\infty$일 때, $h\to0$이므로

$$\lim_{n\to\infty}n\left\{f\left(2+\frac{3}{n}\right)-f(2)\right\}=\lim_{h\to0}\frac{f(2+3h)-f(2)}{h}$$
$$=\lim_{h\to0}\frac{f(2+3h)-f(2)}{3h}\times3$$
$$=3f'(2)$$
$$=3\times5=15$$

답 15

067 $\frac{3}{n}=h$로 놓으면 $n\to\infty$일 때, $h\to0$이므로

$$\lim_{n\to\infty}n\left\{f\left(1+\frac{3}{n}\right)-f\left(1-\frac{9}{n}\right)\right\}$$
$$=\lim_{h\to0}\frac{3}{h}\{f(1+h)-f(1-3h)\}$$
$$=3\lim_{h\to0}\frac{f(1+h)-f(1)-\{f(1-3h)-f(1)\}}{h}$$
$$=3\lim_{h\to0}\left\{\frac{f(1+h)-f(1)}{h}+\frac{f(1-3h)-f(1)}{-3h}\times3\right\}$$
$$=3\{f'(1)+3f'(1)\}$$
$$=12f'(1)$$
$$=12\times2=24$$

답 ⑤

068 주어진 식에 $x=0$, $y=0$을 대입하면

$f(0)=f(0)+f(0)$에서 $f(0)=0$

$$\therefore f'(1)=\lim_{h\to0}\frac{f(1+h)-f(1)}{h}$$
$$=\lim_{h\to0}\frac{f(1)+f(h)-f(1)}{h}$$
$$=\lim_{h\to0}\frac{f(h)}{h}=\lim_{h\to0}\frac{f(h)-f(0)}{h}$$
$$=f'(0)=1$$

답 1

069 주어진 식에 $x=0$, $y=0$을 대입하면

$f(0)=f(0)+f(0)-1$에서 $f(0)=1$이므로

$$f'(1)=\lim_{h\to0}\frac{f(1+h)-f(1)}{h}$$
$$=\lim_{h\to0}\frac{f(1)+f(h)-1-f(1)}{h}$$
$$=\lim_{h\to0}\frac{f(h)-1}{h}=\lim_{h\to0}\frac{f(h)-f(0)}{h}$$
$$=f'(0)=2$$
$$\therefore f'(3)=\lim_{h\to0}\frac{f(3+h)-f(3)}{h}$$
$$=\lim_{h\to0}\frac{f(3)+f(h)-1-f(3)}{h}$$
$$=\lim_{h\to0}\frac{f(h)-1}{h}=\lim_{h\to0}\frac{f(h)-f(0)}{h}$$
$$=f'(0)=2$$

답 2

070 주어진 식에 $x=0$, $y=0$을 대입하면

$f(0)=f(0)+f(0)-1$에서 $f(0)=1$이므로

$$f'(2)=\lim_{h\to0}\frac{f(2+h)-f(2)}{h}$$
$$=\lim_{h\to0}\frac{f(2)+f(h)+4h-1-f(2)}{h}$$
$$=\lim_{h\to0}\frac{f(h)-1}{h}+4$$
$$=\lim_{h\to0}\frac{f(h)-f(0)}{h}+4$$
$$=f'(0)+4$$

즉, $f'(0)+4=5$이므로

$f'(0)=1$

답 ②

071 곡선 $f(x)=x^3+x+1$ 위의 점 (1, 3)에서의 접선의 기울기는 $x=1$에서의 미분계수인 $f'(1)$과 같다.

$$\therefore f'(1)=\lim_{x\to1}\frac{f(x)-f(1)}{x-1}$$
$$=\lim_{x\to1}\frac{x^3+x-2}{x-1}$$
$$=\lim_{x\to1}\frac{(x-1)(x^2+x+2)}{x-1}$$
$$=\lim_{x\to1}(x^2+x+2)=4$$

답 4

072 미분계수는 접선의 기울기이고, 평균변화율은 두 점을 이은 직선의 기울기이다.
따라서 직선의 기울기 중에서 가장 큰 것은 ④이다.

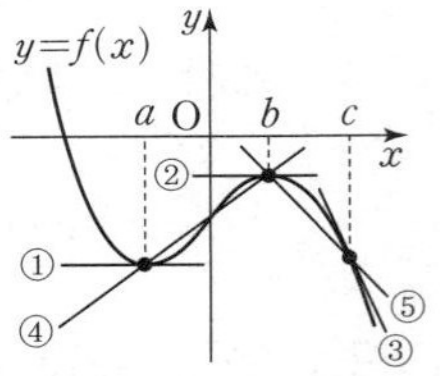

답 ④

073 $f'(x)$는 점 $(x, f(x))$에서의 접선의 기울기이므로 주어진 각 점에서의 부호를 조사하여 표로 나타내면 다음과 같다.

점	A	B	C	D	E
$f(x)$	$+$	$+$	$-$	0	$+$
$f'(x)$	0	$-$	0	$+$	$+$
$f(x)f'(x)$	0	$-$	0	0	$+$

따라서 $f(x)f'(x)<0$을 만족시키는 점은 점 B이다.

답 ②

074 점 $(2, 3)$이 곡선 $y=f(x)$ 위의 점이므로 $f(2)=3$
곡선 $y=f(x)$ 위의 점 $(2, 3)$에서의 접선의 기울기가 $\frac{1}{3}$이므로

$f'(2)=\frac{1}{3}$

$$\therefore a=\lim_{h\to0}\frac{f(2+h)-3}{h}$$
$$=\lim_{h\to0}\frac{f(2+h)-f(2)}{h}$$
$$=f'(2)=\frac{1}{3}$$

답 $\frac{1}{3}$

075 $f'(-1)=4$이므로

$$\lim_{x\to-1}\frac{f(x^3)-f(-1)}{x+1}=\lim_{x\to-1}\left\{\frac{f(x^3)-f(-1)}{x^3-(-1)}\times(x^2-x+1)\right\}$$
$$=3f'(-1)$$
$$=3\times4=12$$

답 12

076 ㄱ. $f'(a)$는 점 $(a, f(a))$에서의 접선의 기울기이고,
$f'(b)$는 점 $(b, f(b))$에서의 접선의 기울기이다.
점 $(a, f(a))$에서의 접선의 기울기는 음수이고,
점 $(b, f(b))$에서의 접선의 기울기는 양수이므로
$f'(a)<f'(b)$ (참)

ㄴ. 원점과 점 $(a, f(a))$를 지나는 직선의 기울기보다 원점과 점 $(b, f(b))$를 지나는 직선의 기울기가 더 크므로

$$\frac{f(a)-0}{a-0}<\frac{f(b)-0}{b-0}$$
$$\therefore \frac{f(a)}{a}<\frac{f(b)}{b}\ \text{(참)}$$

ㄷ. $\frac{f(b)-f(a)}{b-a}$는 두 점 $(a, f(a))$, $(b, f(b))$를 지나는 직선의 기울기이고, $f'(c)$는 점 $(c, f(c))$에서의 접선의 기울기이다.
즉, $\frac{f(b)-f(a)}{b-a}=f'(c)$인 c가 그림과 같이 a와 b 사이에 존재한다. (참)

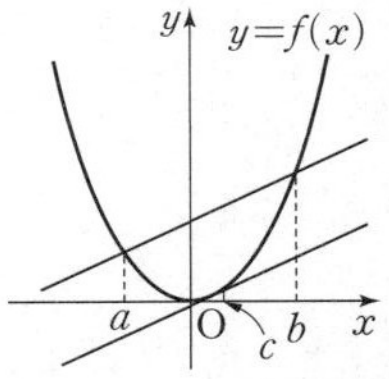

따라서 ㄱ, ㄴ, ㄷ 모두 옳다.

답 ⑤

077 ① 함수 $y=f(x)$는 $x=a$에서 연속이고, 점 $(a, f(a))$에서 접선을 그을 수 있다. 즉, $f'(a)$가 존재하므로 $x=a$에서 미분가능하다.
②, ⑤ 함수 $y=f(x)$의 그래프의 뾰족한 점에서는 미분가능하지 않으므로 $x=a$에서 미분가능하지 않다.
③, ④ 함수 $y=f(x)$는 $x=a$에서 불연속이므로 미분가능하지 않다.
따라서 $x=a$에서 미분가능한 것은 ①이다.

답 ①

078 ① $x=2$인 점에서의 접선의 기울기가 양수이므로 $f'(2)>0$
② $\lim_{x\to3+}f(x)=\lim_{x\to3-}f(x)$이므로 $\lim_{x\to3}f(x)$의 값이 존재한다.
③ $x=3$, $x=5$에서 불연속이므로 $-1<x<6$에서 $f(x)$가 불연속인 x의 값은 2개이다.
④ 함수 $y=f(x)$의 그래프에서 불연속인 점, 뾰족한 점에서는 미분가능하지 않으므로 $f(x)$가 미분가능하지 않은 x의 값은 $x=1$, $x=3$, $x=5$일 때의 3개이다.
⑤ $-1<x<1$에서 $f'(x)=0$인 x의 값이 1개 존재한다.
따라서 옳지 않은 것은 ⑤이다.

답 ⑤

079 $\lim_{x\to2}f(x)=f(2)=2a+4$이므로 함수 $y=f(x)$는 $x=2$에서 연속이다.
$x=2$에서 미분가능하려면 미분계수 $f'(2)$가 존재해야 한다.

$$\lim_{x\to2+}\frac{f(x)-f(2)}{x-2}=\lim_{x\to2+}\frac{(ax+4)-(2a+4)}{x-2}$$
$$=\lim_{x\to2+}\frac{a(x-2)}{x-2}$$
$$=a$$
$$\lim_{x\to2-}\frac{f(x)-f(2)}{x-2}=\lim_{x\to2-}\frac{(x^2+2a)-(2a+4)}{x-2}$$
$$=\lim_{x\to2-}\frac{(x+2)(x-2)}{x-2}$$
$$=4$$

이므로

$$\lim_{x\to2+}\frac{f(x)-f(2)}{x-2}=\lim_{x\to2-}\frac{f(x)-f(2)}{x-2}\text{에서}$$

$a=4$

답 4

080 함수 $y=f(x)$가 $x=1$에서 미분가능하면 $x=1$에서 연속이므로
$f(1)=\lim_{x\to1}f(x)$에서 $1+a=b+5$

$\therefore a-b=4$ ⋯⋯ ㉠

또 함수 $y=f(x)$의 $x=1$에서의 미분계수 $f'(1)$이 존재하므로

$$\lim_{h\to0+}\frac{f(1+h)-f(1)}{h}=\lim_{h\to0+}\frac{(1+h)^2+a-(1+a)}{h}=\lim_{h\to0+}\frac{h(h+2)}{h}=\lim_{h\to0+}(h+2)=2$$

$$\lim_{h\to0-}\frac{f(1+h)-f(1)}{h}=\lim_{h\to0-}\frac{b(1+h)+5-(1+a)}{h}=\lim_{h\to0-}\frac{b(1+h)+5-(b+5)}{h}\ (\because ㉠)=\lim_{h\to0-}\frac{bh}{h}=b$$

$\therefore b=2$

$b=2$를 ㉠에 대입하면 $a=6$

$\therefore ab=12$ 답 12

081 함수 $y=f(x)$가 $x=a$에서 미분가능하면 $x=a$에서 연속이므로

$f(a)=\lim_{x\to a}f(x)$에서 $a^3=3a-b$

$\therefore b=3a-a^3$ ⋯⋯ ㉠

또 함수 $y=f(x)$의 $x=a$에서의 미분계수 $f'(a)$가 존재하므로

$$\lim_{x\to a+}\frac{f(x)-f(a)}{x-a}=\lim_{x\to a+}\frac{x^3-a^3}{x-a}=\lim_{x\to a+}\frac{(x-a)(x^2+ax+a^2)}{x-a}=\lim_{x\to a+}(x^2+ax+a^2)=3a^2$$

$$\lim_{x\to a-}\frac{f(x)-f(a)}{x-a}=\lim_{x\to a-}\frac{3x-b-a^3}{x-a}=\lim_{x\to a-}\frac{3x-3a}{x-a}\ (\because ㉠)=\lim_{x\to a-}\frac{3(x-a)}{x-a}=3$$

즉, $3a^2=3$에서

$a^2=1$ $\therefore a=1\ (\because a>0)$

$a=1$을 ㉠에 대입하면 $b=2$

$\therefore f(-2)=3\times(-2)-2=-8$ 답 ④

082 ㄱ. $$\lim_{h\to0}\frac{f(1+h)-f(1)}{h}=\lim_{h\to0}\frac{(1+h)^3-1}{h}=\lim_{h\to0}\frac{h(h^2+3h+3)}{h}=\lim_{h\to0}(h^2+3h+3)=3$$

이므로 함수 $y=f(x)$는 $x=1$에서 미분가능하다.

ㄴ. $f(x)=|x^2-x|=\begin{cases}x^2-x & (x<0,\ x>1)\\ -x^2+x & (0\le x\le1)\end{cases}$에서

함수 $y=f(x)$는 $x=1$에서 연속이지만

$$\lim_{h\to0+}\frac{f(1+h)-f(1)}{h}=\lim_{h\to0+}\frac{(1+h)^2-(1+h)}{h}=\lim_{h\to0+}\frac{h(h+1)}{h}=\lim_{h\to0+}(h+1)=1$$

$$\lim_{h\to0-}\frac{f(1+h)-f(1)}{h}=\lim_{h\to0-}\frac{-(1+h)^2+(1+h)}{h}=\lim_{h\to0-}\frac{-h(h+1)}{h}=\lim_{h\to0-}\{-(h+1)\}=-1$$

이므로 $f'(1)$이 존재하지 않는다.

따라서 함수 $y=f(x)$는 $x=1$에서 미분가능하지 않다.

ㄷ. $$\lim_{h\to0}\frac{f(1+h)-f(1)}{h}=\lim_{h\to0}\frac{\frac{3}{1+h}-3}{h}=\lim_{h\to0}\frac{-3}{1+h}=-3$$

이므로 함수 $y=f(x)$는 $x=1$에서 미분가능하다.

따라서 $x=1$에서 미분가능한 것은 ㄱ, ㄷ이다. 답 ④

083 ㄱ. 함수 $y=f(x)$는 $x=0$에서 연속이지만

$$\lim_{h\to0+}\frac{f(0+h)-f(0)}{h}=\lim_{h\to0+}\frac{h}{h}=1$$

$$\lim_{h\to0-}\frac{f(0+h)-f(0)}{h}=\lim_{h\to0-}\frac{-h}{h}=-1$$

이므로 $f'(0)$이 존재하지 않는다.

따라서 함수 $y=f(x)$는 $x=0$에서 미분가능하지 않다.

ㄴ. 함수 $y=f(x)$는 $x=0$에서 연속이고

$$\lim_{h\to0+}\frac{f(0+h)-f(0)}{h}=\lim_{h\to0+}\frac{(h+1)^2-1}{h}=\lim_{h\to0+}(h+2)=2$$

$$\lim_{h\to0-}\frac{f(0+h)-f(0)}{h}=\lim_{h\to0-}\frac{(2h+1)-1}{h}=2$$

이므로 $f'(0)$이 존재한다.

따라서 함수 $y=f(x)$는 $x=0$에서 미분가능하다.

ㄷ. 함수 $f(x)=[x]$는 $x=0$에서 불연속이므로 미분가능하지 않다.

ㄹ. $f(x)=x^2|x|=\begin{cases}x^3 & (x\ge0)\\ -x^3 & (x<0)\end{cases}$에서 함수 $y=f(x)$는

$x=0$에서 연속이고

$$\lim_{h\to0+}\frac{f(0+h)-f(0)}{h}=\lim_{h\to0+}\frac{(0+h)^3-0}{h}=\lim_{h\to0+}h^2=0$$

$$\lim_{h\to0-}\frac{f(0+h)-f(0)}{h}=\lim_{h\to0-}\frac{-(0+h)^3-0}{h}=\lim_{h\to0-}(-h^2)=0$$

이므로 $f'(0)$이 존재한다.

따라서 함수 $y=f(x)$는 $x=0$에서 미분가능하다.

그러므로 $x=0$에서 미분가능한 것은 ㄴ, ㄹ이다. 답 ②

084 ㄱ. $x=0$일 때, $f(0)$이 정의되지 않는다.

따라서 함수 $y=f(x)$는 $x=0$에서 불연속이므로 미분가능하지 않다.

ㄴ. $\lim_{x\to0}f(x)=\lim_{x\to0}|x|^3=0$, $f(0)=0$이므로

$\lim_{x\to0}f(x)=f(0)$

즉, 함수 $y=f(x)$는 $x=0$에서 연속이다. 또한,

$$f'(0)=\lim_{h\to0}\frac{f(0+h)-f(0)}{h}$$
$$=\lim_{h\to0}\frac{|h|^3-0}{h}$$
$$=\lim_{h\to0}\frac{h^2\times|h|}{h}$$
$$=\lim_{h\to0}h|h|=0$$

이므로 함수 $y=f(x)$는 $x=0$에서 미분가능하다.

ㄷ. $\lim_{x\to0}f(x)=\lim_{x\to0}\sqrt{x^2}=\lim_{x\to0}|x|=0$, $f(0)=0$이므로

$\lim_{x\to0}f(x)=f(0)$

즉, 함수 $y=f(x)$는 $x=0$에서 연속이다.

또한, $f'(0)=\lim_{h\to0}\frac{f(0+h)-f(0)}{h}=\lim_{h\to0}\frac{|h|}{h}$에서

$\lim_{h\to0+}\frac{h}{h}=1$, $\lim_{h\to0-}\frac{-h}{h}=-1$

이므로 $f'(0)$이 존재하지 않는다.

따라서 함수 $y=f(x)$는 $x=0$에서 미분가능하지 않다.

그러므로 $x=0$에서 연속이지만 미분가능하지 않은 함수는 ㄷ뿐이다.

답 ③

085 ① $\lim_{x\to0}f(x)=f(0)=8$이므로 함수 $y=f(x)$는 $x=0$에서 연속이다.

$$f'(0)=\lim_{h\to0}\frac{f(0+h)-f(0)}{h}$$
$$=\lim_{h\to0}\frac{8-8}{h}=0$$

이므로 함수 $y=f(x)$는 $x=0$에서 미분가능하다.

② $\lim_{x\to0}f(x)=\lim_{x\to0}x|x|=0$, $f(0)=0$이므로

$\lim_{x\to0}f(x)=f(0)$

즉, 함수 $y=f(x)$는 $x=0$에서 연속이다. 또한,

$$f'(0)=\lim_{h\to0}\frac{f(0+h)-f(0)}{h}$$
$$=\lim_{h\to0}\frac{h|h|}{h}=\lim_{h\to0}|h|=0$$

이므로 함수 $y=f(x)$는 $x=0$에서 미분가능하다.

③ $\lim_{x\to0}f(x)=\lim_{x\to0}(x+|x|)=0$, $f(0)=0$이므로

$\lim_{x\to0}f(x)=f(0)$

즉, 함수 $y=f(x)$는 $x=0$에서 연속이다.

또한, $f'(0)=\lim_{h\to0}\frac{f(0+h)-f(0)}{h}=\lim_{h\to0}\frac{h+|h|}{h}$에서

$\lim_{h\to0+}\frac{h+|h|}{h}=\lim_{h\to0+}\frac{h+h}{h}=2$

$\lim_{h\to0-}\frac{h+|h|}{h}=\lim_{h\to0-}\frac{h-h}{h}=0$

이므로 $f'(0)$이 존재하지 않는다.

따라서 함수 $y=f(x)$는 $x=0$에서 미분가능하지 않다.

④ $x=0$일 때, $f(0)$이 정의되지 않는다.

따라서 함수 $y=f(x)$는 $x=0$에서 불연속이므로 미분가능하지 않다.

⑤ $\lim_{x\to0}f(x)=\lim_{x\to0}|x|^2=0$, $f(0)=0$이므로

$\lim_{x\to0}f(x)=f(0)$

즉, 함수 $y=f(x)$는 $x=0$에서 연속이다. 또한,

$$f'(0)=\lim_{h\to0}\frac{f(0+h)-f(0)}{h}$$
$$=\lim_{h\to0}\frac{|h|^2}{h}$$
$$=\lim_{h\to0}\frac{h^2}{h}=\lim_{h\to0}h=0$$

이므로 함수 $y=f(x)$는 $x=0$에서 미분가능하다.

따라서 $x=0$에서 연속이지만 미분가능하지 않은 함수는 ③이다.

답 ③

086 ㄱ. $f(x)=\sqrt{(x-1)^2}=|x-1|$

$$=\begin{cases}x-1 & (x\ge1)\\ -x+1 & (x<1)\end{cases}$$

에서 $\lim_{x\to1}f(x)=0$, $f(1)=0$이므로

$\lim_{x\to1}f(x)=f(1)$

즉, 함수 $y=f(x)$는 $x=1$에서 연속이다.

또한, $f'(1)=\lim_{x\to1}\frac{f(x)-f(1)}{x-1}=\lim_{x\to1}\frac{|x-1|}{x-1}$에서

$\lim_{x\to1+}\frac{|x-1|}{x-1}=\lim_{x\to1+}\frac{x-1}{x-1}=1$

$\lim_{x\to1-}\frac{|x-1|}{x-1}=\lim_{x\to1-}\frac{-(x-1)}{x-1}=-1$

이므로 $f'(1)$이 존재하지 않는다.

따라서 함수 $y=f(x)$는 $x=1$에서 미분가능하지 않다.

ㄴ. $f(x)=(x-1)|x-1|$

$$=\begin{cases}(x-1)^2 & (x\ge1)\\ -(x-1)^2 & (x<1)\end{cases}$$

에서 $\lim_{x\to1}f(x)=0$, $f(1)=0$이므로

$\lim_{x\to1}f(x)=f(1)$

즉, 함수 $y=f(x)$는 $x=1$에서 연속이다. 또한,

$$f'(1)=\lim_{x\to1}\frac{f(x)-f(1)}{x-1}$$
$$=\lim_{x\to1}\frac{(x-1)|x-1|}{x-1}$$
$$=\lim_{x\to1}|x-1|=0$$

이므로 함수 $y=f(x)$는 $x=1$에서 미분가능하다.

ㄷ. $x=1$일 때, $f(1)$이 정의되지 않는다.

따라서 함수 $y=f(x)$는 $x=1$에서 불연속이므로 미분가능하지 않다.

따라서 $x=1$에서 연속이지만 미분가능하지 않은 함수는 ㄱ뿐이다.

답 ①

087 x의 값이 1에서 3까지 변할 때의 함수 $y=f(x)$의 평균변화율은

$$\frac{f(3)-f(1)}{3-1}=\frac{(9-3+3)-(1-1+3)}{2}=3$$

또 함수 $y=f(x)$의 $x=k$에서의 미분계수는

$$f'(k)=\lim_{h\to0}\frac{f(k+h)-f(k)}{h}$$
$$=\lim_{h\to0}\frac{\{(k+h)^2-(k+h)+3\}-(k^2-k+3)}{h}$$
$$=\lim_{h\to0}\frac{h(h+2k-1)}{h}$$
$$=\lim_{h\to0}(h+2k-1)=2k-1$$

즉, $2k-1=3$이므로
$k=2$ 답 2

088 $\lim_{h\to0}\frac{f(1+kh)-f(1)}{h}=\lim_{h\to0}\frac{f(1+kh)-f(1)}{kh}\times k$
$=kf'(1)$
$=-3k$
즉, $-3k=-36$이므로
$k=12$ 답 12

089 $\lim_{h\to0}\frac{f(1+h)-f(1-h)}{h}$
$=\lim_{h\to0}\frac{f(1+h)-f(1)-\{f(1-h)-f(1)\}}{h}$
$=\lim_{h\to0}\frac{f(1+h)-f(1)}{h}+\lim_{h\to0}\frac{f(1-h)-f(1)}{-h}$
$=f'(1)+f'(1)$
$=2f'(1)$
$=2\times3=6$ 답 ⑤

090 $\lim_{x\to1}\frac{f(x^3)-f(1)}{x-1}$
$=\lim_{x\to1}\left\{\frac{f(x^3)-f(1)}{x^3-1}\times(x^2+x+1)\right\}$
$=3f'(1)$
$=3\times4=12$ 답 12

091 $\lim_{x\to1}\frac{f(x)-2}{x^2-1}=3$에서 $x\to1$일 때, (분모)$\to0$이므로 (분자)$\to0$이어야 한다.
즉, $\lim_{x\to1}\{f(x)-2\}=0$이므로 $f(1)=2$
$\therefore \lim_{x\to1}\frac{f(x)-2}{x^2-1}=\lim_{x\to1}\frac{f(x)-f(1)}{x^2-1}$
$=\lim_{x\to1}\left\{\frac{f(x)-f(1)}{x-1}\times\frac{1}{x+1}\right\}$
$=\frac{1}{2}f'(1)$
$\frac{1}{2}f'(1)=3$이므로 $f'(1)=6$
$\therefore \frac{f'(1)}{f(1)}=\frac{6}{2}=3$ 답 ①

092 주어진 식에 $x=0$, $y=0$을 대입하면
$f(0)=f(0)+f(0)$에서 $f(0)=0$
$\therefore f'(2)=\lim_{h\to0}\frac{f(2+h)-f(2)}{h}$
$=\lim_{h\to0}\frac{f(2)+f(h)+2h-f(2)}{h}$
$=\lim_{h\to0}\frac{f(h)+2h}{h}$
$=\lim_{h\to0}\frac{f(h)}{h}+2$
$=\lim_{h\to0}\frac{f(h)-f(0)}{h}+2$
$=f'(0)+2$
$=2+2=4$ 답 4

093 $f(1)=3$이므로
$a+1=3$ $\therefore a=2$
$\therefore f(x)=2x^2+1$
또 점 $(1, 3)$에서의 접선의 기울기는 $f'(1)$이므로
$f'(1)=\lim_{h\to0}\frac{f(1+h)-f(1)}{h}$
$=\lim_{h\to0}\frac{\{2(1+h)^2+1\}-(2+1)}{h}$
$=\lim_{h\to0}\frac{h(4+2h)}{h}$
$=\lim_{h\to0}(4+2h)$
$=4$ 답 4

094 ① $\lim_{x\to3-}f(x)=\lim_{x\to3+}f(x)=2$이므로
$\lim_{x\to3}f(x)=2$ (참)
② 불연속인 점과 뾰족한 점에서는 미분가능하지 않으므로 함수 $y=f(x)$가 미분가능하지 않은 x의 값은 $x=1$, $x=2$, $x=3$일 때의 3개이다. (참)
③ $x=4$에서의 접선의 기울기는 음수이므로
$f'(4)<0$ (참)
④ $f'(x)=0$인 x의 값은 구간 $(-1, 1)$, $(4, 5)$에 하나씩 존재하고, 구간 $(1, 2)$에서는 $f(x)$가 상수이므로 구간 $(1, 2)$의 모든 x의 값에 대하여 $f'(x)=0$이다. (거짓)
⑤ 함수 $y=f(x)$는 $x=2$, $x=3$에서 불연속이므로 불연속인 x의 값은 2개이다. (참)
따라서 옳지 않은 것은 ④이다. 답 ④

095 함수 $y=f(x)$가 $x=1$에서 미분가능하면 $x=1$에서 연속이므로
$f(1)=\lim_{x\to1}f(x)$에서
$-1+a=1+2+b$
$\therefore a-b=4$ ……㉠
또 함수 $y=f(x)$의 $x=1$에서의 미분계수 $f'(1)$이 존재하므로
$\lim_{x\to1+}\frac{f(x)-f(1)}{x-1}=\lim_{x\to1+}\frac{(-x^2+ax)-(-1+a)}{x-1}$
$=\lim_{x\to1+}\frac{-x^2+ax+1-a}{x-1}$
$=\lim_{x\to1+}\frac{-(x^2-1)+a(x-1)}{x-1}$
$=\lim_{x\to1+}\frac{(x-1)(-x-1+a)}{x-1}$
$=\lim_{x\to1+}(-x-1+a)$
$=a-2$
$\lim_{x\to1-}\frac{f(x)-f(1)}{x-1}=\lim_{x\to1-}\frac{(x^2+2x+b)-(-1+a)}{x-1}$
$=\lim_{x\to1-}\frac{x^2+2x-3}{x-1}$ ($\because$ ㉠)
$=\lim_{x\to1-}\frac{(x+3)(x-1)}{x-1}$
$=\lim_{x\to1-}(x+3)$
$=4$
즉, $a-2=4$에서 $a=6$
$a=6$을 ㉠에 대입하면 $b=2$
$\therefore a^2+b^2=36+4=40$ 답 40

096 ㄱ. $\lim_{x\to 0}f(x)=0$, $f(0)=0$이므로

$\lim_{x\to 0}f(x)=f(0)$

즉, 함수 $y=f(x)$는 $x=0$에서 연속이다. 또한,

$$\lim_{h\to 0+}\frac{f(0+h)-f(0)}{h}=\lim_{h\to 0+}\frac{2h}{h}=2,$$

$$\lim_{h\to 0-}\frac{f(0+h)-f(0)}{h}=\lim_{h\to 0-}\frac{-2h}{h}=-2$$

이므로 함수 $y=f(x)$는 $x=0$에서 미분가능하지 않다.

ㄴ. $\lim_{x\to 0+}f(x)=\lim_{x\to 0+}\frac{x}{x}=1$,

$\lim_{x\to 0-}f(x)=\lim_{x\to 0-}\frac{-x}{x}=-1$

즉, $\lim_{x\to 0}f(x)$의 값이 존재하지 않으므로 함수 $y=f(x)$는 $x=0$에서 불연속이다.

따라서 함수 $y=f(x)$는 $x=0$에서 미분가능하지 않다.

ㄷ. $\lim_{x\to 0}f(x)=0$, $f(0)=0$이므로

$\lim_{x\to 0}f(x)=f(0)$

즉, 함수 $y=f(x)$는 $x=0$에서 연속이다. 또한,

$$\lim_{h\to 0+}\frac{f(0+h)-f(0)}{h}=\lim_{h\to 0+}\frac{|h|h}{h}=\lim_{h\to 0+}\frac{h^2}{h}=\lim_{h\to 0+}h=0$$

$$\lim_{h\to 0-}\frac{f(0+h)-f(0)}{h}=\lim_{h\to 0-}\frac{|h|h}{h}=\lim_{h\to 0-}\frac{-h^2}{h}=\lim_{h\to 0-}(-h)=0$$

이므로 함수 $y=f(x)$는 $x=0$에서 미분가능하다.

따라서 $x=0$에서 미분가능하지 않은 함수는 ㄱ, ㄴ이다.

답 ②

097 $f(x)=-x(x-2a)(x-2b)$에서

$$\begin{aligned}f(b)-f(a)&=-b(b-2a)(-b)+a(-a)(a-2b)\\&=b^2(b-2a)-a^2(a-2b)\\&=(b^3-a^3)-2ab(b-a)\\&=(b-a)(b^2+ab+a^2)-2ab(b-a)\\&=(b-a)(a^2-ab+b^2)\end{aligned}$$

$$\begin{aligned}M(a,b)&=\frac{f(b)-f(a)}{b-a}\\&=a^2-ab+b^2\\&=\left(a-\frac{1}{2}b\right)^2+\frac{3}{4}b^2\end{aligned}$$

따라서 $M(a,b)<2$, 즉 $\left(a-\frac{1}{2}b\right)^2+\frac{3}{4}b^2<2$를 만족시키는 서로 다른 두 정수 a, b를 구하면 된다.

(i) $b=0$ $(a\neq 0)$일 때

$a^2<2$이므로 $a=-1$ 또는 $a=1$

(ii) $b=-1$ $(a\neq -1)$일 때

$\left(a+\frac{1}{2}\right)^2<\frac{5}{4}$이므로 $a=0$

(iii) $b=1$ $(a\neq 1)$일 때

$\left(a-\frac{1}{2}\right)^2<\frac{5}{4}$이므로 $a=0$

(iv) $|b|\geq 2$일 때 조건을 만족시키는 정수 a가 존재하지 않는다.

(i)~(iv)에서 구하는 모든 순서쌍의 개수는

$(-1, 0)$, $(1, 0)$, $(0, -1)$, $(0, 1)$의 4이다. 답 4

098 이차함수 $y=f(x)$의 최고차항의 계수가 1이므로

$f(x)=x^2+ax+b$ (a, b는 상수)라 하자.

함수 $y=g(x)$가 $x=1$에서 미분가능하면 $x=1$에서 연속이므로

$\lim_{x\to 1}g(x)=g(1)$에서

$f(1)=1+a+b=7$

$\therefore b=-a+6$ ……㉠

또 함수 $y=g(x)$의 $x=1$에서의 미분계수 $g'(1)$이 존재하므로

$$\begin{aligned}\lim_{x\to 1+}\frac{g(x)-g(1)}{x-1}&=\lim_{x\to 1+}\frac{(x^4+6)-7}{x-1}\\&=\lim_{x\to 1+}\frac{x^4-1}{x-1}\\&=\lim_{x\to 1+}\frac{(x-1)(x+1)(x^2+1)}{x-1}\\&=\lim_{x\to 1+}(x+1)(x^2+1)\\&=4\end{aligned}$$

$$\begin{aligned}\lim_{x\to 1-}\frac{g(x)-g(1)}{x-1}&=\lim_{x\to 1-}\frac{f(x)-7}{x-1}\\&=\lim_{x\to 1-}\frac{(x^2+ax-a+6)-7}{x-1}\quad(\because ㉠)\\&=\lim_{x\to 1-}\frac{(x-1)(x+a+1)}{x-1}\\&=\lim_{x\to 1-}(x+a+1)\\&=2+a\end{aligned}$$

즉, $2+a=4$에서 $a=2$

$a=2$를 ㉠에 대입하면 $b=4$

따라서 함수 $g(x)=\begin{cases}x^4+6 & (x\geq 1)\\ x^2+2x+4 & (x<1)\end{cases}$이므로

$g(-2)=4-4+4=4$ 답 4

04 도함수

본책 055~070쪽

001 미분가능한 함수 $y=f(x)$의 정의역에 속하는 각각의 원소 x에 그 미분계수 $f'(x)$를 대응시키는 새로운 함수를 함수 $y=f(x)$의 $\boxed{\text{도함수}}$라고 한다.
함수 $y=f(x)$의 도함수 $y=f'(x)$는
$f'(x)=\lim_{\Delta x\to 0}\frac{\Delta y}{\Delta x}=\lim_{\Delta x\to 0}\frac{f(x+\boxed{\Delta x})-f(x)}{\boxed{\Delta x}}$

답 도함수, Δx, Δx

002 $f'(x)=\lim_{h\to 0}\frac{f(x+h)-f(x)}{h}$
$=\lim_{h\to 0}\frac{\{2(x+h)+5\}-(2x+5)}{h}$
$=\lim_{h\to 0}\frac{\boxed{2h}}{h}$
$=\boxed{2}$

답 $2h$, 2

003 $f'(x)=\lim_{\Delta x\to 0}\frac{f(x+\Delta x)-f(x)}{\Delta x}$
$=\lim_{\Delta x\to 0}\frac{\{(x+\Delta x)+7\}-(x+7)}{\Delta x}$
$=\lim_{\Delta x\to 0}\frac{\Delta x}{\Delta x}=1$

답 $f'(x)=1$

004 $f'(x)=\lim_{\Delta x\to 0}\frac{f(x+\Delta x)-f(x)}{\Delta x}$
$=\lim_{\Delta x\to 0}\frac{\{3(x+\Delta x)+5\}-(3x+5)}{\Delta x}$
$=\lim_{\Delta x\to 0}\frac{3\Delta x}{\Delta x}=3$

답 $f'(x)=3$

005 $f'(x)=\lim_{\Delta x\to 0}\frac{f(x+\Delta x)-f(x)}{\Delta x}$
$=\lim_{\Delta x\to 0}\frac{2-2}{\Delta x}=0$

답 $f'(x)=0$

006 $f'(x)=\lim_{h\to 0}\frac{f(x+h)-f(x)}{h}$
$=\lim_{h\to 0}\frac{\{(\boxed{x+h})^2-5(\boxed{x+h})\}-(x^2-5x)}{h}$
$=\lim_{h\to 0}\frac{\boxed{h^2+2hx-5h}}{h}$
$=\lim_{h\to 0}(h+2x-5)$
$=\boxed{2x-5}$

답 $x+h$, $x+h$, $h^2+2hx-5h$, $2x-5$

007 $f'(x)=\lim_{h\to 0}\frac{f(x+h)-f(x)}{h}$
$=\lim_{h\to 0}\frac{\{(x+h)^2-1\}-(x^2-1)}{h}$
$=\lim_{h\to 0}\frac{h^2+2xh}{h}$
$=\lim_{h\to 0}(h+2x)=2x$

답 $f'(x)=2x$

008 $f'(x)=\lim_{h\to 0}\frac{f(x+h)-f(x)}{h}$
$=\lim_{h\to 0}\frac{\{(x+h)^2+(x+h)\}-(x^2+x)}{h}$
$=\lim_{h\to 0}\frac{h^2+2xh+h}{h}$
$=\lim_{h\to 0}(h+2x+1)$
$=2x+1$

답 $f'(x)=2x+1$

009 함수 $y=f(x)$의 $x=3$에서의 미분계수는
$f'(3)=2\times 3+1=7$

답 7

010 $y'=(x^2)'=2x$ 답 $y'=2x$

011 $y'=(x^3)'=3x^2$ 답 $y'=3x^2$

012 $y'=(x^5)'=5x^4$ 답 $y'=5x^4$

013 $y'=(x^8)'=8x^7$ 답 $y'=8x^7$

014 $y'=(5)'=0$ 답 $y'=0$

015 $y'=(-x^2)'=-(x^2)'$
$=-1\times 2x=-2x$

답 $y'=-2x$

016 $y'=(2x^5)'=2(x^5)'$
$=2\times 5x^4=10x^4$

답 $y'=10x^4$

017 $y'=(x+2)'$
$=(x)'+(2)'=1$

답 $y'=1$

018 $y'=(2x-1)'$
$=(2x)'+(-1)'=2$

답 $y'=2$

019 $y'=(-3x+5)'$
$=(-3x)'+(5)'=-3$

답 $y'=-3$

020 $y'=(x^2+5)'$
$=(x^2)'+(5)'=2x$

답 $y'=2x$

021 $y'=(x^2+3x)'$
$=(x^2)'+(3x)'=2x+3$

답 $y'=2x+3$

022 $y'=(x^3-2x^2)'$
$=(x^3)'+(-2x^2)'$
$=3x^2-2\times 2x$
$=3x^2-4x$

답 $y'=3x^2-4x$

023 $y'=(x^3+4x^2-3x+5)'$
$=(x^3)'+(4x^2)'+(-3x)'+(5)'$
$=3x^2+4\times 2x-3$
$=3x^2+8x-3$

답 $y'=3x^2+8x-3$

024 $y'=\left(-\frac{1}{5}x^5+\frac{1}{3}x^3-3x\right)'$

$=\left(-\frac{1}{5}x^5\right)'+\left(\frac{1}{3}x^3\right)'+(-3x)'$

$=-\frac{1}{5}\times5x^4+\frac{1}{3}\times3x^2-3$

$=-x^4+x^2-3$ 답 $y'=-x^4+x^2-3$

025 $f'(x)=(x^2+1)'=(x^2)'+(1)'=2x$
따라서 함수 $y=f(x)$의 $x=1$에서의 미분계수는
$f'(1)=2$ 답 2

026 $f'(x)=(x^2+3x-2)'=(x^2)'+(3x)'+(-2)'=2x+3$
따라서 함수 $y=f(x)$의 $x=1$에서의 미분계수는
$f'(1)=2+3=5$ 답 5

027 $f'(x)=(2x^2-5x)'=(2x^2)'+(-5x)'=4x-5$
따라서 함수 $y=f(x)$의 $x=1$에서의 미분계수는
$f'(1)=4-5=-1$ 답 -1

028 $f'(x)=(x^3-2x^2+x+3)'$
$=(x^3)'+(-2x^2)'+(x)'+(3)'$
$=3x^2-4x+1$
따라서 함수 $y=f(x)$의 $x=1$에서의 미분계수는
$f'(1)=3-4+1=0$ 답 0

029 $f'(x)=(3x^2+2x-1)'$
$=(3x^2)'+(2x)'+(-1)'$
$=6x+2$
따라서 함수 $y=f(x)$의 $x=-1$에서의 미분계수는
$f'(-1)=-6+2=-4$ 답 -4

030 $f'(x)=(3x^4-2x^3+5x^2-x+1)'$
$=(3x^4)'+(-2x^3)'+(5x^2)'+(-x)'+(1)'$
$=12x^3-6x^2+10x-1$
따라서 함수 $y=f(x)$의 $x=-1$에서의 미분계수는
$f'(-1)=-12-6-10-1=-29$ 답 -29

031 $f'(x)=(x^{100}+x^{99})'=(x^{100})'+(x^{99})'=100x^{99}+99x^{98}$
따라서 함수 $y=f(x)$의 $x=-1$에서의 미분계수는
$f'(-1)=-100+99=-1$ 답 -1

032 $f'(x)=(-15)'=0$
따라서 함수 $y=f(x)$의 $x=2$에서의 미분계수는
$f'(2)=0$ 답 0

033 $f'(x)=(4x+5)'=(4x)'+(5)'=4$
따라서 함수 $y=f(x)$의 $x=2$에서의 미분계수는
$f'(2)=4$ 답 4

034 $f'(x)=(-5x-3)'=(-5x)'+(-3)'=-5$
따라서 함수 $y=f(x)$의 $x=2$에서의 미분계수는
$f'(2)=-5$ 답 -5

035 함수 $y=3f(x)$의 $x=1$에서의 미분계수는
$3f'(1)=3\times2=6$ 답 6

036 함수 $y=f(x)+g(x)$의 $x=1$에서의 미분계수는
$f'(1)+g'(1)=2-3=-1$ 답 -1

037 함수 $y=f(x)-g(x)$의 $x=1$에서의 미분계수는
$f'(1)-g'(1)=2-(-3)=5$ 답 5

038 함수 $y=2f(x)-g(x)$의 $x=1$에서의 미분계수는
$2f'(1)-g'(1)=2\times2-(-3)=7$ 답 7

039 함수 $y=3f(x)+5g(x)$의 $x=1$에서의 미분계수는
$3f'(1)+5g'(1)=3\times2+5\times(-3)=-9$ 답 -9

040 $f'(x)=\{(x+2)(2x+1)\}'$
$=(x+2)'(2x+1)+(x+2)(2x+1)'$
$=\boxed{1}\times(2x+1)+(x+2)\times\boxed{2}$
$=(\boxed{2x+1})+(\boxed{2x+4})$
$=\boxed{4x+5}$
답 1, 2, $2x+1$, $2x+4$, $4x+5$

041 $y'=\{x(x+2)\}'$
$=(x)'(x+2)+x(x+2)'$
$=(x+2)+x$
$=2x+2$ 답 $y'=2x+2$

042 $y'=\{(x-2)(x+1)\}'$
$=(x-2)'(x+1)+(x-2)(x+1)'$
$=(x+1)+(x-2)$
$=2x-1$ 답 $y'=2x-1$

043 $y'=\{-5x(x^2+1)\}'$
$=(-5x)'(x^2+1)-5x(x^2+1)'$
$=-5(x^2+1)-5x\times2x$
$=-15x^2-5$ 답 $y'=-15x^2-5$

044 $y'=\{(x^2+2)(x-1)\}'$
$=(x^2+2)'(x-1)+(x^2+2)(x-1)'$
$=2x(x-1)+(x^2+2)$
$=3x^2-2x+2$ 답 $y'=3x^2-2x+2$

045 $y'=\{(x+2)(x^2-3x+4)\}'$
$=(x+2)'(x^2-3x+4)+(x+2)(x^2-3x+4)'$
$=(x^2-3x+4)+(x+2)(2x-3)$
$=(x^2-3x+4)+(2x^2+x-6)$
$=3x^2-2x-2$ 답 $y'=3x^2-2x-2$

046 $f(1)=1+2+5=8$ 답 8

047 $f(x)=x^2+2x+5$에서
$f'(x)=2x+2$ 답 $f'(x)=2x+2$

048 $f'(x)=2x+2$이므로

$f'(1)=2+2=4$ 답 4

049 $f'(x)=2x+2$이므로 점 $(1, 8)$에서의 접선의 기울기는

$f'(1)=2+2=4$ 답 4

[050-054] $f(x)=x^3+2x-1$에서 $f'(x)=3x^2+2$

050 $\lim_{h\to 0}\frac{f(1+h)-f(1)}{h}=f'(1)$이므로

$f'(1)=3+2=5$ 답 5

051 $\lim_{h\to 0}\frac{f(1+3h)-f(1)}{h}=\lim_{h\to 0}\frac{f(1+3h)-f(1)}{3h}\times 3$

$=3f'(1)$

이므로

$3f'(1)=3\times 5=15$ 답 15

052 $\lim_{h\to 0}\frac{f(1+h)-f(1-h)}{h}$

$=\lim_{h\to 0}\frac{f(1+h)-f(1)-\{f(1-h)-f(1)\}}{h}$

$=\lim_{h\to 0}\frac{f(1+h)-f(1)}{h}+\lim_{h\to 0}\frac{f(1-h)-f(1)}{-h}$

$=2f'(1)$

이므로

$2f'(1)=2\times 5=10$ 답 10

053 $\lim_{x\to 1}\frac{f(x)-f(1)}{x-1}=f'(1)$이므로

$f'(1)=5$ 답 5

054 $\lim_{x\to 1}\frac{f(x)-f(1)}{x^2-1}=\lim_{x\to 1}\left\{\frac{f(x)-f(1)}{x-1}\times\frac{1}{x+1}\right\}=\frac{1}{2}f'(1)$

이므로

$\frac{1}{2}f'(1)=\frac{1}{2}\times 5=\frac{5}{2}$ 답 $\frac{5}{2}$

055 $\lim_{x\to 2}\frac{f(x)-3}{x-2}=5$에서 $x\to 2$일 때, (분모)$\to 0$이므로

(분자)$\to 0$이어야 한다.

$\therefore f(2)=3$ 답 3

056 $\lim_{x\to 2}\frac{f(x)-3}{x-2}=\lim_{x\to 2}\frac{f(x)-f(2)}{x-2}=f'(2)$이므로

$f'(2)=5$ 답 5

057 $\lim_{x\to -1}\frac{f(x)}{x+1}=2$에서 $x\to -1$일 때, (분모)$\to 0$이므로

(분자)$\to 0$이어야 한다.

$\therefore f(-1)=0$ 답 0

058 $\lim_{x\to -1}\frac{f(x)}{x+1}=\lim_{x\to -1}\frac{f(x)-f(-1)}{x-(-1)}=f'(-1)$이므로

$f'(-1)=2$ 답 2

059 $\lim_{x\to 1}\frac{x-1}{f(x)-2}=\frac{1}{3}$에서 $x\to 1$일 때, (분자)$\to 0$이고 0이 아닌 극한값이 존재하므로 (분모)$\to 0$이어야 한다.

$\therefore f(1)=2$ 답 2

060 $\lim_{x\to 1}\frac{x-1}{f(x)-2}=\lim_{x\to 1}\frac{1}{\frac{f(x)-f(1)}{x-1}}=\frac{1}{f'(1)}$

이므로

$\frac{1}{f'(1)}=\frac{1}{3}$ $\quad\therefore f'(1)=3$ 답 3

061 $f'(x)=\lim_{h\to 0}\frac{f(\boxed{x+h})-f(x)}{h}$

$=\lim_{h\to 0}\frac{(x+h)^3-x^3}{h}$

$=\lim_{h\to 0}\frac{(\boxed{x+h}-x)\{(x+h)^2+x(x+h)+x^2\}}{h}$

$=\lim_{h\to 0}\{(x+h)^2+x(x+h)+x^2\}=\boxed{3x^2}$

$\therefore$ (가): $x+h$, (나): $x+h$, (다): $3x^2$

답 (가): $x+h$, (나): $x+h$, (다): $3x^2$

062 $y'=\lim_{h\to 0}\frac{f(x+h)g(x+h)-f(x)g(x)}{h}$

$=\lim_{h\to 0}\frac{f(x+h)g(x+h)-f(x)g(x+h)-\{f(x)g(x)-f(x)g(x+h)\}}{h}$

$=\lim_{h\to 0}\frac{\{\boxed{f(x+h)-f(x)}\}g(x+h)+f(x)\{g(x+h)-g(x)\}}{h}$

$=\lim_{h\to 0}\frac{f(x+h)-f(x)}{h}\times\boxed{\lim_{h\to 0}g(x+h)}$

$+\lim_{h\to 0}f(x)\times\lim_{h\to 0}\frac{g(x+h)-g(x)}{h}$

$=\boxed{f'(x)g(x)+f(x)g'(x)}$

$\therefore$ (가): $f(x+h)-f(x)$, (나): $\lim_{h\to 0}g(x+h)$,

(다): $f'(x)g(x)+f(x)g'(x)$

답 (가): $f(x+h)-f(x)$, (나): $\lim_{h\to 0}g(x+h)$,

(다): $f'(x)g(x)+f(x)g'(x)$

063 $f(x)=x^{10}+x^9+\cdots+x^2+x+1$에서

$f'(x)=10x^9+9x^8+\cdots+2x+1$

$\therefore f'(1)=10+9+\cdots+2+1$

$=\frac{10\times 11}{2}=55$ 답 ④

064 $f(x)=x^3+2x^2+ax+4$에서

$f'(x)=3x^2+4x+a$

$f'(1)=12$이므로

$f'(1)=3+4+a=12$

$\therefore a=5$ 답 5

065 $f(x)=x^2+ax+b$에서

$f'(x)=2x+a$

$f(2)=1$, $f'(1)=-2$이므로

$f(2)=4+2a+b=1$

$\therefore 2a+b=-3$ $\quad\cdots\cdots$ ㉠

$f'(1)=2+a=-2$

$\therefore a=-4$

$a=-4$를 ㉠에 대입하면 $b=5$

따라서 $f(x)=x^2-4x+5$이므로

$f(1)=1-4+5=2$ 답 2

066 $f(x)=x^3+2x$, $g(x)=x^2+ax-3$이라 하면

$f'(x)=3x^2+2$, $g'(x)=2x+a$

두 곡선의 $x=1$에서의 접선의 기울기가 서로 같아야 하므로

$f'(1)=g'(1)$

$3+2=2+a \quad \therefore a=3$ 답 3

067 $f(x)=2x^3+4x$에서

$f'(x)=6x^2+4$

$$\therefore \sum_{k=1}^{10} f'(k)=\sum_{k=1}^{10}(6k^2+4)$$
$$=6\sum_{k=1}^{10}k^2+\sum_{k=1}^{10}4$$
$$=6\times\frac{10\times11\times21}{6}+4\times10$$
$$=2310+40$$
$$=2350$$
답 ⑤

068 $f(x)=x^3+3f'(1)x+2$에서 $f'(1)=p$라 하면

$f(x)=x^3+3px+2$

$f'(x)=3x^2+3p$

$\therefore f'(1)=3+3p$

즉, $p=3+3p$에서

$p=-\frac{3}{2}$

$\therefore f(x)=x^3-\frac{9}{2}x+2$, $f'(x)=3x^2-\frac{9}{2}$

$\therefore f(2)+f'(2)=(8-9+2)+\left(12-\frac{9}{2}\right)=\frac{17}{2}$ 답 ④

069 $f'(x)=(x-1)'(x^3+2x^2+8)+(x-1)(x^3+2x^2+8)'$

$=x^3+2x^2+8+(x-1)(3x^2+4x)$

$\therefore f'(1)=1+2+8=11$ 답 ③

070 $f'(x)=(x)'(2x-1)(-2x+3)+x(2x-1)'(-2x+3)$

$+x(2x-1)(-2x+3)'$

$=(2x-1)(-2x+3)+x\times2\times(-2x+3)$

$+x(2x-1)\times(-2)$

$\therefore f'(2)=-3+(-4)+(-12)=-19$ 답 -19

071 $f(x)=(2x^2-a)^2=(2x^2-a)(2x^2-a)$이므로

$f'(x)=4x(2x^2-a)+(2x^2-a)\times4x$

$=16x^3-8ax$

$f'(2)=128-16a=64$

$\therefore a=4$ 답 ④

다른 풀이1

$f(x)=(2x^2-a)^2$

$=4x^4-4ax^2+a^2$

$f'(x)=16x^3-8ax$이므로

$f'(2)=128-16a=64$

$\therefore a=4$

다른 풀이2

$f(x)=(2x^2-a)^2$에서

$f'(x)=2(2x^2-a)(2x^2-a)'$

$=2(2x^2-a)\times4x$

$=16x^3-8ax$

$f'(2)=128-16a=64$

$\therefore a=4$

072 $g(x)=(x^2+x)f(x)$에서

$g'(x)=(2x+1)f(x)+(x^2+x)f'(x)$

$\therefore g'(1)=3f(1)+2f'(1)$

$=3\times2+2\times4$

$=14$ 답 14

073 $(x+1)f(x)=x^3+x^2+x+1$ ······㉠

㉠의 양변에 $x=1$을 대입하면

$2f(1)=4 \quad \therefore f(1)=2$

㉠의 양변을 x에 대하여 미분하면

$f(x)+(x+1)f'(x)=3x^2+2x+1$ ······㉡

㉡의 양변에 $x=1$을 대입하면

$f(1)+2f'(1)=6$

$2+2f'(1)=6$

$\therefore f'(1)=2$ 답 2

074 $p'(x)=f'(x)g(x)+f(x)g'(x)$이고, 주어진 그래프에서

$f(-3)=2$, $f'(-3)=0$이므로

$p'(-3)=f'(-3)g(-3)+f(-3)g'(-3)$

$=0\times g(-3)+2g'(-3)$

$=2g'(-3)$

따라서 $2g'(-3)=8$이므로

$g'(-3)=4$ 답 ④

075 $f(x)=x^2+x+1$에서

$f'(x)=2x+1$

$$\therefore \lim_{h\to0}\frac{f(1+2h)-f(1)}{h}=\lim_{h\to0}\frac{f(1+2h)-f(1)}{2h}\times2$$
$$=2f'(1)$$
$$=2\times3=6$$
답 ④

076 $f(x)=x^2+x-3$에서

$f'(x)=2x+1$

$$\therefore \lim_{h\to0}\frac{f(2+ah)-f(2)}{h}=\lim_{h\to0}\frac{f(2+ah)-f(2)}{ah}\times a$$
$$=af'(2)$$
$$=a\times5$$
$$=15$$

따라서 $a=3$이므로

$f'(a)=f'(3)=7$ 답 7

077 $f(x)=(4x-3)(x^2+2)$에서

$f'(x)=4(x^2+2)+(4x-3)\times2x$

$=12x^2-6x+8$

$\therefore \lim_{h\to 0}\frac{f(1+h)-f(1-h)}{h}$

$=\lim_{h\to 0}\frac{f(1+h)-f(1)-\{f(1-h)-f(1)\}}{h}$

$=\lim_{h\to 0}\frac{f(1+h)-f(1)}{h}+\lim_{h\to 0}\frac{f(1-h)-f(1)}{-h}$

$=2f'(1)$

$=2(12-6+8)=28$ 답 28

078 $f(x)=(x-2)^3$

$=x^3-6x^2+12x-8$

$f'(x)=3x^2-12x+12$이므로

$\lim_{h\to 0}\frac{h}{f(1+2h)-f(1-2h)}$

$=\lim_{h\to 0}\frac{1}{\frac{f(1+2h)-f(1)-\{f(1-2h)-f(1)\}}{h}}$

$=\lim_{h\to 0}\frac{1}{\frac{f(1+2h)-f(1)}{2h}\times 2+\frac{f(1-2h)-f(1)}{-2h}\times 2}$

$=\frac{1}{4f'(1)}$

$=\frac{1}{4\times 3}=\frac{1}{12}$ 답 $\frac{1}{12}$

다른 풀이

$f(x)=(x-2)^3$에서 $f'(x)=3(x-2)^2$

$\therefore \lim_{h\to 0}\frac{h}{f(1+2h)-f(1-2h)}=\frac{1}{4f'(1)}$

$=\frac{1}{12}$

079 $g(x)=xf(x)$에서 $g(1)=f(1)$

$f'(x)=4x^3-6x^2$, $g'(x)=f(x)+xf'(x)$

$\therefore \lim_{h\to 0}\frac{f(1+h)-g(1-h)}{2h}$

$=\lim_{h\to 0}\frac{f(1+h)-f(1)-\{g(1-h)-g(1)\}}{2h}$

$(\because f(1)=g(1))$

$=\frac{1}{2}\lim_{h\to 0}\frac{f(1+h)-f(1)}{h}+\frac{1}{2}\lim_{h\to 0}\frac{g(1-h)-g(1)}{-h}$

$=\frac{1}{2}f'(1)+\frac{1}{2}g'(1)$

$=\frac{1}{2}(4-6)+\frac{1}{2}(4-2)$

$=-1+1=0$ 답 ②

다른 풀이

$\lim_{h\to 0}\frac{f(1+h)-g(1-h)}{2h}$

$=\lim_{h\to 0}\frac{f(1+h)-(1-h)f(1-h)}{2h}$

$=\lim_{h\to 0}\frac{f(1+h)-f(1-h)}{2h}+\lim_{h\to 0}\frac{hf(1-h)}{2h}$

$=f'(1)+\frac{f(1)}{2}$

$=-2+\frac{4}{2}=0$

080 $f(x)=2x^4-x-1$에서 $f(1)=0$이고,

$f'(x)=8x^3-1$

$\frac{1}{n}=h$로 놓으면 $n\to\infty$일 때 $h\to 0$이므로

$\lim_{n\to\infty}nf\left(1+\frac{1}{n}\right)=\lim_{h\to 0}\frac{f(1+h)-f(1)}{h}$ $(\because f(1)=0)$

$=f'(1)=7$ 답 7

081 $f(x)=2x^3+x-2$에서 $f(1)=1$이고,

$f'(x)=6x^2+1$이므로

$\lim_{x\to 1}\frac{f(x)-1}{x-1}=\lim_{x\to 1}\frac{f(x)-f(1)}{x-1}$

$=f'(1)=7$ 답 ④

082 $f(x)=x^2-x+2$에서

$f'(x)=2x-1$이므로

$\lim_{x\to 2}\frac{f(x)-f(2)}{x^2-4}=\lim_{x\to 2}\left\{\frac{f(x)-f(2)}{x-2}\times\frac{1}{x+2}\right\}$

$=\frac{1}{4}f'(2)$

$=\frac{1}{4}(4-1)=\frac{3}{4}$ 답 ③

083 $f(x)=(2x-15)(10-x)$에서

$f'(x)=2(10-x)-(2x-15)$

$=-4x+35$

$\therefore \lim_{x\to 2}\frac{x-2}{f(x^3)-f(8)}=\lim_{x\to 2}\frac{1}{\frac{f(x^3)-f(8)}{x-2}}$

$=\lim_{x\to 2}\frac{1}{\frac{f(x^3)-f(8)}{x^3-8}\times(x^2+2x+4)}$

$=\frac{1}{12f'(8)}$

$=\frac{1}{12(-4\times 8+35)}=\frac{1}{36}$ 답 $\frac{1}{36}$

084 $f(x)=-x^3+8x+5$에서 $f(2)=13$이고,

$f'(x)=-3x^2+8$

$\therefore \lim_{x\to 2}\frac{\{f(x)\}^2-\{f(2)\}^2}{2-x}$

$=-\lim_{x\to 2}\frac{\{f(x)-f(2)\}\{f(x)+f(2)\}}{x-2}$

$=-\lim_{x\to 2}\frac{f(x)-f(2)}{x-2}\times\lim_{x\to 2}\{f(x)+f(2)\}$

$=-f'(2)\times 2f(2)$

$=-(-12+8)\times 2\times 13=104$ 답 104

085 $f(x)=x^2-3x+5$에서 $f'(x)=2x-3$

$\therefore \lim_{x\to 2}\frac{x^2f(2)-4f(x)}{x-2}$

$=\lim_{x\to 2}\frac{x^2f(2)-4f(2)-\{4f(x)-4f(2)\}}{x-2}$

$=\lim_{x\to 2}\frac{(x+2)(x-2)f(2)}{x-2}-\lim_{x\to 2}\frac{4\{f(x)-f(2)\}}{x-2}$

$=4f(2)-4f'(2)$

$=4(4-6+5)-4(4-3)=8$ 답 ③

086 $f(x)=\frac{1}{2}x^2+2x$에서 $f'(x)=x+2$

$$\therefore \sum_{n=1}^{5}\lim_{x\to n}\frac{f(x)-f(n)}{x-n}=\sum_{n=1}^{5}f'(n)$$
$$=\sum_{n=1}^{5}(n+2)$$
$$=\frac{5\times 6}{2}+2\times 5$$
$$=15+10=25$$

답 25

087 $\lim_{h\to 0}\frac{f(1-h)-f(1)}{2h}=\lim_{h\to 0}\frac{f(1-h)-f(1)}{-h}\times\left(-\frac{1}{2}\right)$

$$=-\frac{1}{2}f'(1)=4$$

$\therefore f'(1)=-8$

$f(x)=2x^3-ax^2+5$에서 $f'(x)=6x^2-2ax$이므로

$f'(1)=6-2a=-8$

$\therefore a=7$

답 7

088 $\lim_{x\to 1}\frac{f(x)-f(1)}{x^2-1}=\lim_{x\to 1}\left\{\frac{f(x)-f(1)}{x-1}\times\frac{1}{x+1}\right\}$

$$=\frac{1}{2}f'(1)=3$$

$\therefore f'(1)=6$

$f(x)=(2x-1)(x+a)$에서

$f'(x)=2(x+a)+(2x-1)=4x+2a-1$

이므로

$f'(1)=2a+3=6$

$\therefore a=\frac{3}{2}$

답 ②

089 $f(x)=x^2+ax+b$에서 $f(1)=0$이므로

$1+a+b=0$

$\therefore a+b=-1$ ······ ㉠

$\lim_{x\to 1}\frac{f(x)-f(1)}{x-1}=3$에서 $f'(1)=3$

$f'(x)=2x+a$이므로

$f'(1)=2+a=3$

$\therefore a=1$

$a=1$을 ㉠에 대입하면 $b=-2$

$\therefore ab=-2$

답 -2

090 $\lim_{x\to 1}\frac{f(x)-3}{x-1}=3$에서 $x\to 1$일 때, (분모)$\to 0$이므로 (분자)$\to 0$이어야 한다.

즉, $\lim_{x\to 1}\{f(x)-3\}=0$에서 $f(1)=1+2a+4b=3$

$\therefore a+2b=1$ ······ ㉠

$\lim_{x\to 1}\frac{f(x)-3}{x-1}=\lim_{x\to 1}\frac{f(x)-f(1)}{x-1}=f'(1)=3$

$f(x)=x^3+2ax^2+4bx$에서 $f'(x)=3x^2+4ax+4b$이므로

$f'(1)=3+4a+4b=3$

$\therefore a+b=0$ ······ ㉡

㉠, ㉡을 연립하여 풀면 $a=-1$, $b=1$

$\therefore b-a=2$

답 2

091 $\lim_{h\to 0}\frac{f(2h)}{h}=6$에서 $h\to 0$일 때, (분모)$\to 0$이므로 (분자)$\to 0$이어야 한다.

즉, $\lim_{h\to 0}f(2h)=0$에서 $f(0)=b=0$

$\lim_{h\to 0}\frac{f(2h)}{h}=\lim_{h\to 0}\frac{f(0+2h)-f(0)}{2h}\times 2=2f'(0)=6$

$\therefore f'(0)=3$

$f(x)=x^2+ax+b$에서 $f'(x)=2x+a$이므로

$f'(0)=a=3$

따라서 $f(x)=x^2+3x$이므로

$f(1)=1+3=4$

답 ④

092 $\lim_{x\to 2}\frac{f(x)-f(2)}{x-2}=10$에서 $f'(2)=10$

$\lim_{x\to 1}\frac{x^3-1}{f(x)-f(1)}=\lim_{x\to 1}\left\{\frac{x-1}{f(x)-f(1)}\times(x^2+x+1)\right\}$

$$=\frac{1}{f'(1)}\times 3=1$$

$\therefore f'(1)=3$

$f'(x)=(2x+1)(ax+b)+(x^2+x-1)\times a$

$\quad=3ax^2+2(a+b)x-a+b$

이므로

$f'(2)=10$에서 $12a+4(a+b)-a+b=10$

$\therefore 3a+b=2$ ······ ㉠

$f'(1)=3$에서 $3a+2(a+b)-a+b=3$

$\therefore 4a+3b=3$ ······ ㉡

㉠, ㉡을 연립하여 풀면 $a=\frac{3}{5}$, $b=\frac{1}{5}$

따라서 $f(x)=(x^2+x-1)\left(\frac{3}{5}x+\frac{1}{5}\right)$이므로

$f(3)=(9+3-1)\left(\frac{9}{5}+\frac{1}{5}\right)=22$

답 22

093 $f(x)=(2x+a)(x^2+1)$이라 하면

$f'(x)=2(x^2+1)+(2x+a)\times 2x$

$\quad=6x^2+2ax+2$

$x=1$인 점에서의 접선의 기울기가 24이므로

$f'(1)=6+2a+2=24$, $2a=16$

$\therefore a=8$

답 ③

094 $f(x)=x^2+ax+2$에서 $f'(x)=2x+a$

함수 $y=f(x)$의 그래프가 점 $(1, 3)$을 지나므로

$f(1)=1+a+2=3$ $\quad\therefore a=0$

또 점 $(1, 3)$에서의 접선의 기울기가 k이므로

$f'(1)=2=k$

$\therefore a+k=0+2=2$

답 2

095 $f(x)=ax^2+bx+c$라 하면 $f'(x)=2ax+b$

곡선 $y=f(x)$가 두 점 $(2, 4)$, $(1, 0)$을 지나므로

$f(2)=4a+2b+c=4$ ······ ㉠

$f(1)=a+b+c=0$ ······ ㉡

또 점 $(1, 0)$에서의 접선의 기울기가 3이므로

$f'(1)=2a+b=3$ ······ ㉢

㉠, ㉡, ㉢을 연립하여 풀면 $a=1$, $b=1$, $c=-2$

$\therefore a-b-c=1-1-(-2)=2$

답 2

096 주어진 식의 양변에 $x=0$, $y=0$을 대입하면

$f(0)=f(0)+f(0)-0 \quad \therefore f(0)=0$

$$f'(x)=\lim_{h\to0}\frac{f(x+h)-f(x)}{h}$$
$$=\lim_{h\to0}\frac{f(x)+f(h)-2xh-f(x)}{h}$$
$$=\lim_{h\to0}\frac{f(h)-2xh}{h}=\lim_{h\to0}\frac{f(h)}{h}-2x$$
$$=\lim_{h\to0}\frac{f(h)-f(0)}{h}-2x$$
$$=f'(0)-2x$$
$$=-2x+2$$

답 ②

097 주어진 식의 양변에 $x=0$, $y=0$을 대입하면

$f(0)=f(0)+f(0)+4 \quad \therefore f(0)=-4$

$$f'(x)=\lim_{h\to0}\frac{f(x+h)-f(x)}{h}$$
$$=\lim_{h\to0}\frac{f(x)+f(h)+4-f(x)}{h}$$
$$=\lim_{h\to0}\frac{f(h)+4}{h}$$
$$=\lim_{h\to0}\frac{f(h)-f(0)}{h}$$
$$=f'(0)=3$$

$\therefore \sum_{k=1}^{10} f'(k)=\sum_{k=1}^{10} 3=30$

답 30

098 주어진 식의 양변에 $x=0$, $y=0$을 대입하면

$f(0)=f(0)+f(0)-2 \quad \therefore f(0)=2$

$$f'(x)=\lim_{h\to0}\frac{f(x+h)-f(x)}{h}$$
$$=\lim_{h\to0}\frac{f(x)+f(h)+5xh-2-f(x)}{h}$$
$$=\lim_{h\to0}\frac{f(h)+5xh-2}{h}$$
$$=\lim_{h\to0}\frac{f(h)-2}{h}+5x$$
$$=\lim_{h\to0}\frac{f(h)-f(0)}{h}+5x$$
$$=f'(0)+5x$$

이 식에 $x=2$를 대입하면

$f'(2)=f'(0)+10$

$f'(2)=9$이므로

$9=f'(0)+10 \quad \therefore f'(0)=-1$

$\therefore f'(x)=5x-1$

답 ⑤

099 $f(x)=x^{10}+x$라 하면 $f(1)=2$이므로

$$\lim_{x\to1}\frac{x^{10}+x-2}{x-1}=\lim_{x\to1}\frac{f(x)-f(1)}{x-1}=f'(1)$$

$f'(x)=10x^9+1$이므로

$f'(1)=11$

답 ⑤

100 $f(x)=x^n-2x$라 하면 $f(1)=-1$이므로

$$\lim_{x\to1}\frac{x^n-2x+1}{x-1}=\lim_{x\to1}\frac{f(x)-f(1)}{x-1}=f'(1)$$

$f'(x)=nx^{n-1}-2$이므로

$f'(1)=n-2$

즉, $n-2=10$이므로

$n=12$

답 ③

101 $\lim_{x\to1}\frac{x^{10}+2x^9+a}{x-1}=b$에서 $x\to1$일 때, (분모)$\to0$이므로 (분자)$\to0$이어야 한다.

즉, $\lim_{x\to1}(x^{10}+2x^9+a)=0$에서

$1+2+a=0$

$\therefore a=-3$

$f(x)=x^{10}+2x^9$이라 하면 $f(1)=3$이므로

$$\lim_{x\to1}\frac{x^{10}+2x^9-3}{x-1}=\lim_{x\to1}\frac{f(x)-f(1)}{x-1}=f'(1)$$

$f'(x)=10x^9+18x^8$이므로

$f'(1)=10+18=28=b$

$\therefore a+b=-3+28=25$

답 25

102 $g(x)=ax^2$, $h(x)=4x-b$라 하면

$g'(x)=2ax$, $h'(x)=4$

함수 $y=f(x)$는 $x=1$에서 연속이므로 $g(1)=h(1)$

$\therefore a=4-b \quad \cdots\cdots$ ㉠

함수 $y=f(x)$는 $x=1$에서 미분계수가 존재하므로

$g'(1)=h'(1)$

$2a=4 \quad \therefore a=2$

$a=2$를 ㉠에 대입하면 $b=2$

$\therefore a^2+b^2=4+4=8$

답 ①

103 $g(x)=ax^2-5x+2$, $h(x)=x^3-x^2+bx$라 하면

$g'(x)=2ax-5$, $h'(x)=3x^2-2x+b$

함수 $y=f(x)$가 모든 실수 x에 대하여 미분가능하려면 $x=1$에서 미분가능해야 한다.

함수 $y=f(x)$는 $x=1$에서 연속이므로 $g(1)=h(1)$

$a-5+2=1-1+b$

$\therefore a-b=3 \quad \cdots\cdots$ ㉠

함수 $y=f(x)$는 $x=1$에서 미분계수가 존재하므로

$g'(1)=h'(1)$

$2a-5=3-2+b$

$\therefore 2a-b=6 \quad \cdots\cdots$ ㉡

㉠, ㉡을 연립하여 풀면

$a=3$, $b=0$

$\therefore a^2+b^2=9$

답 9

104 $g(x)=x^2+2x$, $h(x)=bx-1$이라 하면

$g'(x)=2x+2$, $h'(x)=b$

함수 $y=f(x)$가 모든 실수 x에 대하여 미분가능하려면 $x=a$에서 미분가능해야 한다.

함수 $y=f(x)$는 $x=a$에서 연속이므로 $g(a)=h(a)$

$\therefore a^2+2a=ab-1 \quad \cdots\cdots$ ㉠

함수 $y=f(x)$는 $x=a$에서 미분계수가 존재하므로

$g'(a)=h'(a)$

$\therefore 2a+2=b \quad \cdots\cdots$ ㉡

ⓛ을 ㉠에 대입하면

$a^2+2a=a(2a+2)-1$

$a^2=1 \quad \therefore a=1\ (\because a>0)$

$a=1$을 ⓛ에 대입하면 $b=4$

$\therefore a+b=5$ 답 5

105 $f(x)=\begin{cases} -5 & (x\le 2) \\ ax^2+bx+c & (2<x<4) \\ 4x-17 & (x\ge 4) \end{cases}$ 에서

$f'(x)=\begin{cases} 0 & (x<2) \\ 2ax+b & (2<x<4) \\ 4 & (x>4) \end{cases}$

함수 $y=f(x)$가 $x=2$, $x=4$에서 연속이므로

$f(2)=\lim_{x\to 2+} f(x)$에서 $-5=4a+2b+c$ ⋯⋯ ㉠

$f(4)=\lim_{x\to 4-} f(x)$에서 $-1=16a+4b+c$ ⋯⋯ ⓛ

또 함수 $y=f(x)$가 $x=2$, $x=4$에서 미분계수가 존재하므로

$\lim_{x\to 2-} f'(x)=\lim_{x\to 2+} f'(x)$에서 $0=4a+b$ ⋯⋯ ㉢

$\lim_{x\to 4-} f'(x)=\lim_{x\to 4+} f'(x)$에서 $8a+b=4$ ⋯⋯ ㉣

㉠, ⓛ, ㉢, ㉣을 연립하여 풀면

$a=1,\ b=-4,\ c=-1$

$\therefore a^2+b^2+c^2=1+16+1=18$ 답 ④

106 $f(x)=|x-2|(x+a)$에서

$f(x)=\begin{cases} (x-2)(x+a) & (x\ge 2) \\ -(x-2)(x+a) & (x<2) \end{cases}$ 이므로

$f'(x)=\begin{cases} 2x+a-2 & (x>2) \\ -2x-a+2 & (x<2) \end{cases}$

함수 $y=f(x)$는 $x=2$에서 미분계수가 존재하므로

$\lim_{x\to 2+} f'(x)=\lim_{x\to 2-} f'(x)$

$\lim_{x\to 2+} (2x+a-2)=\lim_{x\to 2-} (-2x-a+2)$

$a+2=-a-2$

$\therefore a=-2$ 답 -2

107 $f(x)=x^3+ax^2+bx\ (0\le x<2)$에서

$f'(x)=3x^2+2ax+b$

함수 $y=f(x)$가 모든 실수에서 미분가능하고 $f(x+2)=f(x)$이므로

$f(2)=f(0)$에서 $8+4a+2b=0$ ⋯⋯ ㉠

$f'(2)=f'(0)$에서 $12+4a+b=b$

$\therefore a=-3$

$a=-3$을 ㉠에 대입하면

$8+(-12)+2b=0 \quad \therefore b=2$

$\therefore b-a=2-(-3)=5$ 답 5

108 $f(x)=4x^2+x$에서 $f'(x)=8x+1$

$xf'(x)+kf(x)+x=0$에서

$x(8x+1)+k(4x^2+x)+x=0$

$4(k+2)x^2+(k+2)x=0,\ (k+2)(4x^2+x)=0$

위의 식이 모든 실수 x에 대하여 성립하므로

$k+2=0 \quad \therefore k=-2$ 답 ①

109 $f(x)=ax^2+bx+c\ (a\ne 0)$라 하면 $f'(x)=2ax+b$

$f(x)-xf'(x)=2x^2+3$에서

$(ax^2+bx+c)-x(2ax+b)=-ax^2+c$

$=2x^2+3$

$\therefore a=-2,\ c=3$

즉, $f(x)=-2x^2+bx+3$이고 $f(1)=3$이므로

$f(1)=-2+b+3=3 \quad \therefore b=2$

따라서 $f(x)=-2x^2+2x+3$이므로

$f(3)=-18+6+3=-9$ 답 -9

110 $y=f(x)$가 n차 함수이면 $y=f'(x)$는 $(n-1)$차 함수이므로 $f(x)$는 $3x^2$의 차수와 같아야 한다.

즉, $y=f(x)$는 이차함수이어야 하므로

$f(x)=ax^2+bx+c\ (a\ne 0)$라 하면

$f'(x)=2ax+b$

$\therefore ax^2+bx+c=2ax+b+3x^2$

이 식이 모든 실수 x에 대하여 성립하므로

$a=3,\ b=2a,\ c=b$

$\therefore b=6,\ c=6$

따라서 $f'(x)=6x+6$이므로

$f'(2)=12+6=18$ 답 18

111 다항식 $x^{13}-ax+b$를 $(x-1)^2$으로 나누었을 때의 몫을 $Q(x)$라 하면

$x^{13}-ax+b=(x-1)^2Q(x)$ ⋯⋯ ㉠

㉠의 양변에 $x=1$을 대입하면

$1-a+b=0$ ⋯⋯ ⓛ

㉠의 양변을 x에 대하여 미분하면

$13x^{12}-a=2(x-1)Q(x)+(x-1)^2Q'(x)$

위의 식의 양변에 $x=1$을 대입하면

$13-a=0 \quad \therefore a=13$

$a=13$을 ⓛ에 대입하면 $b=12$

$\therefore a+b=25$ 답 ⑤

다른 풀이

$f(x)=x^{13}-ax+b$라 하면 $f(x)$가 $(x-1)^2$으로 나누어떨어지므로 $f(1)=0,\ f'(1)=0$

$f(1)=0$에서 $1-a+b=0$ ⋯⋯ ㉠

$f'(x)=13x^{12}-a$이므로 $f'(1)=0$에서

$13-a=0 \quad \therefore a=13$

$a=13$을 ㉠에 대입하면 $b=12$

$\therefore a+b=25$

112 다항식 x^7-4x+5를 $(x-1)^2$으로 나누었을 때의 몫을 $Q(x)$, 나머지를 $ax+b$ (a, b는 상수)라 하면

$x^7-4x+5=(x-1)^2Q(x)+ax+b$ ⋯⋯ ㉠

㉠의 양변에 $x=1$을 대입하면

$1-4+5=a+b \quad \therefore a+b=2$ ⋯⋯ ⓛ

㉠의 양변을 x에 대하여 미분하면

$7x^6-4=2(x-1)Q(x)+(x-1)^2Q'(x)+a$

위의 식의 양변에 $x=1$을 대입하면 $a=3$

$a=3$을 ⓛ에 대입하면 $b=-1$

따라서 구하는 나머지는 $3x-1$이다. 답 ④

113 다항식 $f(x)$를 $(x+2)^2$으로 나누었을 때의 몫을 $Q(x)$라 하면

$f(x)=(x+2)^2Q(x)+ax+b$ ······ ㉠

㉠의 양변에 $x=-2$를 대입하면

$f(-2)=-2a+b=2$ ······ ㉡

㉠의 양변을 x에 대하여 미분하면

$f'(x)=2(x+2)Q(x)+(x+2)^2Q'(x)+a$

위의 식의 양변에 $x=-2$를 대입하면

$f'(-2)=a=-3$

$a=-3$을 ㉡에 대입하면 $b=-4$

$\therefore a+b=-7$

답 -7

114 $f(x)=\frac{1}{3}x^3+\frac{1}{5}x^5+\frac{1}{7}x^7+\cdots+\frac{1}{97}x^{97}$에서

$f'(x)=x^2+x^4+x^6+\cdots+x^{96}$이므로

$f'(1)=1+1+1+\cdots+1=48$

답 48

115 $f(x)=(5x+3)(4x^2-4x+1)$에서

$f'(x)=5(4x^2-4x+1)+(5x+3)(8x-4)$

$\therefore f'(0)=5+(-12)=-7$

답 ②

116 $f(x)=x^4+6x^2+9$에서

$f'(x)=4x^3+12x$

$\therefore \lim_{h\to0}\frac{f(1+h)-f(1)}{16h}=\frac{1}{16}\lim_{h\to0}\frac{f(1+h)-f(1)}{h}$

$=\frac{1}{16}f'(1)$

$=\frac{1}{16}(4+12)=1$

답 ①

117 $f(x)=x^3+x-1$에서 $f(1)=1$이고, $f'(x)=3x^2+1$이므로

$\lim_{x\to1}\frac{f(x^2)-1}{x-1}=\lim_{x\to1}\frac{f(x^2)-f(1)}{x-1}$

$=\lim_{x\to1}\left\{\frac{f(x^2)-f(1)}{x^2-1}\times(x+1)\right\}$

$=2f'(1)=2\times4=8$

답 ②

118 $\lim_{x\to1}\frac{f(x)-1}{x-1}=8$에서 $x\to1$일 때, (분모)$\to0$이므로 (분자)$\to0$이어야 한다.

즉, $\lim_{x\to1}\{f(x)-1\}=0$에서

$f(1)=1+a+b-3=1$ $\quad\therefore a+b=3$ ······ ㉠

$\lim_{x\to1}\frac{f(x)-1}{x-1}=\lim_{x\to1}\frac{f(x)-f(1)}{x-1}=8$에서 $f'(1)=8$

$f'(x)=3x^2+2ax+b$이므로

$f'(1)=3+2a+b=8$ $\quad\therefore 2a+b=5$ ······ ㉡

㉠, ㉡을 연립하여 풀면 $a=2$, $b=1$

따라서 $f'(x)=3x^2+4x+1$이므로

$\lim_{h\to0}\frac{f(2+h)-f(2-h)}{h}$

$=\lim_{h\to0}\frac{f(2+h)-f(2)-\{f(2-h)-f(2)\}}{h}$

$=\lim_{h\to0}\frac{f(2+h)-f(2)}{h}+\lim_{h\to0}\frac{f(2-h)-f(2)}{-h}$

$=2f'(2)=2\times21=42$

답 42

119 $\lim_{x\to2}\frac{f(x)}{x-2}=8$에서 $x\to2$일 때, (분모)$\to0$이므로 (분자)$\to0$이어야 한다.

즉, $\lim_{x\to2}f(x)=0$에서

$f(2)=8+4a+2b+c=0$ ······ ㉠

$\therefore \lim_{x\to2}\frac{f(x)}{x-2}=\lim_{x\to2}\frac{f(x)-f(2)}{x-2}=f'(2)=8$

$\lim_{h\to0}\frac{f(1+h)-f(1-h)}{h}$

$=\lim_{h\to0}\frac{f(1+h)-f(1)-\{f(1-h)-f(1)\}}{h}$

$=\lim_{h\to0}\frac{f(1+h)-f(1)}{h}+\lim_{h\to0}\frac{f(1-h)-f(1)}{-h}$

$=2f'(1)=2$

$\therefore f'(1)=1$

$f(x)=x^3+ax^2+bx+c$에서

$f'(x)=3x^2+2ax+b$이므로

$f'(2)=8$에서 $12+4a+b=8$ ······ ㉡

$f'(1)=1$에서 $3+2a+b=1$ ······ ㉢

㉠, ㉡, ㉢을 연립하여 풀면

$a=-1$, $b=0$, $c=-4$

따라서 $f(x)=x^3-x^2-4$이므로

$f(1)=1-1-4=-4$

답 -4

120 $f(x)=x^8-x^7+x^6-x^5+x^4$이라 하면

$f(1)=1$이므로

$\lim_{x\to1}\frac{x^8-x^7+x^6-x^5+x^4-1}{x-1}=\lim_{x\to1}\frac{f(x)-f(1)}{x-1}=f'(1)$

$f'(x)=8x^7-7x^6+6x^5-5x^4+4x^3$이므로

$f'(1)=8-7+6-5+4=6$

답 ③

121 $g(x)=x^3+ax^2+bx$, $h(x)=2x^2+1$이라 하면

$g'(x)=3x^2+2ax+b$, $h'(x)=4x$

함수 $y=f(x)$가 모든 실수 x에 대하여 미분가능하려면 $x=1$에서 미분가능해야 한다.

함수 $y=f(x)$는 $x=1$에서 연속이므로 $g(1)=h(1)$

$1+a+b=2+1$ $\quad\therefore a+b=2$ ······ ㉠

함수 $y=f(x)$는 $x=1$에서 미분계수가 존재하므로

$g'(1)=h'(1)$

$3+2a+b=4$ $\quad\therefore 2a+b=1$ ······ ㉡

㉠, ㉡을 연립하여 풀면

$a=-1$, $b=3$

$\therefore ab=-3$

답 -3

122 $f(x)=ax^2+bx+c$ $(a\neq0)$라 하면

$f'(x)=2ax+b$

조건 (가)에서 $2-x(2ax+b)+ax^2+bx+c=x^2+3$

$-ax^2+2+c=x^2+3$

위의 식이 모든 실수 x에 대하여 성립하므로

$-a=1$, $2+c=3$

$\therefore a=-1$, $c=1$

조건 (나)에서 $f'(1)=1$이므로

$2a+b=1$ ······ ㉠

$a=-1$을 ㉠에 대입하면 $b=3$

따라서 $f'(x)=-2x+3$이므로

$f'(3)=-6+3=-3$ 답 -3

123 다항식 x^8-8x+a를 $(x-b)^2$으로 나누었을 때의 몫을 $Q(x)$라 하면

$x^8-8x+a=(x-b)^2Q(x)$ ⋯⋯ ㉠

㉠의 양변에 $x=b$를 대입하면

$b^8-8b+a=0$ ⋯⋯ ㉡

㉠의 양변을 x에 대하여 미분하면

$8x^7-8=2(x-b)Q(x)+(x-b)^2Q'(x)$

위의 식의 양변에 $x=b$를 대입하면

$8b^7-8=0,\ b^7=1 \quad \therefore b=1$

$b=1$을 ㉡에 대입하면

$1-8+a=0 \quad \therefore a=7$

$\therefore a+b=8$ 답 8

124 방정식 $f(x)-k=0$의 세 실근이 $\alpha, \beta, \gamma\ (\alpha<\beta<\gamma)$이므로

$f(x)-k=2(x-\alpha)(x-\beta)(x-\gamma)$

즉, $f(x)=2(x-\alpha)(x-\beta)(x-\gamma)+k$이므로

$f'(x)=2(x-\beta)(x-\gamma)+2(x-\alpha)(x-\gamma)$
$+2(x-\alpha)(x-\beta)$

점 C에서의 접선의 기울기는 $x=\gamma$에서의 미분계수이므로

$f'(\gamma)=2(\gamma-\alpha)(\gamma-\beta)$

한편, $\gamma-\alpha=\overline{AC}=5+2=7,\ \gamma-\beta=\overline{BC}=2$이므로

$f'(\gamma)=2\times7\times2=28$ 답 ①

125 $y=f(x)$가 상수함수, 즉 $f(x)=k$라 하면 $f(0)=0$이므로

$f(x)=0,\ f'(x)=0$

그런데 $\frac{1}{2}(x+1)f'(x)=0,\ f(x)+2=2$이므로 $y=f(x)$는 상수함수가 아니다.

즉, $y=f(x)$는 일차 이상의 다항함수이므로

$f(x)$의 최고차항을 $ax^n\ (a\neq0,\ n\geq1)$이라 하면

$f'(x)$의 최고차항은 anx^{n-1}이다.

$\frac{1}{2}(x+1)f'(x)=f(x)+2$에서

좌변의 최고차항은 $\frac{1}{2}anx^n$, 우변의 최고차항은 ax^n이므로

$\frac{1}{2}anx^n=ax^n \quad \therefore n=2$

즉, $f(x)=ax^2+bx+c\ (a\neq0)$라 하면

$f(0)=0$에서 $c=0$이므로

$f(x)=ax^2+bx$이고, $f'(x)=2ax+b$

조건 (가)에서 $\frac{1}{2}(x+1)(2ax+b)=ax^2+bx+2$

$2ax^2+(2a+b)x+b=2ax^2+2bx+4$

위의 식이 모든 실수 x에 대하여 성립하므로

$2a+b=2b,\ b=4$

$\therefore a=2$

따라서 $f(x)=2x^2+4x$이므로

$f(2)=8+8=16$ 답 16

05 접선의 방정식과 평균값 정리

본책 073~086쪽

001 기울기가 2이고 y절편이 3인 직선의 방정식은

$y=2x+3$ 답 $y=2x+3$

참고

x절편이 a인 직선은 점 $(a, 0)$, y절편이 b인 직선은 점 $(0, b)$를 지난다.

002 기울기가 3이고 원점을 지나는 직선의 방정식은

$y-0=3(x-0)$

$\therefore y=3x$ 답 $y=3x$

003 기울기가 1이고 점 $(2, 3)$을 지나는 직선의 방정식은

$y-3=1\times(x-2)$

$\therefore y=x+1$ 답 $y=x+1$

참고 **한 점과 기울기가 주어진 직선의 방정식**

점 (a, b)를 지나고 기울기가 m인 직선의 방정식은

$y-b=m(x-a)$

004 기울기가 5이고 점 $(-2, 15)$를 지나는 직선의 방정식은

$y-15=5\{x-(-2)\}$

$y-15=5x+10$

$\therefore y=5x+25$ 답 $y=5x+25$

005 기울기가 -3이고 점 $(-1, -2)$를 지나는 직선의 방정식은

$y-(-2)=-3\{x-(-1)\}$

$y+2=-3x-3$

$\therefore y=-3x-5$ 답 $y=-3x-5$

006 두 점 $(0, 0)$, $(2, 8)$을 지나는 직선의 기울기는

$\frac{8-0}{2-0}=\frac{8}{2}=4$ 답 4

007 두 점 $(3, 1)$, $(6, 7)$을 지나는 직선의 기울기는

$\frac{7-1}{6-3}=\frac{6}{3}=2$ 답 2

008 두 점 $(1, -1)$, $(6, 4)$를 지나는 직선의 기울기는

$\frac{4-(-1)}{6-1}=\frac{5}{5}=1$ 답 1

009 두 점 $(0, 0)$, $(3, 6)$을 지나는 직선의 기울기는

$\frac{6-0}{3-0}=2$

기울기가 2이고 점 $(0, 0)$을 지나는 직선의 방정식은

$y-0=2(x-0)$

$\therefore y=2x$ 답 $y=2x$

010 두 점 $(2, 1)$, $(6, 7)$을 지나는 직선의 기울기는

$\frac{7-1}{6-2}=\frac{6}{4}=\frac{3}{2}$

기울기가 $\frac{3}{2}$이고 점 $(2, 1)$을 지나는 직선의 방정식은

$y-1=\frac{3}{2}(x-2)$

$y-1=\frac{3}{2}x-3$

$\therefore y=\frac{3}{2}x-2$ 답 $y=\frac{3}{2}x-2$

011 두 점 $(-1, -3)$, $(1, 1)$을 지나는 직선의 기울기는

$\frac{1-(-3)}{1-(-1)}=\frac{4}{2}=2$

기울기가 2이고 점 $(1, 1)$을 지나는 직선의 방정식은

$y-1=2(x-1)$, $y-1=2x-2$

$\therefore y=2x-1$ 답 $y=2x-1$

[012-014] 곡선 위의 $x=1$인 점에서의 접선의 기울기는 $x=1$에서의 미분계수와 같다.

012 $f(x)=x^2+x$라 하면

$f'(x)=2x+1$

$\therefore f'(1)=2\times1+1=3$ 답 3

013 $f(x)=-x^2+2$라 하면

$f'(x)=-2x$

$\therefore f'(1)=-2\times1=-2$ 답 -2

014 $f(x)=4x^2+3x+1$이라 하면

$f'(x)=8x+3$

$\therefore f'(1)=8\times1+3=11$ 답 11

[015-017] 곡선 위의 점 (a, b)에서의 접선의 기울기는 $x=a$에서의 미분계수와 같다.

015 $f(x)=-2x^2+5x$라 하면

$f'(x)=-4x+5$

따라서 곡선 $y=f(x)$ 위의 점 $(2, 2)$에서의 접선의 기울기는

$f'(2)=-4\times2+5=-3$ 답 -3

016 $f(x)=3x^2+x-1$이라 하면

$f'(x)=6x+1$

따라서 곡선 $y=f(x)$ 위의 점 $(-1, 1)$에서의 접선의 기울기는

$f'(-1)=6\times(-1)+1=-5$ 답 -5

017 $f(x)=x^3-2x+1$이라 하면

$f'(x)=3x^2-2$

따라서 곡선 $y=f(x)$ 위의 점 $(0, 1)$에서의 접선의 기울기는

$f'(0)=3\times0^2-2=-2$ 답 -2

018 $f(x)=x^2+2$라 하면

$f'(x)=2x$

곡선 $y=f(x)$ 위의 점 $(2, 6)$에서의 접선의 기울기는

$f'(2)=2\times2=4$

따라서 구하는 접선의 방정식은

$y-6=4(x-2)$

$\therefore y=4x-2$ 답 $y=4x-2$

019 $f(x)=-x^2+4x-3$이라 하면

$f'(x)=-2x+4$

곡선 $y=f(x)$ 위의 점 $(1, 0)$에서의 접선의 기울기는

$f'(1)=-2\times1+4=2$

따라서 구하는 접선의 방정식은

$y-0=2(x-1)$

$\therefore y=2x-2$ 답 $y=2x-2$

020 $f(x)=x^3$이라 하면 $f'(x)=3x^2$

곡선 $y=f(x)$ 위의 점 $(-1, -1)$에서의 접선의 기울기는

$f'(-1)=3\times(-1)^2=3$

따라서 구하는 접선의 방정식은

$y-(-1)=3\{x-(-1)\}$

$\therefore y=3x+2$ 답 $y=3x+2$

021 $f(x)=x^3+2x$라 하면

$f'(x)=3x^2+2$

곡선 $y=f(x)$ 위의 점 $(1, 3)$에서의 접선의 기울기는

$f'(1)=3\times1^2+2=5$

따라서 구하는 접선의 방정식은

$y-3=5(x-1)$

$\therefore y=5x-2$ 답 $y=5x-2$

022 $f(x)=-x^3+2x^2-1$이라 하면

$f'(x)=-3x^2+4x$

곡선 $y=f(x)$ 위의 점 $(2, -1)$에서의 접선의 기울기는

$f'(2)=-3\times2^2+4\times2=-4$

따라서 구하는 접선의 방정식은

$y-(-1)=-4(x-2)$

$\therefore y=-4x+7$ 답 $y=-4x+7$

023 $f(x)=x^2$이라 하면

$f'(x)=2x$

접점의 좌표를 (a, a^2)이라 하면 접선의 기울기가 2이므로

$f'(a)=2a=2 \qquad \therefore a=1$

따라서 접점의 좌표는 $(1, 1)$이다. 답 $(1, 1)$

024 $f(x)=-x^2+4x-3$이라 하면

$f'(x)=-2x+4$

접점의 좌표를 $(a, -a^2+4a-3)$이라 하면 접선의 기울기가 2이므로

$f'(a)=-2a+4=2 \qquad \therefore a=1$

따라서 접점의 좌표는 $(1, 0)$이다. 답 $(1, 0)$

025 $f(x)=x^3-3x^2+5x-2$라 하면

$f'(x)=3x^2-6x+5$

접점의 좌표를 (a, a^3-3a^2+5a-2)라 하면 접선의 기울기가 2이므로

$f'(a)=3a^2-6a+5=2$

$a^2-2a+1=0$

$(a-1)^2=0 \qquad \therefore a=1$

따라서 접점의 좌표는 $(1, 1)$이다. 답 $(1, 1)$

026 $f(x)=-x^2+5x$라 하면
$f'(x)=-2x+5$
접점의 좌표를 $(a, -a^2+5a)$라 하면
접선의 기울기가 3이므로
$f'(a)=\boxed{-2a+5}=3$ $\therefore a=1$
따라서 접점의 좌표가 $\boxed{(1, 4)}$이므로
구하는 접선의 방정식은
$y-\boxed{4}=3(x-\boxed{1})$
$\therefore y=\boxed{3x+1}$ 답 $-2a+5$, $(1, 4)$, 4, 1, $3x+1$

027 $f(x)=x^2-x-4$라 하면
$f'(x)=2x-1$
접점의 좌표를 (a, a^2-a-4)라 하면 접선의 기울기가 3이므로
$f'(a)=2a-1=3$ $\therefore a=2$
따라서 접점의 좌표는 $(2, -2)$이므로 구하는 접선의 방정식은
$y-(-2)=3(x-2)$
$\therefore y=3x-8$ 답 $y=3x-8$

028 $f(x)=-2x^2+x$라 하면
$f'(x)=-4x+1$
접점의 좌표를 $(a, -2a^2+a)$라 하면 접선의 기울기가 5이므로
$f'(a)=-4a+1=5$ $\therefore a=-1$
따라서 접점의 좌표는 $(-1, -3)$이므로 구하는 접선의 방정식은 $y-(-3)=5\{x-(-1)\}$
$\therefore y=5x+2$ 답 $y=5x+2$

029 $f(x)=x^3-x-1$이라 하면
$f'(x)=3x^2-1$
접점의 좌표를 (a, a^3-a-1)이라 하면 접선의 기울기가 2이므로
$f'(a)=3a^2-1=2$
$a^2=1$ $\therefore a=-1$ 또는 $a=1$
(i) $a=-1$일 때, 접점의 좌표는 $(-1, -1)$이므로 접선의 방정식은
$y-(-1)=2\{x-(-1)\}$
$\therefore y=2x+1$
(ii) $a=1$일 때, 접점의 좌표는 $(1, -1)$이므로 접선의 방정식은
$y-(-1)=2(x-1)$
$\therefore y=2x-3$ 답 $y=2x+1$ 또는 $y=2x-3$

030 $f(x)=x^2+4x$라 하면
$f'(x)=2x+4$
접점의 좌표를 (a, a^2+4a)라 하면 직선 $y=2x+3$에 평행한 직선은 기울기가 2이므로
$f'(a)=2a+4=2$ $\therefore a=-1$
따라서 접점의 좌표가 $(-1, -3)$이므로 구하는 직선의 방정식은 $y-(-3)=2\{x-(-1)\}$
$\therefore y=2x-1$ 답 $y=2x-1$

031 $f(x)=x^2-2x-3$이라 하면
$f'(x)=2x-2$
접점의 좌표를 (a, a^2-2a-3)이라 하면 x축에 평행한 직선은 기울기가 0이므로
$f'(a)=2a-2=0$ $\therefore a=1$
따라서 접점의 좌표가 $(1, -4)$이므로 구하는 직선의 방정식은
$y=-4$ 답 $y=-4$

032 $f(x)=x^2-5x+5$라 하면 $f'(x)=2x-5$
접점의 좌표를 (a, a^2-5a+5)라 하면 접선의 기울기는 $f'(a)=2a-5$이므로 접선의 방정식은
$y-(\boxed{a^2-5a+5})=(\boxed{2a-5})(x-\boxed{a})$
$\therefore y=(2a-5)x-a^2+5$ ……㉠
이 직선이 점 $\boxed{(3, -2)}$를 지나므로
$-2=3(2a-5)-a^2+5$
$a^2-6a+8=0$, $(a-2)(a-4)=0$
$\therefore a=2$ 또는 $a=4$
이것을 ㉠에 대입하면 구하는 접선의 방정식은
$y=\boxed{-x+1}$ 또는 $y=\boxed{3x-11}$
답 a^2-5a+5, $2a-5$, a, $(3, -2)$, $-x+1$, $3x-11$

033 함수 $y=f(x)$가 닫힌구간 $[a, b]$에서 연속이고 열린구간 (a, b)에서 미분가능할 때, $f(a)=f(b)$이면 $f'(c)=\boxed{0}$인 c가 열린구간 (a, b)에 적어도 하나 존재한다. 답 0

034 함수 $f(x)=x^2-x$는 닫힌구간 $[0, 1]$에서 연속이고 열린구간 $(0, 1)$에서 미분가능하며 $f(0)=f(1)=0$이므로 롤의 정리에 의하여 $f'(c)=0$인 실수 c가 열린구간 $(0, 1)$에 적어도 하나 존재한다.
$f'(x)=2x-1$이므로 $f'(c)=2c-1=0$
$\therefore c=\frac{1}{2}$ 답 $\frac{1}{2}$

035 함수 $f(x)=x^2-2x-4$는 닫힌구간 $[-1, 3]$에서 연속이고 열린구간 $(-1, 3)$에서 미분가능하며 $f(-1)=f(3)=-1$이므로 롤의 정리에 의하여 $f'(c)=0$인 실수 c가 열린구간 $(-1, 3)$에 적어도 하나 존재한다.
$f'(x)=2x-2$이므로 $f'(c)=2c-2=0$
$\therefore c=1$ 답 1

036 함수 $y=f(x)$가 닫힌구간 $[a, b]$에서 연속이고 열린구간 (a, b)에서 미분가능하면
$\frac{f(b)-f(a)}{b-a}=\boxed{f'(c)}$
인 c가 열린구간 (a, b)에 적어도 하나 존재한다.
이때 평균값 정리에서 $f(a)=f(b)$인 경우가 롤의 정리이다.
답 $f'(c)$

037 함수 $f(x)=x^2-4x+1$은 닫힌구간 $[0, 2]$에서 연속이고 열린구간 $(0, 2)$에서 미분가능하므로 평균값 정리에 의하여
$\frac{f(2)-f(0)}{2-0}=\frac{-3-1}{2-0}=-2=f'(c)$
인 c가 열린구간 $(0, 2)$에 적어도 하나 존재한다.
$f'(x)=2x-4$이므로 $f'(c)=2c-4=-2$
$\therefore c=1$ 답 1

038 함수 $f(x)=-x^2+5x$는 닫힌구간 $[1, 3]$에서 연속이고 열린 구간 $(1, 3)$에서 미분가능하므로 평균값 정리에 의하여
$\frac{f(3)-f(1)}{3-1}=\frac{6-4}{3-1}=1=f'(c)$
인 c가 열린구간 $(1, 3)$에 적어도 하나 존재한다.
$f'(x)=-2x+5$이므로
$f'(c)=-2c+5=1$
$\therefore c=2$
답 2

039 $f(x)=x^2+ax+b$라 하면
$f'(x)=2x+a$
곡선 $y=f(x)$가 점 $(1, 3)$을 지나므로
$f(1)=1+a+b=3$
$\therefore a+b=2$ ……㉠
점 $(1, 3)$에서의 접선의 기울기가 -2이므로
$f'(1)=2+a=-2$
$\therefore a=-4$ ……㉡
㉡을 ㉠에 대입하면
$-4+b=2$
$\therefore b=6$
$\therefore ab=(-4)\times 6=-24$
답 ①

040 $f(x)=x^4-3x^2+1$이라 하면
$f'(x)=4x^3-6x$
점 $(1, -1)$에서의 접선의 기울기는
$f'(1)=-2$
직선 $ax+y-3=0$, 즉 $y=-ax+3$의 기울기는 $-a$이고 접선과 평행하므로
$-a=-2$ $\therefore a=2$
답 2

041 $f(x)=\frac{1}{3}x^3-ax^2+1$이라 하면
$f'(x)=x^2-2ax$
$x=-1$, $x=3$인 점에서의 접선의 기울기는 각각
$f'(-1)=1+2a$
$f'(3)=9-6a$
두 접선이 서로 평행하므로
$1+2a=9-6a$
$8a=8$ $\therefore a=1$
답 1

042 $f(x)=x^2-ax+5$라 하면
$f'(x)=2x-a$
$x=1$, $x=2$인 점에서의 접선의 기울기는 각각
$f'(1)=2-a$
$f'(2)=4-a$
두 접선이 서로 수직이므로
$(2-a)(4-a)=-1$
$a^2-6a+9=0$, $(a-3)^2=0$
$\therefore a=3$
답 3

043 곡선 $y=f(x)$ 위의 점 $(2, 11)$에서의 접선의 방정식이 $y=4x+3$이므로
$f'(2)=4$
$\therefore \lim_{h\to 0}\frac{f(2+h)-f(2-h)}{h}$
$=\lim_{h\to 0}\frac{f(2+h)-f(2)-\{f(2-h)-f(2)\}}{h}$
$=\lim_{h\to 0}\frac{f(2+h)-f(2)}{h}+\lim_{h\to 0}\frac{f(2-h)-f(2)}{-h}$
$=f'(2)+f'(2)$
$=2f'(2)=8$
답 ⑤

044 $f(x)=x^3-6x^2+6x$라 하면
$f'(x)=3x^2-12x+6$
접점의 x좌표를 t라 하면 접하는 직선의 기울기는
$f'(t)=3t^2-12t+6$
$=3(t-2)^2-6$
이므로 $t=2$일 때, 최솟값을 갖는다.
$f(2)=-4$이므로 접하는 직선의 기울기가 최소일 때, 그 접점의 좌표는 $(2, -4)$이다.
답 ④

045 $f(x)=x^3$이라 하면
$f'(x)=3x^2$
점 $(1, 1)$에서의 접선의 기울기는
$f'(1)=3$
점 $(1, 1)$을 지나므로 접선의 방정식은
$y-1=3(x-1)$ $\therefore y=3x-2$
따라서 $a=3$, $b=-2$이므로
$ab=3\times(-2)=-6$
답 ①

046 $f(x)=(x^2+1)(x-3)$이라 하면
$f'(x)=2x(x-3)+x^2+1$
$=3x^2-6x+1$
$x=3$인 점에서의 접선의 기울기는
$f'(3)=3\times 3^2-6\times 3+1=10$
접점의 좌표는 $(3, 0)$이므로 구하는 접선의 방정식은
$y-0=10(x-3)$ $\therefore y=10x-30$
이 직선이 점 $(2, a)$를 지나므로
$a=10\times 2-30=-10$
답 -10

047 $f(x)=x^3+2x+7$이라 하면
$f'(x)=3x^2+2$
점 $\mathrm{P}(-1, 4)$에서의 접선의 기울기는
$f'(-1)=3\times(-1)^2+2=5$
점 $\mathrm{P}(-1, 4)$를 지나므로 접선의 방정식은
$y-4=5\{x-(-1)\}$ $\therefore y=5x+9$
곡선과 접선의 교점을 구하면
$x^3+2x+7=5x+9$, $x^3-3x-2=0$
$(x+1)^2(x-2)=0$
$\therefore x=-1$ 또는 $x=2$
따라서 $a=2$, $b=19$이므로
$a+b=21$
답 21

048 $f(x)=x^3+ax^2+9x+3$에서
$f'(x)=3x^2+2ax+9$
점 $(1, f(1))$에서의 접선의 기울기가 2이므로

$f'(1)=3+2a+9=2$

$2a=-10 \quad \therefore a=-5$

또 $f(1)=2+b$에서

$1-5+9+3=2+b \quad \therefore b=6$

$\therefore a+b=-5+6=1$

답 1

049 $\lim_{x \to 1} \frac{f(x)-2}{x-1}=3$에서 $x \to 1$일 때, (분모)$\to 0$이므로 (분자)$\to 0$이어야 한다.

즉, $\lim_{x \to 1}\{f(x)-2\}=0$에서

$f(1)=2$

$\therefore \lim_{x \to 1} \frac{f(x)-2}{x-1}=\lim_{x \to 1} \frac{f(x)-f(1)}{x-1}$

$=f'(1)=3$

따라서 점 $(1, f(1))$에서의 접선의 방정식은

$y-f(1)=f'(1)(x-1)$, $y-2=3(x-1)$

$\therefore y=3x-1$

답 ④

050 곡선 $y=f(x)$가 점 $(1, -1)$을 지나고, 이 점에서의 접선의 기울기가 0이므로

$f(1)=-1$, $f'(1)=0$

$g(x)=x^2f(x)$라 하면

$g'(x)=2xf(x)+x^2f'(x)$

$x=1$인 점에서의 접선의 기울기는

$g'(1)=2f(1)+f'(1)$

$=2\times(-1)+0=-2$

$g(1)=f(1)=-1$이므로 곡선 $y=g(x)$ 위의 점 $(1, -1)$에서의 접선의 방정식은

$y-(-1)=-2(x-1)$

$\therefore y=-2x+1$

따라서 $m=-2$, $n=1$이므로

$m+n=-1$

답 -1

051 $f(x)=x^2-3x-1$이라 하면

$f'(x)=2x-3$

점 $(2, -3)$에서의 접선의 기울기는

$f'(2)=4-3=1$

이므로 이 접선에 수직인 직선의 기울기는 -1이다.

즉, 점 $(2, -3)$을 지나고 기울기가 -1인 직선의 방정식은

$y-(-3)=-(x-2)$

$\therefore y=-x-1$

따라서 $a=-1$, $b=-1$이므로

$a+b=-2$

답 ②

052 $f(x)=x^3-x^2+k$라 하면

$f'(x)=3x^2-2x$

$x=1$인 점에서의 접선의 기울기는

$f'(1)=3-2=1$

이므로 이 접선에 수직인 직선의 기울기는 -1이다.

$f(1)=1-1+k=k$이므로 점 $(1, k)$를 지나고 기울기가 -1인 직선의 방정식은

$y-k=-(x-1)$

$\therefore y=-x+k+1$

이 직선의 y절편이 3이므로

$k+1=3 \quad \therefore k=2$

답 2

053 $f(x)=x^3-3x^2+x+1$이라 하면

$f'(x)=3x^2-6x+1$

점 A에서의 접선의 기울기는

$f'(3)=27-18+1=10$

$3x^2-6x+1=10$에서 $3x^2-6x-9=0$

$3(x+1)(x-3)=0 \quad \therefore x=-1$ 또는 $x=3$

$\therefore \mathrm{B}(-1, -4)$

점 B에서의 접선의 기울기가 10이므로 이 접선에 수직인 직선의 기울기는 $-\frac{1}{10}$이다.

즉, 점 $\mathrm{B}(-1, -4)$를 지나고 기울기가 $-\frac{1}{10}$인 직선의 방정식은

$y-(-4)=-\frac{1}{10}\{x-(-1)\}$

$\therefore y=-\frac{1}{10}x-\frac{41}{10}$

이 직선이 점 $(9, a)$를 지나므로

$a=-\frac{1}{10}\times 9-\frac{41}{10}=-5$

답 -5

054 $f(x)=3x^2-4x-2$라 하면

$f'(x)=6x-4$

접점의 좌표를 $(t, 3t^2-4t-2)$라 하면 접선의 기울기는 2이므로

$f'(t)=6t-4=2 \quad \therefore t=1$

즉, 접점의 좌표는 $(1, -3)$이므로 접선의 방정식은

$y-(-3)=2(x-1)$

$\therefore y=2x-5$

$\therefore k=-5$

답 -5

055 $f(x)=x^2+x$라 하면

$f'(x)=2x+1$

접점의 좌표를 (t, t^2+t)라 하면

직선 $y=3x+5$에 평행한 접선의 기울기는 3이므로

$f'(t)=2t+1=3 \quad \therefore t=1$

즉, 접점의 좌표는 $(1, 2)$이므로 접선의 방정식은

$y-2=3(x-1) \quad \therefore y=3x-1$

따라서 구하는 y절편은 -1이다.

답 ②

056 $f(x)=2x^2-x+3$이라 하면

$f'(x)=4x-1$

접점의 좌표를 $(t, 2t^2-t+3)$이라 하면 $x=t$인 점에서의 접선의 기울기는 직선 $x+3y+1=0$, 즉 $y=-\frac{1}{3}x-\frac{1}{3}$의 기울기와 수직이므로

$f'(t)=4t-1=3 \quad \therefore t=1$

즉, 접점의 좌표는 $(1, 4)$이므로 접선의 방정식은

$y-4=3(x-1) \quad \therefore y=3x+1$

이 직선이 x축과 만나는 점의 좌표는 $\left(-\frac{1}{3}, 0\right)$이므로

$a=-\frac{1}{3} \quad \therefore 3a=-1$

답 -1

057 $f(x)=x^3-3x^2-8x+1$이라 하면

$f'(x)=3x^2-6x-8$

접점의 좌표를 $(t,\ t^3-3t^2-8t+1)$이라 하면 접선의 기울기가 1이므로

$f'(t)=3t^2-6t-8=1,\ 3(t^2-2t-3)=0$

$3(t+1)(t-3)=0 \quad \therefore t=-1$ 또는 $t=3$

즉, 접점의 좌표는 $(-1,\ 5)$, $(3,\ -23)$이므로 접선의 방정식은

$y-5=1\times\{x-(-1)\}$ 또는 $y-(-23)=1\times(x-3)$

$\therefore y=x+6$ 또는 $y=x-26$

따라서 $a=6$, $b=-26$이므로

$a-b=6-(-26)=32$ 답 32

058 $f(x)=x^3-x+2$라 하면

$f'(x)=3x^2-1$

접점의 좌표를 $(t,\ t^3-t+2)$라 하면 접선의 기울기가 2이므로

$f'(t)=3t^2-1=2,\ t^2=1$

$\therefore t=-1$ 또는 $t=1$

즉, 접점의 좌표는 $(-1,\ 2)$, $(1,\ 2)$이므로 접선의 방정식은

$y-2=2\{x-(-1)\}$ 또는 $y-2=2(x-1)$

$\therefore y=2x+4$ 또는 $y=2x$

두 접선 사이의 거리는 $y=2x$ 위의 점 $(0,\ 0)$과 직선 $2x-y+4=0$ 사이의 거리와 같으므로

$\dfrac{|2\times0-0+4|}{\sqrt{2^2+(-1)^2}}=\dfrac{4\sqrt{5}}{5}$ 답 ③

059 $f(x)=x^3-3x^2+4x+1$이라 하면

$f'(x)=3x^2-6x+4$

$=3(x^2-2x+1)+1$

$=3(x-1)^2+1$

이므로 기울기는 $x=1$일 때, 최솟값 1을 갖는다.

$x=1$일 때, $y=3$이므로 접점 P의 좌표는 $(1,\ 3)$이고 접선의 방정식은

$y-3=1\times(x-1)$

$\therefore y=x+2$ 답 $y=x+2$

060 $f(x)=x^2-x$라 하면

$f'(x)=2x-1$

접점의 좌표를 $(t,\ t^2-t)$라 하면 접선의 기울기는

$f'(t)=2t-1$

이므로 접선의 방정식은

$y-(t^2-t)=(2t-1)(x-t)$

$\therefore y=(2t-1)x-t^2$

이 직선이 점 $(1,\ -1)$을 지나므로

$-1=2t-1-t^2,\ t^2-2t=0$

$t(t-2)=0 \quad \therefore t=0$ 또는 $t=2$

따라서 구하는 접선의 방정식은

$y=-x,\ y=3x-4$ 답 ①

061 $f(x)=x^2+2x$라 하면

$f'(x)=2x+2$

접점의 좌표를 $(t,\ t^2+2t)$라 하면 접선의 기울기는

$f'(t)=2t+2$

이므로 접선의 방정식은

$y-(t^2+2t)=(2t+2)(x-t)$

$\therefore y=(2t+2)x-t^2$

이 직선이 점 $(-1,\ -3)$을 지나므로

$-3=(2t+2)\times(-1)-t^2,\ t^2+2t-1=0$

$\therefore t=-1\pm\sqrt{2}$

즉, 접선의 기울기는 $2t+2$이므로

$2(-1-\sqrt{2})+2=-2\sqrt{2}$ 또는

$2(-1+\sqrt{2})+2=2\sqrt{2}$

따라서 두 접선의 기울기의 곱은

$m_1m_2=-8$ 답 -8

다른 풀이

$t^2+2t-1=0$에서 두 접점의 x좌표를 각각 t_1, t_2라 하면

근과 계수의 관계에 의하여

$t_1+t_2=-2,\ t_1t_2=-1$

따라서 두 접선의 기울기의 곱은

$(2t_1+2)(2t_2+2)=4(t_1t_2+t_1+t_2+1)$

$=4(-1-2+1)$

$=-8$

062 $f(x)=x^3$이라 하면 $f'(x)=3x^2$

접점의 좌표를 $(t,\ t^3)$이라 하면 접선의 기울기는

$f'(t)=3t^2$

이므로 접선의 방정식은

$y-t^3=3t^2(x-t)$

$\therefore y=3t^2x-2t^3 \quad \cdots\cdots ㉠$

이 직선이 점 $(0,\ -2)$를 지나므로

$-2=-2t^3,\ t^3=1 \quad \therefore t=1$

$t=1$을 ㉠에 대입하면

$y=3x-2$

이 직선이 점 $(3,\ k)$를 지나므로

$k=3\times3-2=7$ 답 7

063 $f(x)=x^3-2x$라 하면

$f'(x)=3x^2-2$

접점의 좌표를 $(t,\ t^3-2t)$라 하면 접선의 기울기는

$f'(t)=3t^2-2$

이므로 접선의 방정식은

$y-(t^3-2t)=(3t^2-2)(x-t)$

$\therefore y=(3t^2-2)x-2t^3 \quad \cdots\cdots ㉠$

이 직선이 점 $(0,\ 2)$를 지나므로

$2=-2t^3,\ t^3=-1 \quad \therefore t=-1$

$t=-1$을 ㉠에 대입하면

$y=x+2$

따라서 점 $(0,\ 0)$과 직선 $x-y+2=0$ 사이의 거리는

$\dfrac{|0-0+2|}{\sqrt{1^2+(-1)^2}}=\sqrt{2}$ 답 ③

064 $f(x)=x^3-3x^2+3x$에서

$f'(x)=3x^2-6x+3$

원점에서의 접선의 기울기는

$f'(0)=3$

이므로 접선의 방정식은

$y-0=3(x-0)$ $\quad\therefore y=3x$

점 A는 곡선 위의 점인 원점에서의 접선과 곡선의 교점이므로

$x^3-3x^2+3x=3x$, $x^2(x-3)=0$

$\therefore x=0$ 또는 $x=3$

즉, 점 A의 x좌표는 3이다.

점 B의 좌표를 (t, t^3-3t^2+3t)라 하면 접선의 기울기는

$f'(t)=3t^2-6t+3$

이므로 접선의 방정식은

$y-(t^3-3t^2+3t)=(3t^2-6t+3)(x-t)$

$\therefore y=(3t^2-6t+3)x-2t^3+3t^2$

이 접선이 원점을 지나므로

$0=-2t^3+3t^2$, $t^2(2t-3)=0$

$\therefore t=0$ 또는 $t=\dfrac{3}{2}$

즉, 점 B의 x좌표는 $\dfrac{3}{2}$이다.

따라서 두 점 A, B의 x좌표의 합은

$3+\dfrac{3}{2}=\dfrac{9}{2}$ 답 $\dfrac{9}{2}$

065 $f(x)=x^3-3x+1$이라 하면

$f'(x)=3x^2-3$

접점의 좌표를 (t, t^3-3t+1)이라 하면 접선의 기울기는

$f'(t)=3t^2-3$

이므로 접선의 방정식은

$y-(t^3-3t+1)=(3t^2-3)(x-t)$

$\therefore y=(3t^2-3)x-2t^3+1$

이 직선이 점 $(2, 0)$을 지나므로

$0=6t^2-6-2t^3+1$

$\therefore 2t^3-6t^2+5=0$ ······ ㉠

세 접점의 x좌표는 t에 대한 삼차방정식 ㉠의 세 실근과 같으므로 구하는 x좌표의 합은 삼차방정식의 근과 계수의 관계에 의하여

$\dfrac{6}{2}=3$ 답 3

참고 삼차방정식의 근과 계수의 관계

삼차방정식 $ax^3+bx^2+cx+d=0$의 세 근을 α, β, γ라 하면

$\alpha+\beta+\gamma=-\dfrac{b}{a}$, $\alpha\beta+\beta\gamma+\gamma\alpha=\dfrac{c}{a}$, $\alpha\beta\gamma=-\dfrac{d}{a}$

066 $f(x)=x^2-6x+a$라 하면

$f'(x)=2x-6$

접점의 좌표를 (t, t^2-6t+a)라 하면 접선의 기울기가 -4이므로

$f'(t)=2t-6=-4$ $\quad\therefore t=1$

즉, 접점의 좌표는 $(1, a-5)$이고, 이 접점은 직선 $y=-4x+3$ 위에 있으므로

$a-5=-4+3$ $\quad\therefore a=4$ 답 ④

067 $f(x)=2x^3-x+a$라 하면

$f'(x)=6x^2-1$

접점의 좌표를 $(t, 2t^3-t+a)$라 하면 접선의 기울기는

$f'(t)=6t^2-1$

이므로 접선의 방정식은

$y-(2t^3-t+a)=(6t^2-1)(x-t)$

$\therefore y=(6t^2-1)x-4t^3+a$

이 직선의 방정식은 $y=5x+b$와 일치해야 하므로

$6t^2-1=5$ ······ ㉠

$-4t^3+a=b$ ······ ㉡

㉠에서 $6t^2=6$, $t^2=1$

$\therefore t=-1$ 또는 $t=1$

이것을 ㉡에 각각 대입하면

(i) $4+a=b$ $\quad\therefore a-b=-4$

(ii) $-4+a=b$ $\quad\therefore a-b=4$

(i), (ii)에서 $|a-b|=4$ 답 4

068 $f(x)=2x^2+1$이라 하면

$f'(x)=4x$

점 $(-1, 3)$에서의 접선의 기울기는

$f'(-1)=-4$

이므로 접선의 방정식은

$y-3=-4\{x-(-1)\}$ $\quad\therefore y=-4x-1$

$g(x)=2x^3-ax+3$이라 하면

$g'(x)=6x^2-a$

접점의 좌표를 $(t, 2t^3-at+3)$이라 하면 접선의 기울기는

$g'(t)=6t^2-a$

이므로 접선의 방정식은

$y-(2t^3-at+3)=(6t^2-a)(x-t)$

$\therefore y=(6t^2-a)x-4t^3+3$

이 직선의 방정식은 $y=-4x-1$과 일치해야 하므로

$6t^2-a=-4$ ······ ㉠

$-4t^3+3=-1$ ······ ㉡

㉡에서 $t^3-1=0$, $(t-1)(t^2+t+1)=0$

$\therefore t=1$ $(\because t^2+t+1>0)$

$t=1$을 ㉠에 대입하면

$6-a=-4$ $\quad\therefore a=10$ 답 10

069 $f(x)=-x^3+4$, $g(x)=x^2+ax+2b$라 하면

$f'(x)=-3x^2$, $g'(x)=2x+a$

두 곡선이 점 $(1, 3)$에서 공통접선을 가지므로

$f(1)=g(1)$에서 $3=1+a+2b$ ······ ㉠

$f'(1)=g'(1)$에서 $-3=2+a$ $\quad\therefore a=-5$

$a=-5$를 ㉠에 대입하면 $b=\dfrac{7}{2}$

$\therefore a+b=-\dfrac{3}{2}$ 답 $-\dfrac{3}{2}$

070 $f(x)=2x^3+3$, $g(x)=3x^2+2$라 하면

$f'(x)=6x^2$, $g'(x)=6x$

접점의 x좌표를 t라 하면

$f(t)=g(t)$에서 $2t^3+3=3t^2+2$

$2t^3-3t^2+1=0$, $(2t+1)(t-1)^2=0$

$\therefore t=-\dfrac{1}{2}$ 또는 $t=1$ ······ ㉠

$f'(t)=g'(t)$에서 $6t^2=6t$

$t(t-1)=0$

$\therefore t=0$ 또는 $t=1$ ······ ㉡

㉠, ㉡을 동시에 만족시키는 t의 값은 1이므로 두 곡선의 접점의 좌표는 $(1, 5)$이고, 접선의 기울기는 6이다.
따라서 구하는 접선의 방정식은
$y-5=6(x-1)$
$\therefore y=6x-1$ 답 ③

071 $f(x)=x^3+ax-1$, $g(x)=x^2-2$라 하면
$f'(x)=3x^2+a$, $g'(x)=2x$
접점의 x좌표를 t라 하면
$f(t)=g(t)$에서 $t^3+at-1=t^2-2$
$t^3-t^2+at+1=0$ ……㉠
$f'(t)=g'(t)$에서 $3t^2+a=2t$
$a=-3t^2+2t$ ……㉡
㉡을 ㉠에 대입하면
$2t^3-t^2-1=0$, $(t-1)(2t^2+t+1)=0$
$\therefore t=1$ ($\because 2t^2+t+1>0$)
$t=1$을 ㉡에 대입하면 $a=-1$ 답 -1

072 $f(x)=x^2-4x+5$라 하면
$f'(x)=2x-4$
점 $(1, 2)$에서의 접선의 기울기는
$f'(1)=2\times1-4=-2$
점 $(1, 2)$를 지나므로 접선의 방정식은
$y-2=-2(x-1)$ $\therefore y=-2x+4$
접선의 x절편과 y절편이 각각 2, 4이므로 구하는 도형의 넓이는
$\frac{1}{2}\times2\times4=4$ 답 4

073 $f(x)=x^3-2x+1$이라 하면
$f'(x)=3x^2-2$
점 $(1, 0)$에서의 접선의 기울기는
$f'(1)=3-2=1$
즉, 점 $P(1, 0)$에서의 접선의 방정식은
$y-0=1\times(x-1)$ $\therefore y=x-1$
따라서 점 Q의 좌표는 $(0, -1)$이다.
직선 $y=x-1$이 곡선 $y=f(x)$와 다시 만나는 점의 x좌표는
$x^3-2x+1=x-1$에서 $x^3-3x+2=0$
$(x+2)(x-1)^2=0$
$\therefore x=-2$ 또는 $x=1$
따라서 점 R의 좌표는 $(-2, -3)$이므로
$\overline{PQ}=\sqrt{(0-1)^2+(-1-0)^2}=\sqrt{2}$
$\overline{QR}=\sqrt{(-2-0)^2+\{-3-(-1)\}^2}=2\sqrt{2}$
$\therefore \frac{\overline{PQ}}{\overline{QR}}=\frac{\sqrt{2}}{2\sqrt{2}}=\frac{1}{2}$ 답 $\frac{1}{2}$

074 곡선 $y=x^2-2x+5$와 직선 $y=2x-1$ 사이의 최단 거리는 기울기가 2인 곡선의 접선과 직선 $y=2x-1$ 사이의 거리이다.
$f(x)=x^2-2x+5$라 하면
$f'(x)=2x-2$
기울기가 2인 접선의 접점의 좌표를 (t, t^2-2t+5)라 하면
접선의 기울기는
$f'(t)=2t-2=2$ $\therefore t=2$
따라서 접점의 좌표가 $(2, 5)$이므로
접선의 방정식은
$y-5=2(x-2)$
$\therefore y=2x+1$
따라서 두 직선 $y=2x+1$과
$y=2x-1$ 사이의 거리는 직선
$y=2x+1$ 위의 점 $(0, 1)$과 직선
$2x-y-1=0$ 사이의 거리와 같으므로

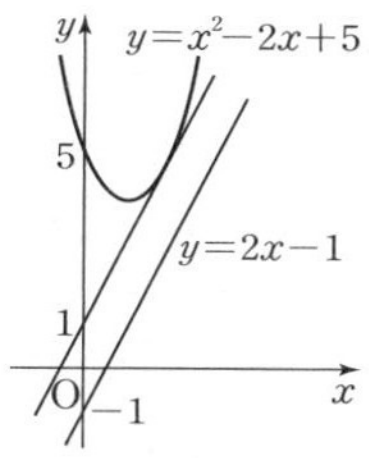

$\frac{|2\times0-1-1|}{\sqrt{2^2+(-1)^2}}=\frac{2}{\sqrt{5}}=\frac{2\sqrt{5}}{5}$ 답 ④

075 삼각형 ABP의 넓이가 최소가 되려면 점 P와 두 점 A, B를 지나는 직선 사이의 거리가 최소가 되어야 하므로 점 P에서의 접선의 기울기가 1이어야 한다.
$f(x)=x^2+3x+3$이라 하면
$f'(x)=2x+3$
기울기가 1인 접선의 접점의 좌표를 (t, t^2+3t+3)이라 하면
접선의 기울기는
$f'(t)=2t+3=1$ $\therefore t=-1$
따라서 점 P의 좌표는 $(-1, 1)$이고, 점 P와 직선 $y=x$, 즉 $x-y=0$ 사이의 거리는
$\frac{|-1-1|}{\sqrt{1^2+(-1)^2}}=\frac{2}{\sqrt{2}}=\sqrt{2}$
$\overline{AB}=\sqrt{(2-1)^2+(2-1)^2}=\sqrt{2}$
이므로 삼각형 ABP의 넓이의 최솟값은
$\frac{1}{2}\times\sqrt{2}\times\sqrt{2}=1$ 답 1

076 $g(x)=x^2$이라 하면 $g'(x)=2x$
점 $P(t, t^2)$에서의 접선의 기울기는
$g'(t)=2t$
이므로 이 접선에 수직인 직선의 기울기는 $-\frac{1}{2t}$이다.
즉, 점 P를 지나고 점 P에서의 접선과 수직인 직선의 방정식은
$y-t^2=-\frac{1}{2t}(x-t)$
$\therefore y=-\frac{1}{2t}x+\frac{1}{2}+t^2$
$x=0$일 때, $y=\frac{1}{2}+t^2$이므로
$f(t)=\frac{1}{2}+t^2$
$\therefore \lim_{t\to0}f(t)=\lim_{t\to0}\left(\frac{1}{2}+t^2\right)=\frac{1}{2}$ 답 $\frac{1}{2}$

077 $f(x)=x^3-x^2+1$이라 하면
$f'(x)=3x^2-2x$
점 $P(1, 1)$에서의 접선의 기울기는
$f'(1)=3-2=1$
또 원의 중심을 $C(a, 0)$이라 하면 직선 CP의 기울기는
$\frac{1-0}{1-a}=\frac{1}{1-a}$
접선과 직선 CP는 수직이므로

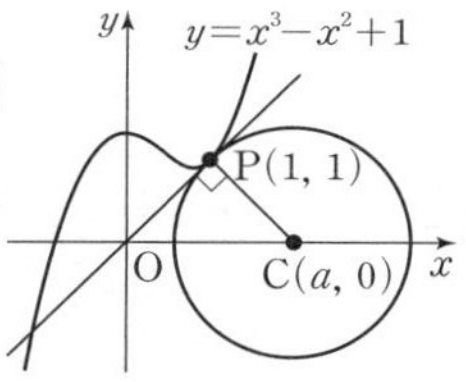

$1\times\dfrac{1}{1-a}=-1 \qquad \therefore a=2$

원의 중심은 C$(2, 0)$이므로 원의 반지름의 길이는

$\overline{\text{CP}}=\sqrt{(1-2)^2+(1-0)^2}=\sqrt{2}$

따라서 원의 넓이는 2π이다. 답 ③

078 함수 $f(x)=x^2-6x$는 닫힌구간 $[1, 5]$에서 연속이고 열린구간 $(1, 5)$에서 미분가능하며 $f(1)=f(5)=-5$이므로 롤의 정리에 의하여 $f'(c)=0$인 c가 열린구간 $(1, 5)$에 적어도 하나 존재한다.

$f'(x)=2x-6$이므로 $f'(c)=2c-6=0$

$\therefore c=3$ 답 ④

079 함수 $f(x)=x^3-x+5$는 닫힌구간 $[-1, 1]$에서 연속이고 열린구간 $(-1, 1)$에서 미분가능하며 $f(-1)=f(1)=5$이므로 롤의 정리에 의하여 $f'(c)=0$인 c가 열린구간 $(-1, 1)$에 적어도 하나 존재한다.

$f'(x)=3x^2-1$이므로

$f'(c)=3c^2-1=0$

$\therefore c=\pm\dfrac{\sqrt{3}}{3}$

따라서 실수 c의 개수는 2이다. 답 2

080 함수 $f(x)=-2x^2+kx$는 닫힌구간 $[1, 4]$에서 롤의 정리를 만족시키는 실수 $\dfrac{5}{2}$가 존재하므로

$f'(x)=-4x+k$에서

$f'\left(\dfrac{5}{2}\right)=-10+k=0$

$\therefore k=10$ 답 10

081 함수 $f(x)=x^2$은 닫힌구간 $[1, 3]$에서 연속이고, 열린구간 $(1, 3)$에서 미분가능하므로 평균값 정리에 의하여

$\dfrac{f(3)-f(1)}{3-1}=\dfrac{9-1}{3-1}=4=f'(c)$

인 c가 열린구간 $(1, 3)$에 적어도 하나 존재한다.

$f'(x)=2x$이므로 $f'(c)=2c=4$

$\therefore c=2$ 답 ②

082 함수 $f(x)=-x^2+3x+1$은 닫힌구간 $[1, k]$에서 평균값 정리를 만족시키는 실수 3이 존재하므로

$$\begin{aligned}\frac{f(k)-f(1)}{k-1}&=\frac{-k^2+3k+1-3}{k-1}\\&=\frac{-(k-2)(k-1)}{k-1}\\&=-k+2\ (\because k>3)\\&=f'(3)\end{aligned}$$

$f'(x)=-2x+3$이므로 $f'(3)=-3$

즉, $-k+2=-3$이므로

$k=5$ 답 5

083 닫힌구간 $[-1, 5]$에서 평균값 정리를 만족시키는 실수 c는 두 점 $(-1, f(-1))$, $(5, f(5))$를 잇는 직선의 기울기와 같은 미분계수를 갖는 점의 x좌표이다.

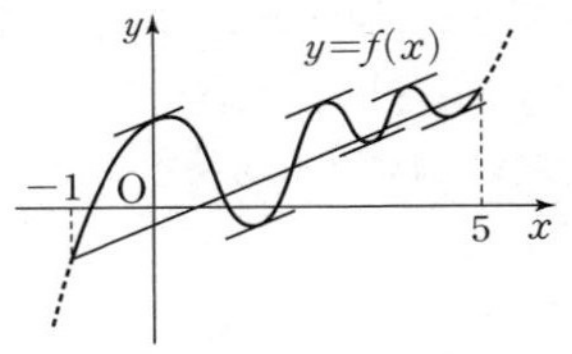

그림과 같이 두 점 $(-1, f(-1))$, $(5, f(5))$를 잇는 직선과 평행한 접선을 6개 그을 수 있으므로 실수 c의 개수는 6이다.

답 6

084 $\dfrac{f(1)-f(-1)}{2}=f'(c)$에서

$\dfrac{f(1)-f(-1)}{1-(-1)}=f'(c)$

이므로 c가 열린구간 $(-1, 1)$에 존재하려면 함수 $y=f(x)$가 닫힌구간 $[-1, 1]$에서 연속이고 열린구간 $(-1, 1)$에서 미분가능해야 한다.

ㄱ. 닫힌구간 $[-1, 1]$에서 연속이지만 $x=0$에서 미분가능하지 않으므로 c가 존재하지 않는다.

ㄴ, ㄷ. 닫힌구간 $[-1, 1]$에서 연속이고 열린구간 $(-1, 1)$에서 미분가능하므로 조건을 만족시키는 c가 존재한다.

따라서 $\dfrac{f(1)-f(-1)}{2}=f'(c)$인 c가 열린구간 $(-1, 1)$에 존재하는 함수는 ㄴ, ㄷ이다. 답 ⑤

085 $f(k)=f(1)+(k-1)f'(c)$에서

$\dfrac{f(k)-f(1)}{k-1}=f'(c)\ (1<c<k)$

$f(x)=x^3+x$에서 $f'(x)=3x^2+1$이고

$c=\sqrt{7}$이므로 $f'(c)=22$

즉, $\dfrac{(k^3+k)-2}{k-1}=f'(\sqrt{7})$이므로

$\dfrac{(k-1)(k^2+k+2)}{k-1}=22$, $k^2+k+2=22$

$k^2+k-20=0$, $(k+5)(k-4)=0$

$\therefore k=4\ (\because k>1)$ 답 ④

086 $f(x)=2x^2-x+3$이라 하면

$f'(x)=4x-1$

점 (a, b)에서의 접선의 기울기가 3이므로

$f'(a)=4a-1=3 \qquad \therefore a=1$

따라서 접점의 좌표는 $(1, 4)$이므로

$b=4$

$\therefore a+b=5$ 답 5

087 점 $(1, 4)$가 곡선 $y=x^3+ax+b$ 위의 점이므로

$4=1+a+b \qquad \therefore a+b=3 \qquad \cdots\cdots ㉠$

$f(x)=x^3+ax+b$라 하면

$f'(x)=3x^2+a$

점 $(1, 4)$에서의 접선의 기울기가 4이므로

$f'(1)=3+a=4 \qquad \therefore a=1$

$a=1$을 ㉠에 대입하면

$1+b=3 \qquad \therefore b=2$

$\therefore ab=2$ 답 2

088 $f(x)=x^3-2x$라 하면
$f'(x)=3x^2-2$
점 $(1, -1)$에서의 접선의 기울기는
$f'(1)=3-2=1$
이므로 접선에 수직인 직선의 기울기는 -1이다.
즉, 점 $(1, -1)$을 지나고 기울기가 -1인 직선의 방정식은
$y-(-1)=-(x-1)$
$\therefore y=-x$
따라서 $m=-1$, $n=0$이므로
$m-n=-1$ 답 ⑤

089 $f(x)=-x^3+2x+1$이라 하면
$f'(x)=-3x^2+2$
접점의 좌표를 $(t, -t^3+2t+1)$이라 하면
접선의 기울기는 -1이므로
$f'(t)=-3t^2+2=-1$, $t^2=1$
$\therefore t=1$ ($\because t>0$)
즉, 접점의 좌표는 $(1, 2)$이므로 접선의 방정식은
$y-2=-(x-1)$ $\quad\therefore y=-x+3$
$\therefore k=3$ 답 3

090 $f(x)=x^3+4$라 하면
$f'(x)=3x^2$
접점의 좌표를 (t, t^3+4)라 하면 접선의 기울기는
$f'(t)=3t^2$
이므로 접선의 방정식은
$y-(t^3+4)=3t^2(x-t)$
$\therefore y=3t^2x-2t^3+4$ ……㉠
이 직선이 점 $(0, 2)$를 지나므로
$2=-2t^3+4$, $t^3=1$ $\quad\therefore t=1$
$t=1$을 ㉠에 대입하면
$y=3x+2$
따라서 $a=3$, $b=2$이므로
$ab=6$ 답 ②

091 $f(x)=-x^3+1$이라 하면
$f'(x)=-3x^2$
접점의 좌표를 $(t, -t^3+1)$이라 하면 접선의 기울기는
$f'(t)=-3t^2$
이므로 접선의 방정식은
$y-(-t^3+1)=-3t^2(x-t)$
$\therefore y=-3t^2x+2t^3+1$
이 직선의 방정식은 $y=ax-1$과 일치해야 하므로
$-3t^2=a$ ……㉠
$2t^3+1=-1$ ……㉡
㉡에서 $t^3+1=0$, $(t+1)(t^2-t+1)=0$
$\therefore t=-1$ ($\because t^2-t+1>0$)
$t=-1$을 ㉠에 대입하면 $a=-3$ 답 -3

092 $f(x)=x^3+ax^2+bx$, $g(x)=x^2+cx$에서
$f'(x)=3x^2+2ax+b$, $g'(x)=2x+c$
두 곡선 $y=f(x)$, $y=g(x)$가 점 $(1, 0)$에서 접하므로
$f(1)=0$에서 $1+a+b=0$
$\therefore a+b=-1$ ……㉠
$g(1)=0$에서 $1+c=0$
$\therefore c=-1$ ……㉡
$f'(1)=g'(1)$에서 $3+2a+b=2+c$
$\therefore c=2a+b+1$
㉡에서 $c=-1$이므로
$2a+b=-2$ ……㉢
㉠, ㉢을 연립하여 풀면
$a=-1$, $b=0$
$\therefore a-b-c=0$ 답 0

093 $f(x)=x^2+3$이라 하면
$f'(x)=2x$
접점의 좌표를 (t, t^2+3)이라 하면 이 점에서의 접선의 기울기는
$f'(t)=2t$이므로 접선의 방정식은
$y-(t^2+3)=2t(x-t)$
$\therefore y=2tx-t^2+3$
이 직선이 점 $\mathrm{A}(2, -2)$를 지나므로
$-2=4t-t^2+3$
$t^2-4t-5=0$
$(t+1)(t-5)=0$
$\therefore t=-1$ 또는 $t=5$

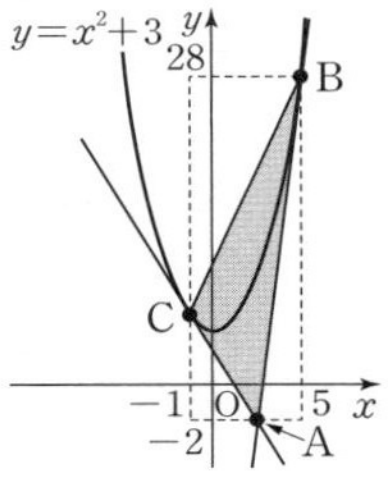

따라서 두 접점 B, C의 좌표는 각각
$(5, 28)$, $(-1, 4)$이므로 삼각형 ABC의 넓이는
$6\times30-\left(\frac{1}{2}\times3\times6+\frac{1}{2}\times3\times30+\frac{1}{2}\times6\times24\right)=54$
답 54

094 함수 $f(x)=-2x^2+14x+3$은 닫힌구간 $[0, 7]$에서 연속이고 열린구간 $(0, 7)$에서 미분가능하며 $f(0)=f(7)=3$이므로 롤의 정리에 의하여 $f'(c)=0$인 c가 열린구간 $(0, 7)$에 적어도 하나 존재한다.
$f'(x)=-4x+14$이므로
$f'(c)=-4c+14=0$
$\therefore c=\frac{7}{2}$ 답 ②

095 함수 $f(x)=x^3-5x^2+8x-4$는 닫힌구간 $[0, 3]$에서 연속이고 열린구간 $(0, 3)$에서 미분가능하고 $f(3)-f(0)=3f'(c)$
에서 $\frac{f(3)-f(0)}{3}=f'(c)$이므로 평균값 정리에 의하여
$\frac{f(3)-f(0)}{3-0}=\frac{2-(-4)}{3-0}=2=f'(c)$
인 c가 열린구간 $(0, 3)$에 적어도 하나 존재한다.
$f'(x)=3x^2-10x+8$이므로
$f'(c)=3c^2-10c+8=2$에서
$3c^2-10c+6=0$
$\therefore c=\frac{5\pm\sqrt{7}}{3}$
$0<\frac{5-\sqrt{7}}{3}<3$이고 $0<\frac{5+\sqrt{7}}{3}<3$이므로
모든 실수 c의 값의 곱은
$\left(\frac{5+\sqrt{7}}{3}\right)\times\left(\frac{5-\sqrt{7}}{3}\right)=2$ 답 2

096 삼차항의 계수가 1인 삼차다항식 $f(x)$를
$f(x)=x^3+ax^2+bx+c$라 하면
$f(-2)=5$이므로 $-8+4a-2b+c=5$ ······㉠
$f(0)=5$이므로 $c=5$ ······㉡
$f(2)=5$이므로 $8+4a+2b+c=5$ ······㉢
㉠, ㉡, ㉢을 연립하여 풀면 $a=0$, $b=-4$, $c=5$
$\therefore f(x)=x^3-4x+5$
$f'(x)=3x^2-4$이므로 곡선 $y=f(x)$ 위의 점 $(2, f(2))$에서의 접선의 기울기는
$f'(2)=12-4=8$
따라서 점 $(2, f(2))$, 즉 점 $(2, 5)$에서의 접선의 방정식은
$y-5=8(x-2)$
$\therefore y=8x-11$ 답 $y=8x-11$

다른 풀이
$f(x)-5=g(x)$라 하면
$f(-2)=f(0)=f(2)=5$이므로
$g(-2)=g(0)=g(2)=0$
즉, $g(x)=ax(x+2)(x-2)$이므로
$f(x)=ax(x+2)(x-2)+5$
삼차다항식 $f(x)$의 삼차항의 계수가 1이므로 $a=1$
$\therefore f(x)=x(x+2)(x-2)+5=x^3-4x+5$
$f'(x)=3x^2-4$이므로 $f'(2)=8$
따라서 구하는 접선의 방정식은
$y-5=8(x-2)$ $\therefore y=8x-11$

097 $f(x)=x^3$이라 하면 $f'(x)=3x^2$
점 $\mathrm{P}(t, t^3)$에서의 접선의 기울기는
$f'(t)=3t^2$
이므로 접선의 방정식은
$y-t^3=3t^2(x-t)$
$\therefore 3t^2x-y-2t^3=0$ ······㉠
직선 ㉠과 원점 사이의 거리는

$$f(t)=\frac{|-2t^3|}{\sqrt{(3t^2)^2+(-1)^2}}=\frac{|-2t^3|}{\sqrt{9t^4+1}}$$

$$\therefore \alpha=\lim_{t\to\infty}\frac{f(t)}{t}=\lim_{t\to\infty}\frac{|-2t^3|}{t\sqrt{9t^4+1}}$$

$$=\lim_{t\to\infty}\frac{2t^2}{\sqrt{9t^4+1}}=\lim_{t\to\infty}\frac{2}{\sqrt{9+\frac{1}{t^4}}}=\frac{2}{3}$$

$\therefore 30\alpha=30\times\frac{2}{3}=20$ 답 20

06 증가 · 감소와 극대 · 극소

본책 089~104쪽

001 구간 $[1, 3]$에 속하는 임의의 두 실수 x_1, x_2에 대하여 $x_1<x_2$일 때, $f(x_1)<f(x_2)$이므로 함수 $y=f(x)$는 구간 $[1, 3]$에서 증가한다. 답 구간 $[1, 3]$

002 구간 $(-\infty, 1]$, $[3, \infty)$에 속하는 임의의 두 실수 x_1, x_2에 대하여 $x_1<x_2$일 때, $f(x_1)>f(x_2)$이므로 함수 $y=f(x)$는 구간 $(-\infty, 1]$, $[3, \infty)$에서 감소한다.
답 구간 $(-\infty, 1]$, $[3, \infty)$

003 구간 $[0, \infty)$에 속하는 임의의 두 실수 x_1, x_2에 대하여 $x_1<x_2$일 때, $f(x_1)<f(x_2)$이므로 함수 $y=f(x)$는 구간 $[0, \infty)$에서 증가한다. 답 증가

004 구간 $[0, \infty)$에 속하는 임의의 두 실수 x_1, x_2에 대하여 $x_1<x_2$일 때, $f(x_1)>f(x_2)$이므로 함수 $y=f(x)$는 구간 $[0, \infty)$에서 감소한다. 답 감소

005 구간 $(-\infty, \infty)$에 속하는 임의의 두 실수 x_1, x_2에 대하여 $x_1<x_2$일 때, $f(x_1)<f(x_2)$이므로 함수 $y=f(x)$는 구간 $(-\infty, \infty)$에서 증가한다. 답 증가

006 구간 $(-\infty, \infty)$에 속하는 임의의 두 실수 x_1, x_2에 대하여 $x_1<x_2$일 때, $f(x_1)>f(x_2)$이므로 함수 $y=f(x)$는 구간 $(-\infty, \infty)$에서 감소한다. 답 감소

007 $f'(x)=3x^2-3=3(x+1)(x-1)$이므로
$f'(x)=0$에서 $x=-1$ 또는 $x=1$
$x<-1$ 또는 $x>1$일 때, $f'(x)$ [>] 0
$-1<x<1$일 때, $f'(x)$ [<] 0
함수 $y=f(x)$의 증가, 감소를 표로 나타내면 다음과 같다.

x	$\cdots$	-1	$\cdots$	1	$\cdots$
$f'(x)$	$+$	0	$-$	0	$+$
$f(x)$	↗	3	↘	-1	↗

따라서 함수 $y=f(x)$는
구간 $(-\infty, -1]$ 또는 $[1, \infty)$에서 [증가]하고,
구간 $[-1, 1]$에서 [감소]한다.
답 $>$, $<$, 증가, 감소

008 $f(x)=3x+1$에서 $f'(x)=3>0$이므로 주어진 함수는 실수 전체의 집합, 즉 구간 $(-\infty, \infty)$에서 증가한다. 답 구간 $(-\infty, \infty)$에서 증가

009 $f(x)=x^2-2x+5$에서
$f'(x)=2x-2$
$f'(x)=0$에서 $x=1$
함수 $y=f(x)$의 증가, 감소를 표로 나타내면 다음과 같다.

x	$\cdots$	1	$\cdots$
$f'(x)$	$-$	0	$+$
$f(x)$	↘	4	↗

따라서 함수 $y=f(x)$는 구간 $[1, \infty)$에서 증가하고, 구간 $(-\infty, 1]$에서 감소한다.

답 구간 $[1, \infty)$에서 증가, 구간 $(-\infty, 1]$에서 감소

010 $f(x)=-x^2+6x+3$에서

$f'(x)=-2x+6$

$f'(x)=0$에서 $x=3$

함수 $y=f(x)$의 증가, 감소를 표로 나타내면 다음과 같다.

x	$\cdots$	3	$\cdots$
$f'(x)$	+	0	−
$f(x)$	↗	12	↘

따라서 함수 $y=f(x)$는 구간 $(-\infty, 3]$에서 증가하고, 구간 $[3, \infty)$에서 감소한다.

답 구간 $(-\infty, 3]$에서 증가, 구간 $[3, \infty)$에서 감소

011 $f(x)=x^3-3x^2+1$에서

$f'(x)=3x^2-6x=3x(x-2)$

$f'(x)=0$에서 $x=0$ 또는 $x=2$

함수 $y=f(x)$의 증가, 감소를 표로 나타내면 다음과 같다.

x	$\cdots$	0	$\cdots$	2	$\cdots$
$f'(x)$	+	0	−	0	+
$f(x)$	↗	1	↘	−3	↗

따라서 함수 $y=f(x)$는 구간 $(-\infty, 0]$, $[2, \infty)$에서 증가하고, 구간 $[0, 2]$에서 감소한다.

답 구간 $(-\infty, 0]$, $[2, \infty)$에서 증가, 구간 $[0, 2]$에서 감소

012 $f(x)=-x^3+6x^2+2$에서

$f'(x)=-3x^2+12x=-3x(x-4)$

$f'(x)=0$에서 $x=0$ 또는 $x=4$

함수 $y=f(x)$의 증가, 감소를 표로 나타내면 다음과 같다.

x	$\cdots$	0	$\cdots$	4	$\cdots$
$f'(x)$	−	0	+	0	−
$f(x)$	↘	2	↗	34	↘

따라서 함수 $y=f(x)$는 구간 $[0, 4]$에서 증가하고, 구간 $(-\infty, 0]$, $[4, \infty)$에서 감소한다.

답 구간 $[0, 4]$에서 증가, 구간 $(-\infty, 0]$, $[4, \infty)$에서 감소

013 $f(x)=x^3-3x^2-9x+1$에서

$f'(x)=3x^2-6x-9=3(x+1)(x-3)$

$f'(x)=0$에서 $x=-1$ 또는 $x=3$

따라서 □ 안에 알맞은 x의 값은 그림과 같다.

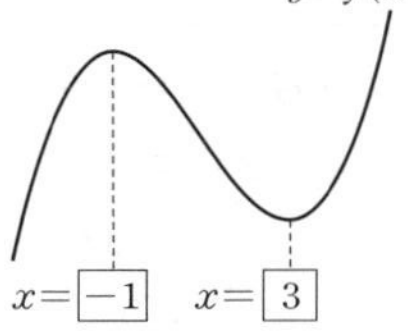

답 -1, 3

014 $f(x)=-x^3+12x$에서

$f'(x)=-3x^2+12=-3(x+2)(x-2)$

$f'(x)=0$에서 $x=-2$ 또는 $x=2$

따라서 □ 안에 알맞은 x의 값은 그림과 같다.

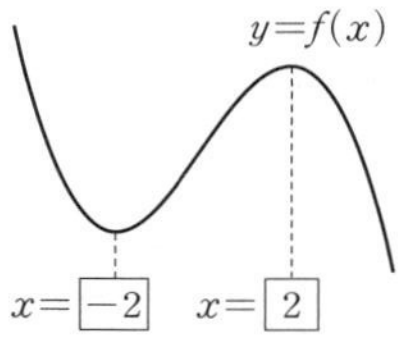

답 -2, 2

015 $f(x)=x^4-2x^2-2$에서

$f'(x)=4x^3-4x=4x(x+1)(x-1)$

$f'(x)=0$에서 $x=-1$ 또는 $x=0$ 또는 $x=1$

따라서 □ 안에 알맞은 x의 값은 그림과 같다.

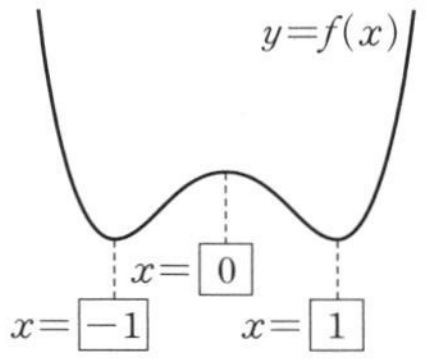

답 -1, 0, 1

016 $f(x)=-3x^4+4x^3-1$에서

$f'(x)=-12x^3+12x^2=-12x^2(x-1)$

$f'(x)=0$에서 $x=0$ 또는 $x=1$

따라서 □ 안에 알맞은 x의 값은 그림과 같다.

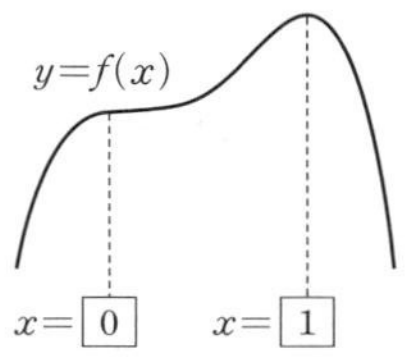

답 0, 1

017 함수 $y=f(x)$가 $x=0$의 좌우에서 증가하다가 감소하므로 $x=0$에서 극대이고, $x=2$의 좌우에서 감소하다가 증가하므로 $x=2$에서 극소이다.

따라서 극값을 갖는 x의 값은 0, 2이다. 답 0, 2

018 $f(0)=1$이므로 극댓값은 1이다. 답 1

019 $f(2)=-3$이므로 극솟값은 -3이다. 답 -3

020 함수 $y=f(x)$가 $x=0$에서 미분가능하고 극댓값을 가지므로 $f'(0)=0$ 답 0

021 함수 $y=f(x)$가 $x=2$에서 미분가능하고 극솟값을 가지므로 $f'(2)=0$ 답 0

022 함수 $y=f(x)$가 $x=7$의 좌우에서 증가하다가 감소하므로 $x=7$에서 극대이고, 극댓값은 $f(7)=4$이다. 답 4

023 함수 $y=f(x)$가 $x=3$의 좌우에서 감소하다가 증가하므로 $x=3$에서 극소이고, 극솟값은 $f(3)=1$이다. 답 1

024 함수 $y=f(x)$가 $x=3$ 또는 $x=7$에서 미분가능하고 극값을 가지므로 $f'(3)=0$, $f'(7)=0$이다.

따라서 $f'(x)=0$의 해는 $x=3$ 또는 $x=7$

답 $x=3$ 또는 $x=7$

025 $f(x)=x^3-6x^2+9x+1$에서
$f'(x)=3x^2-12x+9=3(x-1)(x-3)$
$f'(x)=0$에서 $x=1$ 또는 $x=3$ 답 $x=1$ 또는 $x=3$

026 함수 $y=f(x)$의 증가, 감소를 표로 나타내면 다음과 같다.

x	$\cdots$	1	$\cdots$	3	$\cdots$
$f'(x)$	+	0	−	0	+
$f(x)$	↗	5	↘	1	↗

답 풀이 참조

027 $x=1$일 때, 극대이고 극댓값은 $f(1)=5$ 답 5

028 $x=3$일 때, 극소이고 극솟값은 $f(3)=1$ 답 1

029 함수 $f(x)=x^3-6x^2+9x+1$의 그래프는 그림과 같다.

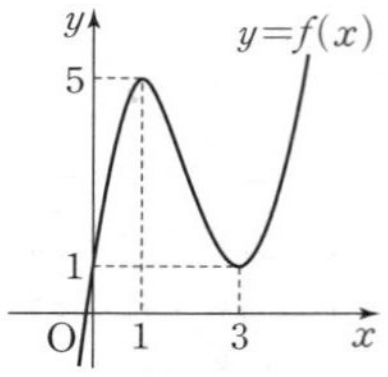

답 풀이 참조

030 $f(x)=x^3-3x+1$에서
$f'(x)=3x^2-3=3(x+1)(x-1)$
$f'(x)=0$에서 $x=-1$ 또는 $x=1$
함수 $y=f(x)$의 증가, 감소를 표로 나타내면 다음과 같다.

x	$\cdots$	-1	$\cdots$	1	$\cdots$
$f'(x)$	+	0	−	0	+
$f(x)$	↗	3	↘	-1	↗

따라서 함수 $y=f(x)$는 $x=-1$일 때 극댓값 3, $x=1$일 때 극솟값 -1을 가지므로 □ 안에 알맞은 점의 좌표는 각각 $(-1, 3)$, $(1, -1)$이다.

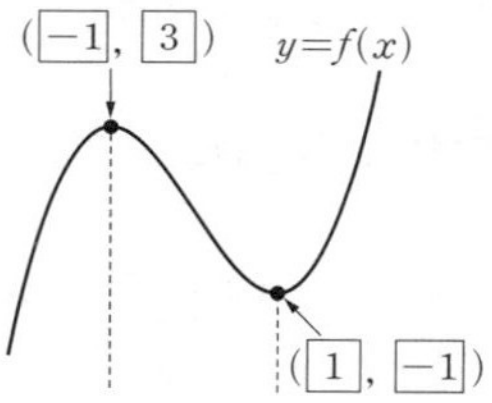

답 $(-1, 3)$, $(1, -1)$

031 $f(x)=-2x^3+6x+1$에서
$f'(x)=-6x^2+6=-6(x+1)(x-1)$
$f'(x)=0$에서 $x=-1$ 또는 $x=1$
함수 $y=f(x)$의 증가, 감소를 표로 나타내면 다음과 같다.

x	$\cdots$	-1	$\cdots$	1	$\cdots$
$f'(x)$	−	0	+	0	−
$f(x)$	↘	-3	↗	5	↘

따라서 함수 $y=f(x)$는 $x=-1$일 때 극솟값 -3, $x=1$일 때 극댓값 5를 가지므로 □ 안에 알맞은 점의 좌표는 각각 $(-1, -3)$, $(1, 5)$이다.

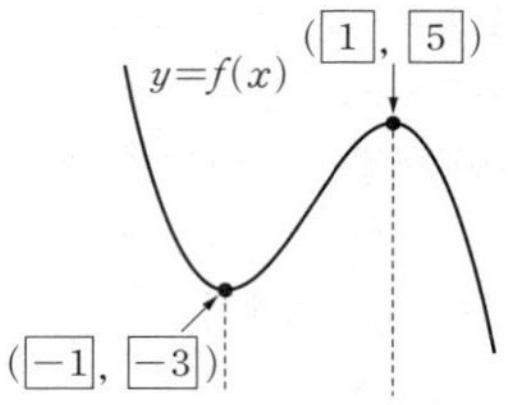

답 $(-1, -3)$, $(1, 5)$

032 $f(x)=x^4-4x^3+4x^2+2$에서
$f'(x)=4x^3-12x^2+8x=4x(x-1)(x-2)$
$f'(x)=0$에서 $x=0$ 또는 $x=1$ 또는 $x=2$
함수 $y=f(x)$의 증가, 감소를 표로 나타내면 다음과 같다.

x	$\cdots$	0	$\cdots$	1	$\cdots$	2	$\cdots$
$f'(x)$	−	0	+	0	−	0	+
$f(x)$	↘	2	↗	3	↘	2	↗

따라서 함수 $y=f(x)$는 $x=0$ 또는 $x=2$일 때 극솟값 2, $x=1$일 때 극댓값 3을 가지므로 □ 안에 알맞은 점의 좌표는 각각 $(0, 2)$, $(1, 3)$, $(2, 2)$이다.

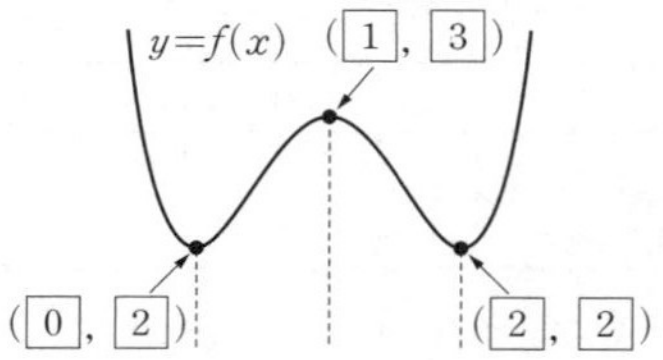

답 $(0, 2)$, $(1, 3)$, $(2, 2)$

033 $f(x)=x^2-8x+3$에서
$f'(x)=2x-8$
$f'(x)=0$에서 $x=4$
함수 $y=f(x)$의 증가, 감소를 표로 나타내면 다음과 같다.

x	$\cdots$	4	$\cdots$
$f'(x)$	−	0	+
$f(x)$	↘	-13	↗

따라서 함수 $y=f(x)$는 $x=4$일 때 극솟값 -13을 갖는다.

답 극솟값: -13

034 $f(x)=x^3+3x^2-24$에서
$f'(x)=3x^2+6x=3x(x+2)$
$f'(x)=0$에서 $x=-2$ 또는 $x=0$
함수 $y=f(x)$의 증가, 감소를 표로 나타내면 다음과 같다.

x	$\cdots$	-2	$\cdots$	0	$\cdots$
$f'(x)$	+	0	−	0	+
$f(x)$	↗	-20	↘	-24	↗

따라서 함수 $y=f(x)$는 $x=-2$일 때 극댓값 -20, $x=0$일 때 극솟값 -24를 갖는다.

답 극댓값: -20, 극솟값: -24

035 $f(x)=-2x^3+6x+1$에서
$f'(x)=-6x^2+6=-6(x+1)(x-1)$
$f'(x)=0$에서 $x=-1$ 또는 $x=1$
함수 $y=f(x)$의 증가, 감소를 표로 나타내면 다음과 같다.

x	$\cdots$	-1	$\cdots$	1	$\cdots$
$f'(x)$	$-$	0	$+$	0	$-$
$f(x)$	↘	-3	↗	5	↘

따라서 함수 $y=f(x)$는 $x=-1$일 때 극솟값 -3, $x=1$일 때 극댓값 5를 갖는다.

답 극댓값: 5, 극솟값: -3

036 $f(x)=x^4-2x^2$에서

$f'(x)=4x^3-4x$

$=4x(x+1)(x-1)$

$f'(x)=0$에서 $x=-1$ 또는 $x=0$ 또는 $x=1$

함수 $y=f(x)$의 증가, 감소를 표로 나타내면 다음과 같다.

x	$\cdots$	-1	$\cdots$	0	$\cdots$	1	$\cdots$
$f'(x)$	$-$	0	$+$	0	$-$	0	$+$
$f(x)$	↘	-1	↗	0	↘	-1	↗

따라서 함수 $y=f(x)$는 $x=-1$ 또는 $x=1$일 때 극솟값 -1, $x=0$일 때 극댓값 0을 갖는다.

답 극댓값: 0, 극솟값: -1

037 $f(x)=x^2-3x+4$에서

$f'(x)=2x-3$

$f'(x)=0$에서 $x=\frac{3}{2}$

함수 $y=f(x)$의 증가, 감소를 표로 나타내면 다음과 같다.

x	$\cdots$	$\frac{3}{2}$	$\cdots$
$f'(x)$	$-$	0	$+$
$f(x)$	↘	$\frac{7}{4}$	↗

따라서 주어진 함수의 극솟값은 $\frac{7}{4}$이고 그 그래프는 그림과 같다.

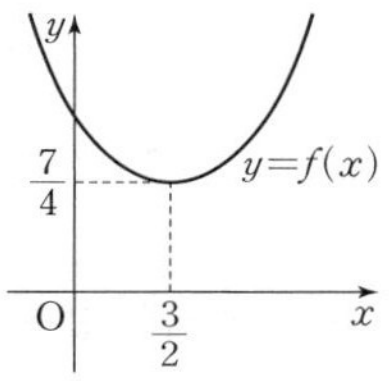

답 풀이 참조

038 $f(x)=\frac{1}{3}x^3-x^2-3x+1$에서

$f'(x)=x^2-2x-3$

$=(x+1)(x-3)$

$f'(x)=0$에서 $x=-1$ 또는 $x=3$

함수 $y=f(x)$의 증가, 감소를 표로 나타내면 다음과 같다.

x	$\cdots$	-1	$\cdots$	3	$\cdots$
$f'(x)$	$+$	0	$-$	0	$+$
$f(x)$	↗	$\frac{8}{3}$	↘	-8	↗

따라서 주어진 함수의 극댓값은 $\frac{8}{3}$, 극솟값은 -8이고 그 그래프는 그림과 같다.

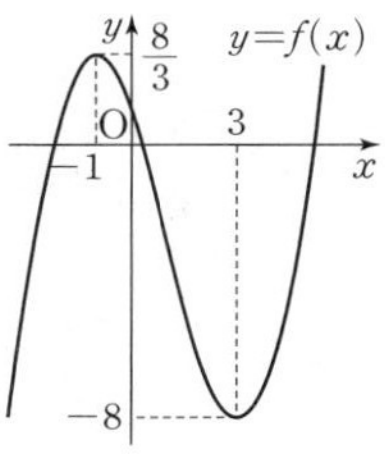

답 풀이 참조

039 $f(x)=-x^3+3x+2$에서

$f'(x)=-3x^2+3$

$=-3(x+1)(x-1)$

$f'(x)=0$에서 $x=-1$ 또는 $x=1$

함수 $y=f(x)$의 증가, 감소를 표로 나타내면 다음과 같다.

x	$\cdots$	-1	$\cdots$	1	$\cdots$
$f'(x)$	$-$	0	$+$	0	$-$
$f(x)$	↘	0	↗	4	↘

따라서 주어진 함수의 극댓값은 4, 극솟값은 0이고 그 그래프는 그림과 같다.

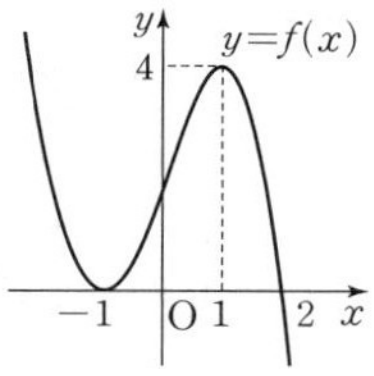

답 풀이 참조

040 $f(x)=x^4-2x^3-2x^2+6x$에서

$f'(x)=4x^3-6x^2-4x+6$

$=2(x+1)(x-1)(2x-3)$

$f'(x)=0$에서 $x=-1$ 또는 $x=1$ 또는 $x=\frac{3}{2}$

함수 $y=f(x)$의 증가, 감소를 표로 나타내면 다음과 같다.

x	$\cdots$	-1	$\cdots$	1	$\cdots$	$\frac{3}{2}$	$\cdots$
$f'(x)$	$-$	0	$+$	0	$-$	0	$+$
$f(x)$	↘	-5	↗	3	↘	$\frac{45}{16}$	↗

따라서 주어진 함수의 극댓값은 3, 극솟값은 -5, $\frac{45}{16}$이고 그 그래프는 그림과 같다.

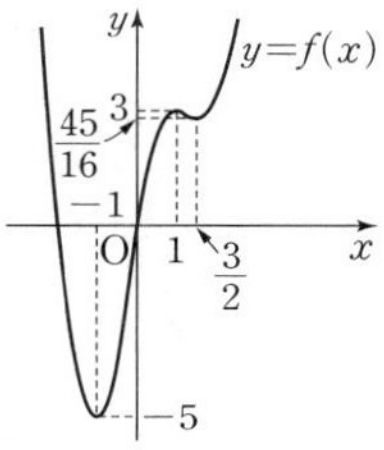

답 풀이 참조

041 답 최댓값: 2, 최솟값: -6

042 답 최댓값: 2, 최솟값: -5

043 답 최댓값: 3, 최솟값: -5

044 $f(x)=x^2-2x+3$에서

$f'(x)=2x-2$

$f'(x)=0$에서 $x=1$

구간 $[0, 3]$에서 함수 $y=f(x)$의 증가, 감소를 표로 나타내면 다음과 같다.

x	0	$\cdots$	1	$\cdots$	3
$f'(x)$		$-$	0	$+$	
$f(x)$	3	↘	2	↗	6

따라서 함수 $y=f(x)$는
$x=3$일 때 최댓값 6,
$x=1$일 때 최솟값 2
를 갖는다.

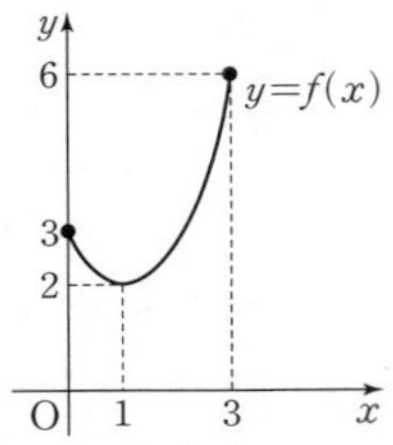

답 최댓값 : 6, 최솟값 : 2

045 $f(x)=x^3-3x^2-1$에서
$f'(x)=3x^2-6x=3x(x-2)$
$f'(x)=0$에서 $x=0$ 또는 $x=2$
구간 $[-1, 3]$에서 함수 $y=f(x)$의 증가, 감소를 표로 나타내면 다음과 같다.

x	-1	$\cdots$	0	$\cdots$	2	$\cdots$	3
$f'(x)$		$+$	0	$-$	0	$+$	
$f(x)$	-5	↗	-1	↘	-5	↗	-1

따라서 함수 $y=f(x)$는
$x=0$ 또는 $x=3$일 때 최댓값 -1,
$x=-1$ 또는 $x=2$일 때 최솟값 -5
를 갖는다.

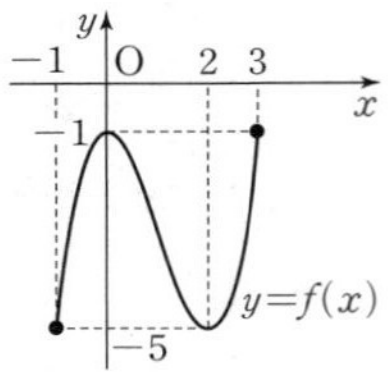

답 최댓값 : -1, 최솟값 : -5

046 $f(x)=x^3-3x$에서
$f'(x)=3x^2-3=3(x+1)(x-1)$
$f'(x)=0$에서 $x=-1$ 또는 $x=1$
함수 $y=f(x)$의 증가, 감소를 표로 나타내면 다음과 같다.

x	$\cdots$	-1	$\cdots$	1	$\cdots$
$f'(x)$	$+$	0	$-$	0	$+$
$f(x)$	↗	2	↘	-2	↗

따라서 함수 $y=f(x)$는 $x\le-1$ 또는 $x\ge1$에서 증가하고 $-1\le x\le1$에서 감소하므로 옳은 것은 ⑤이다. 답 ⑤

047 $f(x)=-2x^3+3ax^2-6bx$에서
$f'(x)=-6x^2+6ax-6b$
함수 $y=f(x)$가 증가하는 구간이 $[1, 5]$이므로
$f'(x)\ge0$, 즉 $x^2-ax+b\le0$의 해는 $1\le x\le5$이다.
따라서 이차방정식 $x^2-ax+b=0$의 두 근이 1, 5이므로 근과 계수의 관계에 의하여
$a=1+5=6$, $b=1\times5=5$
$\therefore a+b=11$ 답 11

048 $f(x)=x^3+ax^2+bx+1$에서
$f'(x)=3x^2+2ax+b$
함수 $y=f(x)$가 $x\le-1$ 또는 $x\ge2$에서 증가하고, $-1\le x\le2$에서 감소하므로 이차방정식 $f'(x)=0$의 두 근이 -1, 2이다.
따라서 이차방정식의 근과 계수의 관계에 의하여
$-1+2=-\frac{2a}{3}$, $(-1)\times2=\frac{b}{3}$
$\therefore a=-\frac{3}{2}$, $b=-6$
$\therefore ab=9$ 답 9

049 도함수 $y=f'(x)$의 그래프에서 주어진 구간에 따라 $f'(x)$의 부호를 조사하면 다음과 같다.
① 구간 $(-\infty, -2)$에서 $f'(x)>0$이므로
$y=f(x)$는 이 구간에서 증가한다.
② 구간 $(1, 2)$에서 $f'(x)<0$이므로
$y=f(x)$는 이 구간에서 감소한다.
③ 구간 $\left(-2, -\frac{1}{2}\right)$에서 $f'(x)<0$이므로
$y=f(x)$는 이 구간에서 감소한다.
④ 구간 $(2, \infty)$에서 $f'(x)>0$이므로
$y=f(x)$는 이 구간에서 증가한다.
⑤ 구간 $\left(-\frac{1}{2}, 1\right)$에서 $f'(x)>0$이므로
$y=f(x)$는 이 구간에서 증가한다.
따라서 옳은 것은 ⑤이다. 답 ⑤

050 주어진 그래프에서 $f'(x)\ge0$인 구간 $[0, 3]$, $[6, 10]$에서 함수 $y=f(x)$는 증가한다.
$\therefore \alpha+\beta+\gamma+\delta=0+3+6+10=19$ 답 ③

051 $f(x)=\frac{1}{3}x^3+ax^2+9x+1$에서
$f'(x)=x^2+2ax+9$
함수 $y=f(x)$가 실수 전체의 집합에서 증가하려면 모든 실수 x에 대하여 $f'(x)\ge0$이어야 하므로 이차방정식 $f'(x)=0$의 판별식을 D라 하면
$\frac{D}{4}=a^2-9\le0$, $(a+3)(a-3)\le0$
$\therefore -3\le a\le3$
따라서 정수 a의 개수는 -3, -2, -1, 0, 1, 2, 3의 7이다.
답 ③

052 임의의 두 실수 x_1, x_2에 대하여 $x_1<x_2$일 때, $f(x_1)>f(x_2)$이면 $y=f(x)$는 구간 $(-\infty, \infty)$에서 감소하므로 모든 실수 x에 대하여 $f'(x)\le0$이어야 한다.
$f(x)=-2x^3+ax^2-6x-1$에서
$f'(x)=-6x^2+2ax-6$
이차방정식 $f'(x)=0$의 판별식을 D라 하면
$\frac{D}{4}=a^2-36\le0$, $(a+6)(a-6)\le0$
$\therefore -6\le a\le6$
따라서 정수 a의 개수는 -6, -5, -4, -3, -2, -1, 0, 1, 2, 3, 4, 5, 6의 13이다. 답 13

053 삼차함수 $y=f(x)$의 역함수가 존재하기 위해서는 $y=f(x)$가 항상 증가해야 하므로 모든 실수 x에 대하여 $f'(x)\ge0$이어야 한다.
$f(x)=\frac{1}{3}x^3+ax^2+4x$에서
$f'(x)=x^2+2ax+4$

이차방정식 $f'(x)=0$의 판별식을 D라 하면

$\frac{D}{4}=a^2-4\le 0$, $(a+2)(a-2)\le 0$

$\therefore -2\le a\le 2$

답 ①

054 $f(x)=-x^3+x^2+ax+1$에서

$f'(x)=-3x^2+2x+a$

$=-3\left(x-\frac{1}{3}\right)^2+a+\frac{1}{3}$

함수 $y=f(x)$가 $2\le x\le 3$에서 증가하려면 이 구간에서 $f'(x)\ge 0$이어야 한다.

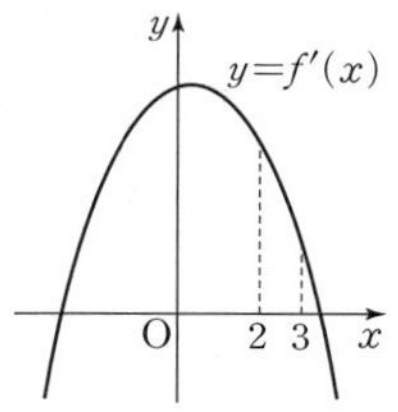

$f'(3)=-21+a\ge 0$

$\therefore a\ge 21$

따라서 실수 a의 최솟값은 21이다.

답 21

055 $f(x)=x^3+kx^2-7x+2$에서

$f'(x)=3x^2+2kx-7$

함수 $y=f(x)$가 $-2\le x\le 1$에서 감소하려면 이 구간에서 $f'(x)\le 0$이어야 한다.

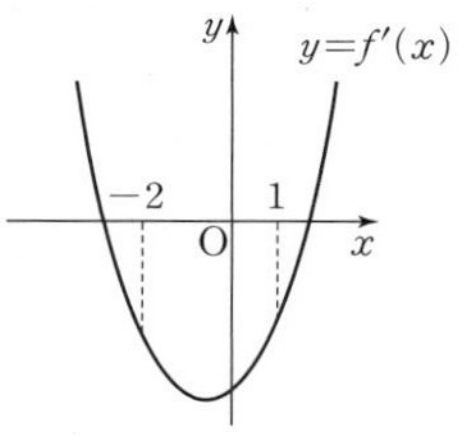

(i) $f'(-2)=12-4k-7\le 0$에서

$k\ge\frac{5}{4}$

(ii) $f'(1)=3+2k-7\le 0$에서

$k\le 2$

(i), (ii)의 공통 범위는 $\frac{5}{4}\le k\le 2$

따라서 $\alpha=\frac{5}{4}$, $\beta=2$이므로

$\alpha\beta=\frac{5}{4}\times 2=\frac{5}{2}$

답 ②

056 $f(x)=-x^3+ax^2-5$에서

$f'(x)=-3x^2+2ax$

함수 $y=f(x)$가 $1\le x\le 2$에서 증가하고, $x\ge 3$에서 감소하려면 $1\le x\le 2$에서 $f'(x)\ge 0$이고, $x\ge 3$에서 $f'(x)\le 0$이어야 한다.

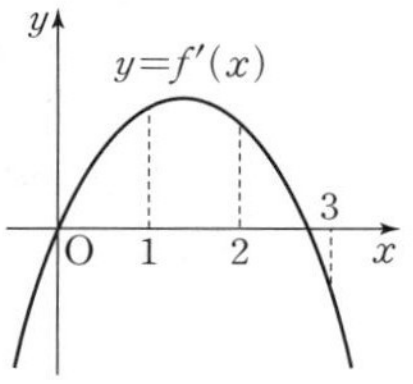

(i) $f'(1)=-3+2a\ge 0$에서 $a\ge\frac{3}{2}$

(ii) $f'(2)=-12+4a\ge 0$에서 $a\ge 3$

(iii) $f'(3)=-27+6a\le 0$에서 $a\le\frac{9}{2}$

(i), (ii), (iii)의 공통 범위는 $3\le a\le\frac{9}{2}$

따라서 정수 a의 값은 3, 4이므로 그 합은

$3+4=7$

답 7

057 $f(x)=x^3-12x+2$에서

$f'(x)=3x^2-12$

$=3(x+2)(x-2)$

$f'(x)=0$에서 $x=-2$ 또는 $x=2$

함수 $y=f(x)$의 증가, 감소를 표로 나타내면 다음과 같다.

x	$\cdots$	-2	$\cdots$	2	$\cdots$
$f'(x)$	$+$	0	$-$	0	$+$
$f(x)$	↗	18	↘	-14	↗

따라서 함수 $y=f(x)$는 $x=-2$일 때 극댓값 18, $x=2$일 때 극솟값 -14를 갖는다.

즉, $M=18$, $m=-14$이므로

$M+m=4$

답 ④

058 $f(x)=x^3-3x+4$에서

$f'(x)=3x^2-3=3(x+1)(x-1)$

$f'(x)=0$에서 $x=-1$ 또는 $x=1$

함수 $y=f(x)$의 증가, 감소를 표로 나타내면 다음과 같다.

x	$\cdots$	-1	$\cdots$	1	$\cdots$
$f'(x)$	$+$	0	$-$	0	$+$
$f(x)$	↗	6	↘	2	↗

따라서 함수 $y=f(x)$는 $x=-1$일 때 극댓값 6, $x=1$일 때 극솟값 2를 가지므로 극대가 되는 점 $(-1, 6)$과 극소가 되는 점 $(1, 2)$ 사이의 거리는

$\sqrt{(1+1)^2+(2-6)^2}=\sqrt{20}=2\sqrt{5}$

답 $2\sqrt{5}$

059 $f(x)=-3x^4+8x^3-6x^2+2$에서

$f'(x)=-12x^3+24x^2-12x$

$=-12x(x^2-2x+1)$

$=-12x(x-1)^2$

$f'(x)=0$에서 $x=0$ 또는 $x=1$

함수 $y=f(x)$의 증가, 감소를 표로 나타내면 다음과 같다.

x	$\cdots$	0	$\cdots$	1	$\cdots$
$f'(x)$	$+$	0	$-$	0	$-$
$f(x)$	↗	2	↘	1	↘

따라서 함수 $y=f(x)$는 $x=0$일 때 극댓값 2를 가지므로

$a=0$, $b=2$

$\therefore a+b=2$

답 2

060 $f(x)=x^3-3x+a$에서

$f'(x)=3x^2-3=3(x+1)(x-1)$

$f'(x)=0$에서 $x=-1$ 또는 $x=1$

함수 $y=f(x)$의 증가, 감소를 표로 나타내면 다음과 같다.

x	$\cdots$	-1	$\cdots$	1	$\cdots$
$f'(x)$	$+$	0	$-$	0	$+$
$f(x)$	↗	극대	↘	극소	↗

따라서 함수 $y=f(x)$는 $x=-1$일 때 극댓값 5를 가지므로

$f(-1)=-1+3+a=5$ $\therefore a=3$

$\therefore f(x)=x^3-3x+3$

따라서 극솟값은 $f(1)=1-3+3=1$

답 ①

061 $f(x)=x^3+ax^2+bx-3$에서

$f'(x)=3x^2+2ax+b$

함수 $y=f(x)$가 $x=0$, $x=2$에서 극값을 가지므로

$f'(0)=b=0$

$f'(2)=12+4a=0$ $\therefore a=-3$

따라서 $f(x)=x^3-3x^2-3$이므로

$f(2)=8-12-3=-7$ 답 -7

062 $f(x)=2x^3+ax^2+bx-4$에서

$f'(x)=6x^2+2ax+b$

함수 $y=f(x)$가 $x=-2$에서 극댓값 16을 가지므로

$f(-2)=-16+4a-2b-4=16$

$\therefore 2a-b=18$ ······ ㉠

$f'(-2)=24-4a+b=0$

$\therefore 4a-b=24$ ······ ㉡

㉠, ㉡을 연립하여 풀면

$a=3,\ b=-12$

즉, $f(x)=2x^3+3x^2-12x-4$이므로

$f'(x)=6x^2+6x-12$

$=6(x^2+x-2)$

$=6(x+2)(x-1)$

$f'(x)=0$에서 $x=-2$ 또는 $x=1$

함수 $y=f(x)$의 증가, 감소를 표로 나타내면 다음과 같다.

x	$\cdots$	-2	$\cdots$	1	$\cdots$
$f'(x)$	$+$	0	$-$	0	$+$
$f(x)$	↗	극대	↘	극소	↗

따라서 함수 $y=f(x)$는 $x=1$에서 극솟값을 가지므로

$c=1$ 답 1

063 $f(x)=x^3-3k^2x+k$에서

$f'(x)=3x^2-3k^2=3(x+k)(x-k)$

$f'(x)=0$에서 $x=-k$ 또는 $x=k$

함수 $y=f(x)$의 증가, 감소를 표로 나타내면 다음과 같다.

x	$\cdots$	$-k$	$\cdots$	k	$\cdots$
$f'(x)$	$+$	0	$-$	0	$+$
$f(x)$	↗	극대	↘	극소	↗

따라서 함수 $y=f(x)$는 $x=-k$일 때 극댓값

$f(-k)=-k^3+3k^3+k=2k^3+k$

$x=k$일 때 극솟값

$f(k)=k^3-3k^3+k=-2k^3+k$

를 갖는다. 극댓값과 극솟값의 합이 4이므로

$(2k^3+k)+(-2k^3+k)=4,\ 2k=4$

$\therefore k=2$ 답 2

064 $f(x)=x^3-\frac{3}{2}x^2+k$에서

$f'(x)=3x^2-3x=3x(x-1)$

$f'(x)=0$에서 $x=0$ 또는 $x=1$

함수 $y=f(x)$의 증가, 감소를 표로 나타내면 다음과 같다.

x	$\cdots$	0	$\cdots$	1	$\cdots$
$f'(x)$	$+$	0	$-$	0	$+$
$f(x)$	↗	극대	↘	극소	↗

따라서 함수 $y=f(x)$는 $x=0$일 때 극댓값

$f(0)=k$

$x=1$일 때 극솟값

$f(1)=1-\frac{3}{2}+k=k-\frac{1}{2}$

을 갖는다.

극댓값과 극솟값의 절댓값이 같고 그 부호가 서로 다르므로

$k=-\left(k-\frac{1}{2}\right),\ 2k=\frac{1}{2}$

$\therefore k=\frac{1}{4}$ 답 ①

065 조건 ㈎에서 $x\to3$일 때, (분모)$\to0$이므로 (분자)$\to0$이어야 한다.

즉, $\lim_{x\to3}f(x)=0$에서

$f(3)=27+9a+3b+c=0$ ······ ㉠

$\therefore \lim_{x\to3}\frac{f(x)}{x-3}=\lim_{x\to3}\frac{f(x)-f(3)}{x-3}$

$=f'(3)=3$

$f'(x)=3x^2+2ax+b$이므로

$f'(3)=27+6a+b=3$

$\therefore 6a+b=-24$ ······ ㉡

조건 ㈏에서 $f'(0)=0$이므로

$f'(0)=b=0$

$b=0$을 ㉡에 대입하면

$6a=-24 \quad \therefore a=-4$

$a=-4,\ b=0$을 ㉠에 대입하면

$27+9\times(-4)+0+c=0$

$\therefore c=9$

따라서 $f(x)=x^3-4x^2+9$이므로

극댓값은 $f(0)=9$ 답 9

066 $f(x)=\frac{8}{27}x^3-\frac{4}{3}x^2+4$에서

$f'(x)=\frac{8}{9}x^2-\frac{8}{3}x=\frac{8}{9}x(x-3)$

$f'(x)=0$에서 $x=0$ 또는 $x=3$

함수 $y=f(x)$의 증가, 감소를 표로 나타내면 다음과 같다.

x	$\cdots$	0	$\cdots$	3	$\cdots$
$f'(x)$	$+$	0	$-$	0	$+$
$f(x)$	↗	4	↘	0	↗

따라서 함수 $y=f(x)$는 $x=0$일 때 극댓값 4, $x=3$일 때 극솟값 0을 갖는다.

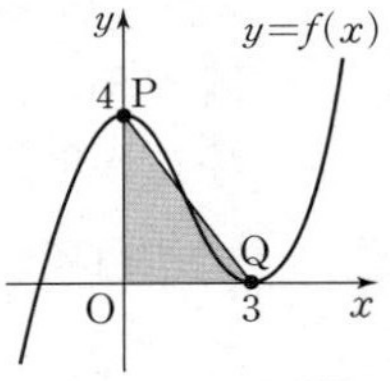

즉, 두 점 P, Q의 좌표가 각각 $(0,\ 4)$, $(3,\ 0)$이므로 삼각형 OPQ의 넓이는

$\frac{1}{2}\times3\times4=6$ 답 6

067 $f(x)=-\frac{1}{2}x^4+4x^2$에서

$f'(x)=-2x^3+8x$

$=-2x(x+2)(x-2)$

$f'(x)=0$에서 $x=-2$ 또는 $x=0$ 또는 $x=2$

함수 $y=f(x)$의 증가, 감소를 표로 나타내면 다음과 같다.

x	$\cdots$	-2	$\cdots$	0	$\cdots$	2	$\cdots$
$f'(x)$	$+$	0	$-$	0	$+$	0	$-$
$f(x)$	↗	8	↘	0	↗	8	↘

따라서 함수 $y=f(x)$는 $x=-2$ 또는 $x=2$일 때 극댓값 8, $x=0$일 때 극솟값 0을 갖는다.
즉, 극대가 되는 점은 $(-2, 8)$, $(2, 8)$, 극소가 되는 점은 $(0, 0)$이므로 이 세 점을 꼭짓점으로 하는 삼각형의 넓이는

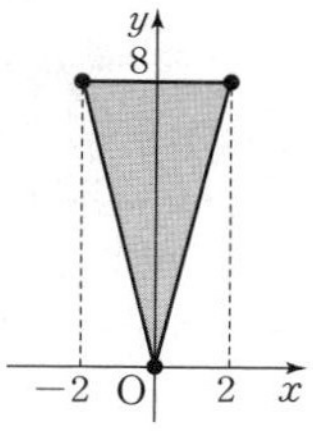

$\frac{1}{2}\times 4\times 8=16$ 답 16

068 함수 $y=f(x)$가 $x=-1$에서 극댓값 3을 가지므로
$f(-1)=3$, $f'(-1)=0$
$g(x)=xf(x)$라 하면
$g'(x)=f(x)+xf'(x)$이므로
$g(-1)=-f(-1)=-3$
$g'(-1)=f(-1)-f'(-1)=3$
즉, 접점의 좌표는 $(-1, -3)$이고, 접선의 기울기는 3이므로 접선의 방정식은
$y-(-3)=3\{x-(-1)\}$ $\therefore y=3x$
따라서 점 $(-1, 3)$에서 직선 $3x-y=0$에 이르는 거리는
$\frac{|-3-3|}{\sqrt{3^2+(-1)^2}}=\frac{6}{\sqrt{10}}=\frac{3\sqrt{10}}{5}$ 답 ④

069 $f(x)=x^3+ax^2+ax+3$에서
$f'(x)=3x^2+2ax+a$
함수 $y=f(x)$가 극댓값과 극솟값을 가지려면 방정식 $f'(x)=0$이 서로 다른 두 실근을 가져야 한다.
이차방정식 $f'(x)=0$의 판별식을 D라 하면
$\frac{D}{4}=a^2-3a>0$
$a(a-3)>0$
$\therefore a<0$ 또는 $a>3$ 답 ③

070 $f(x)=2x^3+kx^2+kx+5$에서
$f'(x)=6x^2+2kx+k$
함수 $y=f(x)$가 극댓값을 가지려면 방정식 $f'(x)=0$이 서로 다른 두 실근을 가져야 한다.
이차방정식 $f'(x)=0$의 판별식을 D라 하면
$\frac{D}{4}=k^2-6k>0$
$k(k-6)>0$
$\therefore k<0$ 또는 $k>6$
따라서 $\alpha=0$, $\beta=6$이므로
$\alpha+\beta=6$ 답 6

071 $f(x)=-x^3+ax^2-2ax+1$에서
$f'(x)=-3x^2+2ax-2a$
함수 $y=f(x)$가 극값을 갖지 않기 위해서는 방정식 $f'(x)=0$이 중근 또는 허근을 가져야 한다.
이차방정식 $f'(x)=0$의 판별식을 D라 하면
$\frac{D}{4}=a^2-6a\le 0$
$a(a-6)\le 0$
$\therefore 0\le a\le 6$
따라서 정수 a의 개수는 0, 1, 2, 3, 4, 5, 6의 7이다. 답 7

072 $f(x)=x^3+ax^2+bx$에서
$f'(x)=3x^2+2ax+b$
함수 $y=f(x)$가 극값을 갖지 않기 위해서는 방정식 $f'(x)=0$이 중근 또는 허근을 가져야 한다.
이차방정식 $f'(x)=0$의 판별식을 D라 하면
$\frac{D}{4}=a^2-3b\le 0$ ……㉠
곡선 $y=f(x)$가 점 $(1, 7)$을 지나므로
$f(1)=1+a+b=7$ $\therefore b=-a+6$
$b=-a+6$을 ㉠에 대입하면
$a^2-3(-a+6)\le 0$, $a^2+3a-18\le 0$
$(a+6)(a-3)\le 0$ $\therefore -6\le a\le 3$
따라서 $\alpha=-6$, $\beta=3$이므로
$\alpha^2+\beta^2=36+9=45$ 답 45

073 $f(x)=\frac{1}{3}x^3+kx^2+3kx+5$에서
$f'(x)=x^2+2kx+3k$
함수 $y=f(x)$가 $-1<x<1$에서 극댓값과 극솟값을 모두 갖기 위해서는 이차방정식 $f'(x)=0$의 서로 다른 두 실근이 모두 $-1<x<1$에 있어야 한다. 즉, 이차함수 $y=f'(x)$의 그래프가 그림과 같아야 한다.

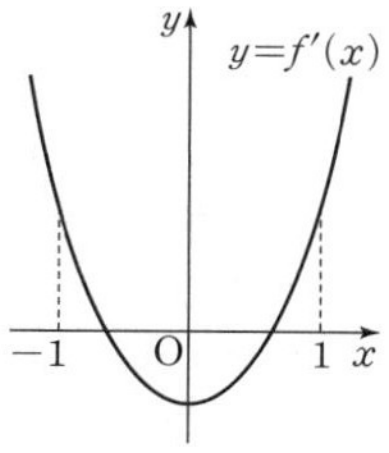

(i) 이차방정식 $x^2+2kx+3k=0$의 판별식을 D라 하면
$\frac{D}{4}=k^2-3k>0$, $k(k-3)>0$
$\therefore k<0$ 또는 $k>3$
(ii) $f'(1)=1+5k>0$에서 $k>-\frac{1}{5}$
(iii) $f'(-1)=1+k>0$에서 $k>-1$
(iv) 이차함수 $y=f'(x)$의 그래프의 축이 $-1<x<1$에 있어야 하므로
$-1<-k<1$에서 $-1<k<1$
(i)~(iv)에서 실수 k의 값의 범위는
$-\frac{1}{5}<k<0$ 답 ③

074 $f(x)=x^3-kx^2-k^2x+3$에서
$f'(x)=3x^2-2kx-k^2$
함수 $y=f(x)$가 $-2<x<2$에서 극댓값을 갖고, $x>2$에서 극솟값을 갖기 위해서는 이차방정식 $f'(x)=0$의 서로 다른 두 실근 중에서 한 근은 $-2<x<2$에 있고, 다른 한 근은 $x>2$에 있어야 한다. 즉, 이차함수 $y=f'(x)$의 그래프는 그림과 같아야 한다.

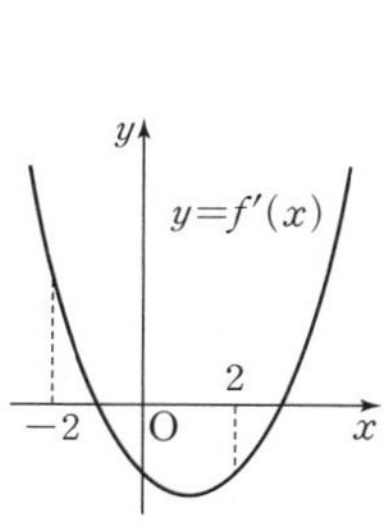

(i) $f'(-2)=-k^2+4k+12>0$에서
$(k+2)(k-6)<0$
$\therefore -2<k<6$
(ii) $f'(2)=-k^2-4k+12<0$에서
$(k+6)(k-2)>0$
$\therefore k<-6$ 또는 $k>2$

(i), (ii)에서 실수 k의 값의 범위는

$2<k<6$

따라서 $a=2$, $b=6$이므로

$a+b=8$ 답 8

075 $f(x)=x^4-2x^3+kx^2$에서

$f'(x)=4x^3-6x^2+2kx=2x(2x^2-3x+k)$

사차함수 $y=f(x)$가 극댓값을 가지려면 방정식 $f'(x)=0$이 서로 다른 세 실근을 가져야 하므로 이차방정식 $2x^2-3x+k=0$이 0이 아닌 서로 다른 두 실근을 가져야 한다.

(i) 이차방정식 $2x^2-3x+k=0$은 0을 제외한 근을 가져야 하므로 $k\neq0$

(ii) 이차방정식 $2x^2-3x+k=0$의 판별식을 D라 하면

$D=9-8k>0$ $\quad\therefore k<\frac{9}{8}$

(i), (ii)에서 $k<0$ 또는 $0<k<\frac{9}{8}$이므로 정수 k의 최댓값은 1이다. 답 1

076 $f(x)=3x^4-8x^3+6ax^2+7$에서

$f'(x)=12x^3-24x^2+12ax=12x(x^2-2x+a)$

사차함수 $y=f(x)$가 극댓값과 극솟값을 모두 가지려면 방정식 $f'(x)=0$이 서로 다른 세 실근을 가져야 하므로 이차방정식 $x^2-2x+a=0$은 0이 아닌 서로 다른 두 실근을 가져야 한다.

(i) 이차방정식 $x^2-2x+a=0$은 0을 제외한 근을 가져야 하므로 $a\neq0$

(ii) 이차방정식 $x^2-2x+a=0$의 판별식을 D라 하면

$\frac{D}{4}=1-a>0$ $\quad\therefore a<1$

(i), (ii)에서 $a<0$ 또는 $0<a<1$ 답 ④

077 $f(x)=-x^4+2x^3-2ax^2+1$에서

$f'(x)=-4x^3+6x^2-4ax$

$=-2x(2x^2-3x+2a)$

사차함수 $y=f(x)$가 극솟값을 갖지 않으려면 방정식 $f'(x)=0$이 한 실근과 두 허근 또는 한 실근과 중근 (또는 삼중근)을 가져야 한다.

이차방정식 $2x^2-3x+2a=0$의 판별식을 D라 하면

(i) 이차방정식 $2x^2-3x+2a=0$이 허근을 가질 때

$D=9-16a<0$ $\quad\therefore a>\frac{9}{16}$

(ii) 이차방정식 $2x^2-3x+2a=0$이 $x=0$을 근으로 가질 때

$2a=0$ $\quad\therefore a=0$

(iii) 이차방정식 $2x^2-3x+2a=0$이 중근을 가질 때

$D=9-16a=0$ $\quad\therefore a=\frac{9}{16}$

(i), (ii), (iii)에서 $a=0$ 또는 $a\geq\frac{9}{16}$ ······ ㉠

$-5<a<5$이므로 ㉠을 만족시키는 정수 a는

0, 1, 2, 3, 4이고

그 합은 $0+1+2+3+4=10$ 답 10

078 함수 $y=f(x)$의 그래프에서 증가하는 구간, 감소하는 구간을 조사하면 도함수 $y=f'(x)$의 부호가 다음과 같다.

x	$\cdots$	β	$\cdots$	0	$\cdots$	δ	$\cdots$
$f(x)$	↘		↗		↘		↗
$f'(x)$	$-$	0	$+$	0	$-$	0	$+$

따라서 도함수 $y=f'(x)$의 그래프의 개형이 될 수 있는 것은 ②이다. 답 ②

079 $f(x)=x^3+ax^2+bx+c$에서

$f'(x)=3x^2+2ax+b$

삼차함수 $y=f(x)$가 $x<0$에서 극댓값과 극솟값을 모두 가지므로 이차방정식 $f'(x)=0$은 서로 다른 두 음의 실근을 갖는다.

ㄱ. 이차방정식 $3x^2+2ax+b=0$의 판별식을 D라 하면

$\frac{D}{4}=a^2-3b>0$ (참)

ㄴ. 이차방정식 $3x^2+2ax+b=0$의 서로 다른 두 실근을 α, β라 하면 근과 계수의 관계에 의하여

$\alpha+\beta=-\frac{2a}{3}<0$, $\alpha\beta=\frac{b}{3}>0$

이므로 $a>0$, $b>0$ $\quad\therefore ab>0$ (거짓)

ㄷ. 주어진 그래프에서 $f(0)=c<0$이고 ㄴ에서 $a>0$이므로 $ac<0$ (참)

따라서 옳은 것은 ㄱ, ㄷ이다. 답 ④

080 주어진 그래프에서 $f'(x)$의 부호가 양에서 음으로 바뀌는 점의 x좌표는 2이므로 함수 $y=f(x)$는 $x=2$에서 극댓값을 갖는다.

$\therefore a=2$ 답 ③

081 주어진 그래프에서 $f'(x)$의 부호가 양에서 음으로 바뀌는 점의 x좌표는 -2, 7이므로 함수 $y=f(x)$는 $x=-2$, $x=7$에서 극댓값을 갖는다.

따라서 구하는 모든 x의 값의 합은

$-2+7=5$ 답 5

082 그림과 같이 도함수 $y=f'(x)$의 그래프가 x축과 만나는 점의 x좌표를 왼쪽부터 순서대로 a_1, a_2, a_3, a_4, a_5, a_6, a_7, a_8이라 하면

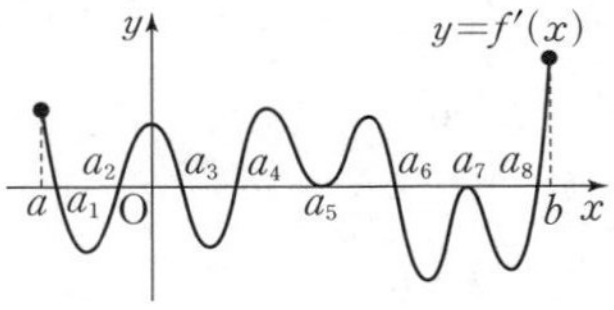

(i) $x=a_1$, $x=a_3$, $x=a_6$의 좌우에서 $f'(x)$의 부호가 양에서 음으로 바뀌므로 함수 $y=f(x)$는 $x=a_1$, $x=a_3$, $x=a_6$에서 극댓값을 갖는다.

(ii) $x=a_2$, $x=a_4$, $x=a_8$의 좌우에서 $f'(x)$의 부호가 음에서 양으로 바뀌므로 함수 $y=f(x)$는 $x=a_2$, $x=a_4$, $x=a_8$에서 극솟값을 갖는다.

(iii) $x=a_5$, $x=a_7$의 좌우에서는 $f'(x)$의 부호가 바뀌지 않으므로 극값을 갖지 않는다.

따라서 함수 $y=f(x)$의 극대 또는 극소가 되는 점의 개수는 6이다. 답 6

083 ① $x>0$일 때, $x=d$, $x=f$, $x=g$의 좌우에서 부호가 바뀌므로 극값을 3개 갖는다.

② $x=c$, $x=f$의 좌우에서 $f'(x)$의 부호가 양에서 음으로 바뀌므로 함수 $y=f(x)$는 $x=c$, $x=f$에서 극댓값을 갖는다.
③ $x=a$, $x=d$, $x=g$의 좌우에서 $f'(x)$의 부호가 음에서 양으로 바뀌므로 함수 $y=f(x)$는 $x=a$, $x=d$, $x=g$에서 극솟값을 갖는다.
④ $a<x<c$에서 $f'(x)\geq 0$이므로 $y=f(x)$는 증가한다.
⑤ $x<a$에서 $f'(x)<0$이므로 $y=f(x)$는 감소한다.
따라서 함수 $y=f(x)$에 대한 설명 중 옳지 않은 것은 ②이다.
답 ②

084 주어진 그래프에서 $f'(0)=0$, $f'(4)=0$이므로
함수 $y=f(x)$의 증가, 감소를 표로 나타내면 다음과 같다.

x	$\cdots$	0	$\cdots$	4	$\cdots$
$f'(x)$	$-$	0	$+$	0	$-$
$f(x)$	↘	극소	↗	극대	↘

ㄱ. 함수 $y=f(x)$의 극솟값은 $f(0)=0$이다. (거짓)
ㄴ. 함수 $y=f(x)$는 $x=4$일 때, 극댓값을 갖는다. (거짓)
ㄷ. 함수 $y=f(x)$는 $x=0$일 때 극소이고, 극솟값은 0이므로 x축에 접한다. (참)
따라서 옳은 것은 ㄷ뿐이다.
답 ㄷ

085 주어진 그래프에서 $f'(-1)=0$, $f'(1)=0$, $f'(3)=0$이므로
함수 $y=f(x)$의 증가, 감소를 표로 나타내면 다음과 같다.

x	$\cdots$	-1	$\cdots$	1	$\cdots$	3	$\cdots$
$f'(x)$	$-$	0	$+$	0	$-$	0	$+$
$f(x)$	↘	극소	↗	극대	↘	극소	↗

따라서 함수 $y=f(x)$는 구간 $[-1, 1]$, $[3, \infty)$에서 증가하고, 구간 $(-\infty, -1]$, $[1, 3]$에서 감소하며 $x=-1$, $x=3$에서 극소, $x=1$에서 극대이다.
따라서 옳은 것은 ③이다.
답 ③

086 주어진 그래프에서 $f'(-1)=0$, $f'(3)=0$이므로
함수 $y=f(x)$의 증가, 감소를 표로 나타내고 그 그래프를 그리면 다음과 같다.

x	$\cdots$	-1	$\cdots$	3	$\cdots$
$f'(x)$	$-$	0	$+$	0	$-$
$f(x)$	↘	-3 (극소)	↗	0 (극대)	↘

따라서 방정식 $f(x)=0$의 서로 다른 실근의 개수는 2이다.

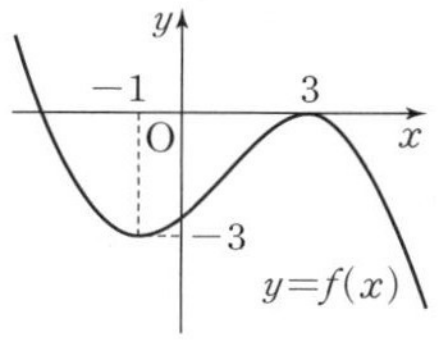

답 2

087 주어진 그래프에서 $f'(-1)=0$, $f'(0)=0$이므로
함수 $y=f(x)$의 증가, 감소를 표로 나타내면 다음과 같다.

x	$\cdots$	-1	$\cdots$	0	$\cdots$
$f'(x)$	$+$	0	$+$	0	$-$
$f(x)$	↗		↗	0	↘

따라서 함수 $y=f(x)$는 $x=0$에서 극댓값 0을 갖고, $x=-1$에서는 극값을 갖지 않으므로 함수 $y=f(x)$의 그래프의 개형으로 알맞은 것은 ②이다.
답 ②

088 $f(x)=-x^3+3x^2$에서
$f'(x)=-3x^2+6x=-3x(x-2)$
$f'(x)=0$에서 $x=0$ 또는 $x=2$
구간 $[-2, 3]$에서 함수 $y=f(x)$의 증가, 감소를 표로 나타내면 다음과 같다.

x	-2	$\cdots$	0	$\cdots$	2	$\cdots$	3
$f'(x)$		$-$	0	$+$	0	$-$	
$f(x)$	20	↘	0	↗	4	↘	0

따라서 함수 $y=f(x)$는 $x=-2$일 때 최댓값 $M=20$,
$x=0$ 또는 $x=3$일 때 최솟값 $m=0$을 가지므로
$M+m=20+0=20$
답 ⑤

089 $f(x)=x^4-2x^2-2$에서
$f'(x)=4x^3-4x$
$=4x(x+1)(x-1)$
$f'(x)=0$에서 $x=-1$ 또는 $x=0$ 또는 $x=1$
구간 $[-2, 1]$에서 함수 $y=f(x)$의 증가, 감소를 표로 나타내면 다음과 같다.

x	-2	$\cdots$	-1	$\cdots$	0	$\cdots$	1
$f'(x)$		$-$	0	$+$	0	$-$	0
$f(x)$	6	↘	-3	↗	-2	↘	-3

따라서 함수 $y=f(x)$는 $x=-2$일 때 최댓값 $M=6$,
$x=-1$ 또는 $x=1$일 때 최솟값 $m=-3$을 가지므로
$M-m=6-(-3)=9$
답 9

090 $f(x)=2x^3-3x^2+a$에서
$f'(x)=6x^2-6x$
$=6x(x-1)$
$f'(x)=0$에서 $x=0$ 또는 $x=1$
$-1\leq x\leq 1$에서 함수 $y=f(x)$의 증가, 감소를 표로 나타내면 다음과 같다.

x	-1	$\cdots$	0	$\cdots$	1
$f'(x)$		$+$	0	$-$	0
$f(x)$	$a-5$	↗	a	↘	$a-1$

따라서 함수 $y=f(x)$는 $x=-1$일 때 최솟값 $a-5$를 가지므로
$a-5=-3$ $\therefore a=2$
답 2

091 $f(x)=ax^3+3ax^2+b$에서
$f'(x)=3ax^2+6ax$
$=3ax(x+2)$
$f'(x)=0$에서 $x=-2$ 또는 $x=0$
구간 $[-3, 2]$에서 함수 $y=f(x)$의 증가, 감소를 표로 나타내면 다음과 같다.

x	-3	$\cdots$	-2	$\cdots$	0	$\cdots$	2
$f'(x)$		$+$	0	$-$	0	$+$	
$f(x)$	b	↗	$4a+b$	↘	b	↗	$20a+b$

$a>0$이므로 함수 $y=f(x)$는 $x=2$일 때 최댓값 $20a+b$, $x=-3$ 또는 $x=0$일 때 최솟값 b를 갖는다.
즉, $20a+b=10$, $b=-30$이므로
$a=2$, $b=-30$
$\therefore a+b=-28$ 답 -28

092 $f(x)=-x^4+ax^3+b$에서
$f'(x)=-4x^3+3ax^2$
$f'(-1)=-8$이므로
$4+3a=-8$ $\quad\therefore a=-4$
즉, $f(x)=-x^4-4x^3+b$이고
$f'(x)=-4x^3-12x^2=-4x^2(x+3)$
$f'(x)=0$에서 $x=-3$ 또는 $x=0$
함수 $y=f(x)$의 증가, 감소를 표로 나타내면 다음과 같다.

x	$\cdots$	-3	$\cdots$	0	$\cdots$
$f'(x)$	$+$	0	$-$	0	$-$
$f(x)$	↗	$27+b$	↘	b	↘

따라서 함수 $y=f(x)$는 $x=-3$일 때 최댓값 $27+b$를 가지므로
$27+b=30$ $\quad\therefore b=3$
$\therefore a^2+b^2=16+9=25$ 답 ④

093 $g(x)=x^2+2x-1=(x+1)^2-2$
이므로 $g(x)=t$로 놓으면 $t\geq-2$이고
$(f\circ g)(x)=f(g(x))$
$=f(t)$
$=-t^3+3t+2$
$h(t)=-t^3+3t+2$ $(t\geq-2)$라 하면
$h'(t)=-3t^2+3=-3(t+1)(t-1)$
$h'(t)=0$에서 $t=-1$ 또는 $t=1$
$t\geq-2$에서 함수 $y=h(t)$의 증가, 감소를 표로 나타내면 다음과 같다.

t	-2	$\cdots$	-1	$\cdots$	1	$\cdots$
$h'(t)$		$-$	0	$+$	0	$-$
$h(t)$	4	↘	0	↗	4	↘

따라서 함수 $y=h(t)$는 $t=-2$ 또는 $t=1$일 때 최댓값 4를 갖는다. 답 4

094 포물선 $y=x^2$ 위를 움직이는 점 Q의 좌표를 (a, a^2)이라 하면
$\overline{PQ}^2=(3-a)^2+a^4$
$=a^4+a^2-6a+9$
$f(a)=a^4+a^2-6a+9$라 하면
$f'(a)=4a^3+2a-6$
$=2(a-1)(2a^2+2a+3)$
$2a^2+2a+3>0$이므로
$f'(a)=0$에서 $a=1$
함수 $y=f(a)$의 증가, 감소를 표로 나타내면 다음과 같다.

a	$\cdots$	1	$\cdots$
$f'(a)$	$-$	0	$+$
$f(a)$	↘	5	↗

따라서 함수 $y=f(a)$는 $a=1$일 때 최솟값 5를 가지므로
$\overline{PQ}^2=5$
$\therefore \overline{PQ}=\sqrt{5}$ $(\because \overline{PQ}>0)$ 답 $\sqrt{5}$

095 곡선 $y=6-x^2$ 위의 점 D의 좌표를 $(a, 6-a^2)$이라 하면 직사각형 ABCD의 넓이는 $2a(6-a^2)$이다.
$f(a)=2a(6-a^2)$ $(0<a<\sqrt{6})$이라 하면
$f'(a)=-6a^2+12$
$=-6(a^2-2)$
$=-6(a+\sqrt{2})(a-\sqrt{2})$
$f'(a)=0$에서 $a=-\sqrt{2}$ 또는 $a=\sqrt{2}$
$0<a<\sqrt{6}$에서 함수 $y=f(a)$의 증가, 감소를 표로 나타내면 다음과 같다.

a	(0)	$\cdots$	$\sqrt{2}$	$\cdots$	$(\sqrt{6})$
$f'(a)$		$+$	0	$-$	
$f(a)$		↗	$8\sqrt{2}$	↘	

따라서 함수 $y=f(a)$는 $a=\sqrt{2}$일 때, 최댓값 $8\sqrt{2}$를 가지므로 직사각형 ABCD의 넓이의 최댓값은 $8\sqrt{2}$이다.
답 $8\sqrt{2}$

096 두 점 O, A 사이를 움직이는 곡선 위의 점 P의 좌표를 $(a, a(a-2)^2)$이라 하면 삼각형 OHP의 넓이는
$\frac{1}{2}a\times a(a-2)^2$이다.
$f(a)=\frac{1}{2}a\times a(a-2)^2$ $(0<a<2)$이라 하면
$f(a)=\frac{1}{2}a\times a(a-2)^2$
$=\frac{1}{2}a^2(a-2)^2$
$=\frac{1}{2}a^4-2a^3+2a^2$
$\therefore f'(a)=2a^3-6a^2+4a$
$=2a(a-1)(a-2)$
$f'(a)=0$에서 $a=0$ 또는 $a=1$ 또는 $a=2$
$0<a<2$에서 함수 $y=f(a)$의 증가, 감소를 표로 나타내면 다음과 같다.

a	(0)	$\cdots$	1	$\cdots$	(2)
$f'(a)$		$+$	0	$-$	0
$f(a)$		↗	$\frac{1}{2}$	↘	

따라서 함수 $y=f(a)$는 $a=1$일 때 최댓값 $\frac{1}{2}$을 가지므로
삼각형 OHP의 넓이의 최댓값은 $\frac{1}{2}$이다. 답 $\frac{1}{2}$

097 잘라야 할 정사각형의 한 변의 길이를 x cm라 하면 상자의 부피는 $x(8-2x)(15-2x)$이다.
$f(x)=x(8-2x)(15-2x)$ $(0<x<4)$라 하면
$f(x)=x(8-2x)(15-2x)$
$=2(2x^3-23x^2+60x)$
$\therefore f'(x)=2(6x^2-46x+60)$
$=4(3x-5)(x-6)$
$f'(x)=0$에서 $x=\frac{5}{3}$ 또는 $x=6$
$0<x<4$에서 함수 $y=f(x)$의 증가, 감소를 표로 나타내면 다음과 같다.

x	(0)	$\cdots$	$\frac{5}{3}$	$\cdots$	(4)
$f'(x)$		+	0	−	
$f(x)$		↗	극대	↘	

따라서 상자의 부피는 $x=\frac{5}{3}$일 때 최대이므로 잘라내야 할 정사각형의 한 변의 길이는 $\frac{5}{3}$ cm이다. 답 $\frac{5}{3}$ cm

098 그림과 같이 원뿔의 높이를 h라 하고, 원기둥의 밑면의 반지름의 길이를 x, 원기둥의 높이를 y라 하면

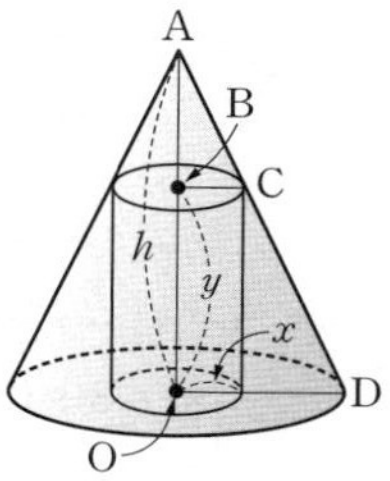

$\triangle ABC \backsim \triangle AOD$이므로

$(h-y) : x = h : 1$

$\therefore y=h(1-x)$

원기둥의 부피를 $f(x)$라 하면

$f(x)=\pi x^2 h(1-x)=\pi h(x^2-x^3)$ $(0<x<1)$

$f'(x)=\pi h(2x-3x^2)=-3\pi hx\left(x-\frac{2}{3}\right)$

$f'(x)=0$에서 $x=0$ 또는 $x=\frac{2}{3}$

$0<x<1$에서 함수 $y=f(x)$의 증가, 감소를 표로 나타내면 다음과 같다.

x	(0)	$\cdots$	$\frac{2}{3}$	$\cdots$	(1)
$f'(x)$		+	0	−	
$f(x)$		↗	극대	↘	

따라서 원기둥의 부피는 $x=\frac{2}{3}$일 때 최대이므로 부피가 최대가 되도록 하는 원기둥의 밑면의 반지름의 길이는 $\frac{2}{3}$이다. 답 $\frac{2}{3}$

099 $f(t)=-t^3+3t^2+24t$라 하면

$f'(t)=-3t^2+6t+24$

$=-3(t+2)(t-4)$

$f'(t)=0$에서 $t=-2$ 또는 $t=4$

$t\geq 0$에서 함수 $y=f(t)$의 증가, 감소를 표로 나타내고 그 그래프를 그리면 다음과 같다.

t	0	$\cdots$	4	$\cdots$
$f'(t)$		+	0	−
$f(t)$	0	↗	극대	↘

따라서 함수 $y=f(t)$는 $t=4$일 때 최대이므로 a의 값은 4이다.

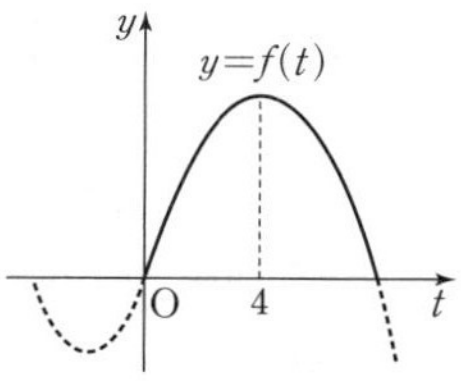

답 4

100 $f(x)=\frac{1}{3}x^3-2x^2+ax+5$에서

$f'(x)=x^2-4x+a$

함수 $y=f(x)$가 감소하는 구간이 $[1, b]$이므로

$f'(x)\leq 0$, 즉 $x^2-4x+a\leq 0$의 해는 $1\leq x\leq b$이다.

이차방정식 $f'(x)=0$의 두 근은 1, b이므로 근과 계수의 관계에 의하여

$1+b=4$, $1\times b=a$

따라서 $a=3$, $b=3$이므로

$a+b=6$

답 ③

101 $f(x)=x^3-3ax^2+3ax$에서

$f'(x)=3x^2-6ax+3a$

함수 $y=f(x)$가 일대일대응이 되려면 실수 전체의 집합에서 증가해야 한다.

즉, 모든 실수 x에 대하여 $f'(x)\geq 0$이어야 하므로 이차방정식 $f'(x)=0$의 판별식을 D라 하면

$\frac{D}{4}=9a^2-9a\leq 0$, $9a(a-1)\leq 0$

$\therefore 0\leq a\leq 1$

따라서 실수 a의 최댓값은 1이다. 답 1

102 $f(x)=-x^3+6x^2-9x+2$에서

$f'(x)=-3x^2+12x-9$

$=-3(x-1)(x-3)$

$f'(x)=0$에서 $x=1$ 또는 $x=3$

함수 $y=f(x)$의 증가, 감소를 표로 나타내면 다음과 같다.

x	$\cdots$	1	$\cdots$	3	$\cdots$
$f'(x)$	−	0	+	0	−
$f(x)$	↘	−2	↗	2	↘

따라서 함수 $y=f(x)$는 $x=3$일 때 극댓값 2, $x=1$일 때 극솟값 −2를 갖는다.

즉, $M=2$, $m=-2$이므로

$M-m=2-(-2)=4$

답 4

103 $f(x)=x^3+3x^2+ax+3$에서

$f'(x)=3x^2+6x+a$

함수 $y=f(x)$가 $x=-3$에서 극댓값을 가지므로

$f'(-3)=27-18+a=0$

$\therefore a=-9$

즉, $f(x)=x^3+3x^2-9x+3$이고

$f'(x)=3x^2+6x-9$

$=3(x+3)(x-1)$

$f'(x)=0$에서 $x=-3$ 또는 $x=1$

함수 $y=f(x)$의 증가, 감소를 표로 나타내면 다음과 같다.

x	$\cdots$	−3	$\cdots$	1	$\cdots$
$f'(x)$	+	0	−	0	+
$f(x)$	↗	30	↘	−2	↗

따라서 함수 $y=f(x)$는 $x=1$에서 극솟값 −2를 갖는다.

답 ①

104 $f(x)=-x^3+ax^2+bx+3$에서

$f'(x)=-3x^2+2ax+b$

함수 $y=f(x)$가 $x=1$에서 극값을 가지므로

$f'(1)=-3+2a+b=0$

$\therefore 2a+b=3$ ……㉠

$x=2$인 점에서의 접선의 기울기가 -5이므로

$f'(2)=-12+4a+b=-5$

$\therefore 4a+b=7$ ……㉡

㉠, ㉡을 연립하여 풀면

$a=2,\ b=-1$

$\therefore a^2+b^2=4+1=5$ 답 5

105 $f(x)=\frac{1}{3}x^3+ax^2+(5a-4)x+2$에서

$f'(x)=x^2+2ax+5a-4$

함수 $y=f(x)$가 극값을 갖지 않기 위해서는 방정식 $f'(x)=0$이 중근 또는 허근을 가져야 하므로 이차방정식 $f'(x)=0$의 판별식을 D라 하면

$\frac{D}{4}=a^2-(5a-4)\le 0,\ a^2-5a+4\le 0$

$(a-1)(a-4)\le 0$

$\therefore 1\le a\le 4$

따라서 실수 a의 최댓값은 4, 최솟값은 1이므로 그 합은

$4+1=5$ 답 5

106 $f(x)=-x^4+\frac{4}{3}x^3-2(a-2)x^2-4ax$에서

$f'(x)=-4x^3+4x^2-4(a-2)x-4a$

$\quad=-4(x+1)(x^2-2x+a)$

함수 $y=f(x)$가 극솟값을 가지려면 방정식 $f'(x)=0$이 서로 다른 세 실근을 가져야 하므로 이차방정식 $x^2-2x+a=0$은 -1이 아닌 서로 다른 두 실근을 가져야 한다.

(i) 이차방정식 $x^2-2x+a=0$은 -1을 제외한 근을 가져야 하므로

$a\neq -3$

(ii) 이차방정식 $x^2-2x+a=0$의 판별식을 D라 하면

$\frac{D}{4}=1-a>0 \quad \therefore a<1$

(i), (ii)에서 $a<-3$ 또는 $-3<a<1$

따라서 $\alpha=-3,\ \beta=1$이므로

$\alpha+\beta=-2$ 답 -2

107

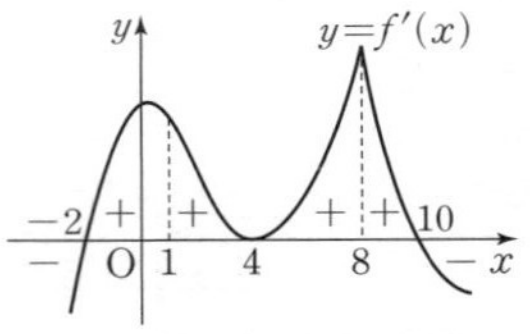

① $x=-2$의 좌우에서 $f'(x)$의 부호가 음에서 양으로 변하므로 $x=-2$에서 극소이다.

②, ③ $x=1$과 $x=4$의 좌우에서는 $f'(x)$의 부호에 변화가 없으므로 극값을 갖지 않는다.

④ $f'(8)$의 값이 존재하므로 $x=8$에서 $y=f(x)$는 미분가능하다.

⑤ $x=10$의 좌우에서 $f'(x)$의 부호가 양에서 음으로 변하므로 $x=10$에서 극대이다.

따라서 옳은 것은 ⑤이다. 답 ⑤

108 주어진 그래프에서 $f'(-3)=0,\ f'(1)=0$이므로

함수 $y=f(x)$의 증가, 감소를 표로 나타내면 다음과 같다.

x	⋯	-3	⋯	1	⋯
$f'(x)$	+	0	−	0	+
$f(x)$	↗	극대	↘	극소	↗

$f(x)=x^3+ax^2+bx+c$에서

$f'(x)=3x^2+2ax+b$이므로

$f'(-3)=27-6a+b=0$ ……㉠

$f'(1)=3+2a+b=0$ ……㉡

㉠, ㉡을 연립하여 풀면

$a=3,\ b=-9$

함수 $y=f(x)$는 $x=1$에서 극솟값 -6을 가지므로

$f(1)=1+a+b+c=-6$

$-5+c=-6 \quad \therefore c=-1$

따라서 $f(x)=x^3+3x^2-9x-1$이므로

$f(2)=8+12-18-1=1$ 답 1

109 $f(x)=x^3+ax^2+bx-3$에서

$f'(x)=3x^2+2ax+b$

주어진 그래프에서 $f'(2)=0,\ f'(4)=0$이므로 이차방정식의 근과 계수의 관계에 의하여

$2+4=-\frac{2a}{3} \quad \therefore a=-9$

$2\times 4=\frac{b}{3} \quad \therefore b=24$

즉, $f(x)=x^3-9x^2+24x-3$이고

구간 $[1, 4]$에서 함수 $y=f(x)$의 증가, 감소를 표로 나타내면 다음과 같다.

x	1	⋯	2	⋯	4
$f'(x)$		+	0	−	0
$f(x)$	13	↗	17	↘	13

따라서 함수 $y=f(x)$는 $x=2$일 때 최댓값 17, $x=1$ 또는 $x=4$일 때 최솟값 13을 가지므로 최댓값과 최솟값의 합은 30이다. 답 30

110 $y=f(x)$는 삼차함수이므로

$f(x)=ax^3+bx^2+cx+d\ (a\neq 0)$로 놓을 수 있다.

조건 (가)에서 곡선 $y=f(x)$가 원점에 대하여 대칭이므로 모든 실수 x에 대하여 $f(-x)=-f(x)$이어야 한다. 즉,

$a(-x)^3+b(-x)^2+c(-x)+d=-ax^3-bx^2-cx-d$

$2bx^2+2d=0$

따라서 $b=0,\ d=0$이므로

$f(x)=ax^3+cx$

조건 (나)에서 함수 $y=f(x)$는 $x=1$에서 극솟값을 가지므로

$f'(x)=3ax^2+c$에서

$f'(1)=3a+c=0$ ……㉠

조건 (다)에서 곡선 $y=f(x)$ 위의 $x=3$인 점에서의 접선의 기울기가 24이므로

$f'(3)=27a+c=24$ ……㉡

㉠, ㉡을 연립하여 풀면

$a=1,\ c=-3$

즉, $f(x)=x^3-3x$이고

$f'(x)=3x^2-3=3(x+1)(x-1)$

$f'(x)=0$에서 $x=-1$ 또는 $x=1$

함수 $y=f(x)$의 증가, 감소를 표로 나타내면 다음과 같다.

x	$\cdots$	-1	$\cdots$	1	$\cdots$
$f'(x)$	$+$	0	$-$	0	$+$
$f(x)$	↗	2	↘	-2	↗

따라서 함수 $y=f(x)$는 $x=-1$에서 극댓값 2를 갖는다.

답 2

111 $f(x)=x^2-4x+4$라 하면

$f'(x)=2x-4$

이므로 점 (a, b), 즉 (a, a^2-4a+4)에서의 접선의 방정식은

$y-(a^2-4a+4)=2(a-2)(x-a)$

$\therefore y=2(a-2)x-a^2+4$

그림과 같이 이 접선과 x축, y축의 교점을 각각 A, B라 하면

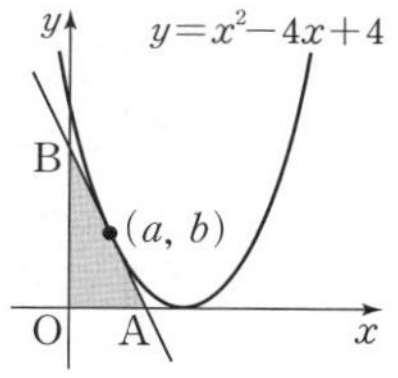

$\overline{OA}=\frac{a+2}{2}$, $\overline{OB}=-a^2+4$

즉, 삼각형 OAB의 넓이를 $S(a)$라 하면

$S(a)=\frac{1}{4}(a+2)(-a^2+4)$

$=\frac{1}{4}(-a^3-2a^2+4a+8)\ (0<a<2)$

$S'(a)=\frac{1}{4}(-3a^2-4a+4)$

$=-\frac{1}{4}(a+2)(3a-2)$

$S'(a)=0$에서 $a=-2$ 또는 $a=\frac{2}{3}$

$0<a<2$에서 함수 $y=S(a)$의 증가, 감소를 표로 나타내면 다음과 같다.

a	(0)	$\cdots$	$\frac{2}{3}$	$\cdots$	(2)
$S'(a)$		$+$	0	$-$	
$S(a)$		↗	극대	↘	

따라서 삼각형 OAB의 넓이는 $a=\frac{2}{3}$일 때 최대이다.

$a=\frac{2}{3}$, $b=\left(\frac{2}{3}\right)^2-4\times\frac{2}{3}+4=\frac{16}{9}$이므로

$a+b=\frac{2}{3}+\frac{16}{9}=\frac{22}{9}$

답 $\frac{22}{9}$

07 도함수의 활용

본책 107~120쪽

001 방정식 $f(x)=0$의 실근은 함수 $y=f(x)$의 그래프와 x축의 교점의 x좌표이다.

따라서 구하는 실근은 $x=2$ 또는 $x=3$ 또는 $x=4$

답 $x=2$ 또는 $x=3$ 또는 $x=4$

002 방정식 $f(x)=g(x)$의 실근은 두 함수 $y=f(x)$, $y=g(x)$의 그래프의 교점의 x좌표이다.

따라서 구하는 실근은 $x=1$ 또는 $x=3$ 또는 $x=5$

답 $x=1$ 또는 $x=3$ 또는 $x=5$

003 $f(x)=x^3-6x^2+9x-1$이라 하면

$f'(x)=3x^2-12x+9$

$=3(x-1)(x-3)$

$f'(x)=0$에서 $x=$ [1] 또는 $x=$ [3]

함수 $y=f(x)$의 증가, 감소를 표로 나타내고 그 그래프를 그리면 다음과 같다.

x	$\cdots$	[1]	$\cdots$	[3]	$\cdots$
$f'(x)$	$+$	0	$-$	0	$+$
$f(x)$	↗	[3]	↘	[−1]	↗

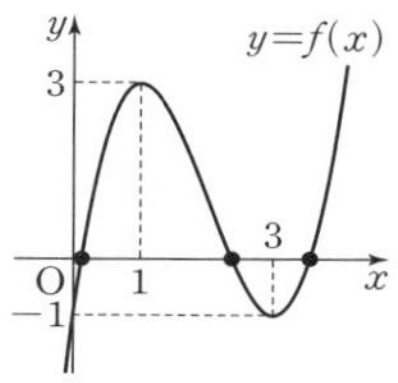

따라서 함수 $y=f(x)$의 그래프가 x축과 만나는 점의 개수가 [3]이므로 주어진 방정식의 서로 다른 실근의 개수는 [3]이다.

답 1, 3, 1, 3, 3, −1, 3, 3

004 $f(x)=x^2-4x+1$이라 하면

$f'(x)=2x-4$

$f'(x)=0$에서 $x=2$

함수 $y=f(x)$의 증가, 감소를 표로 나타내면 다음과 같다.

x	$\cdots$	2	$\cdots$
$f'(x)$	$-$	0	$+$
$f(x)$	↘	-3	↗

따라서 함수 $y=f(x)$의 그래프는 그림과 같이 x축과 서로 다른 두 점에서 만나므로 방정식 $f(x)=0$의 서로 다른 실근의 개수는 2이다.

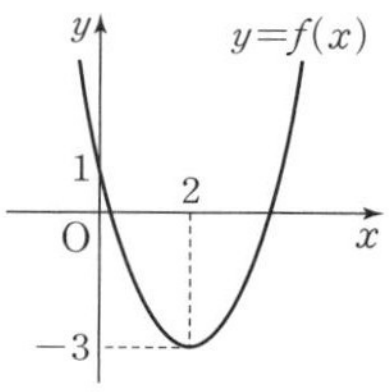

답 2

005 $f(x)=3x^2+6x+3$이라 하면

$f'(x)=6x+6$

$f'(x)=0$에서 $x=-1$

함수 $y=f(x)$의 증가, 감소를 표로 나타내면 다음과 같다.

x	$\cdots$	-1	$\cdots$
$f'(x)$	$-$	0	$+$
$f(x)$	↘	0	↗

따라서 함수 $y=f(x)$의 그래프는 그림과 같이 x축과 오직 한 점에서 만나므로 방정식 $f(x)=0$의 서로 다른 실근의 개수는 1이다.

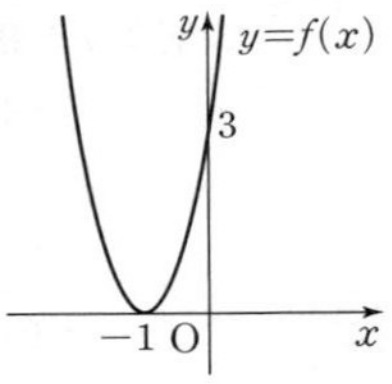

답 1

006 $f(x)=x^3-3x+1$이라 하면

$f'(x)=3x^2-3=3(x+1)(x-1)$

$f'(x)=0$에서 $x=-1$ 또는 $x=1$

함수 $y=f(x)$의 증가, 감소를 표로 나타내면 다음과 같다.

x	$\cdots$	-1	$\cdots$	1	$\cdots$
$f'(x)$	$+$	0	$-$	0	$+$
$f(x)$	↗	3	↘	-1	↗

따라서 함수 $y=f(x)$의 그래프는 그림과 같이 x축과 서로 다른 세 점에서 만나므로 방정식 $f(x)=0$의 서로 다른 실근의 개수는 3이다.

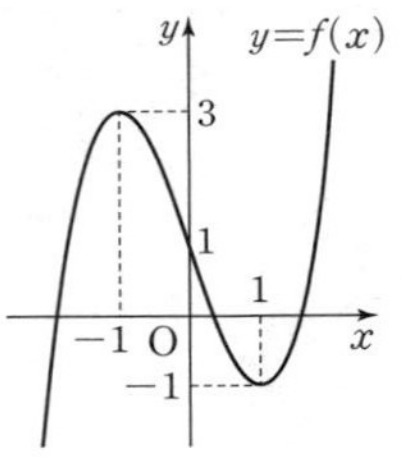

답 3

007 $f(x)=x^3-3x^2+3$이라 하면

$f'(x)=3x^2-6x=3x(x-2)$

$f'(x)=0$에서 $x=0$ 또는 $x=2$

함수 $y=f(x)$의 증가, 감소를 표로 나타내면 다음과 같다.

x	$\cdots$	0	$\cdots$	2	$\cdots$
$f'(x)$	$+$	0	$-$	0	$+$
$f(x)$	↗	3	↘	-1	↗

따라서 함수 $y=f(x)$의 그래프는 그림과 같이 x축과 서로 다른 세 점에서 만나므로 방정식 $f(x)=0$의 서로 다른 실근의 개수는 3이다.

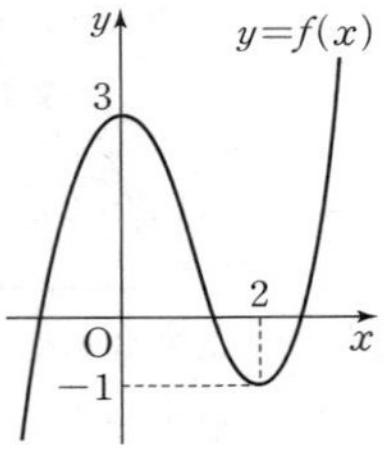

답 3

008 $f(x)=x^4-2x^2+1$이라 하면

$f'(x)=4x^3-4x$
$\quad=4x(x+1)(x-1)$

$f'(x)=0$에서 $x=-1$ 또는 $x=0$ 또는 $x=1$

함수 $y=f(x)$의 증가, 감소를 표로 나타내면 다음과 같다.

x	$\cdots$	-1	$\cdots$	0	$\cdots$	1	$\cdots$
$f'(x)$	$-$	0	$+$	0	$-$	0	$+$
$f(x)$	↘	0	↗	1	↘	0	↗

따라서 함수 $y=f(x)$의 그래프는 그림과 같이 x축과 서로 다른 두 점에서 만나므로 방정식 $f(x)=0$의 서로 다른 실근의 개수는 2이다.

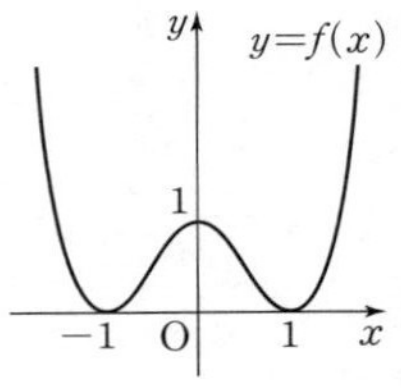

답 2

009 $f(x)=x^4-6x^2-8x+13$이라 하면

$f'(x)=4x^3-12x-8=4(x+1)^2(x-2)$

$f'(x)=0$에서 $x=-1$ 또는 $x=2$

함수 $y=f(x)$의 증가, 감소를 표로 나타내면 다음과 같다.

x	$\cdots$	-1	$\cdots$	2	$\cdots$
$f'(x)$	$-$	0	$-$	0	$+$
$f(x)$	↘	16	↘	-11	↗

따라서 함수 $y=f(x)$의 그래프는 그림과 같이 x축과 서로 다른 두 점에서 만나므로 방정식 $f(x)=0$의 서로 다른 실근의 개수는 2이다.

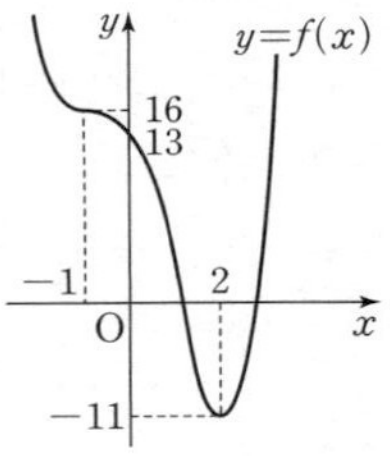

답 2

010 $f(x)=x^3-6x^2+2$라 하면

$f'(x)=3x^2-12x=3x(x-4)$

$f'(x)=0$에서 $x=0$ 또는 $x=4$

함수 $y=f(x)$의 증가, 감소를 표로 나타내면 다음과 같다.

x	$\cdots$	0	$\cdots$	4	$\cdots$
$f'(x)$	$+$	0	$-$	0	$+$
$f(x)$	↗	2	↘	-30	↗

(극댓값)×(극솟값)<0이므로 방정식 $f(x)=0$은 서로 다른 세 실근을 갖는다.

답 ㄱ

011 $f(x)=x^3-6x^2+9x$라 하면

$f'(x)=3x^2-12x+9=3(x-1)(x-3)$

$f'(x)=0$에서 $x=1$ 또는 $x=3$

함수 $y=f(x)$의 증가, 감소를 표로 나타내면 다음과 같다.

x	$\cdots$	1	$\cdots$	3	$\cdots$
$f'(x)$	$+$	0	$-$	0	$+$
$f(x)$	↗	4	↘	0	↗

(극댓값)×(극솟값)$=0$이므로 방정식 $f(x)=0$은 한 실근과 중근을 갖는다.

답 ㄴ

012 $f(x)=x^3-3x^2-4$라 하면

$f'(x)=3x^2-6x=3x(x-2)$

$f'(x)=0$에서 $x=0$ 또는 $x=2$

함수 $y=f(x)$의 증가, 감소를 표로 나타내면 다음과 같다.

x	$\cdots$	0	$\cdots$	2	$\cdots$
$f'(x)$	$+$	0	$-$	0	$+$
$f(x)$	↗	-4	↘	-8	↗

(극댓값)×(극솟값)>0이므로 방정식 $f(x)=0$은 한 실근과 두 허근을 갖는다. 답 ㄷ

013 $f(x)=4x^3-18x^2+24x$라 하면

$f'(x)=12x^2-36x+24=12(x-1)(x-2)$

$f'(x)=0$에서 $x=1$ 또는 $x=2$

함수 $y=f(x)$의 증가, 감소를 표로 나타내면 다음과 같다.

x	⋯	1	⋯	2	⋯
$f'(x)$	+	0	−	0	+
$f(x)$	↗	10	↘	8	↗

(극댓값)×(극솟값)>0이므로 방정식 $f(x)=0$은 한 실근과 두 허근을 갖는다. 답 ㄷ

014 $f(x)=2x^3+3x^2-12x-4$라 하면

$f'(x)=6x^2+6x-12=6(x+2)(x-1)$

$f'(x)=0$에서 $x=-2$ 또는 $x=1$

함수 $y=f(x)$의 증가, 감소를 표로 나타내면 다음과 같다.

x	⋯	−2	⋯	1	⋯
$f'(x)$	+	0	−	0	+
$f(x)$	↗	16	↘	−11	↗

(극댓값)×(극솟값)<0이므로 방정식 $f(x)=0$은 서로 다른 세 실근을 갖는다. 답 ㄱ

015 도함수 $y=f'(x)$의 그래프에서 $x=a$의 좌우에서 $f'(x)$의 부호가 양에서 음으로 바뀌고, $x=c$의 좌우에서 $f'(x)$의 부호가 음에서 양으로 바뀐다.

즉, 함수 $y=f(x)$는 $x=a$에서 [극대]가 되고, $x=c$에서 [극소]가 된다.

따라서 방정식 $f(x)=0$이 서로 다른 세 실근을 가질 조건은

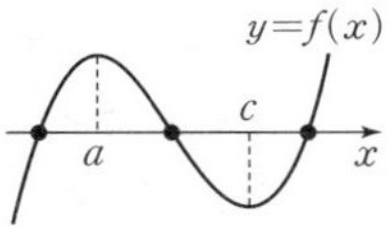

$f(a)>0,\ f(c)<0$

$\therefore f(a)f(c)$ [$<$] 0

답 극대, 극소, <

[016-018] 삼차방정식 $2x^3-3x^2+k=0$에 대하여

$f(x)=2x^3-3x^2+k$라 하면

$f'(x)=6x^2-6x=6x(x-1)$

$f'(x)=0$에서 $x=0$ 또는 $x=1$

함수 $y=f(x)$의 증가, 감소를 표로 나타내면 다음과 같다.

x	⋯	0	⋯	1	⋯
$f'(x)$	+	0	−	0	+
$f(x)$	↗	k	↘	$k-1$	↗

따라서 함수 $y=f(x)$는 $x=0$에서 극댓값 k, $x=1$에서 극솟값 $k-1$을 갖는다.

016 서로 다른 세 실근을 가질 조건은

(극댓값)×(극솟값)$=k(k-1)<0$

$\therefore 0<k<1$ 답 $0<k<1$

017 한 실근과 중근을 가질 조건은

(극댓값)×(극솟값)$=k(k-1)=0$

$\therefore k=0$ 또는 $k=1$ 답 $k=0$ 또는 $k=1$

018 한 실근과 두 허근을 가질 조건은

(극댓값)×(극솟값)$=k(k-1)>0$

$\therefore k<0$ 또는 $k>1$ 답 $k<0$ 또는 $k>1$

019 $f(x)=x^3-3x+2$라 하면

$f'(x)=$ [$3x^2-3$]

$=3(x+1)(x-1)$

$f'(x)=0$에서 $x=$ [1] ($\because x\geq 0$)이고

$x\geq 0$일 때, 함수 $y=f(x)$의 증가, 감소를 표로 나타내면 다음과 같다.

x	0	⋯	1	⋯
$f'(x)$		−	0	+
$f(x)$	2	↘	0	↗

$x\geq 0$일 때, 함수 $y=f(x)$의 최솟값은 [0]이므로

$f(x)\geq 0$

따라서 $x\geq 0$일 때, 부등식 $x^3-3x+2\geq 0$이 성립한다.

답 $3x^2-3$, 1, 0

020 $f(x)=(x^3-8x)-(4x-9)=x^3-12x+9$라 하면

$f'(x)=3x^2-12=3(x+2)(x-2)$

$f'(x)=0$에서 $x=-2$ 또는 $x=2$

함수 $y=f(x)$의 증가, 감소를 표로 나타내면 다음과 같다.

x	⋯	−2	⋯	2	⋯	3
$f'(x)$	+	0	−	0	+	
$f(x)$	↗	극대	↘	극소	↗	0

$x>3$일 때, $f'(x)$ [$>$] 0이므로 함수 $y=f(x)$는 $x>3$에서 증가한다.

한편, $f(3)=0$이므로 $x>3$일 때, $f(x)$ [$>$] 0이다.

따라서 $x>3$일 때, 부등식 $x^3-8x>4x-9$가 성립한다.

답 >, >

021 $f(x)=(x^4+4x^3+9)-(2x^2+12x)$

$=x^4+4x^3-2x^2-12x+9$라 하면

$f'(x)=4x^3+12x^2-4x-12$

$=4(x+3)(x+1)(x-1)$

$f'(x)=0$에서 $x=$ [−3] 또는 $x=$ [−1] 또는 $x=$ [1]

함수 $y=f(x)$의 증가, 감소를 표로 나타내면 다음과 같다.

x	⋯	−3	⋯	−1	⋯	1	⋯
$f'(x)$	−	0	+	0	−	0	+
$f(x)$	↘	0	↗	16	↘	0	↗

함수 $y=f(x)$는 $x=-3$ 또는 $x=1$에서 최솟값 [0]을 가지므로 모든 실수 x에 대하여 $f(x)$ [$\geq$] 0이다.

$\therefore x^4+4x^3+9\geq 2x^2+12x$ 답 −3, −1, 1, 0, ≥

022 점 P의 시각 t에서의 속도를 v라 하면

$v=\dfrac{dx}{dt}=3$이므로 $t=1$에서 $v=3$ 답 3

023 점 P의 시각 t에서의 속도를 v라 하면

$v=\dfrac{dx}{dt}=2t-6$이므로 $t=2$에서 $v=-2$ 답 −2

024 점 P의 시각 t에서의 속도를 v라 하면

$v=\frac{dx}{dt}=3t^2-2$이므로 $t=3$에서 $v=25$ 답 25

025 점 P의 시각 t에서의 속도를 v, 가속도를 a라 하면

$v=\frac{dx}{dt}=4$, $a=\frac{dv}{dt}=0$이므로

$t=3$에서 $a=0$ 답 0

026 점 P의 시각 t에서의 속도를 v, 가속도를 a라 하면

$v=\frac{dx}{dt}=2t+2$, $a=\frac{dv}{dt}=2$이므로

$t=3$에서 $a=2$ 답 2

027 점 P의 시각 t에서의 속도를 v, 가속도를 a라 하면

$v=\frac{dx}{dt}=6t^2-18t+12$, $a=\frac{dv}{dt}=12t-18$이므로

$t=5$에서 $a=42$ 답 42

028 점 P의 t초 후의 속도를 v라 하면

$v=\frac{dx}{dt}=3t^2-12t$

따라서 점 P의 3초 후의 속도는

$v=3\times3^2-12\times3=-9$ 답 -9

029 점 P의 t초 후의 가속도를 a라 하면

$a=\frac{dv}{dt}=6t-12$

따라서 점 P의 3초 후의 가속도는

$a=6\times3-12=6$ 답 6

030 점 P의 t초 후의 위치가 $x=t^3-6t^2$이고

점 P가 다시 원점을 지날 때의 위치는 $x=0$이므로

$t^3-6t^2=0$, $t^2(t-6)=0$

$\therefore t=6$ ($\because t>0$) 답 6초

031 점 P가 운동 방향을 바꿀 때의 속도는 $v=0$이므로

$v=3t^2-12t=3t(t-4)=0$

$\therefore t=4$ ($\because t>0$) 답 4초

032 지면과 수직인 방향으로 던진 공의 t초 후의 속도를 v라 하면

$v=f'(t)=20-10t$이므로

$f'(1)=10$ (m/s), $f'(3)=-10$ (m/s)

답 10 m/s, -10 m/s

033 지면과 수직인 방향으로 던진 공의 t초 후의 가속도를 a라 하면

$a=\frac{dv}{dt}=-10$ (m/s^2) 답 -10 m/s^2

034 공의 최고 높이에 도달했을 때의 속도는 $v=0$이므로

$20-10t=0$ $\therefore t=2$

따라서 공이 최고 높이에 도달하는 데 걸린 시간은 2초이다.

답 2초

035 공이 2초 후에 최고 높이에 도달하므로 $t=2$일 때의 높이는

$f(2)=20\times2-5\times2^2=20$

따라서 공이 최고 높이에 도달했을 때의 높이는 20 m이다.

답 20 m

036 공이 지면에 떨어질 때의 높이는 0 m이므로

$20t-5t^2=0$, $t^2-4t=0$

$t(t-4)=0$ $\therefore t=4$ ($\because t>0$)

따라서 공이 지면에 떨어질 때까지 걸린 시간은 4초이다.

답 4초

037 공이 4초 후에 지면에 떨어지므로 $t=4$일 때의 속도는

$20-10\times4=-20$ (m/s) 답 -20 m/s

038 주어진 그래프에서 속도 $v(t)$는 $2\le t\le4$에서 감소하므로

속도가 감소하는 시각 t의 범위는

$2\le t\le4$ 답 $2\le t\le4$

039 가속도는 $v'(t)=\frac{dv}{dt}$이므로

$v'(5)=\frac{1-(-1)}{6-4}=1$

따라서 $t=5$에서의 가속도는 1이다. 답 1

040 속도 $v(t)$의 부호가 바뀌는 지점에서 점 P의 운동 방향이 바뀌므로 점 P의 운동 방향이 바뀌는 시각은 $t=3$, $t=5$일 때이다.

답 3, 5

041 방정식 $f(x)=k$의 서로 다른 실근의 개수는 곡선 $y=f(x)$와 직선 $y=k$의 교점의 개수와 같다. 따라서 $k=7$ 또는 $k=-20$일 때 서로 다른 두 실근을 가지므로 모든 실수 k의 값의 합은

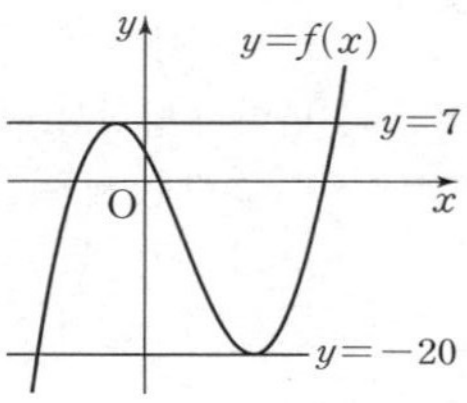

$7+(-20)=-13$ 답 -13

042 $3x^4-4x^3-12x^2+15-k=0$에서

$3x^4-4x^3-12x^2+15=k$ ……㉠

$f(x)=3x^4-4x^3-12x^2+15$라 하면

$f'(x)=12x^3-12x^2-24x$

$=12x(x^2-x-2)$

$=12x(x+1)(x-2)$

$f'(x)=0$에서 $x=-1$ 또는 $x=0$ 또는 $x=2$

함수 $y=f(x)$의 증가, 감소를 표로 나타내고 그 그래프를 그리면 다음과 같다.

x	…	-1	…	0	…	2	…
$f'(x)$	$-$	0	$+$	0	$-$	0	$+$
$f(x)$	↘	10	↗	15	↘	-17	↗

방정식 ㉠의 서로 다른 실근의 개수는 곡선 $y=3x^4-4x^3-12x^2+15$와 직선 $y=k$의 교점의 개수와 같다.

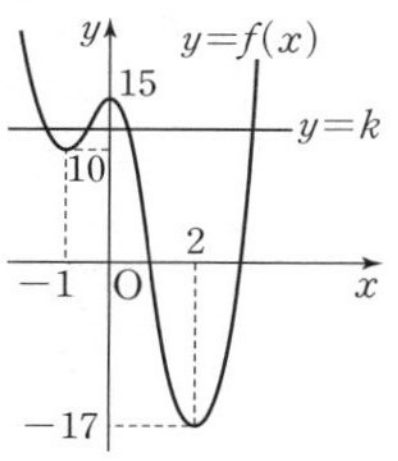

따라서 주어진 방정식이 서로 다른 네 실근을 가질 때, 실수 k의 값의 범위는
$10<k<15$

답 ④

043 $2f(x)+k=0$에서 $f(x)=-\frac{k}{2}$ ……㉠

이고, 주어진 도함수 $y=f'(x)$의 그래프에서
$f'(-1)=0$, $f'(2)=0$
$f(-1)=4$, $f(2)=-2$이므로 함수 $y=f(x)$의 증가, 감소를 표로 나타내고 그 그래프를 그리면 다음과 같다.

x	$\cdots$	-1	$\cdots$	2	$\cdots$
$f'(x)$	$+$	0	$-$	0	$+$
$f(x)$	↗	4	↘	-2	↗

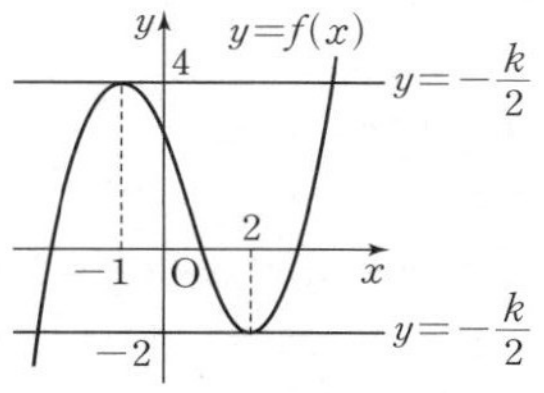

방정식 ㉠의 서로 다른 실근의 개수는 곡선 $y=f(x)$와 직선 $y=-\frac{k}{2}$의 교점의 개수와 같다.
따라서 주어진 방정식이 서로 다른 두 실근을 가지려면
$-\frac{k}{2}=4$ 또는 $-\frac{k}{2}=-2$
$\therefore k=-8$ 또는 $k=4$

답 $k=-8$ 또는 $k=4$

044 $f(x)=x^3-6x^2+9x+a$라 하면
$f'(x)=3x^2-12x+9$
$=3(x^2-4x+3)$
$=3(x-1)(x-3)$
$f'(x)=0$에서 $x=1$ 또는 $x=3$
함수 $y=f(x)$의 증가, 감소를 표로 나타내면 다음과 같다.

x	$\cdots$	1	$\cdots$	3	$\cdots$
$f'(x)$	$+$	0	$-$	0	$+$
$f(x)$	↗	$a+4$	↘	a	↗

삼차방정식 $f(x)=0$이 서로 다른 세 실근을 가지려면
(극댓값)×(극솟값)<0이어야 하므로
$a(a+4)<0$ $\quad\therefore -4<a<0$

답 ②

045 $f(x)=x^3-3x^2-a+6$이라 하면
$f'(x)=3x^2-6x=3x(x-2)$
$f'(x)=0$에서 $x=0$ 또는 $x=2$
함수 $y=f(x)$의 증가, 감소를 표로 나타내면 다음과 같다.

x	$\cdots$	0	$\cdots$	2	$\cdots$
$f'(x)$	$+$	0	$-$	0	$+$
$f(x)$	↗	$6-a$	↘	$2-a$	↗

삼차방정식 $f(x)=0$이 중근과 다른 한 실근을 가지려면
(극댓값)×(극솟값)=0이어야 하므로
$(6-a)(2-a)=0$ $\quad\therefore a=2$ 또는 $a=6$
따라서 모든 실수 a의 값의 합은
$2+6=8$

답 8

046 $f(x)=x^3+3x^2-9x+a-5$라 하면
$f'(x)=3x^2+6x-9$
$=3(x^2+2x-3)$
$=3(x+3)(x-1)$
$f'(x)=0$에서 $x=-3$ 또는 $x=1$
함수 $y=f(x)$의 증가, 감소를 표로 나타내면 다음과 같다.

x	$\cdots$	-3	$\cdots$	1	$\cdots$
$f'(x)$	$+$	0	$-$	0	$+$
$f(x)$	↗	$a+22$	↘	$a-10$	↗

삼차방정식 $f(x)=0$이 한 실근과 두 허근을 가지려면
(극댓값)×(극솟값)>0이어야 하므로
$(a+22)(a-10)>0$
$\therefore a<-22$ 또는 $a>10$
따라서 자연수 a의 최솟값은 11이다.

답 11

047 $y=2x^3-3x^2-12x-5$의 그래프를 y축의 방향으로 a만큼 평행이동하면
$y=2x^3-3x^2-12x-5+a$
즉, $g(x)=2x^3-3x^2-12x-5+a$이므로
$g'(x)=6x^2-6x-12$
$=6(x^2-x-2)$
$=6(x+1)(x-2)$
$g'(x)=0$에서 $x=-1$ 또는 $x=2$
함수 $y=g(x)$의 증가, 감소를 표로 나타내면 다음과 같다.

x	$\cdots$	-1	$\cdots$	2	$\cdots$
$g'(x)$	$+$	0	$-$	0	$+$
$g(x)$	↗	$a+2$	↘	$a-25$	↗

삼차방정식 $g(x)=0$이 서로 다른 두 실근을 가지려면 중근과 다른 한 실근을 가져야 하므로 (극댓값)×(극솟값)=0이어야 한다. 즉, $(a+2)(a-25)=0$
$\therefore a=-2$ 또는 $a=25$
따라서 모든 실수 a의 값의 합은
$(-2)+25=23$

답 23

048 $f(x)=-2$, 즉 $x^3-3ax^2+2=-2$에서
$x^3-3ax^2+4=0$
$g(x)=x^3-3ax^2+4$라 하면
$g'(x)=3x^2-6ax=3x(x-2a)$
$g'(x)=0$에서 $x=0$ 또는 $x=2a$
함수 $y=g(x)$의 증가, 감소를 표로 나타내면 다음과 같다.
(i) $a<0$일 때

x	$\cdots$	$2a$	$\cdots$	0	$\cdots$
$g'(x)$	$+$	0	$-$	0	$+$
$g(x)$	↗	$4-4a^3$	↘	4	↗

극솟값 $f(0)=4>0$이므로 삼차방정식 $g(x)=0$은 오직 하나의 실근을 갖는다.

(ii) $a>0$일 때

x	$\cdots$	0	$\cdots$	$2a$	$\cdots$
$g'(x)$	$+$	0	$-$	0	$+$
$g(x)$	↗	4	↘	$4-4a^3$	↗

삼차방정식 $g(x)=0$이 서로 다른 세 실근을 가지려면
(극댓값)×(극솟값)<0이어야 하므로
$4(4-4a^3)<0$, $a^3-1>0$
$(a-1)(a^2+a+1)>0$
$a^2+a+1>0$이므로 $a>1$
따라서 실수 a의 값의 범위는 $a>1$이다. 답 ⑤

049 $f(x)=x^3-3kx+2$라 하면
$f'(x)=3x^2-3k=3(x^2-k)$
(i) $k\le 0$일 때,
$f'(x)\ge 0$이므로 함수 $y=f(x)$는 실수 전체의 집합에서 증가하는 함수이다.
즉, $f(x)=0$은 오직 하나의 실근을 갖는다.
(ii) $k>0$일 때,
$f'(x)=3(x+\sqrt{k})(x-\sqrt{k})$
$f'(x)=0$에서 $x=-\sqrt{k}$ 또는 $x=\sqrt{k}$
함수 $y=f(x)$의 증가, 감소를 표로 나타내면 다음과 같다.

x	$\cdots$	$-\sqrt{k}$	$\cdots$	$\sqrt{k}$	$\cdots$
$f'(x)$	$+$	0	$-$	0	$+$
$f(x)$	↗	$2k\sqrt{k}+2$	↘	$-2k\sqrt{k}+2$	↗

삼차방정식 $f(x)=0$이 오직 하나의 실근을 가지려면
(극댓값)×(극솟값)>0이어야 하므로
$(2k\sqrt{k}+2)(-2k\sqrt{k}+2)>0$
$-4k^3+4>0$, $(k-1)(k^2+k+1)<0$
$k>0$이므로 $0<k<1$
(i), (ii)에서 $k<1$
따라서 정수 k의 최댓값은 0이다. 답 0

050 곡선과 직선이 서로 다른 세 점에서 만나려면 방정식
$x^3-9x=3x+k$가 서로 다른 세 실근을 가져야 한다.
$f(x)=x^3-9x-(3x+k)=x^3-12x-k$라 하면
$f'(x)=3x^2-12=3(x+2)(x-2)$
$f'(x)=0$에서 $x=-2$ 또는 $x=2$
함수 $y=f(x)$의 증가, 감소를 표로 나타내면 다음과 같다.

x	$\cdots$	-2	$\cdots$	2	$\cdots$
$f'(x)$	$+$	0	$-$	0	$+$
$f(x)$	↗	$16-k$	↘	$-16-k$	↗

삼차방정식 $f(x)=0$이 서로 다른 세 실근을 가지려면
(극댓값)×(극솟값)<0이어야 하므로
$(16-k)(-16-k)<0$, $(k+16)(k-16)<0$
$\therefore -16<k<16$ 답 ③

051 곡선과 직선이 서로 다른 두 점에서 만나려면 방정식
$2x^3-3x^2-8x=4x+a$가 서로 다른 두 실근을 가져야 한다.
$f(x)=2x^3-3x^2-8x-(4x+a)$
$\quad=2x^3-3x^2-12x-a$
라 하면
$f'(x)=6x^2-6x-12=6(x+1)(x-2)$
$f'(x)=0$에서 $x=-1$ 또는 $x=2$
함수 $y=f(x)$의 증가, 감소를 표로 나타내면 다음과 같다.

x	$\cdots$	-1	$\cdots$	2	$\cdots$
$f'(x)$	$+$	0	$-$	0	$+$
$f(x)$	↗	$-a+7$	↘	$-a-20$	↗

삼차방정식 $f(x)=0$이 서로 다른 두 실근을 가지려면 중근과 서로 다른 한 실근을 가져야하므로 (극댓값)×(극솟값)$=0$이어야 한다. 즉, $(-a+7)(-a-20)=0$
$\therefore a=7$ 또는 $a=-20$
따라서 모든 실수 a의 값의 합은
$7+(-20)=-13$ 답 -13

052 주어진 두 곡선이 오직 한 점에서 만나려면 방정식
$2x^3-3x^2-2x+1=3x^2-2x+6a$가 오직 하나의 실근을 가져야 한다.
$f(x)=2x^3-3x^2-2x+1-(3x^2-2x+6a)$
$\quad=2x^3-6x^2-6a+1$
이라 하면
$f'(x)=6x^2-12x=6x(x-2)$
$f'(x)=0$에서 $x=0$ 또는 $x=2$
함수 $y=f(x)$의 증가, 감소를 표로 나타내면 다음과 같다.

x	$\cdots$	0	$\cdots$	2	$\cdots$
$f'(x)$	$+$	0	$-$	0	$+$
$f(x)$	↗	$-6a+1$	↘	$-6a-7$	↗

삼차방정식 $f(x)=0$이 오직 하나의 실근을 가지려면
(극댓값)×(극솟값)>0이어야 하므로
$(-6a+1)(-6a-7)>0$, $(6a+7)(6a-1)>0$
$\therefore a<-\frac{7}{6}$ 또는 $a>\frac{1}{6}$
따라서 자연수 a의 최솟값은 1이다. 답 1

053 방정식 $f(x)=a$의 실근은 함수 $y=f(x)$의 그래프와 직선 $y=a$의 교점의 x좌표와 같다. 즉, 함수 $y=f(x)$의 그래프와 직선 $y=a$의 교점의 x좌표가 두 개는 음수이고 한 개는 양수가 되는 a의 값의 범위는 $-8<a<-5$이므로

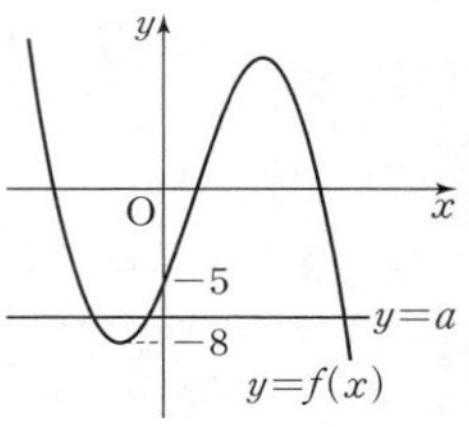

조건을 만족시키는 모든 정수 a의 값의 합은
$(-6)+(-7)=-13$ 답 -13

054 $x^3-12x-a=0$에서 $x^3-12x=a$ ⋯⋯ ㉠
$f(x)=x^3-12x$라 하면
$f'(x)=3x^2-12=3(x+2)(x-2)$
$f'(x)=0$에서 $x=-2$ 또는 $x=2$
함수 $y=f(x)$의 증가, 감소를 표로 나타내고 그 그래프를 그리면 다음과 같다.

x	$\cdots$	-2	$\cdots$	2	$\cdots$
$f'(x)$	$+$	0	$-$	0	$+$
$f(x)$	↗	16	↘	-16	↗

방정식 ㉠이 오직 하나의 양의 실근을 갖도록 하는 a의 값의 범위는
$a>16$
따라서 정수 a의 최솟값은 17이다.

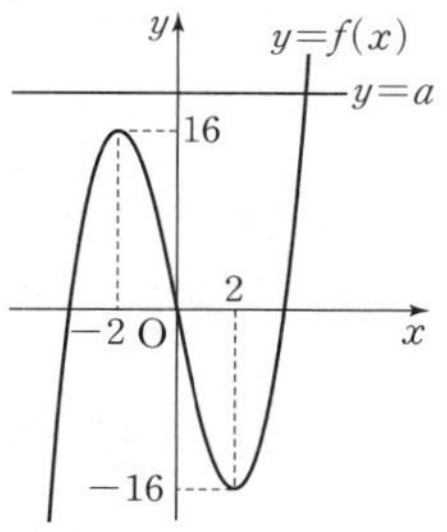

답 17

055 $x^4-x^2+a=x^2$에서 $-x^4+2x^2=a$ ……㉠
$f(x)=-x^4+2x^2$이라 하면
$f'(x)=-4x^3+4x=-4x(x+1)(x-1)$
$f'(x)=0$에서 $x=-1$ 또는 $x=0$ 또는 $x=1$
함수 $y=f(x)$의 증가, 감소를 표로 나타내고 그 그래프를 그리면 다음과 같다.

x	…	-1	…	0	…	1	…
$f'(x)$	$+$	0	$-$	0	$+$	0	$-$
$f(x)$	↗	1	↘	0	↗	1	↘

방정식 ㉠이 서로 다른 두 개의 양의 실근과 서로 다른 두 개의 음의 실근을 갖도록 하는 실수 a의 값의 범위는
$0<a<1$

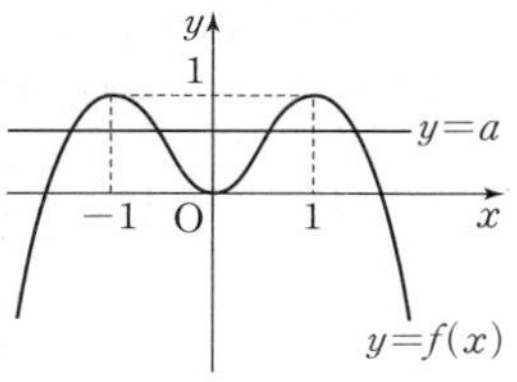

답 ②

056 $f(x)=x^4-4x^3+a-2$라 하면
$f'(x)=4x^3-12x^2=4x^2(x-3)$
$f'(x)=0$에서 $x=0$ 또는 $x=3$
함수 $y=f(x)$의 증가, 감소를 표로 나타내면 다음과 같다.

x	…	0	…	3	…
$f'(x)$	$-$	0	$-$	0	$+$
$f(x)$	↘	$a-2$	↘	$a-29$	↗

함수 $y=f(x)$는 $x=3$에서 최솟값을 가지므로 모든 실수 x에 대하여 $f(x)>0$이려면
$f(3)=a-29>0$ $\therefore a>29$

답 ⑤

057 $x^4-8x+a\ge 4x^3-6x^2$에서
$x^4-4x^3+6x^2-8x+a\ge 0$
$f(x)=x^4-4x^3+6x^2-8x+a$라 하면
$f'(x)=4x^3-12x^2+12x-8$
$=4(x^3-3x^2+3x-2)$
$=4(x-2)(x^2-x+1)$
$x^2-x+1=\left(x-\frac{1}{2}\right)^2+\frac{3}{4}>0$이므로
$f'(x)=0$에서 $x=2$
함수 $y=f(x)$의 증가, 감소를 표로 나타내면 다음과 같다.

x	…	2	…
$f'(x)$	$-$	0	$+$
$f(x)$	↘	$a-8$	↗

함수 $y=f(x)$는 $x=2$에서 최솟값을 가지므로 모든 실수 x에 대하여 $f(x)\ge 0$이려면
$f(2)=a-8\ge 0$ $\therefore a\ge 8$
따라서 실수 a의 최솟값은 8이다.

답 8

058 $f(x)=x^4+4a^3x+3$이라 하면
$f'(x)=4x^3+4a^3=4(x+a)(x^2-ax+a^2)$
$x^2-ax+a^2=\left(x-\frac{a}{2}\right)^2+\frac{3}{4}a^2\ge 0$이므로
$f'(x)=0$에서 $x=-a$
함수 $y=f(x)$의 증가, 감소를 표로 나타내면 다음과 같다.

x	…	$-a$	…
$f'(x)$	$-$	0	$+$
$f(x)$	↘	$-3a^4+3$	↗

함수 $y=f(x)$는 $x=-a$에서 최솟값을 가지므로 모든 실수 x에 대하여 $f(x)\ge 0$이려면
$f(-a)=-3a^4+3\ge 0$, $(a^2-1)(a^2+1)\le 0$
$a^2-1\le 0$, $(a+1)(a-1)\le 0$
$\therefore -1\le a\le 1$

답 ③

059 $f(x)=x^3-6x^2+9x+k$라 하면
$f'(x)=3x^2-12x+9$
$=3(x^2-4x+3)$
$=3(x-1)(x-3)$
$f'(x)=0$에서 $x=1$ 또는 $x=3$
$x>0$에서 함수 $y=f(x)$의 증가, 감소를 표로 나타내면 다음과 같다.

x	(0)	…	1	…	3	…
$f'(x)$		$+$	0	$-$	0	$+$
$f(x)$		↗	$k+4$	↘	k	↗

$x>0$에서 함수 $y=f(x)$의 최솟값은 $f(3)=k$이므로
$k>0$

답 ③

060 $4x^3-3x^2\ge 6x+k$에서
$4x^3-3x^2-6x-k\ge 0$
$f(x)=4x^3-3x^2-6x-k$라 하면
$f'(x)=12x^2-6x-6$
$=6(2x^2-x-1)$
$=6(2x+1)(x-1)$
$f'(x)=0$에서 $x=-\frac{1}{2}$ 또는 $x=1$
$-1\le x\le 2$에서 함수 $y=f(x)$의 증가, 감소를 표로 나타내면 다음과 같다.

x	-1	…	$-\frac{1}{2}$	…	1	…	2
$f'(x)$		$+$	0	$-$	0	$+$	
$f(x)$	$-k-1$	↗	$\frac{7}{4}-k$	↘	$-k-5$	↗	$-k+8$

$-1\le x\le 2$에서 함수 $y=f(x)$의 최솟값은 $f(1)=-k-5$이므로
$-k-5\ge 0$ $\therefore k\le -5$
따라서 실수 k의 최댓값은 -5이다.

답 -5

061 $h(x)=f(x)-g(x)$라 하면

$h(x)=5x^3-8x^2+a-(7x^2+3)$

$=5x^3-15x^2+a-3$

$h'(x)=15x^2-30x=15x(x-2)$

$h'(x)=0$에서 $x=0$ 또는 $x=2$

$0<x<3$에서 함수 $y=h(x)$의 증가, 감소를 표로 나타내면 다음과 같다.

x	(0)	$\cdots$	2	$\cdots$	(3)
$h'(x)$		$-$	0	$+$	
$h(x)$		↘	$a-23$	↗	

$0<x<3$에서 함수 $y=h(x)$의 최솟값은 $h(2)=a-23$이므로

$a-23\geq 0$ $\therefore a\geq 23$

따라서 a의 최솟값은 23이다. 답 23

062 $f(x)=(2-8x^3)-(-6x^4)=6x^4-8x^3+2$ $(x>0)$라 하면

$f'(x)=24x^3-24x^2=\boxed{24x^2(x-1)}$

$f'(x)=0$에서 $x=0$ 또는 $x=1$

$x>0$에서 함수 $y=f(x)$의 증가, 감소를 표로 나타내면 다음과 같다.

x	(0)	$\cdots$	1	$\cdots$
$f'(x)$		$-$	0	$+$
$f(x)$		↘	0	↗

$x>0$에서 함수 $y=f(x)$의 최솟값은 $f(1)=\boxed{0}$이므로

$f(x)\boxed{\geq}0$

따라서 양의 실수 x에 대하여 부등식 $2-8x^3\geq -6x^4$이 성립한다. 답 ④

063 $f(x)=(x^{n+1}+n)-(n+1)x$라 하면

$f'(x)=(n+1)x^n-(n+1)$

$=(n+1)\boxed{(x^n-1)}$

에서 n은 자연수이고, $x>1$이므로 $\boxed{f'(x)>0}$

따라서 $x>1$에서 함수 $y=f(x)$가 증가하므로

$f(x)>\boxed{f(1)}$

그런데 $\boxed{f(1)}=0$에서 $f(x)>0$

따라서 자연수 n에 대하여 $x>1$이면 부등식

$x^{n+1}+n>(n+1)x$가 성립한다. 답 ④

064 점 P의 시각 t에서의 속도를 v라 하면

$v=\dfrac{dx}{dt}=3t^2+2at-2$

$t=3$에서 $v=13$이므로

$27+6a-2=13$, $6a=-12$

$\therefore a=-2$ 답 -2

065 점 P의 시각 t에서의 속도를 v라 하면

$v=\dfrac{dx}{dt}=6t^2-6t-7$

속도가 5인 순간은

$6t^2-6t-7=5$에서 $6(t^2-t-2)=0$

$6(t+1)(t-2)=0$

$\therefore t=2$ $(\because t>0)$

점 P의 시각 t에서의 가속도를 a라 하면

$a=\dfrac{dv}{dt}=12t-6$

따라서 $t=2$에서의 가속도는

$12\times 2-6=18$ 답 18

066 점 P의 시각 t에서의 속도를 v, 가속도를 a라 하면

$v=\dfrac{dx}{dt}=3t^2-6t$, $a=\dfrac{dv}{dt}=6t-6$

점 P가 원점을 지날 때의 시각은

$t^3-3t^2=0$에서 $t^2(t-3)=0$

$\therefore t=3$ $(\because t>0)$

따라서 점 P가 다시 원점을 지날 때인 $t=3$에서의 가속도는

$6\times 3-6=12$ 답 ⑤

067 두 점 P, Q의 시각 t에서의 속도는 각각

$P'(t)=3t^2+4t-12$, $Q'(t)=9t$

두 점 P, Q의 속도가 같으므로

$3t^2+4t-12=9t$에서 $3t^2-5t-12=0$

$(3t+4)(t-3)=0$

$\therefore t=3$ $(\because t>0)$

따라서 $t=3$에서의 두 점 P, Q 사이의 거리는

$|P(3)-Q(3)|=\left|(27+18-36+1)-\left(\dfrac{81}{2}-6\right)\right|$

$=\left|10-\dfrac{69}{2}\right|=\dfrac{49}{2}$ 답 ⑤

068 두 점 P, Q가 만날 때, 두 점 P, Q의 위치가 같으므로

$t^2-4t+5=2t$, $t^2-6t+5=0$

$(t-1)(t-5)=0$

$\therefore t=1$ 또는 $t=5$

즉, $t=5$일 때, 두 점 P, Q가 두 번째로 만난다.

두 점 P, Q의 시각 t에서의 속도는 각각

$P'(t)=2t-4$, $Q'(t)=2$

이므로 $t=5$에서의 속도는

$P'(5)=2\times 5-4=6$, $Q'(5)=2$ 답 ①

069 점 P의 시각 t에서의 속도를 v라 하면

$v=\dfrac{dx}{dt}=-t^2+2t-2=-(t-1)^2-1$ ······㉠

$1\leq t\leq 6$에서 ㉠의 그래프는 그림과 같으므로

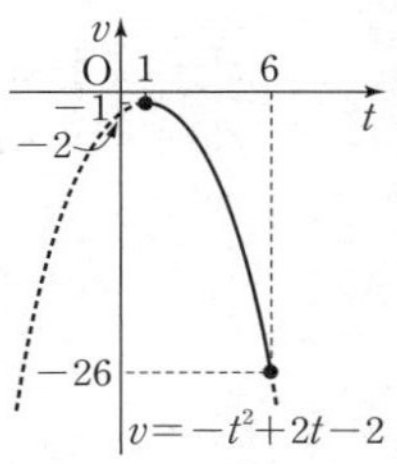

$-26\leq v\leq -1$

$\therefore 1\leq |v|\leq 26$

따라서 $1\leq t\leq 6$에서 점 P의 속력의 최댓값은 26이다.

답 26

070 점 P의 시각 t에서의 속도를 v, 가속도를 a라 하면

$v=\dfrac{dx}{dt}=t^2-5t+6$, $a=\dfrac{dv}{dt}=2t-5$

점 P가 운동 방향을 바꿀 때의 속도는 $v=0$이므로

$t^2-5t+6=0$, $(t-2)(t-3)=0$

$\therefore t=2$ 또는 $t=3$

따라서 점 P는 $t=2$에서 처음으로 운동 방향을 바꾸므로 구하는 가속도는

$2\times2-5=-1$ 답 -1

071 두 점 P, Q의 시각 t에서의 속도를 각각 v_P, v_Q라 하면

$v_P=\dfrac{dx_P}{dt}=2t-3$, $v_Q=\dfrac{dx_Q}{dt}=2t-8$

두 점 P, Q가 서로 반대 방향으로 움직이면 속도의 부호가 다르므로

$v_Pv_Q=(2t-3)(2t-8)<0$

$(2t-3)(t-4)<0$

$\therefore \dfrac{3}{2}<t<4$

즉, $\alpha=\dfrac{3}{2}$, $\beta=4$이므로 $\alpha\beta=6$ 답 6

072 점 P의 시각 t에서의 속도를 $v(t)$라 하면

$v(t)=\dfrac{dx}{dt}=6t^2-24t+18=6(t-1)(t-3)$

ㄱ. $v(t)=0$에서 $t=1$ 또는 $t=3$

즉, 점 P는 출발 후 운동 방향을 두 번 바꾼다. (참)

ㄴ. $2t^3-12t^2+18t=0$에서

$2t(t^2-6t+9)=0$, $2t(t-3)^2=0$

$\therefore t=3$ ($\because t>0$)

즉, 출발 후 다시 원점에 도착하는 시각은 $t=3$이다. (참)

ㄷ. $v(0)>0$이고, $v(2)=-6<0$이므로 점 P는 $t=2$에서 처음 운동 방향과 반대인 원점을 향하여 움직인다. (참)

따라서 ㄱ, ㄴ, ㄷ 모두 옳다. 답 ⑤

073 자동차가 제동을 건 지 t초 후의 속도를 v라 하면

$v=\dfrac{dx}{dt}=60-10t$

자동차가 정지할 때의 속도는 0이므로

$60-10t=0$

$\therefore t=6$ (초) 답 ⑤

074 열차가 제동을 건 지 t초 후의 속도를 v라 하면

$v=\dfrac{dx}{dt}=30-10t$

열차가 정지할 때의 속도는 $v=0$이므로

$30-10t=0$ $\therefore t=3$

따라서 열차가 정지할 때까지 움직인 거리는

$30\times3-5\times3^2=45$ (m) 답 45 m

075 제동을 걸고 나서 t초 동안 달린 거리를 x, t초 후의 속도를 v라 하면

$x=30t-\dfrac{1}{10}ct^2$, $v=\dfrac{dx}{dt}=30-\dfrac{1}{5}ct$

열차가 정지할 때의 속도는 $v=0$이므로

$30-\dfrac{1}{5}ct=0$ $\therefore t=\dfrac{150}{c}$

즉, 열차가 정지할 때까지 달린 거리는

$30\times\dfrac{150}{c}-\dfrac{1}{10}c\times\left(\dfrac{150}{c}\right)^2=\dfrac{2250}{c}$

열차가 정지선을 넘지 않고 멈추려면 달린 거리가 200 m 이하이어야 하므로

$\dfrac{2250}{c}\le200$ $\therefore c\ge\dfrac{45}{4}$

따라서 양의 정수 c의 최솟값은 12이다. 답 12

076 미사일의 발사 t초 후 속도는

$f(t)=20t^3-150t^2+360t$에서

$f'(t)=60t^2-300t+360$

$=60(t^2-5t+6)$

$=60(t-2)(t-3)$

미사일이 최고 높이에 도달했을 때의 속도는 0이므로

$f'(t)=0$에서 $t=2$ 또는 $t=3$

$0\le t\le3$에서 함수 $y=f(t)$의 증가, 감소를 표로 나타내면 다음과 같다.

t	0	$\cdots$	2	$\cdots$	3
$f'(t)$		+	0	−	0
$f(t)$		↗	280	↘	

$0\le t\le3$에서 함수 $y=f(t)$의 최댓값은 $f(2)=280$이므로 구하는 최고 높이는 280 m이다. 답 280 m

077 돌이 땅에 떨어질 때의 높이는 0 m이므로

$10+5t-5t^2=0$, $t^2-t-2=0$

$(t+1)(t-2)=0$ $\therefore t=2$ ($\because t>0$)

이 돌의 t초 후의 속도를 v라 하면

$v=\dfrac{dh}{dt}=5-10t$

이므로 $t=2$에서의 속도는

$5-10\times2=-15$ (m/s)

따라서 구하는 속력은

$|-15|=15$ (m/s) 답 15 m/s

078 ㄱ. 물체의 t초 후의 속도를 v, 가속도를 a라 하면

$v=\dfrac{dh}{dt}=20-10t$, $a=\dfrac{dv}{dt}=-10$

물체의 가속도는 $-10\,\text{m/s}^2$으로 항상 일정하다. (참)

ㄴ. 물체가 다시 땅에 떨어질 때의 높이는 0 m이므로

$20t-5t^2=0$, $5t(t-4)=0$

$\therefore t=4$ ($\because t>0$)

즉, 4초 후에 다시 땅에 떨어진다. (참)

ㄷ. $h=20t-5t^2=-5(t-2)^2+20$

이므로 물체는 $t=2$일 때 최고 20 m까지 올라간다. (거짓)

따라서 옳은 것은 ㄱ, ㄴ이다. 답 ③

079

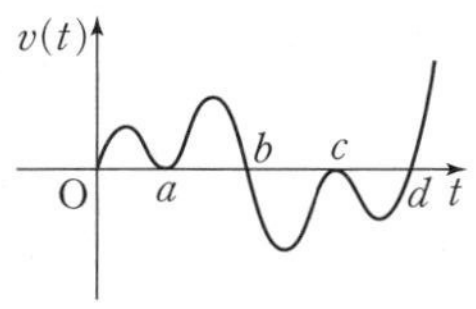

그림과 같이 점 P의 시각 t ($t>0$)에서의 속도 $v(t)$의 그래프가 t축과 만나는 점의 t좌표를 각각 a, b, c, d라 하자.

$v(t)$의 부호는 $t=b$, $t=d$의 좌우에서 바뀌므로 점 P가 운동 방향을 바꾸는 횟수는 2이다. 답 ②

080 ㄱ. 출발한 후 $t=2$의 좌우에서 속도의 부호가 바뀌고, $t=3$과 $t=4$ 사이에서 다시 한 번 속도의 부호가 바뀌므로 운동 방향을 두 번 바꾼다. (참)

ㄴ. $4<t<6$에서 $v(t)=1$이므로 $v'(t)=0$, 즉 가속도는 0이다. (거짓)

ㄷ. $1<t<2$에서 속도는 감소하고 있다. (참)

따라서 옳은 것은 ㄱ, ㄷ이다. 답 ④

081 ① $t=1$에서의 접선의 기울기는 0이므로 속도는 0이다.

② $t=2$에서의 접선의 기울기는 음수이므로 속도는 음수이다.

③ $t=3$에서의 접선의 기울기는 0이므로 속도는 0이다.
그런데 속도가 음수인 경우도 있으므로 $t=3$에서의 속도는 최소가 아니다.

④ $t=4$에서의 접선의 기울기는 양수이므로 속도는 양수이다.
즉, 점 P는 수직선의 양의 방향으로 움직이고 있다.

⑤ $t=5$에서 $x>0$이므로 점 P의 좌표는 양수이다.

따라서 옳은 것은 ④이다. 답 ④

082 ㄱ. $t=8$, $t=12$에서 $x(t)=0$이므로 점 P는 원점을 두 번 지난다. (거짓)

ㄴ. $t=5$에서의 접선의 기울기는 음수이므로 점 P는 음의 방향으로 움직인다. (참)

ㄷ. $v=x'(t)=0$에서 $t=3$, $t=10$이므로 점 P는 $t=3$, $t=10$에서 각각 진행 방향을 바꾼다. (거짓)

따라서 옳은 것은 ㄴ뿐이다. 답 ②

083 시각 t에서의 고무줄의 길이의 변화율은

$\dfrac{dl}{dt}=4t+4$

따라서 $t=3$에서의 고무줄의 길이의 변화율은

$4\times3+4=16$ 답 ③

084 t초 후의 정사각형의 한 변의 길이는 $(1+4t)$ cm이므로 그때의 넓이를 $S(t)$ cm^2라 하면

$S(t)=(1+4t)^2$ ……㉠

$=1+8t+16t^2$

$S'(t)=8+32t$

한 변의 길이가 17 cm인 순간은

$1+4t=17$에서 $t=4$

따라서 $t=4$일 때 넓이의 변화율은

$S'(4)=8+32\times4=136\ (\text{cm}^2/\text{s})$ 답 $136\ \text{cm}^2/\text{s}$

참고

$y=\{f(x)\}^n \Rightarrow y'=n\{f(x)\}^{n-1}f'(x)$

이므로 ㉠의 $S(t)=(1+4t)^2$에서

$S'(t)=2(1+4t)\times4=8(1+4t)$

로 구해도 된다.

085 t초 후의 직육면체의 밑면의 한 변의 길이와 높이는 각각 $(6+t)$ cm, $(12-2t)$ cm이다. $12-2t>0$이므로 $0\le t<6$이고, t초 후의 부피를 $V(t)$라 하면

$V(t)=(t+6)(t+6)(12-2t)$ ……㉠

$V'(t)=(t+6)(12-2t)+(t+6)(12-2t)+(t+6)^2\times(-2)$

$=2(t+6)(12-2t)-2(t+6)^2$

$=2(t+6)(12-2t-t-6)$

$=2(t+6)(6-3t)$

$=-6(t+6)(t-2)$

$V'(t)=0$에서 $t=2$ ($\because 0\le t<6$)

$0\le t<6$에서 함수 $y=V(t)$의 증가, 감소를 표로 나타내면 다음과 같다.

t	0	$\cdots$	2	$\cdots$	(6)
$V'(t)$		+	0	−	
$V(t)$		↗	극대	↘	

함수 $y=V(t)$는 $t=2$에서 극대이면서 최대이므로

t초 후의 직육면체의 겉넓이를 $S(t)$라 하면

$S(t)=2(6+t)^2+4(6+t)(12-2t)$ ……㉡

$=2(6+t)^2+8(6+t)(6-t)$

$=2(6+t)(6+t+24-4t)$

$=2(6+t)(30-3t)$

$S'(t)=2(30-3t-18-3t)$

$=-12(t-2)$

따라서 $t=2$일 때 겉넓이의 변화율은

$S'(2)=0\ (\text{cm}^2/\text{s})$ 답 $0\ \text{cm}^2/\text{s}$

참고

㉠의 $V(t)=(t+6)^2(12-2t)$에서

$V'(t)=2(t+6)(12-2t)+(t+6)^2\times(-2)$

$=-6(t+6)(t-2)$

㉡의 $S(t)=2(6+t)^2+4(6+t)(12-2t)$에서

$S'(t)=4(6+t)+4(12-2t-12-2t)$

$=-12(t-2)$

로 구해도 된다.

086 $2x^3+3x^2-12x=k$ ……㉠

$f(x)=2x^3+3x^2-12x$라 하면

$f'(x)=6x^2+6x-12=6(x+2)(x-1)$

$f'(x)=0$에서 $x=-2$ 또는 $x=1$

함수 $y=f(x)$의 증가, 감소를 표로 나타내고 그 그래프를 그리면 다음과 같다.

x	$\cdots$	−2	$\cdots$	1	$\cdots$
$f'(x)$	+	0	−	0	+
$f(x)$	↗	20	↘	−7	↗

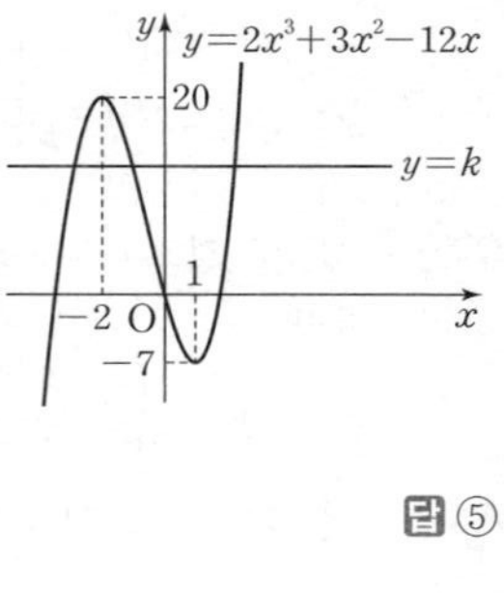

방정식 ㉠의 서로 다른 실근의 개수는 곡선 $y=2x^3+3x^2-12x$와 직선 $y=k$의 교점의 개수와 같다. 따라서 주어진 방정식이 서로 다른 두 실근을 가지려면

$k=20$ 또는 $k=-7$

따라서 모든 실수 k의 값의 합은

$20+(-7)=13$ 답 ⑤

다른 풀이

$f(x)=2x^3+3x^2-12x-k$라 하면

$f'(x)=6x^2+6x-12=6(x+2)(x-1)$

$f'(x)=0$에서 $x=-2$ 또는 $x=1$

함수 $y=f(x)$의 증가, 감소를 표로 나타내면 다음과 같다.

x	$\cdots$	-2	$\cdots$	1	$\cdots$
$f'(x)$	$+$	0	$-$	0	$+$
$f(x)$	↗	$20-k$	↘	$-7-k$	↗

삼차방정식 $f(x)=0$이 서로 다른 두 실근을 가지려면

(극댓값)×(극솟값)$=0$이어야 하므로

$(20-k)(-7-k)=0$

$\therefore k=20$ 또는 $k=-7$

따라서 모든 실수 k의 값의 합은

$20+(-7)=13$

087 $f(x)=x^3-3ax^2+4a$라 하면

$f'(x)=3x^2-6ax$

$=3x(x-2a)$

$f'(x)=0$에서 $x=0$ 또는 $x=2a$

함수 $y=f(x)$의 증가, 감소를 표로 나타내면 다음과 같다.

x	$\cdots$	0	$\cdots$	$2a$	$\cdots$
$f'(x)$	$+$	0	$-$	0	$+$
$f(x)$	↗	$4a$	↘	$-4a^3+4a$	↗

삼차함수의 그래프가 x축에 접하려면

(극댓값)×(극솟값)$=0$이어야 하므로

$4a(-4a^3+4a)=-16a^2(a+1)(a-1)=0$

$\therefore a=1$ ($\because a>0$) 답 1

참고

최고차항의 계수가 양수인 삼차함수의 그래프가 x축에 접하려면 극댓값 또는 극솟값이 0이어야 한다.

즉, 삼차함수의 그래프와 x축의 교점의 개수가 2이다.

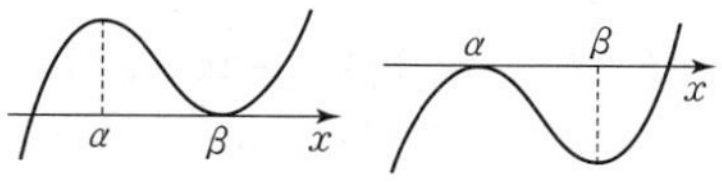

088 주어진 두 곡선이 서로 다른 세 점에서 만나려면 삼차방정식 $2x^3+5x^2-7x=2x^2+5x+k$가 서로 다른 세 실근을 가져야 한다.

$f(x)=2x^3+5x^2-7x-(2x^2+5x+k)$

$=2x^3+3x^2-12x-k$

라 하면

$f'(x)=6x^2+6x-12$

$=6(x+2)(x-1)$

$f'(x)=0$에서 $x=-2$ 또는 $x=1$

함수 $y=f(x)$의 증가, 감소를 표로 나타내면 다음과 같다.

x	$\cdots$	-2	$\cdots$	1	$\cdots$
$f'(x)$	$+$	0	$-$	0	$+$
$f(x)$	↗	$20-k$	↘	$-7-k$	↗

삼차방정식 $f(x)=0$이 서로 다른 세 실근을 가지려면

(극댓값)×(극솟값)<0이어야 하므로

$(20-k)(-7-k)<0$

$(k+7)(k-20)<0$

$\therefore -7<k<20$

따라서 자연수 k의 최댓값은 19이다. 답 19

089 $x^3-3x-k=0$에서 $x^3-3x=k$ ······㉠

$f(x)=x^3-3x$라 하면

$f'(x)=3x^2-3=3(x+1)(x-1)$

$f'(x)=0$에서 $x=-1$ 또는 $x=1$

함수 $y=f(x)$의 증가, 감소를 표로 나타내고 그 그래프를 그리면 다음과 같다.

x	$\cdots$	-1	$\cdots$	1	$\cdots$
$f'(x)$	$+$	0	$-$	0	$+$
$f(x)$	↗	2	↘	-2	↗

방정식 ㉠이 서로 다른 두 개의 음의 실근과 한 개의 양의 실근을 갖도록 하는 k의 값의 범위는

$0<k<2$

따라서 정수 k의 값은 1이다.

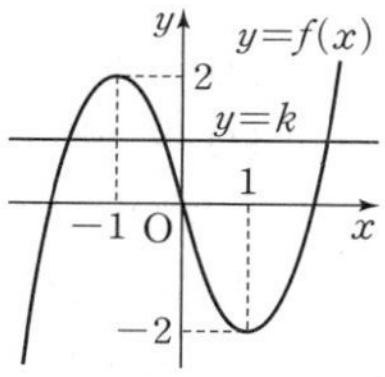

답 1

090 $f(x)=x^4-4k^3x+12$라 하면

$f'(x)=4x^3-4k^3$

$=4(x^3-k^3)$

$=4(x-k)(x^2+kx+k^2)$

$x^2+kx+k^2=\left(x+\frac{1}{2}k\right)^2+\frac{3}{4}k^2\geq 0$이므로

$f'(x)=0$에서 $x=k$

함수 $y=f(x)$의 증가, 감소를 표로 나타내면 다음과 같다.

x	$\cdots$	k	$\cdots$
$f'(x)$	$-$	0	$+$
$f(x)$	↘	$12-3k^4$	↗

함수 $y=f(x)$는 $x=k$에서 최솟값을 가지므로 모든 실수 x에 대하여 $f(x)>0$이려면

$f(k)=12-3k^4$

$=-3(k^4-4)$

$=-3(k^2+2)(k^2-2)>0$

$k^2+2>0$이므로 $k^2-2<0$

$(k+\sqrt{2})(k-\sqrt{2})<0$

$\therefore -\sqrt{2}<k<\sqrt{2}$ 답 ③

091 $h(x)=f(x)-g(x)$라 하면

$h(x)=x^3+x^2+2x-(x^2+5x+k)$

$=x^3-3x-k$

$h'(x)=3x^2-3=3(x+1)(x-1)$

$h'(x)=0$에서 $x=-1$ 또는 $x=1$

$-1<x<2$에서 함수 $y=f(x)$의 증가, 감소를 표로 나타내면 다음과 같다.

x	(-1)	$\cdots$	1	$\cdots$	(2)
$h'(x)$		$-$	0	$+$	
$h(x)$		↘	$-2-k$	↗	

$-1<x<2$에서 함수 $y=h(x)$의 최솟값은 $h(1)=-2-k$이므로

$-2-k\geq 0$ $\therefore k\leq -2$

따라서 실수 k의 최댓값은 -2이다. 답 -2

092 두 점 A, B의 속도를 각각 v_A, v_B라 하고, 가속도를 각각 a_A, a_B라 하면

$v_A=\dfrac{dx_A}{dt}=t^2+8t-1$, $a_A=\dfrac{dv_A}{dt}=2t+8$

$v_B=\dfrac{dx_B}{dt}=2t^2-4t+1$, $a_B=\dfrac{dv_B}{dt}=4t-4$

$a_B>a_A$이어야 하므로 $4t-4>2t+8$

$2t>12$ $\quad\therefore t>6$

따라서 출발한 지 6초 후부터 점 B의 가속도가 점 A의 가속도보다 커진다. 답 6초

093 $f(t)=t^3+at^2+bt+9$라 하면

(i) $t=3$에서 원점을 지나므로

$f(3)=27+9a+3b+9=0$ ……㉠

(ii) $t=3$에서 운동 방향을 바꾸므로 속도가 0이어야 한다.

즉, $f'(t)=3t^2+2at+b$에서

$f'(3)=27+6a+b=0$ ……㉡

㉠, ㉡을 연립하여 풀면

$a=-5$, $b=3$

$\therefore b-a=8$ 답 8

094 브레이크를 밟기 시작한 지 t초 후의 자동차의 속도를 v라 하면

$v=\dfrac{ds}{dt}=24-0.8t$

자동차가 정지할 때의 속도는 0이므로

$24-0.8t=0$ $\quad\therefore t=30$

따라서 자동차가 정지할 때까지 움직인 거리는

$24\times30-0.4\times30^2=360$ (m) 답 ③

095 ㄱ. $t=5$의 좌우에서 $v(t)$의 부호가 바뀌지 않으므로 $t=5$에서 운동 방향을 바꾸지 않는다. (거짓)

ㄴ. $t=2$, $t=4$의 좌우에서 $v(t)$의 부호가 바뀌므로 운동 방향을 두 번 바꾼다. (참)

ㄷ. $2<t<4$에서 $v(t)>0$이므로 수직선 위를 양의 방향으로 움직인다. (거짓)

ㄹ. $4<t<5$에서 $y=v(t)$는 감소하다가 증가한다. (거짓)

따라서 옳은 것은 ㄴ뿐이다. 답 ㄴ

096 $f(x)=t$라 하면

$(g\circ f)(x)=g(f(x))=g(t)$

$=t^2-1=(t+1)(t-1)$

$g(t)=0$에서 $t=-1$ 또는 $t=1$

방정식 $(g\circ f)(x)=0$의 서로 다른 실근의 개수는 두 방정식 $f(x)=-1$, $f(x)=1$의 실근의 개수의 합과 같다.

$f(x)=2x^3-3x^2$이므로

$f'(x)=6x^2-6x$

$=6x(x-1)$

$f'(x)=0$에서 $x=0$ 또는 $x=1$

함수 $y=f(x)$의 증가, 감소를 표로 나타내고 그 그래프를 그리면 다음과 같다.

x	$\cdots$	0	$\cdots$	1	$\cdots$
$f'(x)$	+	0	−	0	+
$f(x)$	↗	0	↘	−1	↗

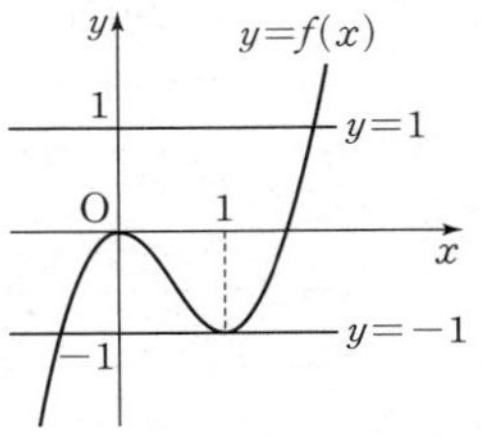

방정식 $f(x)=-1$은 서로 다른 실근 2개,

방정식 $f(x)=1$은 1개의 실근을 갖는다.

따라서 구하는 실근의 개수는

$2+1=3$

답 3

097 $x^3-2\ge3k(x^2-2)$에서 $x^3-3kx^2+6k-2\ge0$

$f(x)=x^3-3kx^2+6k-2$라 하면

$f'(x)=3x^2-6kx=3x(x-2k)$

(i) $k<0$일 때,

$x\ge0$에서 $f'(x)\ge0$이므로 함수 $y=f(x)$는 증가한다.

따라서 함수 $y=f(x)$의 최솟값은 $f(0)=6k-2$이므로

$6k-2\ge0$ $\quad\therefore k\ge\dfrac{1}{3}$

이는 $k<0$이라는 조건에 모순이다.

(ii) $k=0$일 때,

$f(x)=x^3-2$이고, $f(0)=-2<0$이므로

$x\ge0$에서 $f(x)\ge0$이 항상 성립하지는 않는다.

(iii) $k>0$일 때,

$f'(x)=0$에서 $x=0$ 또는 $x=2k$

$x\ge0$에서 함수 $y=f(x)$의 증가, 감소를 표로 나타내면 다음과 같다.

x	0	$\cdots$	$2k$	$\cdots$
$f'(x)$	0	−	0	+
$f(x)$	$6k-2$	↘	$-4k^3+6k-2$	↗

$x\ge0$에서 함수 $y=f(x)$의 최솟값은

$f(2k)=-4k^3+6k-2$이므로

$-4k^3+6k-2\ge0$, $2k^3-3k+1\le0$

$(k-1)(2k^2+2k-1)\le0$

$(k-1)\left(k-\dfrac{-1+\sqrt{3}}{2}\right)\left(k-\dfrac{-1-\sqrt{3}}{2}\right)\le0$

$(k-1)\left(k-\dfrac{\sqrt{3}-1}{2}\right)\left(k+\dfrac{1+\sqrt{3}}{2}\right)\le0$

$k>0$에서 $k+\dfrac{1+\sqrt{3}}{2}>0$이므로

$(k-1)\left(k-\dfrac{\sqrt{3}-1}{2}\right)\le0$

$\therefore \dfrac{\sqrt{3}-1}{2}\le k\le1$

(i), (ii), (iii)에서 $\dfrac{\sqrt{3}-1}{2}\le k\le1$

따라서 실수 k의 최댓값과 최솟값의 합은

$1+\dfrac{\sqrt{3}-1}{2}=\dfrac{\sqrt{3}+1}{2}$ 답 $\dfrac{\sqrt{3}+1}{2}$

08 부정적분

본책 123~136쪽

001 $f(x)=(2x+C)'=2$ 답 $f(x)=2$

002 $f(x)=(x^2+C)'=2x$ 답 $f(x)=2x$

003 $f(x)=(3x^2-5x+C)'=6x-5$ 답 $f(x)=6x-5$

004 $f(x)=(x^3+4x+C)'=3x^2+4$ 답 $f(x)=3x^2+4$

005 $f(x)=(-x^3+2x^2+C)'=-3x^2+4x$
답 $f(x)=-3x^2+4x$

006 ㄱ. $F'(x)=(x^4)'=4x^3$
ㄴ. $F'(x)=(x^4-2x)'=4x^3-2$
ㄷ. $F'(x)=(x^4-5)'=4x^3$
ㄹ. $F'(x)=\left(x^4+\frac{3}{2}\right)'=4x^3$
따라서 함수 $f(x)=4x^3$의 부정적분 중 하나가 될 수 없는 것은 ㄴ뿐이다. 답 ㄴ

007 $f'(x)=(x^2+2x+1)'$
$=2x+2$ 답 $2x+2$

008 $\int f'(x)dx=\int(2x+2)dx$
$=\int 2x\,dx+\int 2\,dx$
$=2\int x\,dx+2\int dx$
$=2\times\frac{1}{2}x^2+2\times x+C$
$=x^2+2x+C$ 답 x^2+2x+C

009 $\frac{d}{dx}\int x^4\,dx=x^4$ 답 x^4

010 $\int\left(\frac{d}{dx}x^4\right)dx=x^4+C$ 답 x^4+C

011 $\frac{d}{dx}\int(x^2+2x)\,dx=x^2+2x$ 답 x^2+2x

012 $\int\left\{\frac{d}{dx}(x^2+2x)\right\}dx=x^2+2x+C$ 답 x^2+2x+C

013 $\int 1\,dx=x+C$ 답 $x+C$

014 $\int 3\,dx=3\int dx=3x+C$ 답 $3x+C$

015 $\int x\,dx=\frac{1}{2}x^2+C$ 답 $\frac{1}{2}x^2+C$

016 $\int x^2\,dx=\frac{1}{3}x^3+C$ 답 $\frac{1}{3}x^3+C$

017 $\int x^5\,dx=\frac{1}{6}x^6+C$ 답 $\frac{1}{6}x^6+C$

018 $\int x^{99}dx=\frac{1}{100}x^{100}+C$ 답 $\frac{1}{100}x^{100}+C$

019 $\int t^{10}\,dt=\frac{1}{11}t^{11}+C$ 답 $\frac{1}{11}t^{11}+C$

020 $\int x^n dx=\frac{1}{n+1}x^{n+1}+C$ 답 $\frac{1}{n+1}x^{n+1}+C$

021 $\int 2x\,dx=2\int x\,dx$
$=2\times\frac{1}{2}x^2+C$
$=x^2+C$ 답 x^2+C

022 $\int 3x^2\,dx=3\int x^2\,dx$
$=3\times\frac{1}{3}x^3+C$
$=x^3+C$ 답 x^3+C

023 $\int 8x^3\,dx=8\int x^3\,dx$
$=8\times\frac{1}{4}x^4+C$
$=2x^4+C$ 답 $2x^4+C$

024 $\int(2x+3)\,dx=\int 2x\,dx+\int 3\,dx$
$=2\int x\,dx+3\int dx$
$=2\times\frac{1}{2}x^2+3\times x+C$
$=x^2+3x+C$ 답 x^2+3x+C

025 $\int(3x^2+6x-5)\,dx=\int 3x^2\,dx+\int 6x\,dx-\int 5\,dx$
$=3\int x^2\,dx+6\int x\,dx-5\int dx$
$=3\times\frac{1}{3}x^3+6\times\frac{1}{2}x^2-5\times x+C$
$=x^3+3x^2-5x+C$
답 x^3+3x^2-5x+C

026 $\int(2x^3+x-1)\,dx=\int 2x^3\,dx+\int x\,dx-\int dx$
$=2\int x^3\,dx+\int x\,dx-\int dx$
$=2\times\frac{1}{4}x^4+\frac{1}{2}x^2-x+C$
$=\frac{1}{2}x^4+\frac{1}{2}x^2-x+C$
답 $\frac{1}{2}x^4+\frac{1}{2}x^2-x+C$

027 $\int(4y-2)\,dy=\int 4y\,dy-\int 2\,dy=4\int y\,dy-2\int dy$

$=4\times\frac{1}{2}y^2-2\times y+C$

$=2y^2-2y+C$

답 $2y^2-2y+C$

028 $\int(3t^2-2t+4)\,dt=\int 3t^2\,dt-\int 2t\,dt+\int 4\,dt$

$=3\int t^2\,dt-2\int t\,dt+4\int dt$

$=3\times\frac{1}{3}t^3-2\times\frac{1}{2}t^2+4\times t+C$

$=t^3-t^2+4t+C$

답 t^3-t^2+4t+C

029 $\int x(x-2)\,dx=\int(x^2-2x)\,dx=\int x^2\,dx-\int 2x\,dx$

$=\int x^2\,dx-2\int x\,dx$

$=\frac{1}{3}x^3-2\times\frac{1}{2}x^2+C$

$=\frac{1}{3}x^3-x^2+C$

답 $\frac{1}{3}x^3-x^2+C$

030 $\int(x-1)(x+2)\,dx=\int(x^2+x-2)\,dx$

$=\int x^2\,dx+\int x\,dx-\int 2\,dx$

$=\int x^2\,dx+\int x\,dx-2\int dx$

$=\frac{1}{3}x^3+\frac{1}{2}x^2-2x+C$

답 $\frac{1}{3}x^3+\frac{1}{2}x^2-2x+C$

031 $\int(x-1)(3x+2)\,dx=\int(3x^2-x-2)\,dx$

$=\int 3x^2\,dx-\int x\,dx-\int 2\,dx$

$=3\int x^2\,dx-\int x\,dx-2\int dx$

$=3\times\frac{1}{3}x^3-\frac{1}{2}x^2-2\times x+C$

$=x^3-\frac{1}{2}x^2-2x+C$

답 $x^3-\frac{1}{2}x^2-2x+C$

032 $\int(x+1)^2\,dx=\int(x^2+2x+1)\,dx$

$=\int x^2\,dx+\int 2x\,dx+\int dx$

$=\int x^2\,dx+2\int x\,dx+\int dx$

$=\frac{1}{3}x^3+2\times\frac{1}{2}x^2+x+C$

$=\frac{1}{3}x^3+x^2+x+C$

답 $\frac{1}{3}x^3+x^2+x+C$

033 $\int(2x-1)^2\,dx=\int(4x^2-4x+1)\,dx$

$=\int 4x^2\,dx-\int 4x\,dx+\int dx$

$=4\int x^2\,dx-4\int x\,dx+\int dx$

$=4\times\frac{1}{3}x^3-4\times\frac{1}{2}x^2+x+C$

$=\frac{4}{3}x^3-2x^2+x+C$

답 $\frac{4}{3}x^3-2x^2+x+C$

034 $\int x(x-1)(x-2)\,dx=\int(x^3-3x^2+2x)\,dx$

$=\int x^3\,dx-\int 3x^2\,dx+\int 2x\,dx$

$=\int x^3\,dx-3\int x^2\,dx+2\int x\,dx$

$=\frac{1}{4}x^4-3\times\frac{1}{3}x^3+2\times\frac{1}{2}x^2+C$

$=\frac{1}{4}x^4-x^3+x^2+C$

답 $\frac{1}{4}x^4-x^3+x^2+C$

035 $\int(x+1)(x^2-x+1)\,dx=\int(x^3+1)\,dx$

$=\int x^3\,dx+\int dx$

$=\frac{1}{4}x^4+x+C$

답 $\frac{1}{4}x^4+x+C$

036 $\int(y+1)^3\,dy=\int(y^3+3y^2+3y+1)dy$

$=\int y^3\,dy+\int 3y^2\,dy+\int 3y\,dy+\int dy$

$=\int y^3\,dy+3\int y^2\,dy+3\int y\,dy+\int dy$

$=\frac{1}{4}y^4+3\times\frac{1}{3}y^3+3\times\frac{1}{2}y^2+y+C$

$=\frac{1}{4}y^4+y^3+\frac{3}{2}y^2+y+C$

답 $\frac{1}{4}y^4+y^3+\frac{3}{2}y^2+y+C$

037 $\int(3x-1)dx+\int(5x-3)\,dx$

$=\int(8x-4)dx$

$=\int 8x\,dx-\int 4\,dx$

$=8\int x\,dx-4\int dx$

$=8\times\frac{1}{2}x^2-4\times x+C$

$=4x^2-4x+C$

답 $4x^2-4x+C$

038 $\int(3x^2+2)dx+\int(2x-1)dx$

$=\int(3x^2+2x+1)dx$

$=\int 3x^2dx+\int 2x\,dx+\int dx$

$=3\int x^2dx+2\int x\,dx+\int dx$

$=3\times\frac{1}{3}x^3+2\times\frac{1}{2}x^2+x+C$

$=x^3+x^2+x+C$

답 x^3+x^2+x+C

039 $\int(4x^2-x+2)dx-\int(x^2-7x-1)dx$

$=\int(3x^2+6x+3)dx$

$=\int 3x^2dx+\int 6x\,dx+\int 3\,dx$

$=3\int x^2dx+6\int x\,dx+3\int dx$

$=3\times\frac{1}{3}x^3+6\times\frac{1}{2}x^2+3\times x+C$

$=x^3+3x^2+3x+C$

답 x^3+3x^2+3x+C

040 $\int(x^3-x+4)dx+\int(3x^3+3x^2-x-1)dx$

$=\int(4x^3+3x^2-2x+3)dx$

$=\int 4x^3dx+\int 3x^2dx-\int 2x\,dx+\int 3\,dx$

$=4\int x^3dx+3\int x^2dx-2\int x\,dx+3\int dx$

$=4\times\frac{1}{4}x^4+3\times\frac{1}{3}x^3-2\times\frac{1}{2}x^2+3\times x+C$

$=x^4+x^3-x^2+3x+C$

답 $x^4+x^3-x^2+3x+C$

041 $\int(x+1)^2dx+\int(x-1)^2dx$

$=\int(x^2+2x+1)dx+\int(x^2-2x+1)dx$

$=\int(2x^2+2)dx$

$=\int 2x^2dx+\int 2\,dx$

$=2\int x^2dx+2\int dx$

$=2\times\frac{1}{3}x^3+2\times x+C$

$=\frac{2}{3}x^3+2x+C$

답 $\frac{2}{3}x^3+2x+C$

042 $\int(2x+3)^2dx-\int(2x-3)^2dx$

$=\int(4x^2+12x+9)dx-\int(4x^2-12x+9)dx$

$=\int 24x\,dx=24\int x\,dx$

$=24\times\frac{1}{2}x^2+C$

$=12x^2+C$

답 $12x^2+C$

043 $\int(x+1)^3dx-\int(x-1)^3dx$

$=\int(x^3+3x^2+3x+1)dx-\int(x^3-3x^2+3x-1)dx$

$=\int(6x^2+2)dx$

$=\int 6x^2dx+\int 2\,dx$

$=6\int x^2dx+2\int dx$

$=6\times\frac{1}{3}x^3+2\times x+C$

$=2x^3+2x+C$

답 $2x^3+2x+C$

044 $\int\frac{x^2-9}{x+3}dx=\int\frac{(x-3)(x+3)}{x+3}dx$

$=\int(x-3)\,dx$

$=\int x\,dx-\int 3\,dx$

$=\int x\,dx-3\int dx$

$=\frac{1}{2}x^2-3x+C$

답 $\frac{1}{2}x^2-3x+C$

045 $\int\frac{x^3+8}{x+2}dx=\int\frac{(x+2)(x^2-2x+4)}{x+2}dx$

$=\int(x^2-2x+4)\,dx$

$=\int x^2dx-\int 2x\,dx+\int 4\,dx$

$=\int x^2dx-2\int x\,dx+4\int dx$

$=\frac{1}{3}x^3-2\times\frac{1}{2}x^2+4\times x+C$

$=\frac{1}{3}x^3-x^2+4x+C$

답 $\frac{1}{3}x^3-x^2+4x+C$

046 $\int\frac{x^2}{x+1}dx-\int\frac{1}{x+1}dx=\int\frac{x^2-1}{x+1}dx$

$=\int\frac{(x+1)(x-1)}{x+1}dx$

$=\int(x-1)\,dx$

$=\int x\,dx-\int dx$

$=\frac{1}{2}x^2-x+C$

답 $\frac{1}{2}x^2-x+C$

047 $f'(x)=4x^3-3x^2+6x-2$에서

$f(x)=\int(4x^3-3x^2+6x-2)\,dx$

$=x^4-x^3+3x^2-2x+C$

$f(1)=2$이므로

$f(1)=1-1+3-2+C=\boxed{1}+C=2$

$\therefore C=\boxed{1}$

$\therefore f(x)=\boxed{x^4-x^3+3x^2-2x+1}$

답 1, 1, $x^4-x^3+3x^2-2x+1$

048 $f'(x)=4x-5$에서

$f(x)=\int(4x-5)dx$

$=\int 4x\,dx-\int 5\,dx$

$=4\int x\,dx-5\int dx$

$=4\times\frac{1}{2}x^2-5\times x+C$

$=2x^2-5x+C$

$f(0)=1$이므로

$f(0)=C=1$

$\therefore f(x)=2x^2-5x+1$

답 $f(x)=2x^2-5x+1$

049 $f'(x)=3x^2-6x+1$에서

$f(x)=\int(3x^2-6x+1)dx$

$=\int 3x^2\,dx-\int 6x\,dx+\int dx$

$=3\int x^2\,dx-6\int x\,dx+\int dx$

$=3\times\frac{1}{3}x^3-6\times\frac{1}{2}x^2+x+C$

$=x^3-3x^2+x+C$

$f(0)=-2$이므로

$f(0)=C=-2$

$\therefore f(x)=x^3-3x^2+x-2$

답 $f(x)=x^3-3x^2+x-2$

050 $f'(x)=4x^3-6x^2+8x-5$에서

$f(x)=\int(4x^3-6x^2+8x-5)dx$

$=\int 4x^3\,dx-\int 6x^2\,dx+\int 8x\,dx-\int 5\,dx$

$=4\int x^3\,dx-6\int x^2\,dx+8\int x\,dx-5\int dx$

$=4\times\frac{1}{4}x^4-6\times\frac{1}{3}x^3+8\times\frac{1}{2}x^2-5\times x+C$

$=x^4-2x^3+4x^2-5x+C$

$f(1)=3$이므로

$f(1)=1-2+4-5+C$

$=-2+C=3$

$\therefore C=5$

$\therefore f(x)=x^4-2x^3+4x^2-5x+5$

답 $f(x)=x^4-2x^3+4x^2-5x+5$

051 $F(x)=3x^2+x+2$라 하면

$f(x)=F'(x)=6x+1$

$\therefore f(2)=12+1=13$

답 ②

052 $F(x)=\int(2x-3)\,dx=x^2-3x+C$

$F(2)=5$이므로 $4-6+C=5$

$\therefore C=7$

$\therefore F(x)=x^2-3x+7$

답 $F(x)=x^2-3x+7$

053 $\int(12x^2+ax-5)\,dx=bx^3+3x^2-cx+2$의 양변을 x에 대하여 미분하면

$\frac{d}{dx}\int(12x^2+ax-5)\,dx=\frac{d}{dx}(bx^3+3x^2-cx+2)$

$12x^2+ax-5=3bx^2+6x-c$

즉, $12=3b$, $a=6$, $-5=-c$

$\therefore a=6$, $b=4$, $c=5$

$\therefore a+b+c=15$

답 ⑤

054 $f(x)=F'(x)=6x^2+2ax+b$이므로

$f(0)=b=2$

한편, $f'(x)=12x+2a$이므로

$f'(0)=2a=-2$ $\quad\therefore a=-1$

$\therefore ab=(-1)\times 2=-2$

답 ①

055 $F'(x)=f(x)$, $G'(x)=f(x)$이므로

$F'(x)-G'(x)=0$

$\therefore F(x)-G(x)=\int\{F'(x)-G'(x)\}dx=C$

한편, $F(0)-G(0)=1-3=C$이므로 $C=-2$

$\therefore F(1)-G(1)=C=-2$

답 ②

056 ㄱ, ㄷ. $2x$의 부정적분은 $\int 2x\,dx=x^2+C$

ㄴ. 상수함수의 도함수는 0이므로 0의 부정적분은 상수함수이다. (참)

따라서 옳은 것은 ㄴ, ㄷ이다.

답 ④

057 $\frac{d}{dx}\int(ax^2+x+4)\,dx=ax^2+x+4$이므로

$ax^2+x+4=2x^2+bx+c$

위의 식이 모든 실수 x에 대하여 성립하므로

$a=2$, $b=1$, $c=4$

$\therefore a+b+c=7$

답 ④

058 $f(x)=\int\left\{\frac{d}{dx}(3x^2+2x)\right\}dx$

$=3x^2+2x+C$

$f(1)=6$이므로 $3+2+C=6$

$\therefore C=1$

따라서 $f(x)=3x^2+2x+1$이므로

$f(-1)=3\times(-1)^2+2\times(-1)+1=2$

답 2

059 $f(x)=\dfrac{d}{dx}\int(x^2-2x+k)\,dx$

$=x^2-2x+k$

$=(x-1)^2+k-1$

즉, $y=f(x)$는 $x=1$일 때 최솟값 $k-1$을 가지므로

$k-1=-5$

$\therefore k=-4$

답 -4

060 $\dfrac{d}{dx}\int f(x)\,dx=f(x)$이므로 $g(x)=f(x)$

$g(2)=4$이므로 $f(2)=4$

$\log_2(2^2+2\times2+a)=4$

$\log_2(8+a)=4$

$8+a=2^4$

$\therefore a=8$

답 ④

061 $G(x)=\int\left[\dfrac{d}{dx}\{f(x)+2\}\right]dx$

$=\int f'(x)\,dx$

$=f(x)+C$

$=2^{x+3}+C$

$G(1)=20$이므로 $2^4+C=20$

$\therefore C=4$

따라서 $G(x)=2^{x+3}+4$이므로

$G(-1)=2^2+4=8$

답 ④

062 $f(x)=\int\left\{\dfrac{d}{dx}(2x^4-ax^2)\right\}dx$

$=2x^4-ax^2+C$ ⋯⋯ ㉠

㉠의 양변을 x에 대하여 미분하면

$f'(x)=8x^3-2ax$

$\lim_{x\to1}\dfrac{f(x)-f(1)}{x-1}=f'(1)=2$이므로

$f'(1)=8-2a=2$

$\therefore a=3$

$a=3$을 ㉠에 대입하면

$f(x)=2x^4-3x^2+C$

$f(1)=3$이므로 $2-3+C=3$

$\therefore C=4$

따라서 $f(x)=2x^4-3x^2+4$이므로

$f(-1)=2\times(-1)^4-3\times(-1)^2+4=3$

답 3

063 $F(x)=10\int x^9\,dx+3\int x^2\,dx+\int1\,dx$

$=x^{10}+x^3+x+C$

$F(0)=2$이므로 $C=2$

따라서 $F(x)=x^{10}+x^3+x+2$이므로

$F(1)=1+1+1+2=5$

답 ③

064 $f(x)=\int(x-1)(x+1)(x^2+1)\,dx$

$=\int(x^4-1)\,dx$

$=\dfrac{1}{5}x^5-x+C$

$f(0)=3$이므로 $C=3$

따라서 $f(x)=\dfrac{1}{5}x^5-x+3$이므로

$f(1)=\dfrac{1}{5}-1+3=\dfrac{11}{5}$

답 $\dfrac{11}{5}$

065 $f(x)=\int(x+1)(x^2-x+1)\,dx-\int(x-1)(x^2+x+1)\,dx$

$=\int(x^3+1)\,dx-\int(x^3-1)\,dx$

$=\int\{(x^3+1)-(x^3-1)\}dx$

$=\int2\,dx$

$=2x+C$

$f(3)=8$이므로 $6+C=8$

$\therefore C=2$

따라서 $f(x)=2x+2$이므로

$f(5)=2\times5+2=12$

답 12

066 $f(x)=\int\dfrac{x^2}{x-2}\,dx-\int\dfrac{4}{x-2}\,dx$

$=\int\dfrac{x^2-4}{x-2}\,dx$

$=\int\dfrac{(x+2)(x-2)}{x-2}\,dx$

$=\int(x+2)\,dx$

$=\dfrac{1}{2}x^2+2x+C$

$f(0)=-1$이므로 $C=-1$

따라서 $f(x)=\dfrac{1}{2}x^2+2x-1$이므로

$f(2)=2+4-1=5$

답 ②

067 $f(x)=\int(1+2x+3x^2+\cdots+10x^9)\,dx$

$=x+x^2+x^3+\cdots+x^{10}+C$

$f(0)=\dfrac{5}{2}$이므로 $C=\dfrac{5}{2}$

따라서 $f(x)=\dfrac{5}{2}+x+x^2+\cdots+x^{10}$이므로

$f(3)=\dfrac{5}{2}+3+3^2+\cdots+3^{10}$

$=\dfrac{5}{2}+\dfrac{3(3^{10}-1)}{3-1}$

$=\dfrac{3^{11}}{2}+1$

답 ⑤

068 $f(x)=\dfrac{d}{dx}\int(x^2-2x+3)\,dx$

$=x^2-2x+3$

이므로

$g(x)=\int f(x)\,dx$

$=\int(x^2-2x+3)\,dx$

$=\dfrac{1}{3}x^3-x^2+3x+C$

$g(1)=4$이므로 $\frac{1}{3}-1+3+C=4$

$\therefore C=\frac{5}{3}$

따라서 $g(x)=\frac{1}{3}x^3-x^2+3x+\frac{5}{3}$이므로

$g(4)=\frac{64}{3}-16+12+\frac{5}{3}=19$ 답 19

069 $f(x)=\int f'(x)\,dx$

$=\int (3x^2-4x+1)\,dx$

$=x^3-2x^2+x+C$

$f(0)=3$이므로 $C=3$

따라서 $f(x)=x^3-2x^2+x+3$이므로

$f(1)=1-2+1+3=3$ 답 ②

070 $f(x)=\int f'(x)\,dx$

$=\int (3x^2+2ax-1)\,dx$

$=x^3+ax^2-x+C$

$f(0)=1$이므로 $C=1$

또 $f(1)=-1$이므로 $1+a-1+1=-1$

$\therefore a=-2$

따라서 $f(x)=x^3-2x^2-x+1$이므로

$f(2)=2^3-2\times2^2-2+1=-1$ 답 -1

071 $f'(x)=-3x^2+4x-3$이므로

$f(x)=\int f'(x)\,dx$

$=\int (-3x^2+4x-3)\,dx$

$=-x^3+2x^2-3x+C_1$

$f(0)=1$이므로 $C_1=1$

$\therefore f(x)=-x^3+2x^2-3x+1$

따라서 $y=f(x)$의 부정적분은

$y=\int f(x)\,dx$

$=\int (-x^3+2x^2-3x+1)\,dx$

$=-\frac{1}{4}x^4+\frac{2}{3}x^3-\frac{3}{2}x^2+x+C$

답 $y=-\frac{1}{4}x^4+\frac{2}{3}x^3-\frac{3}{2}x^2+x+C$

072 $f(x)=\int f'(x)\,dx$

$=\int (2x+8)\,dx$

$=x^2+8x+C$

모든 실수 x에 대하여 $f(x)>0$이므로

이차방정식 $x^2+8x+C=0$의 판별식을 D라 하면

$\frac{D}{4}=4^2-C<0$

$16-C<0$ $\quad\therefore C>16$

$f(0)=C$이므로 $f(0)>16$

따라서 $f(0)$의 값이 될 수 있는 것은 ⑤이다. 답 ⑤

073 $\lim_{h\to0}\frac{f(1+2h)-f(1)}{h}=\lim_{h\to0}\frac{f(1+2h)-f(1)}{2h}\times2$

$=2f'(1)=8$

$\therefore f'(1)=4$

즉, $1+5+a=4$ $\quad\therefore a=-2$

$\therefore f(x)=\int (x^2+5x-2)\,dx$

$=\frac{1}{3}x^3+\frac{5}{2}x^2-2x+C$

$3f(0)=2$, 즉 $f(0)=\frac{2}{3}$이므로 $C=\frac{2}{3}$

따라서 $f(x)=\frac{1}{3}x^3+\frac{5}{2}x^2-2x+\frac{2}{3}$이므로

$f(1)=\frac{1}{3}+\frac{5}{2}-2+\frac{2}{3}=\frac{3}{2}$ 답 $\frac{3}{2}$

074 (나)에서 $x\to1$일 때, (분모)$\to0$이고 극한값이 존재하므로 (분자)$\to0$이어야 한다.

즉, $\lim_{x\to1}f(x)=0$이므로 $f(1)=0$

$\lim_{x\to1}\frac{f(x)}{x-1}=\lim_{x\to1}\frac{f(x)-f(1)}{x-1}=f'(1)=2a+1$

$6+a=2a+1$ $\quad\therefore a=5$

$\therefore f'(x)=6x+5$

$f(x)=\int f'(x)\,dx$

$=\int (6x+5)\,dx$

$=3x^2+5x+C$

$f(1)=0$이므로 $3+5+C=0$ $\quad\therefore C=-8$

따라서 $f(x)=3x^2+5x-8$이므로

$f(2)=12+10-8=14$ 답 14

075 곡선 $y=f(x)$ 위의 점 (x, y)에서의 접선의 기울기가 $2x+1$이므로

$f'(x)=2x+1$

$\therefore f(x)=\int f'(x)\,dx$

$=\int (2x+1)\,dx$

$=x^2+x+C$

곡선 $y=f(x)$가 점 $(0, 5)$를 지나므로 $f(0)=C=5$

따라서 $f(x)=x^2+x+5$이므로

$f(1)=1+1+5=7$ 답 ④

076 곡선 $y=f(x)$ 위의 점 (x, y)에서의 접선의 기울기가 $4x+1$이므로

$f'(x)=4x+1$

$\therefore f(x)=\int f'(x)\,dx$

$=\int (4x+1)\,dx$

$=2x^2+x+C$

$2f(1)=f(2)$이므로

$2(2+1+C)=8+2+C$ $\quad\therefore C=4$

따라서 $f(x)=2x^2+x+4$이므로

$f(-1)=2-1+4=5$ 답 ③

077 $f(x)=\int(3x^2+x+a)\,dx$의 양변을 x에 대하여 미분하면

$f'(x)=3x^2+x+a$

곡선 $y=f(x)$ 위의 $x=1$인 점에서의 접선의 기울기가 2이므로

$f'(1)=3+1+a=2$

$\therefore a=-2$

답 -2

078 곡선 $y=f(x)$ 위의 임의의 점 (x, y)에서의 접선의 기울기가 x^2에 정비례하므로 $f'(x)=ax^2$ (a는 상수)이라 하면

$f(x)=\int ax^2dx=\frac{a}{3}x^3+C$

이 곡선이 점 $(1, 3)$, $(-1, 1)$을 지나므로

$f(1)=\frac{a}{3}+C=3$ ……㉠

$f(-1)=-\frac{a}{3}+C=1$ ……㉡

㉠, ㉡을 연립하여 풀면

$a=3$, $C=2$

따라서 $f(x)=x^3+2$이므로

$f(2)=8+2=10$

답 10

079 곡선 $y=f(x)$ 위의 점 $(x, f(x))$에서의 접선의 기울기가 $2x-6$이므로

$f'(x)=2x-6$

$\therefore f(x)=\int f'(x)\,dx$

$=\int(2x-6)\,dx$

$=x^2-6x+C$

$=(x-3)^2-9+C$

즉, $y=f(x)$는 $x=3$일 때 최솟값 $-9+C$를 가지므로

$-9+C=3 \quad \therefore C=12$

따라서 $f(x)=x^2-6x+12$이므로

$f(1)=1-6+12=7$

답 ④

080 곡선 $y=f(x)$ 위의 임의의 점 (x, y)에서의 접선의 기울기는 $f'(x)$이므로 $f'(x)=-6x+k$

$\therefore f(x)=\int(-6x+k)dx$

$=-3x^2+kx+C$

곡선 $y=f(x)$가 점 $(0, -2)$를 지나므로

$f(0)=-2$에서 $C=-2$

$\therefore f(x)=-3x^2+kx-2$

따라서 방정식 $-3x^2+kx-2=0$의 한 근이 2이고, 근과 계수의 관계에 의하여 두 근의 곱이 $\frac{2}{3}$이므로 다른 한 근을 α라 하면

$2\alpha=\frac{2}{3}$

$\therefore \alpha=\frac{1}{3}$

답 $\frac{1}{3}$

081 $f(x)=\int f'(x)\,dx$

$=\int(3x^2-6x-9)\,dx$

$=x^3-3x^2-9x+C$

$f'(x)=3x^2-6x-9$

$=3(x+1)(x-3)$

$f'(x)=0$에서 $x=-1$ 또는 $x=3$

함수 $y=f(x)$의 증가, 감소를 표로 나타내면 다음과 같다.

x	…	-1	…	3	…
$f'(x)$	+	0	−	0	+
$f(x)$	↗	극대	↘	극소	↗

$y=f(x)$는 $x=-1$에서 극댓값 7을 가지므로

$f(-1)=-1-3+9+C=7$

$\therefore C=2$

즉, $f(x)=x^3-3x^2-9x+2$이고, $x=3$에서 극솟값을 가지므로

$a=3$,

$b=f(3)=27-27-27+2=-25$

$\therefore a+b=3+(-25)=-22$

답 ②

082 $f(x)=\int f'(x)\,dx$

$=\int(6x^2-18x+a)\,dx$

$=2x^3-9x^2+ax+C$

$x=1$에서 극값 5를 가지므로

$f'(1)=0$, $f(1)=5$

$6-18+a=0$, $2-9+a+C=5$

$\therefore a=12$, $C=0$

즉, $f(x)=2x^3-9x^2+12x$이므로

$f'(x)=6x^2-18x+12=6(x-1)(x-2)$

$f'(x)=0$에서 $x=1$ 또는 $x=2$

따라서 $y=f(x)$는 $x=2$에서 다른 하나의 극값을 가지고, 그 극값은

$f(2)=16-36+24=4$

답 4

083 $x=0$에서 극댓값 3을 가지므로 $f'(0)=0$, $f(0)=3$

$f'(2)=0$이므로 $x=2$에서 극솟값을 가지고

$f'(x)=ax(x-2)$ $(a\neq 0)$라 하면

$f(x)=\int f'(x)dx$

$=\int ax(x-2)\,dx$

$=\frac{a}{3}x^3-ax^2+C$

$f(0)=3$이므로 $C=3$

$f(1)=1$이므로 $\frac{a}{3}-a+3=1$

$\therefore a=3$

따라서 $f(x)=x^3-3x^2+3$이므로 극솟값은

$f(2)=8-12+3=-1$

답 -1

084 $\{f(x)g(x)\}'=3x^2-4x-3$의 양변을 x에 대하여 적분하면

$f(x)g(x)=\int(3x^2-4x-3)\,dx$

$=x^3-2x^2-3x+C$

이 식에 $x=0$을 대입하면 $f(0)g(0)=C$

$f(0)=-3$, $g(0)=-2$이므로

$C=(-3)\times(-2)=6$

$\therefore f(x)g(x)=x^3-2x^2-3x+6=(x-2)(x^2-3)$
$y=f(x)$와 $y=g(x)$의 계수가 정수이고 $f(0)=-3$, $g(0)=-2$이므로
$f(x)=x^2-3$, $g(x)=x-2$
$\therefore f(-3)+g(3)=6+1=7$ 답 7

085 $\frac{d}{dx}\{f(x)+g(x)\}=3$의 양변을 x에 대하여 적분하면

$\int\left[\frac{d}{dx}\{f(x)+g(x)\}\right]dx=\int 3\,dx$

$f(x)+g(x)=3x+C_1$ ······㉠

$\frac{d}{dx}\{f(x)g(x)\}=4x+2$의 양변을 x에 대하여 적분하면

$\int\left[\frac{d}{dx}\{f(x)g(x)\}\right]dx=\int(4x+2)dx$

$f(x)g(x)=2x^2+2x+C_2$ ······㉡

㉠, ㉡에 $x=0$을 각각 대입하면
$f(0)+g(0)=C_1=1$
$f(0)g(0)=C_2=0$
$\therefore f(x)+g(x)=3x+1$ ······㉢
$f(x)g(x)=2x^2+2x$
$=2x(x+1)$ ······㉣
㉢, ㉣에서

$\begin{cases} f(x)=2x \\ g(x)=x+1 \end{cases}$ 또는 $\begin{cases} f(x)=x+1 \\ g(x)=2x \end{cases}$

그런데 $f(0)=0$, $g(0)=1$이므로
$f(x)=2x$, $g(x)=x+1$
$\therefore f(2)+g(3)=4+4=8$ 답 ⑤

086 $\frac{d}{dx}\{f(x)+g(x)\}=2x+1$의 양변을 x에 대하여 적분하면

$\int\left[\frac{d}{dx}\{f(x)+g(x)\}\right]dx=\int(2x+1)\,dx$

$f(x)+g(x)=x^2+x+C_1$ ······㉠

$\frac{d}{dx}\{f(x)g(x)\}=3x^2-2x+2$의 양변을 x에 대하여 적분하면

$\int\left[\frac{d}{dx}\{f(x)g(x)\}\right]dx=\int(3x^2-2x+2)\,dx$

$f(x)g(x)=x^3-x^2+2x+C_2$ ······㉡

㉠, ㉡에 $x=0$을 각각 대입하면
$f(0)+g(0)=C_1$
$\therefore C_1=2+(-1)=1$
$f(0)g(0)=C_2$
$\therefore C_2=2\times(-1)=-2$
$\therefore f(x)+g(x)=x^2+x+1$ ······㉢
$f(x)g(x)=x^3-x^2+2x-2$
$=(x-1)(x^2+2)$ ······㉣
㉢, ㉣에서

$\begin{cases} f(x)=x-1 \\ g(x)=x^2+2 \end{cases}$ 또는 $\begin{cases} f(x)=x^2+2 \\ g(x)=x-1 \end{cases}$

그런데 $f(0)=2$, $g(0)=-1$이므로
$f(x)=x^2+2$, $g(x)=x-1$
$\therefore f(3)+g(2)=(3^2+2)+(2-1)=12$ 답 12

087 $F(x)+\int xf(x)dx=x^3+x^2-x+C$의 양변을 x에 대하여 미분하면
$f(x)+xf(x)=3x^2+2x-1$
$(1+x)f(x)=(x+1)(3x-1)$
따라서 $f(x)=3x-1$이므로
$f(3)=9-1=8$ 답 8

088 $F(x)=xf(x)-4x^3+3x^2$의 양변을 x에 대하여 미분하면
$f(x)=f(x)+xf'(x)-12x^2+6x$
$xf'(x)=12x^2-6x$
$\therefore f'(x)=12x-6$

$f(x)=\int f'(x)\,dx$
$=\int(12x-6)\,dx$
$=6x^2-6x+C$

$f(0)=1$이므로 $C=1$
따라서 $f(x)=6x^2-6x+1$
답 $f(x)=6x^2-6x+1$

089 $xf(x)-\int f(x)\,dx=\frac{2}{3}x^3+\frac{3}{2}x^2$의 양변을 x에 대하여 미분하면
$f(x)+xf'(x)-f(x)=2x^2+3x$
$xf'(x)=x(2x+3)$
$\therefore f'(x)=2x+3$

$f(x)=\int f'(x)\,dx$
$=\int(2x+3)\,dx$
$=x^2+3x+C$

$f(1)=10$이므로 $1+3+C=10$
$\therefore C=6$
따라서 $f(x)=x^2+3x+6$이므로
$f(2)=4+6+6=16$ 답 16

090 $f(x)=\int f'(x)\,dx=\begin{cases} 5x+C_1 & (x<2) \\ x^2+x+C_2 & (x\ge 2) \end{cases}$

$f(0)=-6$이므로 $C_1=-6$
또 $y=f(x)$가 $x=2$에서 미분가능하므로 $x=2$에서 연속이다.
즉, $f(2)=\lim_{x\to 2+}f(x)=\lim_{x\to 2-}f(x)$이므로 $4+2+C_2=4$
$\therefore C_2=-2$
따라서 $x\ge 2$일 때 $f(x)=x^2+x-2$이므로
$f(3)=9+3-2=10$ 답 10

091 $f'(x)=\begin{cases} 2x+3 & (x\ge -1) \\ k & (x<-1) \end{cases}$에서

$f(x)=\int f'(x)\,dx$
$=\begin{cases} x^2+3x+C_1 & (x\ge -1) \\ kx+C_2 & (x<-1) \end{cases}$

$f(0)=2$이므로 $C_1=2$

$f(-2)=5$이므로 $-2k+C_2=5$ ……㉠

함수 $y=f(x)$가 $x=-1$에서 연속이므로

$1-3+C_1=-k+C_2$

$\therefore 0=-k+C_2$ ……㉡

㉠, ㉡을 연립하여 풀면

$C_2=-5$, $k=-5$

$\therefore f(x)=\begin{cases} x^2+3x+2 & (x\geq -1) \\ -5x-5 & (x<-1) \end{cases}$

$\therefore f(-3)=15-5=10$ 답 ①

092 $f'(x)=\begin{cases} 2x-2 & (x\geq 2) \\ 2 & (x<2) \end{cases}$이므로

$f(x)=\int f'(x)\,dx=\begin{cases} x^2-2x+C_1 & (x\geq 2) \\ 2x+C_2 & (x<2) \end{cases}$

$f(0)=0$이므로 $C_2=0$

또 $y=f(x)$가 $x=2$에서 미분가능하므로 $x=2$에서 연속이다.

즉, $f(2)=\lim_{x\to 2+} f(x)=\lim_{x\to 2-} f(x)$이므로

$4-4+C_1=4$

$\therefore C_1=4$

따라서 $f(x)=\begin{cases} x^2-2x+4 & (x\geq 2) \\ 2x & (x<2) \end{cases}$이므로

$f(3)+f(-1)=(9-6+4)+(-2)=5$ 답 5

093 $f'(x)=2x+4$이므로

$f(x)=\int f'(x)\,dx$

$=\int (2x+4)\,dx$

$=x^2+4x+C$

$y=f(x)$의 그래프가 x축에 접하므로

이차방정식 $x^2+4x+C=0$의 판별식을 D라 하면

$\frac{D}{4}=4-C=0$

$\therefore C=4$

따라서 $f(x)=x^2+4x+4$이므로

$f(1)=1+4+4=9$ 답 ⑤

094 $f'(1)=0$, $f'(3)=0$이므로

$f'(x)=a(x-1)(x-3)$ $(a>0)$이라 하면

$f'(0)=1$이므로 $a=\frac{1}{3}$

$\therefore f'(x)=\frac{1}{3}(x-1)(x-3)$

$f(x)=\int f'(x)\,dx$

$=\int \frac{1}{3}(x-1)(x-3)\,dx$

$=\int \left(\frac{1}{3}x^2-\frac{4}{3}x+1\right)dx$

$=\frac{1}{9}x^3-\frac{2}{3}x^2+x+C$

$f'(x)=0$에서 $x=1$ 또는 $x=3$

함수 $y=f(x)$의 증가, 감소를 표로 나타내면 다음과 같다.

x	…	1	…	3	…
$f'(x)$	+	0	−	0	+
$f(x)$	↗	극대	↘	극소	↗

즉, $y=f(x)$는 $x=1$에서 극댓값을 갖고, $x=3$에서 극솟값 1을 가지므로

$f(3)=3-6+3+C=1$에서 $C=1$

$\therefore f(x)=\frac{1}{9}x^3-\frac{2}{3}x^2+x+1$

따라서 극댓값은

$f(1)=\frac{1}{9}-\frac{2}{3}+1+1=\frac{13}{9}$ 답 $\frac{13}{9}$

095 $f'(x)=kx(x-2)$ $(k<0)$라 하면

$f(x)=\int f'(x)\,dx$

$=\int kx(x-2)\,dx$

$=\int (kx^2-2kx)\,dx$

$=\frac{k}{3}x^3-kx^2+C$

$f'(x)=0$에서 $x=0$ 또는 $x=2$

함수 $y=f(x)$의 증가, 감소를 표로 나타내면 다음과 같다.

x	…	0	…	2	…
$f'(x)$	−	0	+	0	−
$f(x)$	↘	극소	↗	극대	↘

즉, $y=f(x)$는 $x=0$에서 극솟값 3을 갖고, $x=2$에서 극댓값 5를 가지므로

$f(0)=C=3$

$f(2)=\frac{8}{3}k-4k+3=5$

$\therefore k=-\frac{3}{2}$

따라서 $f(x)=-\frac{1}{2}x^3+\frac{3}{2}x^2+3$이므로

$f(1)=-\frac{1}{2}+\frac{3}{2}+3=4$ 답 ④

096 $y=f'(x)$는 삼차함수이고, $f'(x)=0$의 해가 $x=-1$ 또는 $x=0$ 또는 $x=1$이므로

$f'(x)=ax(x+1)(x-1)=a(x^3-x)$ $(a>0)$라 하면

$f(x)=\int a(x^3-x)dx$

$=\frac{1}{4}ax^4-\frac{1}{2}ax^2+C$

함수 $y=f(x)$의 증가, 감소를 표로 나타내면 다음과 같다.

x	…	−1	…	0	…	1	…
$f'(x)$	−	0	+	0	−	0	+
$f(x)$	↘	극소	↗	극대	↘	극소	↗

$y=f(x)$는 $x=-1$, $x=1$에서 극소, $x=0$에서 극대이므로

$f(0)=0$에서 $C=0$

$f(-1)=f(1)=-2$에서 $-\frac{1}{4}a+C=-2$ ……㉠

$C=0$을 ㉠에 대입하면 $a=8$

따라서 $f(x)=2x^4-4x^2$이므로

$f(2)=32-16=16$ 답 16

097 $f'(x)=\begin{cases} -x & (x\ge 0) \\ x & (x<0) \end{cases}$ 이므로

$f(x)=\begin{cases} -\dfrac{x^2}{2}+C_1 & (x\ge 0) \\ \dfrac{x^2}{2}+C_2 & (x<0) \end{cases}$

$f(-3)=2$이므로 $\dfrac{9}{2}+C_2=2$

$\therefore C_2=-\dfrac{5}{2}$

함수 $y=f(x)$는 $x=0$에서 연속이므로

$C_1=C_2=-\dfrac{5}{2}$

$\therefore f(x)=\begin{cases} -\dfrac{x^2}{2}-\dfrac{5}{2} & (x\ge 0) \\ \dfrac{x^2}{2}-\dfrac{5}{2} & (x<0) \end{cases}$

$\therefore f(3)=-\dfrac{9}{2}-\dfrac{5}{2}=-7$ 답 ④

098 $f'(x)=\begin{cases} -\dfrac{1}{2}x+1 & (x\le 2) \\ 2x-4 & (x>2) \end{cases}$ 이므로

$f(x)=\int f'(x)\,dx$

$=\begin{cases} -\dfrac{1}{4}x^2+x+C_1 & (x\le 2) \\ x^2-4x+C_2 & (x>2) \end{cases}$

$f(1)=1$이므로

$-\dfrac{1}{4}+1+C_1=1$

$\therefore C_1=\dfrac{1}{4}$

또 $y=f(x)$가 $x=2$에서 미분가능하므로 $x=2$에서 연속이다.

$f(2)=\lim\limits_{x\to 2-}f(x)=\lim\limits_{x\to 2+}f(x)$이므로

$-1+2+\dfrac{1}{4}=4-8+C_2$

$\therefore C_2=\dfrac{21}{4}$

따라서 $f(x)=\begin{cases} -\dfrac{1}{4}x^2+x+\dfrac{1}{4} & (x\le 2) \\ x^2-4x+\dfrac{21}{4} & (x>2) \end{cases}$ 이므로

$f(3)=9-12+\dfrac{21}{4}=\dfrac{9}{4}$ 답 $\dfrac{9}{4}$

099 $f(x)=F'(x)=3x^2+2ax+6$이므로

$f(0)=6 \quad \therefore b=6$

또 $f'(x)=6x+2a$이므로

$f'(0)=2a=6$

$\therefore a=3$

$\therefore ab=3\times 6=18$ 답 ③

100 $\dfrac{d}{dx}\int xf(x)\,dx=x^8+x^7+x^6+\cdots+x$이므로

$xf(x)=x^8+x^7+x^6+\cdots+x$

$=x(x^7+x^6+x^5+\cdots+1)$

따라서 $f(x)=x^7+x^6+x^5+\cdots+1$이므로

$f(2)=2^7+2^6+2^5+\cdots+1=\dfrac{2^8-1}{2-1}=255$ 답 255

참고 **등비수열의 합**

첫째항이 a, 공비가 $r(r\ne 1)$인 등비수열의 첫째항부터 제n항까지의 합을 S_n이라 하면

$S_n=\dfrac{a(1-r^n)}{1-r}=\dfrac{a(r^n-1)}{r-1}$

101 $f(x)=\int \dfrac{x^3}{x-2}\,dx+\int \dfrac{8}{2-x}\,dx$

$=\int \dfrac{x^3}{x-2}\,dx-\int \dfrac{8}{x-2}\,dx$

$=\int \dfrac{x^3-8}{x-2}\,dx$

$=\int \dfrac{(x-2)(x^2+2x+4)}{x-2}\,dx$

$=\int (x^2+2x+4)\,dx$

$=\dfrac{1}{3}x^3+x^2+4x+C$

$f(0)=\dfrac{2}{3}$이므로 $C=\dfrac{2}{3}$

$\therefore f(x)=\dfrac{1}{3}x^3+x^2+4x+\dfrac{2}{3}$

$\therefore f(1)=\dfrac{1}{3}+1+4+\dfrac{2}{3}=6$ 답 6

102 $f'(x)=3x^2+4x-3$이므로

$f(x)=\int f'(x)\,dx$

$=\int (3x^2+4x-3)\,dx$

$=x^3+2x^2-3x+C$

$f(1)=3$이므로 $C=3$

따라서 $f(x)=x^3+2x^2-3x+3$이므로

$f(2)=8+8-6+3=13$ 답 ⑤

103 $f(x)=\int f'(x)\,dx$

$=\int (3x^2-2x+1)\,dx$

$=x^3-x^2+x+C$

$f(0)=0$이므로 $C=0$

$\therefore f(x)=x^3-x^2+x$

$f'(1)=3-2+1=2$, $f(1)=1$이므로 점 $(1, 1)$에서의 접선의 방정식은

$y-1=2(x-1)$

$\therefore y=2x-1$ 답 ③

104 $F(x)=xf(x)-3x^3+2x^2$의 양변을 x에 대하여 미분하면

$f(x)=f(x)+xf'(x)-9x^2+4x$

$xf'(x)=9x^2-4x$

$\therefore f'(x)=9x-4$

$f(x)=\int f'(x)\,dx$

$=\int (9x-4)\,dx$

$=\frac{9}{2}x^2-4x+C$

$f(0)=2$이므로 $C=2$

따라서 $f(x)=\frac{9}{2}x^2-4x+2$이므로

$f(2)=18-8+2=12$ 답 12

105 $f(x+y)=f(x)+f(y)+2xy$에 $x=0$, $y=0$을 대입하면

$f(0)=f(0)+f(0)+0$

$\therefore f(0)=0$

$f'(x)=\lim_{h\to0}\frac{f(x+h)-f(x)}{h}$

$=\lim_{h\to0}\frac{f(x)+f(h)+2xh-f(x)}{h}$

$=\lim_{h\to0}\frac{f(h)}{h}+2x$

$=\lim_{h\to0}\frac{f(h)-f(0)}{h}+2x$

$=f'(0)+2x$

$=2x$

$\therefore f(x)=\int f'(x)\,dx$

$=\int 2x\,dx=x^2+C$

$f(0)=0$이므로 $C=0$

따라서 $f(x)=x^2$이므로

$f(3)=3^2=9$ 답 9

106 $f(x)=\begin{cases} x^2+kx+C_1 & (x\geq-1) \\ 3x+C_2 & (x<-1) \end{cases}$

$f(0)=1$이므로 $C_1=1$

$f(-2)=3$이므로

$-6+C_2=3 \quad \therefore C_2=9$

함수 $y=f(x)$가 $x=-1$에서 연속이므로

$1-k+1=-3+9$

$\therefore k=-4$

$f(x)=\begin{cases} x^2-4x+1 & (x\geq-1) \\ 3x+9 & (x<-1) \end{cases}$

$\therefore f(2)=4-8+1=-3$ 답 -3

107 $y=f'(x)$는 이차함수이고, $f'(x)=0$의 해가 $x=-1$ 또는 $x=3$이므로

$f'(x)=a(x+1)(x-3)$ $(a<0)$이라 하면

$f'(0)=6$에서 $-3a=6$

$\therefore a=-2$

$\therefore f(x)=\int\{-2(x+1)(x-3)\}dx$

$=\int(-2x^2+4x+6)\,dx$

$=-\frac{2}{3}x^3+2x^2+6x+C$

함수 $y=f(x)$의 증가, 감소를 표로 나타내면 다음과 같다.

x	$\cdots$	-1	$\cdots$	3	$\cdots$
$f'(x)$	$-$	0	$+$	0	$-$
$f(x)$	↘	극소	↗	극대	↘

$y=f(x)$는 $x=-1$에서 극소, $x=3$에서 극대이므로

$f(3)=20$에서 $-18+18+18+C=20$

$\therefore C=2$

따라서 $f(x)=-\frac{2}{3}x^3+2x^2+6x+2$이므로 극솟값은

$f(-1)=\frac{2}{3}+2-6+2$

$=-\frac{4}{3}$ 답 ①

108 $F(x)=\int(3x^2-12x+9)\,dx$

$=x^3-6x^2+9x+C$

$f(x)=3x^2-12x+9$

$=3(x-1)(x-3)$이므로

$f(x)=0$에서 $x=1$ 또는 $x=3$

함수 $y=F(x)$의 증가, 감소를 표로 나타내면 다음과 같다.

x	$\cdots$	1	$\cdots$	3	$\cdots$
$f(x)$	$+$	0	$-$	0	$+$
$F(x)$	↗	극대	↘	극소	↗

$y=F(x)$는 $x=1$에서 극대, $x=3$에서 극소이므로 삼차방정식 $F(x)=0$이 서로 다른 세 실근을 가지려면

(극댓값)×(극솟값)<0이어야 한다.

즉, $F(1)F(3)<0$에서 $(C+4)C<0$

$\therefore -4<C<0$

$\therefore \alpha+\beta=(-4)+0=-4$ 답 -4

109 $y=f(x)$는 일차함수이므로 $f(x)=ax+b$ $(a\neq0)$라 하면

$f'(x)=a$

$2\int f(x)\,dx=f(x)+xf(x)-x+3$의 양변을 x에 대하여 미분하면

$2f(x)=f'(x)+f(x)+xf'(x)-1$

$f(x)=(1+x)f'(x)-1$

$ax+b=a(1+x)-1$

$ax+b=a+ax-1$

$\therefore a-b=1$ ······㉠

그런데 $f(1)=4$이므로

$a+b=4$ ······㉡

㉠, ㉡을 연립하여 풀면

$a=\frac{5}{2}$, $b=\frac{3}{2}$

따라서 $f(x)=\frac{5}{2}x+\frac{3}{2}$이므로

$f(2)=5+\frac{3}{2}=\frac{13}{2}$ 답 $\frac{13}{2}$

110 주어진 식에 $x=0$, $y=0$을 대입하면 $f(0)=0$

$$f'(x)=\lim_{h\to0}\frac{f(x+h)-f(x)}{h}$$
$$=\lim_{h\to0}\frac{f(h)+axh(x+h)}{h}$$
$$=\lim_{h\to0}\frac{f(h)}{h}+\lim_{h\to0}ax(x+h)$$
$$=\lim_{h\to0}ax(x+h)+\lim_{h\to0}\frac{f(h)-f(0)}{h}\quad(\because f(0)=0)$$
$$=ax^2+f'(0)$$

$\therefore f(x)=\frac{a}{3}x^3+f'(0)x+C$

$f(0)=0$이므로 $C=0$

$\therefore f(x)=\frac{a}{3}x^3+f'(0)x$

$\lim_{x\to1}\frac{f(x)-3}{x-1}=5$에서

$f(1)=3$, $f'(1)=5$

$f(1)=3$이므로

$\frac{a}{3}+f'(0)=3$ ……㉠

$f'(1)=5$이므로

$a+f'(0)=5$ ……㉡

㉠, ㉡을 연립하여 풀면

$a=3$, $f'(0)=2$

$\therefore f(x)=x^3+2x$

$$\therefore \sum_{k=1}^{5}f(k)=\sum_{k=1}^{5}(k^3+2k)$$
$$=\left(\frac{5\times6}{2}\right)^2+2\times\frac{5\times6}{2}$$
$$=15^2+30$$
$$=255$$

답 255

09 정적분

본책 139~152쪽

001 $\int_0^2 5\,dx=\Big[5x\Big]_0^2=10$ 답 10

002 $\int_0^2 2x\,dx=\Big[x^2\Big]_0^2=4$ 답 4

003 $\int_0^3 x^2\,dx=\left[\frac{1}{3}x^3\right]_0^3=9$ 답 9

004 $\int_1^3 x^3\,dx=\left[\frac{1}{4}x^4\right]_1^3=\frac{81}{4}-\frac{1}{4}=20$ 답 20

005 $\int_0^2(x+3)\,dx=\left[\frac{1}{2}x^2+3x\right]_0^2=8$ 답 8

006 $\int_1^3(2x+3)\,dx=\Big[x^2+3x\Big]_1^3=18-4=14$ 답 14

007 $\int_{-1}^2(4t+1)\,dt=\Big[2t^2+t\Big]_{-1}^2=10-1=9$ 답 9

008 $\int_0^1(x^3-5x^2+2x)\,dx=\left[\frac{1}{4}x^4-\frac{5}{3}x^3+x^2\right]_0^1$

$$=\frac{1}{4}-\frac{5}{3}+1=-\frac{5}{12}$$

답 $-\frac{5}{12}$

009 $\int_1^3(8t^3+4t)\,dt=\Big[2t^4+2t^2\Big]_1^3$

$$=180-4=176$$

답 176

010 $\int_0^3 x(x-3)\,dx=\int_0^3(x^2-3x)\,dx$

$$=\left[\frac{1}{3}x^3-\frac{3}{2}x^2\right]_0^3$$
$$=9-\frac{27}{2}=-\frac{9}{2}$$

답 $-\frac{9}{2}$

011 $\int_1^2(t-1)^2\,dt=\int_1^2(t^2-2t+1)dt$

$$=\left[\frac{1}{3}t^3-t^2+t\right]_1^2$$
$$=\frac{2}{3}-\frac{1}{3}=\frac{1}{3}$$

답 $\frac{1}{3}$

012 $\int_1^2\frac{x^2-4}{x-2}\,dx=\int_1^2\frac{(x+2)(x-2)}{x-2}\,dx$

$$=\int_1^2(x+2)dx=\left[\frac{1}{2}x^2+2x\right]_1^2$$
$$=6-\frac{5}{2}=\frac{7}{2}$$

답 $\frac{7}{2}$

013 $\frac{d}{dx}\int_1^x(t+2)\,dt=x+2$ 답 $x+2$

014 $\frac{d}{dx}\int_0^x (t^2-t-2)\,dt=x^2-x-2$ 답 x^2-x-2

015 $\frac{d}{dx}\int_{-1}^x (y+1)^2\,dy=(x+1)^2$ 답 $(x+1)^2$

016 $\frac{d}{dx}\int_0^x (t^2-t)\,dt=x^2-x$ 답 x^2-x

017 $\frac{d}{dx}\int_{-2}^x (t^3+5t-1)\,dt=x^3+5x-1$ 답 x^3+5x-1

018 $\frac{d}{dx}\int_3^x (y^3+1)(y+2)\,dy=(x^3+1)(x+2)$

답 $(x^3+1)(x+2)$

019 $a=b$일 때, $\int_a^b f(x)\,dx=0$이므로

$\int_1^1 x^3\,dx=0$ 답 0

020 $\int_2^2 (3t^2-2t+4)dt=0$ 답 0

021 $a>b$일 때, $\int_a^b f(x)\,dx=-\int_b^a f(x)\,dx$이므로

$\int_2^{-2} 1\,dx=-\int_{-2}^2 1\,dx=-\Big[x\Big]_{-2}^2$

$=-\{2-(-2)\}=-4$ 답 -4

022 $\int_2^1 (8x-1)\,dx=-\int_1^2 (8x-1)dx$

$=-\Big[4x^2-x\Big]_1^2$

$=-(14-3)=-11$ 답 -11

023 $\int_3^1 (x^2-4x+2)\,dx=-\int_1^3 (x^2-4x+2)\,dx$

$=-\Big[\frac{1}{3}x^3-2x^2+2x\Big]_1^3$

$=-\left(-3-\frac{1}{3}\right)=\frac{10}{3}$ 답 $\frac{10}{3}$

024 $\int_0^2 3f(x)\,dx=3\int_0^2 f(x)\,dx$

$=3\times1=3$ 답 3

025 $\int_0^2 3f(x)\,dx-\int_0^2 5g(x)\,dx=3\int_0^2 f(x)\,dx-5\int_0^2 g(x)\,dx$

$=3\times1-5\times3=-12$

답 -12

026 $\int_0^2 \{f(x)+g(x)\}dx=\int_0^2 f(x)\,dx+\int_0^2 g(x)\,dx$

$=1+3=4$ 답 4

027 $\int_0^2 \{2f(x)-3g(x)\}dx=2\int_0^2 f(x)\,dx-3\int_0^2 g(x)\,dx$

$=2\times1-3\times3=-7$ 답 -7

028 $\int_1^2 x^5\,dx+\int_1^2 (2-x^5)\,dx=\int_1^2 (x^5+2-x^5)\,dx$

$=\int_1^2 2\,dx$

$=\Big[2x\Big]_1^2=2$ 답 2

029 $\int_0^2 (x^2-4)\,dx+\int_0^2 (x^2+4)\,dx=\int_0^2 (x^2-4+x^2+4)\,dx$

$=\int_0^2 2x^2\,dx$

$=\Big[\frac{2}{3}x^3\Big]_0^2=\frac{16}{3}$ 답 $\frac{16}{3}$

030 $\int_{-1}^1 (x^2+x+1)\,dx+\int_{-1}^1 (x^2-x+1)\,dx$

$=\int_{-1}^1 (x^2+x+1+x^2-x+1)\,dx$

$=\int_{-1}^1 (2x^2+2)\,dx=\Big[\frac{2}{3}x^3+2x\Big]_{-1}^1$

$=\frac{8}{3}-\left(-\frac{8}{3}\right)=\frac{16}{3}$ 답 $\frac{16}{3}$

031 $\int_1^3 (x-1)(x+1)\,dx-\int_1^3 x^2\,dx$

$=\int_1^3 (x^2-1)\,dx-\int_1^3 x^2\,dx$

$=\int_1^3 (x^2-1-x^2)\,dx$

$=\int_1^3 (-1)\,dx$

$=\Big[-x\Big]_1^3$

$=(-3)-(-1)=-2$ 답 -2

032 $\int_0^1 (x+1)^2\,dx-\int_0^1 (y-1)^2\,dy$

$=\int_0^1 (x+1)^2\,dx-\int_0^1 (x-1)^2\,dx$

$=\int_0^1 \{(x+1)^2-(x-1)^2\}\,dx$

$=\int_0^1 4x\,dx=\Big[2x^2\Big]_0^1$

$=2$ 답 2

033 $\int_{-1}^2 (2x+3)\,dx-\int_2^{-1} (2x-3)\,dx$

$=\int_{-1}^2 (2x+3)\,dx+\int_{-1}^2 (2x-3)\,dx$

$=\int_{-1}^2 (2x+3+2x-3)\,dx$

$=\int_{-1}^2 4x\,dx=\Big[2x^2\Big]_{-1}^2$

$=8-2=6$ 답 6

034 $\int_0^1 \frac{x^2}{x+1}\,dx+\int_1^0 \frac{1}{t+1}\,dt$

$=\int_0^1 \frac{x^2}{x+1}\,dx-\int_0^1 \frac{1}{x+1}\,dx$

$=\int_0^1 \frac{(x+1)(x-1)}{x+1}\,dx=\int_0^1 (x-1)\,dx$

$=\left[\frac{1}{2}x^2-x\right]_0^1=-\frac{1}{2}$ 답 $-\frac{1}{2}$

035 $\int_{-1}^2 (2x+3)\,dx+\int_2^3 (2x+3)\,dx$

$=\int_{-1}^3 (2x+3)\,dx$

$=\left[x^2+3x\right]_{-1}^3$

$=18-(-2)=20$ 답 20

036 $\int_0^1 3x^2\,dx+\int_1^4 3x^2\,dx=\int_0^4 3x^2\,dx$

$=\left[x^3\right]_0^4=64$ 답 64

037 $\int_{-1}^0 (3x^2-x+1)\,dx+\int_0^3 (3x^2-x+1)\,dx$

$=\int_{-1}^3 (3x^2-x+1)\,dx$

$=\left[x^3-\frac{1}{2}x^2+x\right]_{-1}^3$

$=\frac{51}{2}-\left(-\frac{5}{2}\right)=28$ 답 28

038 $\int_0^2 (2x+1)\,dx-\int_3^2 (2t+1)\,dt$

$=\int_0^2 (2x+1)\,dx+\int_2^3 (2x+1)\,dx$

$=\int_0^3 (2x+1)\,dx$

$=\left[x^2+x\right]_0^3=12$ 답 12

039 $\int_0^4 (2x^3+1)\,dx+\int_4^3 (2x^3+1)\,dx-\int_1^3 (2x^3+1)\,dx$

$=\int_0^4 (2x^3+1)\,dx+\int_4^3 (2x^3+1)\,dx+\int_3^1 (2x^3+1)\,dx$

$=\int_0^1 (2x^3+1)\,dx$

$=\left[\frac{1}{2}x^4+x\right]_0^1=\frac{3}{2}$ 답 $\frac{3}{2}$

040 $\int_{-1}^1 f(x)\,dx=\int_{-1}^1 (-x^2+1)dx$

$=\left[-\frac{1}{3}x^3+x\right]_{-1}^1$

$=\frac{2}{3}-\left(-\frac{2}{3}\right)=\frac{4}{3}$ 답 $\frac{4}{3}$

041 $\int_{-2}^1 f(x)\,dx=\int_{-2}^1 (-x^2+1)\,dx$

$=\left[-\frac{1}{3}x^3+x\right]_{-2}^1$

$=\frac{2}{3}-\frac{2}{3}=0$ 답 0

042 $\int_1^3 f(x)\,dx=\int_1^3 (x-1)\,dx$

$=\left[\frac{1}{2}x^2-x\right]_1^3$

$=\frac{3}{2}-\left(-\frac{1}{2}\right)=2$ 답 2

043 $\int_{-2}^3 f(x)\,dx=\int_{-2}^1 (-x^2+1)\,dx+\int_1^3 (x-1)dx$

$=\left[-\frac{1}{3}x^3+x\right]_{-2}^1+\left[\frac{1}{2}x^2-x\right]_1^3$

$=\left(\frac{2}{3}-\frac{2}{3}\right)+\left\{\frac{3}{2}-\left(-\frac{1}{2}\right)\right\}=2$ 답 2

044 $|x-1|=\begin{cases} x-1 & (x\ge \boxed{1}) \\ -x+1 & (x< \boxed{1}) \end{cases}$ 이므로

$\int_0^3 |x-1|\,dx=\int_0^{\boxed{1}} (-x+1)dx+\int_{\boxed{1}}^3 (x-1)dx$

$=\left[-\frac{1}{2}x^2+x\right]_0^{\boxed{1}}+\left[\frac{1}{2}x^2-x\right]_{\boxed{1}}^3$

$=\boxed{\frac{1}{2}}+\boxed{2}=\boxed{\frac{5}{2}}$

답 1, 1, 1, 1, 1, 1, $\frac{1}{2}$, 2, $\frac{5}{2}$

045 $\int_0^1 5(x-1)(x+1)(x^2+1)\,dx$

$=\int_0^1 5(x^2-1)(x^2+1)\,dx$

$=\int_0^1 5(x^4-1)\,dx$

$=\int_0^1 (5x^4-5)\,dx$

$=\left[x^5-5x\right]_0^1=-4$ 답 -4

046 $\int_{-1}^3 \frac{t^3+1}{t+1}\,dt=\int_{-1}^3 \frac{(t+1)(t^2-t+1)}{t+1}\,dt$

$=\int_{-1}^3 (t^2-t+1)\,dt$

$=\left[\frac{1}{3}t^3-\frac{1}{2}t^2+t\right]_{-1}^3$

$=\frac{15}{2}-\left(-\frac{11}{6}\right)=\frac{28}{3}$ 답 ⑤

다른 풀이

$\int_{-1}^3 \frac{t^3+1}{t+1}\,dt=\int_{-1}^3 \frac{(t+1)(t^2-t+1)}{t+1}\,dt$

$=\int_{-1}^3 (t^2-t+1)\,dt$

$=\left[\frac{1}{3}t^3-\frac{1}{2}t^2+t\right]_{-1}^{3}$

$=\frac{1}{3}(27+1)-\frac{1}{2}(9-1)+(3+1)$

$=\frac{28}{3}$

참고

$\left[ax^3+bx^2+cx\right]_{\alpha}^{\beta}=a(\beta^3-\alpha^3)+b(\beta^2-\alpha^2)+c(\beta-\alpha)$

와 같은 방법으로 계산할 수도 있다.

047 $\int_0^1 k(2x+1)\,dx=\int_0^1(2kx+k)\,dx$

$=\left[kx^2+kx\right]_0^1$

$=2k=1$

$\therefore k=\frac{1}{2}$

답 ②

048 $\int_0^1 f(x)dx=\int_0^1(3x^2+2ax)dx$

$=\left[x^3+ax^2\right]_0^1=1+a$

$f(1)=3+2a$이므로

$1+a=3+2a$

$\therefore a=-2$

답 -2

049 $\int_{-k}^{k}(4x+1)\,dx=\left[2x^2+x\right]_{-k}^{k}$

$=2k^2+k-(2k^2-k)$

$=2k=8$

$\therefore k=4$

답 ④

050 $f(x)=ax+b\ (a\neq0)$로 놓으면 $f(2)=2a+b$이므로

$2a+b=0$

$\therefore b=-2a$ ……㉠

$\int_0^1 xf(x)\,dx=\int_0^1 x(ax+b)\,dx$

$=\int_0^1(ax^2+bx)\,dx$

$=\left[\frac{a}{3}x^3+\frac{b}{2}x^2\right]_0^1$

$=\frac{a}{3}+\frac{b}{2}$

이므로 $\frac{a}{3}+\frac{b}{2}=\frac{1}{3}$ ……㉡

㉠을 ㉡에 대입하면 $a=-\frac{1}{2}$ $\therefore b=1$

따라서 $f(x)=-\frac{1}{2}x+1$이므로

$f(10)=-4$

답 ②

051 $f(x)=ax^2+bx+1$이므로

$f'(x)=2ax+b$

조건 (가)에서 $f'(1)=4$이므로

$2a+b=4$ ……㉠

조건 (나)에서

$\int_0^1 f(x)\,dx=\int_0^1(ax^2+bx+1)\,dx$

$=\left[\frac{1}{3}ax^3+\frac{1}{2}bx^2+x\right]_0^1$

$=\frac{1}{3}a+\frac{1}{2}b+1=1$

$\therefore 2a+3b=0$ ……㉡

㉠, ㉡을 연립하여 풀면

$a=3,\ b=-2$

따라서 $f(x)=3x^2-2x+1$이므로

$f(1)=2$

답 2

052 $f'(x)=ax-3$에서

$f(x)=\int(ax-3)\,dx$

$=\frac{a}{2}x^2-3x+C$

조건 (가)에서 $f(1)=1$이므로

$f(1)=\frac{a}{2}-3+C=1$

$\therefore a+2C=8$ ……㉠

조건 (나)에서

$\int_0^1 f(x)\,dx=-\frac{5}{6}$이므로

$\int_0^1 f(x)\,dx=\int_0^1\left(\frac{a}{2}x^2-3x+C\right)dx$

$=\left[\frac{a}{6}x^3-\frac{3}{2}x^2+Cx\right]_0^1$

$=\frac{a}{6}-\frac{3}{2}+C$

$=-\frac{5}{6}$

$\therefore a+6C=4$ ……㉡

㉠, ㉡을 연립하여 풀면

$a=10,\ C=-1$

따라서 $f(x)=5x^2-3x-1$이므로

$f(3)=35$

답 35

053 함수 $y=f(x)$의 부정적분 중 하나를 $y=F(x)$라 하면

$\lim_{h\to0}\frac{S(h)}{h}=\lim_{h\to0}\frac{\int_0^h f(x)dx}{h}=\lim_{h\to0}\frac{F(h)-F(0)}{h}$

$=F'(0)=f(0)=5$

답 ③

054 $f(x)=\int_a^x(t^2+2t+3)\,dt$의 양변을 x에 대하여 미분하면

$f'(x)=x^2+2x+3$

$\therefore f'(1)=1+2+3=6$

답 ④

055 $f(x)=\int_1^x(2t^2-5t-1)dt$의 양변을 x에 대하여 미분하면

$f'(x)=2x^2-5x-1$

따라서 $x=2$일 때의 접선의 기울기는

$f'(2)=8-10-1=-3$

답 -3

056 $\int_0^x f(t)\,dt=-2x^3+6x$의 양변을 x에 대하여 미분하면

$f(x)=-6x^2+6$

다시 이 식을 x에 대하여 미분하면

$f'(x)=-12x$

$$\begin{aligned}\therefore \lim_{h\to 0}\frac{f(1+h)-f(1-h)}{h}&=\lim_{h\to 0}\frac{f(1+h)-f(1)-\{f(1-h)-f(1)\}}{h}\\&=\lim_{h\to 0}\left\{\frac{f(1+h)-f(1)}{h}+\frac{f(1-h)-f(1)}{-h}\right\}\\&=2f'(1)\\&=2\times(-12)=-24\end{aligned}$$

답 -24

057 $\int_3^x f(t)\,dt=x^2-ax+6$의 양변에 $x=3$을 대입하면

$0=9-3a+6$

$\therefore a=5$

답 ②

058 $\int_1^x f(t)\,dt=x^2-4x+a$의 양변에 $x=1$을 대입하면

$0=1-4+a$

$\therefore a=3$

주어진 식의 양변을 x에 대하여 미분하면

$f(x)=2x-4$이므로 $f(1)=-2$

$\therefore f(1)+a=-2+3=1$

답 ④

059 $f(x)=\int_{-1}^x (t^2-t)\,dt$의 양변에 $x=-1$을 대입하면

$f(-1)=0$

주어진 식의 양변을 x에 대하여 미분하면

$f'(x)=x^2-x$이므로

$f'(-1)=2$

$\therefore f(-1)+f'(-1)=2$

답 2

060 $\int_a^x f(t)\,dt=2x^2-ax-9$의 양변에 $x=a$를 대입하면

$0=2a^2-a^2-9$, $a^2=9$

$\therefore a=3$ ($\because a>0$)

주어진 식의 양변을 x에 대하여 미분하면

$f(x)=4x-3$

$\therefore f(10)=40-3=37$

답 37

061 $\int_a^x f(t)\,dt=x^2-5x+6$의 양변에 $x=a$를 대입하면

$0=a^2-5a+6$, $(a-2)(a-3)=0$

$\therefore a=2$ 또는 $a=3$

$\therefore \alpha=2,\ \beta=3$ ($\because \alpha<\beta$)

주어진 식의 양변을 x에 대하여 미분하면

$f(x)=2x-5$

$$\begin{aligned}\therefore \int_2^3 f(x)\,dx&=\int_2^3(2x-5)dx\\&=\Big[x^2-5x\Big]_2^3\\&=-6-(-6)=0\end{aligned}$$

답 0

062 $f(x)=\int_x^2 (t^2-3t)dt$의 양변에 $x=2$를 대입하면

$f(2)=\int_2^2 (t^2-3t)dt=0$

$f(x)=-\int_2^x (t^2-3t)dt$에서 양변을 x에 대하여 미분하면

$f'(x)=-x^2+3x$

이므로 구하는 접선은 점 $(2, 0)$을 지나고

기울기가 $f'(2)=-4+6=2$인 직선이다.

$$\begin{aligned}\therefore y&=2(x-2)\\&=2x-4\end{aligned}$$

따라서 접선의 y절편은 -4이다.

답 -4

063 $$\begin{aligned}&\int_0^1(x^2+x+1)\,dx+\int_1^0(x^2-x+1)\,dx\\&=\int_0^1(x^2+x+1)\,dx-\int_0^1(x^2-x+1)\,dx\\&=\int_0^1\{(x^2+x+1)-(x^2-x+1)\}dx\\&=\int_0^1 2x\,dx=\Big[x^2\Big]_0^1=1\end{aligned}$$

답 ③

064 $$\begin{aligned}&\int_0^3\frac{x^3}{x^2+x+1}\,dx-\int_0^3\frac{1}{x^2+x+1}\,dx\\&=\int_0^3\frac{x^3-1}{x^2+x+1}\,dx\\&=\int_0^3\frac{(x-1)(x^2+x+1)}{x^2+x+1}\,dx\\&=\int_0^3(x-1)\,dx=\left[\frac{1}{2}x^2-x\right]_0^3=\frac{3}{2}\end{aligned}$$

답 $\frac{3}{2}$

065 $$\begin{aligned}&\int_1^3\frac{x^2+3}{x+1}\,dx-\int_3^1\frac{4t}{t+1}\,dt\\&=\int_1^3\frac{x^2+3}{x+1}\,dx+\int_1^3\frac{4x}{x+1}\,dx\\&=\int_1^3\frac{x^2+4x+3}{x+1}\,dx\\&=\int_1^3\frac{(x+3)(x+1)}{x+1}\,dx\\&=\int_1^3(x+3)\,dx\\&=\left[\frac{1}{2}x^2+3x\right]_1^3\\&=\left(\frac{9}{2}+9\right)-\left(\frac{1}{2}+3\right)\\&=10\end{aligned}$$

답 10

066 $$\begin{aligned}&\int_0^2(x^2+4x+k)\,dx-2\int_2^0(x^2-x)\,dx\\&=\int_0^2(x^2+4x+k)\,dx+2\int_0^2(x^2-x)\,dx\\&=\int_0^2(3x^2+2x+k)\,dx\\&=\Big[x^3+x^2+kx\Big]_0^2\\&=12+2k=30\end{aligned}$$

$\therefore k=9$

답 9

067 $f(k)=\int_1^3(x+k)^2dx-\int_3^1(2x^2+1)\,dx$

$=\int_1^3(x+k)^2dx+\int_1^3(2x^2+1)\,dx$

$=\int_1^3\{(x+k)^2+(2x^2+1)\}dx$

$=\int_1^3(3x^2+2kx+k^2+1)\,dx$

$=\left[x^3+kx^2+(k^2+1)x\right]_1^3$

$=(27+9k+3k^2+3)-(1+k+k^2+1)$

$=2k^2+8k+28$

$=2(k+2)^2+20$

이므로 함수 $y=f(k)$는 $k=-2$일 때, 최솟값 20을 갖는다.
따라서 $a=-2$, $b=20$이므로

$\frac{b}{a}=\frac{20}{-2}=-10$ 답 -10

068 $\int_0^1\{f(x)+g(x)\}\,dx=4$ ······㉠

$\int_0^1\{f(x)-g(x)\}\,dx=8$ ······㉡

에서 ㉠+㉡을 하면

$\int_0^1\{f(x)+g(x)\}\,dx+\int_0^1\{f(x)-g(x)\}\,dx=4+8$

$2\int_0^1 f(x)\,dx=12$

$\therefore \int_0^1 f(x)\,dx=6$ ······㉢

또 ㉠−㉡을 하면

$\int_0^1\{f(x)+g(x)\}\,dx-\int_0^1\{f(x)-g(x)\}\,dx=4-8$

$2\int_0^1 g(x)\,dx=-4$

$\therefore \int_0^1 g(x)\,dx=-2$ ······㉣

$\therefore \int_0^1\{3f(x)+2g(x)\}\,dx=3\int_0^1 f(x)\,dx+2\int_0^1 g(x)\,dx$

$=3\times6+2\times(-2)$ ($\because$ ㉢, ㉣)

$=14$ 답 14

069 $\int_{-2}^1(3x^2+2x+1)\,dx+\int_1^2(3x^2+2x+1)\,dx$

$=\int_{-2}^2(3x^2+2x+1)\,dx$

$=\left[x^3+x^2+x\right]_{-2}^2$

$=14-(-6)=20$ 답 20

070 $\int_{-1}^0(3x^2+2x)\,dx+\int_0^1(3y^2+2y)\,dy+\int_1^2(3z^2+2z)\,dz$

$=\int_{-1}^0(3x^2+2x)\,dx+\int_0^1(3x^2+2x)\,dx+\int_1^2(3x^2+2x)\,dx$

$=\int_{-1}^2(3x^2+2x)\,dx$

$=\left[x^3+x^2\right]_{-1}^2$

$=12$ 답 12

071 $\int_0^1 f(x)\,dx+\int_1^2 f(x)\,dx+\cdots+\int_{n-1}^n f(x)\,dx$

$=\int_0^n f(x)\,dx$

$=\int_0^n 2x\,dx=\left[x^2\right]_0^n=n^2$ 답 ③

072 $\int_0^3 f(x)\,dx=\int_0^2 f(x)\,dx+\int_2^1 f(x)\,dx+\int_1^3 f(x)\,dx$

$=\int_0^2 f(x)\,dx-\int_1^2 f(x)\,dx+\int_1^3 f(x)\,dx$

$=1-3+2=0$ 답 ③

073 $\int_{-2}^1 f(x)\,dx-\int_3^1 f(y)\,dy+\int_3^a f(z)\,dz$

$=\int_{-2}^1 f(x)\,dx-\int_3^1 f(x)\,dx+\int_3^a f(x)\,dx$

$=\int_{-2}^1 f(x)\,dx+\int_1^3 f(x)\,dx+\int_3^a f(x)\,dx$

$=\int_{-2}^a f(x)\,dx=0$

이 식이 항상 성립하려면 아래끝, 위끝이 같아야 한다.

$\therefore a=-2$ 답 -2

074 $\int_0^{10} f(t)dt$

$=\int_0^1 f(t)dt+\int_1^2 f(t)dt+\int_2^3 f(t)dt+\cdots+\int_9^{10} f(t)dt$

$=0^2+1^2+2^2+\cdots+9^2=\sum_{k=1}^{9}k^2$

$=\frac{9\times10\times19}{6}=285$ 답 285

075 $f(x)=\begin{cases}3x^2+4x+1 & (x\le0)\\ 1-2x & (x>0)\end{cases}$ 이므로

$\int_{-2}^2 f(x)dx=\int_{-2}^0(3x^2+4x+1)dx+\int_0^2(1-2x)dx$

$=\left[x^3+2x^2+x\right]_{-2}^0+\left[x-x^2\right]_0^2$

$=2+(-2)=0$ 답 ③

076 $\int_0^2 xf(x)\,dx=\int_0^1 x\times x^2\,dx+\int_1^2 x(-x+2)\,dx$

$=\int_0^1 x^3\,dx+\int_1^2(-x^2+2x)\,dx$

$=\left[\frac{1}{4}x^4\right]_0^1+\left[-\frac{1}{3}x^3+x^2\right]_1^2$

$=\frac{1}{4}+\left(\frac{4}{3}-\frac{2}{3}\right)=\frac{11}{12}$ 답 $\frac{11}{12}$

077 $\int_k^2 f(x)\,dx=\int_k^1(2x+1)\,dx+\int_1^2(-x^2+4)\,dx$

$=\left[x^2+x\right]_k^1+\left[-\frac{1}{3}x^3+4x\right]_1^2$

$=\{2-(k^2+k)\}+\left(\frac{16}{3}-\frac{11}{3}\right)$

$=\frac{11}{3}-(k^2+k)$

즉, $\frac{11}{3}-(k^2+k)=\frac{11}{3}$에서 $k^2+k=0$

$k(k+1)=0$

$\therefore k=-1$ 또는 $k=0$ ($\because k<1$)

따라서 모든 k의 값의 합은 -1이다. 답 ①

078 $f(x)=\begin{cases} x^2 & (x<1) \\ 2x-1 & (x\ge 1) \end{cases}$ 이므로

$f(x-1)=\begin{cases} (x-1)^2 & (x<2) \\ 2x-3 & (x\ge 2) \end{cases}$

$\therefore \int_1^3 f(x-1)dx$

$=\int_1^2 (x-1)^2 dx+\int_2^3 (2x-3)\,dx$

$=\left[\frac{1}{3}x^3-x^2+x\right]_1^2+\left[x^2-3x\right]_2^3$

$=\left(\frac{2}{3}-\frac{1}{3}\right)-(-2)=\frac{7}{3}$ 답 ③

다른 풀이

함수 $y=f(x-1)$의 그래프를 x축의 방향으로 -1만큼 평행이동하면 $y=f(x)$이므로

$\int_1^3 f(x-1)\,dx=\int_0^2 f(x)\,dx$

$=\int_0^1 x^2dx+\int_1^2 (2x-1)\,dx$

$=\left[\frac{1}{3}x^3\right]_0^1+\left[x^2-x\right]_1^2$

$=\frac{1}{3}+2=\frac{7}{3}$

079 함수 $y=f(x)$가 실수 전체의 구간에서 연속이므로 $x=2$에서도 연속이다.

$f(2)=\lim_{x\to 2+}(x+a)=\lim_{x\to 2-}(4-2x)$

$2+a=0 \quad \therefore a=-2$

$\therefore \int_a^4 f(x)\,dx=\int_{-2}^4 f(x)\,dx$

$=\int_{-2}^2 (4-2x)\,dx+\int_2^4 (x-2)\,dx$

$=\left[4x-x^2\right]_{-2}^2+\left[\frac{1}{2}x^2-2x\right]_2^4$

$=\{4-(-12)\}-(-2)$

$=18$ 답 18

080 조건 (나)에서

$x<0$일 때,

$f(x)=\int dx=x+C_1$

$x>0$일 때,

$f(x)=\int (x^2-2x-2)dx$

$=\frac{1}{3}x^3-x^2-2x+C_2$

함수 $y=f(x)$는 $x=0$에서 연속이므로 $\lim_{x\to 0-}f(x)=\lim_{x\to 0+}f(x)$

$\therefore C_1=C_2$

조건 (가)에서 $f(0)=0$이므로 $C_1=C_2=0$

$\therefore \int_{-1}^1 f(x)\,dx=\int_{-1}^0 x\,dx+\int_0^1\left(\frac{1}{3}x^3-x^2-2x\right)dx$

$=\left[\frac{1}{2}x^2\right]_{-1}^0+\left[\frac{1}{12}x^4-\frac{1}{3}x^3-x^2\right]_0^1$

$=-\frac{1}{2}+\left(-\frac{5}{4}\right)$

$=-\frac{7}{4}$ 답 $-\frac{7}{4}$

081 $f(x)=\begin{cases} 1 & (0\le x<1) \\ -\frac{1}{3}x+\frac{4}{3} & (1\le x\le 4) \end{cases}$ 이므로

$\int_0^4 f(x)\,dx=\int_0^1 dx+\int_1^4\left(-\frac{1}{3}x+\frac{4}{3}\right)dx$

$=\left[x\right]_0^1+\left[-\frac{1}{6}x^2+\frac{4}{3}x\right]_1^4$

$=1+\left(\frac{8}{3}-\frac{7}{6}\right)=\frac{5}{2}$ 답 $\frac{5}{2}$

082 $f(x)=\begin{cases} 3x+6 & (x<0) \\ 6 & (x\ge 0) \end{cases}$ 이므로

$\int_{-2}^2 xf(x)\,dx=\int_{-2}^0 (3x^2+6x)\,dx+\int_0^2 6x\,dx$

$=\left[x^3+3x^2\right]_{-2}^0+\left[3x^2\right]_0^2$

$=-4+12=8$ 답 8

083 $f'(x)=\begin{cases} 2 & (x<0) \\ -1 & (x>0) \end{cases}$ 이므로

$f(x)=\begin{cases} 2x+C_1 & (x<0) \\ -x+C_2 & (x>0) \end{cases}$

함수 $y=f(x)$가 $x=0$에서 연속이므로

$\lim_{x\to 0-}f(x)=\lim_{x\to 0+}f(x)=f(0)$

$\therefore C_1=C_2=1$

따라서 $f(x)=\begin{cases} 2x+1 & (x<0) \\ -x+1 & (x\ge 0) \end{cases}$ 이므로

$\int_{-1}^1 f(x)\,dx=\int_{-1}^0 (2x+1)\,dx+\int_0^1 (-x+1)\,dx$

$=\left[x^2+x\right]_{-1}^0+\left[-\frac{1}{2}x^2+x\right]_0^1$

$=\frac{1}{2}$ 답 ④

084 $f(x)=\begin{cases} x+1 & (x<1) \\ -2x+4 & (x\ge 1) \end{cases}$ 이므로

$f(x-1)=\begin{cases} x & (x<2) \\ -2x+6 & (x\ge 2) \end{cases}$

$\therefore \int_1^3 f(x-1)dx=\int_1^2 x\,dx+\int_2^3 (-2x+6)dx$

$=\left[\frac{1}{2}x^2\right]_1^2+\left[-x^2+6x\right]_2^3$

$=\frac{3}{2}+1$

$=\frac{5}{2}$ 답 ③

085 함수 $y=f(x)$는 모든 정수 n에 대하여

$$f(x)=\begin{cases} x-3n & (3n\le x<3n+1) \\ 1 & (3n+1\le x<3n+2) \\ -x+3(n+1) & (3n+2\le x<3n+3) \end{cases}$$

이므로

$$\int_{-1}^{0} f(x)dx=\int_{-1}^{0}(-x)dx=\left[-\frac{1}{2}x^2\right]_{-1}^{0}=\frac{1}{2}$$

$$\int_{0}^{1} f(x)dx=\int_{0}^{1} x\,dx=\left[\frac{1}{2}x^2\right]_{0}^{1}=\frac{1}{2}$$

또

$$\int_{-2}^{-1} f(x)dx=\int_{-2}^{-1} dx=\left[x\right]_{-2}^{-1}=1$$

$$\int_{1}^{2} f(x)dx=\int_{1}^{2} dx=\left[x\right]_{1}^{2}=1$$

따라서 $\int_{-2}^{2} f(x)dx=1+\frac{1}{2}+\frac{1}{2}+1=3$이므로

$a=2$

답 2

086 $2x+1+|x-1|=\begin{cases} x+2 & (x<1) \\ 3x & (x\ge 1) \end{cases}$ 이므로

$$\int_{0}^{2}(2x+1+|x-1|)dx$$
$$=\int_{0}^{1}(x+2)\,dx+\int_{1}^{2}3x\,dx$$
$$=\left[\frac{1}{2}x^2+2x\right]_{0}^{1}+\left[\frac{3}{2}x^2\right]_{1}^{2}$$
$$=\frac{5}{2}+\left(6-\frac{3}{2}\right)$$
$$=7$$

답 7

087 구간 $[0, 2]$에서 $|x(x-1)|=\begin{cases} -x^2+x & (0\le x<1) \\ x^2-x & (1\le x\le 2) \end{cases}$ 이므로

$$\int_{0}^{2}|x(x-1)|\,dx=\int_{0}^{1}(-x^2+x)\,dx+\int_{1}^{2}(x^2-x)\,dx$$
$$=\left[-\frac{1}{3}x^3+\frac{1}{2}x^2\right]_{0}^{1}+\left[\frac{1}{3}x^3-\frac{1}{2}x^2\right]_{1}^{2}$$
$$=\left(-\frac{1}{3}+\frac{1}{2}\right)+\left\{\left(\frac{8}{3}-2\right)-\left(\frac{1}{3}-\frac{1}{2}\right)\right\}$$
$$=1$$

답 ②

088 $\int_{-2}^{0}|x^2-1|\,dx-\int_{2}^{0}|1-x^2|\,dx$

$$=\int_{-2}^{0}|x^2-1|\,dx+\int_{0}^{2}|x^2-1|\,dx$$
$$=\int_{-2}^{2}|x^2-1|\,dx$$

$|x^2-1|=\begin{cases} x^2-1 & (x\le -1,\ x\ge 1) \\ -x^2+1 & (-1<x<1) \end{cases}$ 이므로

$$\int_{-2}^{2}|x^2-1|\,dx$$
$$=\int_{-2}^{-1}(x^2-1)\,dx+\int_{-1}^{1}(-x^2+1)\,dx+\int_{1}^{2}(x^2-1)\,dx$$
$$=\left[\frac{1}{3}x^3-x\right]_{-2}^{-1}+\left[-\frac{1}{3}x^3+x\right]_{-1}^{1}+\left[\frac{1}{3}x^3-x\right]_{1}^{2}$$
$$=\left\{\frac{2}{3}-\left(-\frac{2}{3}\right)\right\}+\left\{\frac{2}{3}-\left(-\frac{2}{3}\right)\right\}+\left\{\frac{2}{3}-\left(-\frac{2}{3}\right)\right\}$$
$$=4$$

답 4

089 $|x^2-1|=\begin{cases} x^2-1 & (x\le -1 \text{ 또는 } x\ge 1) \\ -x^2+1 & (-1<x<1) \end{cases}$ 이므로

$$\int_{0}^{2}\frac{|x^2-1|}{x+1}\,dx$$
$$=\int_{0}^{1}\frac{-x^2+1}{x+1}\,dx+\int_{1}^{2}\frac{x^2-1}{x+1}\,dx$$
$$=-\int_{0}^{1}\frac{(x+1)(x-1)}{x+1}\,dx+\int_{1}^{2}\frac{(x+1)(x-1)}{x+1}\,dx$$
$$=-\int_{0}^{1}(x-1)\,dx+\int_{1}^{2}(x-1)\,dx$$
$$=-\left[\frac{1}{2}x^2-x\right]_{0}^{1}+\left[\frac{1}{2}x^2-x\right]_{1}^{2}$$
$$=\frac{1}{2}-\left(-\frac{1}{2}\right)$$
$$=1$$

답 ②

090 $f(x)=|x-2|+|x-3|$이라 하면 그래프는 그림과 같다.

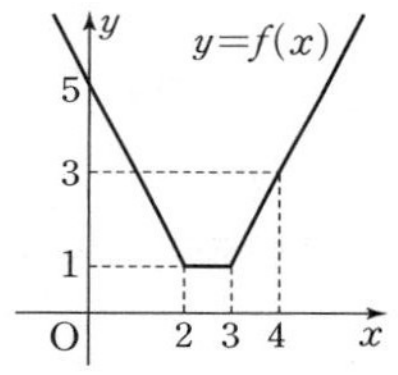

$$\int_{0}^{4}(|x-2|+|x-3|)\,dx$$
$$=\int_{0}^{2}\{-(x-2)-(x-3)\}dx+\int_{2}^{3}\{(x-2)-(x-3)\}dx+\int_{3}^{4}\{(x-2)+(x-3)\}dx$$
$$=\int_{0}^{2}(-2x+5)\,dx+\int_{2}^{3}dx+\int_{3}^{4}(2x-5)\,dx$$
$$=\left[-x^2+5x\right]_{0}^{2}+\left[x\right]_{2}^{3}+\left[x^2-5x\right]_{3}^{4}$$
$$=6+1+\{(-4)-(-6)\}$$
$$=9$$

답 9

091 $k-|x|=\begin{cases} k+x & (x<0) \\ k-x & (x\ge 0) \end{cases}$ 이므로

$$\int_{-2}^{2}(k-|x|)\,dx=\int_{-2}^{0}(k+x)\,dx+\int_{0}^{2}(k-x)\,dx$$
$$=\left[kx+\frac{1}{2}x^2\right]_{-2}^{0}+\left[kx-\frac{1}{2}x^2\right]_{0}^{2}$$
$$=-(-2k+2)+(2k-2)$$
$$=4k-4$$
$$=8$$

$\therefore k=3$

답 ②

092 $\int_0^2 (x^2+2kx+3)\,dx=\left[\frac{1}{3}x^3+kx^2+3x\right]_0^2$

$=\frac{8}{3}+4k+6$

$=\frac{2}{3}$

$4k=-8$

$\therefore k=-2$ 답 -2

093 $f'(x)=6x+4$에서

$f(x)=\int (6x+4)\,dx=3x^2+4x+C$

$f(1)=5$이므로

$f(1)=3+4+C=5$

$\therefore C=-2$

$\therefore \int_0^1 f(x)\,dx=\int_0^1 (3x^2+4x-2)\,dx$

$=\left[x^3+2x^2-2x\right]_0^1$

$=1$ 답 1

094 $f(x)=\int_1^x (2t-5)(t^2+1)\,dt$의 양변을 x에 대하여 미분하면

$f'(x)=(2x-5)(x^2+1)$

$\therefore \lim_{h\to 0}\frac{f(1+h)-f(1)}{h}=f'(1)=-6$ 답 ②

095 $\int_2^x f(t)\,dt=x^2+x+a$의 양변에 $x=2$를 대입하면

$0=4+2+a \quad \therefore a=-6$

주어진 식의 양변을 x에 대하여 미분하면

$f(x)=2x+1$

$\therefore f(a)=f(-6)$

$=-12+1=-11$ 답 -11

096 $\int_0^2 (x+k)^2\,dx-\int_0^2 (x-k)^2\,dx$

$=\int_0^2 \{(x+k)^2-(x-k)^2\}\,dx$

$=\int_0^2 4kx\,dx=\left[2kx^2\right]_0^2$

$=8k=8$

$\therefore k=1$ 답 ④

097 $\int_1^3 \frac{x^2}{x^2+1}\,dx-\int_5^3 \frac{x^2}{x^2+1}\,dx+\int_1^5 \frac{1}{x^2+1}\,dx$

$=\int_1^3 \frac{x^2}{x^2+1}\,dx+\int_3^5 \frac{x^2}{x^2+1}\,dx+\int_1^5 \frac{1}{x^2+1}\,dx$

$=\int_1^5 \frac{x^2}{x^2+1}\,dx+\int_1^5 \frac{1}{x^2+1}\,dx$

$=\int_1^5 \frac{x^2+1}{x^2+1}\,dx$

$=\int_1^5 dx=\left[x\right]_1^5=4$ 답 ⑤

098 $\int_2^4 f(x)dx=-\int_4^2 f(x)dx=b$이므로

$\int_4^2 f(x)dx=-b$

$\therefore \int_1^2 f(x)dx=\int_1^4 f(x)dx+\int_4^2 f(x)dx$

$=\int_1^3 f(x)dx+\int_3^4 f(x)dx+\int_4^2 f(x)dx$

$=a+c-b=a-b+c$ 답 ②

099 $\int_{-1}^2 f(x)\,dx=\int_{-1}^1 3x^2\,dx+\int_1^2 (4x-x^2)\,dx$

$=\left[x^3\right]_{-1}^1+\left[2x^2-\frac{1}{3}x^3\right]_1^2$

$=2+\left(\frac{16}{3}-\frac{5}{3}\right)=\frac{17}{3}$ 답 ④

100 $f(x)=\begin{cases} x & (x<1) \\ 2-x & (x\ge 1)\end{cases}$이므로

$\int_0^2 xf(x)\,dx=\int_0^1 x^2\,dx+\int_1^2 (2x-x^2)\,dx$

$=\left[\frac{1}{3}x^3\right]_0^1+\left[x^2-\frac{1}{3}x^3\right]_1^2$

$=\frac{1}{3}+\left(\frac{4}{3}-\frac{2}{3}\right)=1$ 답 1

101 $\int_1^3 f(x)dx-\int_2^3 f(x)dx+\int_{-2}^1 f(x)dx$

$=\int_{-2}^1 f(x)dx+\int_1^3 f(x)dx-\int_2^3 f(x)dx$

$=\int_{-2}^3 f(x)dx+\int_3^2 f(x)dx$

$=\int_{-2}^2 f(x)dx$

$f(x)=\begin{cases} x & (x\ge 0) \\ -x & (x<0)\end{cases}$이므로

$\int_{-2}^2 f(x)dx=\int_{-2}^0 (-x)dx+\int_0^2 x\,dx$

$=\left[-\frac{1}{2}x^2\right]_{-2}^0+\left[\frac{1}{2}x^2\right]_0^2$

$=2+2=4$ 답 4

102 $\int_0^1 x\,dx+\frac{1}{2}\int_0^1 x^2\,dx+\frac{1}{3}\int_0^1 x^3\,dx+\cdots+\frac{1}{n}\int_0^1 x^n\,dx$

$=\int_0^1 \left(x+\frac{1}{2}x^2+\frac{1}{3}x^3+\cdots+\frac{1}{n}x^n\right)dx$

$=\left[\frac{1}{2}x^2+\frac{1}{2\times 3}x^3+\frac{1}{3\times 4}x^4+\cdots+\frac{1}{n(n+1)}x^{n+1}\right]_0^1$

$=\frac{1}{2}+\left(\frac{1}{2}-\frac{1}{3}\right)+\left(\frac{1}{3}-\frac{1}{4}\right)+\cdots+\left(\frac{1}{n}-\frac{1}{n+1}\right)$

$=1-\frac{1}{n+1}=\frac{10}{11}$

즉, $\frac{1}{n+1}=\frac{1}{11}$이므로

$n+1=11$

$\therefore n=10$ 답 10

103 $f'(x)=\begin{cases} 2x+4 & (x<-1) \\ 3x^2-1 & (-1\le x<1) \\ 2 & (x\ge 1)\end{cases}$

이므로

$f(x)=\begin{cases} x^2+4x+C_1 & (x<-1) \\ x^3-x+C_2 & (-1\le x<1) \\ 2x+C_3 & (x\ge 1)\end{cases}$

$f(-2)=-2$이므로

$4-8+C_1=-2 \qquad \therefore C_1=2$

$x=-1$에서 함수 $y=f(x)$가 연속이므로

$\lim_{x\to -1-} f(x)=\lim_{x\to -1+} f(x)$

$1-4+2=-1+1+C_2 \qquad \therefore C_2=-1$

$x=1$에서 함수 $y=f(x)$가 연속이므로

$\lim_{x\to 1-} f(x)=\lim_{x\to 1+} f(x)$

$1-1-1=2+C_3 \qquad \therefore C_3=-3$

즉, $f(x)=\begin{cases} x^2+4x+2 & (x<-1) \\ x^3-x-1 & (-1\le x<1) \\ 2x-3 & (x\ge 1)\end{cases}$

이고, 함수 $y=f(x)$의 그래프는 그림과 같다.

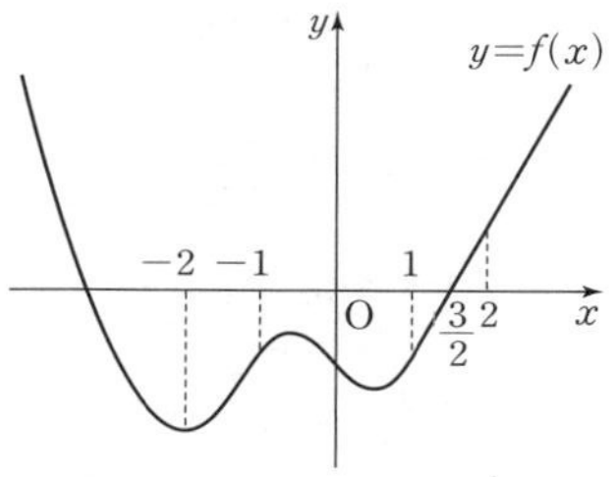

$\therefore \int_{-2}^{2}|f(x)|dx$

$=-\int_{-2}^{-1}(x^2+4x+2)dx-\int_{-1}^{1}(x^3-x-1)dx$

$\quad -\int_{1}^{\frac{3}{2}}(2x-3)dx+\int_{\frac{3}{2}}^{2}(2x-3)dx$

$=-\left[\frac{1}{3}x^3+2x^2+2x\right]_{-2}^{-1}-\left[\frac{1}{4}x^4-\frac{1}{2}x^2-x\right]_{-1}^{1}$

$\quad -\left[x^2-3x\right]_{1}^{\frac{3}{2}}+\left[x^2-3x\right]_{\frac{3}{2}}^{2}$

$=-\left(-\frac{1}{3}-\frac{4}{3}\right)-\left(-\frac{5}{4}-\frac{3}{4}\right)-\left\{-\frac{9}{4}-(-2)\right\}$

$\quad +\left\{-2-\left(-\frac{9}{4}\right)\right\}$

$=\frac{25}{6}$ 　　　　답 $\frac{25}{6}$

참고

$\int_{1}^{\frac{3}{2}}(2x-3)dx=-\int_{\frac{3}{2}}^{2}(2x-3)dx$이므로

구간 $[1, 2]$의 정적분의 값은 직사각형의 넓이를 이용하여 구할 수 있다.

$\int_{1}^{2}|f(x)|dx=\frac{1}{2}\times 1=\frac{1}{2}$

10 정적분의 응용

본책 155~168쪽

001 $y=3$의 그래프가 그림과 같으므로 $y=f(x)$는 y축에 대하여 대칭인 함수이다.

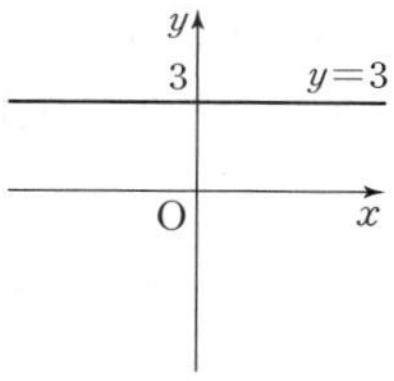

답 ㄱ

002 $y=2x$의 그래프가 그림과 같으므로 $y=f(x)$는 원점에 대하여 대칭인 함수이다.

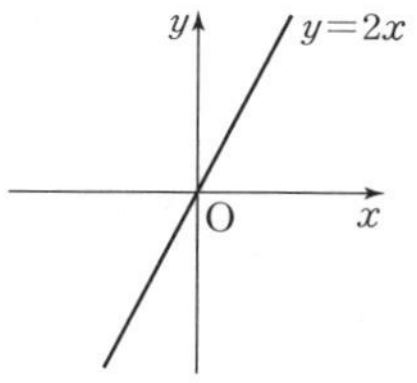

답 ㄴ

003 $y=x^2$의 그래프가 그림과 같으므로 $y=f(x)$는 y축에 대하여 대칭인 함수이다.

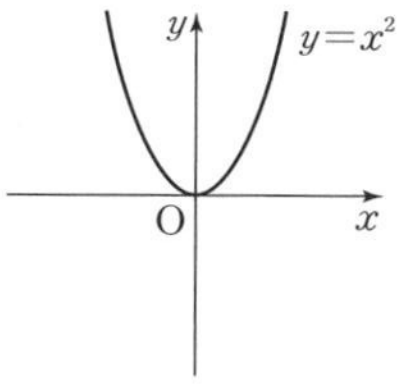

답 ㄱ

004 $y=3x^3$의 그래프가 그림과 같으므로 $y=f(x)$는 원점에 대하여 대칭인 함수이다.

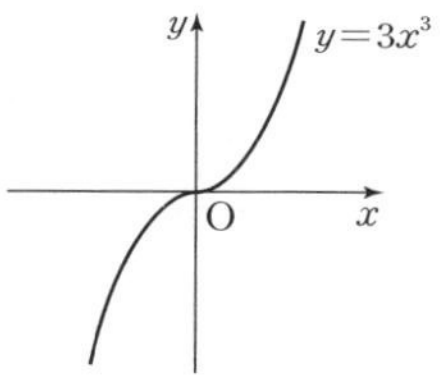

답 ㄴ

005 $y=x^2-1$의 그래프가 그림과 같으므로 $y=f(x)$는 y축에 대하여 대칭인 함수이다.

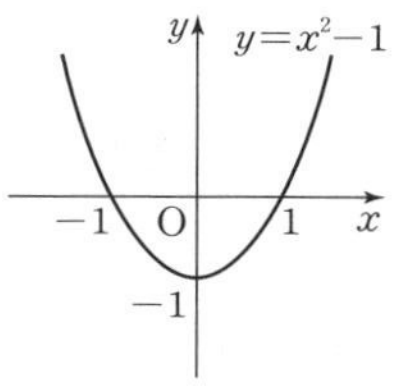

답 ㄱ

006 $y=10x^3-5x$의 그래프가 그림과 같으므로 $y=f(x)$는 원점에 대하여 대칭인 함수이다.

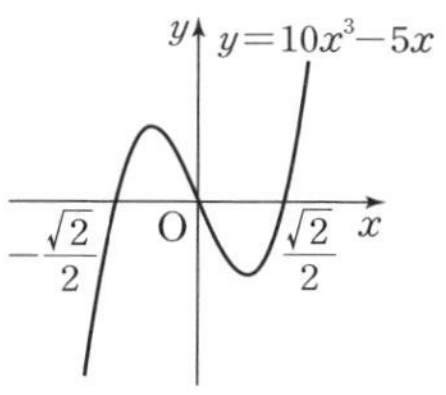

답 ㄴ

참고

① 홀수차 항만 있는 다항함수는 원점에 대하여 대칭이다.

② 짝수차 항만 있는 다항함수는 y축에 대하여 대칭이다.

007 함수 $y=f(x)$에 대하여 $f(-x)=f(x)$이므로 $y=f(x)$는 y축에 대하여 대칭인 함수이다. 답 ㄱ

008 함수 $y=f(x)$에 대하여 $f(-x)=-f(x)$이므로 $y=f(x)$는 원점에 대하여 대칭인 함수이다. 답 ㄴ

009 $\int_{-1}^{1} 3\,dx=2\int_{0}^{1} 3\,dx$

$=2\Big[3x\Big]_0^1$

$=2\times3$

$=6$ 답 6

010 $\int_{-1}^{1} 2x\,dx=0$ 답 0

011 $\int_{-1}^{1} x^2\,dx=2\int_{0}^{1} x^2\,dx$

$=2\Big[\frac{1}{3}x^3\Big]_0^1$

$=2\times\frac{1}{3}$

$=\frac{2}{3}$ 답 $\frac{2}{3}$

012 $\int_{-2}^{2} 3x^3\,dx=0$ 답 0

013 $\int_{-1}^{1} (x^2-1)\,dx=2\int_{0}^{1}(x^2-1)\,dx$

$=2\Big[\frac{1}{3}x^3-x\Big]_0^1$

$=2\times\left(\frac{1}{3}-1\right)$

$=-\frac{4}{3}$ 답 $-\frac{4}{3}$

014 $\int_{-1}^{1} (10x^3-5x)\,dx=0$ 답 0

015 $\int_{-1}^{1} (3x^2+x-2)\,dx=\int_{-1}^{1} x\,dx+\int_{-1}^{1}(3x^2-2)\,dx$

$=0+2\int_{0}^{1} (3x^2-2)\,dx$

$=2\Big[x^3-2x\Big]_0^1$

$=2\times(1-2)$

$=-2$ 답 -2

016 $\int_{-1}^{1} (x-1)^2\,dx=\int_{-1}^{1}(x^2-2x+1)\,dx$

$=\int_{-1}^{1}(-2x)\,dx+\int_{-1}^{1}(x^2+1)\,dx$

$=0+2\int_{0}^{1} (x^2+1)\,dx$

$=2\Big[\frac{1}{3}x^3+x\Big]_0^1$

$=2\times\left(\frac{1}{3}+1\right)$

$=\frac{8}{3}$ 답 $\frac{8}{3}$

017 $\int_{-2}^{2} (2x-1)(3x+2)\,dx=\int_{-2}^{2} (6x^2+x-2)\,dx$

$=\int_{-2}^{2} x\,dx+\int_{-2}^{2} (6x^2-2)\,dx$

$=0+2\int_{0}^{2}(6x^2-2)\,dx$

$=2\Big[2x^3-2x\Big]_0^2$

$=2\times(16-4)$

$=24$ 답 24

018 $\int_{-1}^{1} t(t-1)^2\,dt=\int_{-1}^{1} (t^3-2t^2+t)\,dt$

$=\int_{-1}^{1} (t^3+t)\,dt+\int_{-1}^{1} (-2t^2)\,dt$

$=0-2\int_{0}^{1} 2t^2\,dt$

$=-2\Big[\frac{2}{3}t^3\Big]_0^1$

$=-2\times\frac{2}{3}$

$=-\frac{4}{3}$ 답 $-\frac{4}{3}$

019 $\int_{-1}^{1} (x^3+3x+2)dx-\int_{-1}^{1} (x^3-3x+2)dx$

$=\int_{-1}^{1} 6x\,dx$

$=0$ 답 0

020 $\int_{-1}^{0} (4x^3+3x^2+2x+1)dx+\int_{0}^{1} (4x^3+3x^2+2x+1)dx$

$=\int_{-1}^{1} (4x^3+3x^2+2x+1)dx$

$=\int_{-1}^{1} (4x^3+2x)dx+\int_{-1}^{1} (3x^2+1)dx$

$=0+2\int_{0}^{1} (3x^2+1)dx$

$=2\Big[x^3+x\Big]_0^1$

$=2\times(1+1)$

$=4$ 답 4

021 함수 $y=f(x)$의 그래프는 구간 $[0, 2]$에서의 그래프가 반복해서 나타나므로 함수 $y=f(x)$의 주기는 2이다. 답 2

022 $\int_{0}^{2}f(x)\,dx=\int_{\boxed{2}}^{4} f(x)\,dx=\int_{\boxed{-6}}^{-4} f(x)\,dx$

$=\int_{0}^{2}(x^2-2x+1)\,dx$

$=\left[\frac{1}{3}x^3-x^2+x\right]_0^2$

$=\frac{8}{3}-4+2$

$=\boxed{\frac{2}{3}}$

답 $2,\ -6,\ \frac{2}{3}$

023 $\int_{20}^{22} f(x)\,dx=\int_0^2 f(x)\,dx=\frac{2}{3}$

답 $\frac{2}{3}$

024 $\int_0^{12} f(x)\,dx=\int_0^2 f(x)\,dx+\int_2^4 f(x)\,dx+\cdots+\int_{10}^{12} f(x)\,dx$

$=\int_0^2 f(x)\,dx+\int_0^2 f(x)\,dx+\cdots+\int_0^2 f(x)\,dx$

$=6\int_0^2 f(x)\,dx$

$=6\times\frac{2}{3}$

$=4$

답 4

025 주어진 식의 양변을 x에 대하여 미분하면

$f(x)=2x+4$

답 $f(x)=2x+4$

026 주어진 식의 양변을 x에 대하여 미분하면

$f(x)=3x^2+6x$

답 $f(x)=3x^2+6x$

027 주어진 식의 양변을 x에 대하여 미분하면

$f(x)=4x^3+6x^2-8x+5$

답 $f(x)=4x^3+6x^2-8x+5$

028 $f(t)=t^3+6t^2-2$라 하고, 함수 $y=f(t)$의 한 부정적분을 $y=F(t)$라 하면

$y'=\frac{d}{dx}\int_2^x (t^3+6t^2-2)\,dt$

$=\frac{d}{dx}\int_2^x f(t)\,dt$

$=\frac{d}{dx}\left[F(t)\right]_{\boxed{2}}^{\boxed{x}}$

$=\frac{d}{dx}\{\boxed{F(x)-F(2)}\}$

$=f(x)$

$=\boxed{x^3+6x^2-2}$

답 $x,\ 2,\ F(x)-F(2),\ x^3+6x^2-2$

029 $f(t)=3t^2-6$이라 하고, 함수 $y=f(t)$의 한 부정적분을 $y=F(t)$라 하면

$y'=\frac{d}{dx}\int_1^x (3t^2-6)\,dt$

$=\frac{d}{dx}\int_1^x f(t)\,dt$

$=\frac{d}{dx}\left[F(t)\right]_1^x$

$=\frac{d}{dx}\{F(x)-F(1)\}$

$=f(x)$

$=3x^2-6$

답 $y'=3x^2-6$

030 $f(t)=t^3+2t^2+3$이라 하고, 함수 $y=f(t)$의 한 부정적분을 $y=F(t)$라 하면

$y'=\frac{d}{dx}\int_0^x (t^3+2t^2+3)\,dt$

$=\frac{d}{dx}\int_0^x f(t)\,dt$

$=\frac{d}{dx}\left[F(t)\right]_0^x$

$=\frac{d}{dx}\{F(x)-F(0)\}$

$=f(x)$

$=x^3+2x^2+3$

답 $y'=x^3+2x^2+3$

031 $f(t)=t^2+1$이라 하고, 함수 $y=f(t)$의 한 부정적분을 $y=F(t)$라 하면

$y'=\frac{d}{dx}\int_x^{x+1} (t^2+1)dt$

$=\frac{d}{dx}\int_x^{x+1} f(t)dt$

$=\frac{d}{dx}\left[F(t)\right]_{\boxed{x}}^{\boxed{x+1}}$

$=\frac{d}{dx}\left\{F(x+1)-F(x)\right\}$

$=f(\boxed{x+1})-f(\boxed{x})$

$=\{(x+1)^2+1\}-(x^2+1)$

$=\boxed{2x+1}$

답 $x+1,\ x,\ x+1,\ x,\ 2x+1$

032 $f(t)=3t+1$이라 하고, 함수 $y=f(t)$의 한 부정적분을 $y=F(t)$라 하면

$y'=\frac{d}{dx}\int_x^{x+1} (3t+1)\,dt$

$=\frac{d}{dx}\int_x^{x+1} f(t)\,dt$

$=\frac{d}{dx}\left[F(t)\right]_x^{x+1}$

$=\frac{d}{dx}\{F(x+1)-F(x)\}$

$=f(x+1)-f(x)$

$=\{3(x+1)+1\}-(3x+1)=3$

답 $y'=3$

033 $f(t)=3t^2-4t+1$이라 하고, 함수 $y=f(t)$의 한 부정적분을 $y=F(t)$라 하면

$\lim_{x\to1}\frac{1}{x-1}\int_1^x (3t^2-4t+1)\,dt$

$=\lim_{x\to1}\frac{1}{x-1}\int_1^x f(t)\,dt$

$=\lim_{x\to1}\frac{\left[F(t)\right]_{\boxed{1}}^{\boxed{x}}}{x-1}$

$=\lim_{x\to1}\frac{\boxed{F(x)-F(1)}}{x-1}$

$=\boxed{F'(1)}$

$=f(1)$

$=\boxed{0}$

답 $x,\ 1,\ F(x)-F(1),\ F'(1),\ 0$

034 $f(t)=4t+2$라 하고, 함수 $y=f(t)$의 한 부정적분을 $y=F(t)$라 하면

$$\lim_{x\to1}\frac{1}{x-1}\int_1^x(4t+2)\,dt=\lim_{x\to1}\frac{1}{x-1}\int_1^x f(t)\,dt$$
$$=\lim_{x\to1}\frac{\Big[F(t)\Big]_1^x}{x-1}$$
$$=\lim_{x\to1}\frac{F(x)-F(1)}{x-1}$$
$$=F'(1)$$
$$=f(1)$$
$$=6$$

답 6

035 $f(t)=2t^2+3$이라 하고, 함수 $y=f(t)$의 한 부정적분을 $y=F(t)$라 하면

$$\lim_{x\to2}\frac{1}{x-2}\int_2^x(2t^2+3)dt=\lim_{x\to2}\frac{1}{x-2}\int_2^x f(t)dt$$
$$=\lim_{x\to2}\frac{\Big[F(t)\Big]_2^x}{x-2}$$
$$=\lim_{x\to2}\frac{F(x)-F(2)}{x-2}$$
$$=F'(2)$$
$$=f(2)$$
$$=11$$

답 11

036 $f(t)=(t+1)(t+3)$이라 하고, 함수 $y=f(t)$의 한 부정적분을 $y=F(t)$라 하면

$$\lim_{x\to-1}\frac{1}{x+1}\int_{-1}^x(t+1)(t+3)dt=\lim_{x\to-1}\frac{1}{x+1}\int_{-1}^x f(t)dt$$
$$=\lim_{x\to-1}\frac{\Big[F(t)\Big]_{-1}^x}{x+1}$$
$$=\lim_{x\to-1}\frac{F(x)-F(-1)}{x-(-1)}$$
$$=F'(-1)$$
$$=f(-1)$$
$$=0$$

답 0

037 $f(x)=3x^2+2x-4$라 하고, 함수 $y=f(x)$의 한 부정적분을 $y=F(x)$라 하면

$$\lim_{h\to0}\frac{1}{h}\int_1^{1+h}(3x^2+2x-4)dx=\lim_{h\to0}\frac{1}{h}\int_1^{1+h}f(x)dx$$
$$=\lim_{h\to0}\frac{1}{h}\Big[F(x)\Big]_{\boxed{1}}^{\boxed{1+h}}$$
$$=\lim_{h\to0}\frac{\boxed{F(1+h)-F(1)}}{h}$$
$$=\boxed{F'(1)}$$
$$=f(1)$$
$$=\boxed{1}$$

답 $1+h,\ 1,\ F(1+h)-F(1),\ F'(1),\ 1$

038 $f(x)=x^3-3x+2$라 하고, 함수 $y=f(x)$의 한 부정적분을 $y=F(x)$라 하면

$$\lim_{h\to0}\frac{1}{h}\int_0^h(x^3-3x+2)\,dx=\lim_{h\to0}\frac{1}{h}\int_0^h f(x)\,dx$$
$$=\lim_{h\to0}\frac{\Big[F(x)\Big]_0^h}{h}$$
$$=\lim_{h\to0}\frac{F(h)-F(0)}{h}$$
$$=F'(0)$$
$$=f(0)$$
$$=2$$

답 2

039 $f(x)=x^3-2x^2+5x-1$이라 하고, 함수 $y=f(x)$의 한 부정적분을 $y=F(x)$라 하면

$$\lim_{h\to0}\frac{1}{h}\int_2^{h+2}(x^3-2x^2+5x-1)dx=\lim_{h\to0}\frac{1}{h}\int_2^{h+2}f(x)dx$$
$$=\lim_{h\to0}\frac{\Big[F(x)\Big]_2^{h+2}}{h}$$
$$=\lim_{h\to0}\frac{F(h+2)-F(2)}{h}$$
$$=F'(2)$$
$$=f(2)$$
$$=2^3-2\times2^2+5\times2-1$$
$$=9$$

답 9

040 $f(t)=t^2-2t$라 하고, 함수 $y=f(t)$의 한 부정적분을 $y=F(t)$라 하면

$$\lim_{x\to0}\frac{1}{x}\int_3^{x+3}(t^2-2t)\,dt=\lim_{x\to0}\frac{1}{x}\int_3^{x+3}f(t)\,dt$$
$$=\lim_{x\to0}\frac{\Big[F(t)\Big]_3^{x+3}}{x}$$
$$=\lim_{x\to0}\frac{F(x+3)-F(3)}{x}$$
$$=F'(3)$$
$$=f(3)$$
$$=3^2-2\times3$$
$$=3$$

답 3

041 $\int_{-2}^2(x^5-2x^3+3x^2-3x+1)\,dx$

$$=\int_{-2}^2(x^5-2x^3-3x)\,dx+\int_{-2}^2(3x^2+1)\,dx$$
$$=2\int_0^2(3x^2+1)\,dx$$
$$=2\Big[x^3+x\Big]_0^2$$
$$=2\times10$$
$$=20$$

답 20

042 $\int_{-1}^2 f(x)dx+\int_2^1 f(t)dt$

$$=\int_{-1}^2 f(x)dx+\int_2^1 f(x)dx$$
$$=\int_{-1}^1 f(x)dx$$

$=\int_{-1}^{1}(5x^4+3x^2+1)dx$

$=2\int_{0}^{1}(5x^4+3x^2+1)dx$

$=2\Big[x^5+x^3+x\Big]_0^1$

$=2\times3$

$=6$ 답 ①

043 $f(x)=ax+b$ $(a\neq0)$에 대하여

$\int_{-1}^{1}xf(x)\,dx=\int_{-1}^{1}(ax^2+bx)\,dx$

$=2\int_{0}^{1}ax^2\,dx$

$=2\Big[\frac{a}{3}x^3\Big]_0^1$

$=\frac{2}{3}a$

즉, $\frac{2}{3}a=2$이므로 $a=3$

$\int_{-1}^{1}x^2f(x)\,dx=\int_{-1}^{1}(ax^3+bx^2)\,dx$

$=2\int_{0}^{1}bx^2\,dx$

$=2\Big[\frac{b}{3}x^3\Big]_0^1$

$=\frac{2}{3}b$

즉, $\frac{2}{3}b=-6$이므로 $b=-9$

$\therefore a+b=3+(-9)=-6$ 답 -6

044 $f(-x)=-f(x)$에서 $y=f(x)$의 그래프는 원점에 대하여 대칭이므로

$\int_{-1}^{1}f(x)dx=0$

$\therefore \int_{-1}^{2}f(x)dx=\int_{-1}^{1}f(x)dx+\int_{1}^{2}f(x)dx$

$=0+2$

$=2$ 답 ②

045 $f(x)-f(-x)=0$, 즉 $f(-x)=f(x)$이므로 $y=f(x)$의 그래프는 y축에 대하여 대칭이다.

$\therefore \int_{-2}^{1}f(x)\,dx=\int_{-2}^{0}f(x)\,dx+\int_{0}^{1}f(x)\,dx$

$=\int_{0}^{2}f(x)\,dx+\int_{0}^{1}f(x)\,dx$

$=5+3$

$=8$ 답 8

046 $\int_{-1}^{1}(x-2)f(x)dx=\int_{-1}^{1}xf(x)dx-2\int_{-1}^{1}f(x)dx$

(가)에서 $f(-x)=f(x)$이므로

$\int_{-1}^{1}f(x)dx=2\int_{0}^{1}f(x)dx$ ……㉠

한편, $g(x)=xf(x)$라 하면 $g(-x)=-g(x)$이므로

$\int_{-1}^{1}xf(x)dx=0$ ……㉡

㉠, ㉡에 의하여

$\int_{-1}^{1}(x-2)f(x)dx=-4\int_{0}^{1}f(x)dx$

$=(-4)\times(-3)$

$=12$ 답 12

047 $y=f(x)$는 기함수, $y=g(x)$는 우함수이므로

$y=f(-x)g(-x)=-f(x)g(x)$

즉, $y=f(x)g(x)$의 그래프는 원점에 대하여 대칭이다.

$\therefore \int_{-a}^{a}\{f(x)+g(x)\}dx+\int_{-a}^{a}f(x)g(x)dx=2\int_{0}^{a}g(x)dx$

$=2\times20$

$=40$

답 40

048 $f(-x)=f(x)$이므로 $y=f(x)$의 그래프는 y축에 대하여 대칭이고,

$g(-x)=-g(x)$이므로 $y=g(x)$의 그래프는 원점에 대하여 대칭이다.

$\int_{-2}^{2}f(x)\,dx=6$에서 $2\int_{0}^{2}f(x)\,dx=6$

$\therefore \int_{0}^{2}f(x)\,dx=3$

$\int_{-2}^{0}g(x)\,dx=4$에서

$\int_{0}^{2}g(x)\,dx=-\int_{-2}^{0}g(x)\,dx=-4$

즉, $\int_{0}^{2}g(t)\,dt=-4$

$\therefore \int_{0}^{2}f(x)\,dx+\int_{0}^{2}g(t)\,dt=3+(-4)=-1$

답 ②

049 사차함수 $y=f(x)$가 $f(-x)=f(x)$를 만족시키므로

$f(x)=ax^4+bx^2+c$ $(a\neq0)$라 하면

$f(0)=-3$이므로

$c=-3$

$f'(x)=4ax^3+2bx$

$f'(1)=0$이므로

$4a+2b=0$

$\therefore b=-2a$

즉, $f(x)=ax^4-2ax^2-3$이므로

$\int_{-1}^{1}f(x)\,dx=2\int_{0}^{1}(ax^4-2ax^2-3)\,dx$

$=2\Big[\frac{a}{5}x^5-\frac{2a}{3}x^3-3x\Big]_0^1$

$=2\Big(\frac{1}{5}a-\frac{2}{3}a-3\Big)=8$

$\therefore a=-15$

따라서 $f(x)=-15x^4+30x^2-3$이므로

$f(-1)=-15+30-3=12$ 답 12

050 $f(x+5)=f(x)$이므로

$$\int_1^6 f(x)dx=\int_6^{11} f(x)dx=10$$

$$\therefore \int_1^{11} f(x)dx=\int_1^6 f(x)dx+\int_6^{11} f(x)dx$$
$$=10+10=20$$

답 20

051 $\int_{-1}^1 f(x)\,dx=\int_{-1}^1 x^2\,dx$

$$=2\int_0^1 x^2\,dx$$
$$=2\left[\frac{1}{3}x^3\right]_0^1$$
$$=\frac{2}{3}$$

$-1\le x\le 1$일 때, $f(x)=x^2$이고, 임의의 실수 x에 대하여 $f(x)=f(x+2)$이므로 함수 $y=f(x)$의 그래프는 그림과 같다.

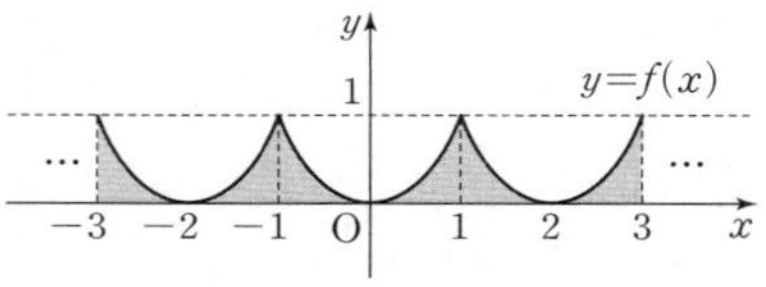

$$\therefore \int_{-3}^3 f(x)\,dx=3\int_{-1}^1 f(x)\,dx$$
$$=3\times\frac{2}{3}$$
$$=2$$

답 2

052 $f(x)=f(x+4)$이므로

$$\int_1^2 f(x)\,dx=\int_5^6 f(x)\,dx=\int_9^{10} f(x)\,dx$$
$$=\cdots=\int_{97}^{98} f(x)\,dx=\int_{101}^{102} f(x)\,dx$$

답 ⑤

053 $f(x)=\begin{cases} -x-1 & (-1\le x<0) \\ x-1 & (0\le x\le 1) \end{cases}$ 이고, $f(x+2)=f(x)$이므로 함수 $y=f(x)$의 그래프는 그림과 같다.

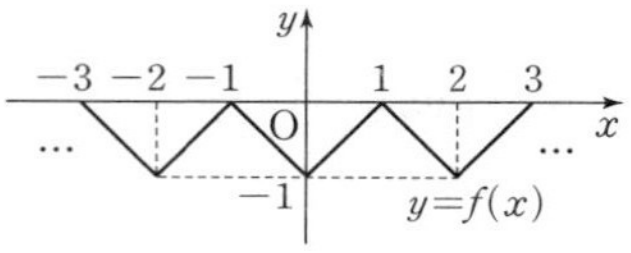

$$\therefore \int_{-10}^{10} f(x)dx=10\int_{-1}^1 f(x)dx$$
$$=10\int_{-1}^0(-x-1)dx+10\int_0^1(x-1)dx$$
$$=10\left[-\frac{1}{2}x^2-x\right]_{-1}^0+10\left[\frac{1}{2}x^2-x\right]_0^1$$
$$=10\times\left(-\frac{1}{2}\right)+10\times\left(-\frac{1}{2}\right)$$
$$=-10$$

답 -10

054 $f(x-2)=f(x+2)$에서 x 대신 $x+2$를 대입하면

$f(x)=f(x+4)$이고, $\int_{-2}^2 f(x)\,dx=2$이므로 모든 실수 t에 대하여

$$\int_t^{t+4} f(x)\,dx=2$$

즉, $\int_0^4 f(x)\,dx=2$이므로

$\int_0^4 f(x)\,dx=\int_0^2 f(x)\,dx+\int_2^4 f(x)\,dx$에서

$2=\int_0^2 f(x)\,dx+1$ (∵ (다))

$$\therefore \int_0^2 f(x)\,dx=1$$

$$\therefore \int_0^{30} f(x)\,dx$$
$$=\int_0^2 f(x)\,dx+\int_2^6 f(x)\,dx+\int_6^{10} f(x)\,dx+\cdots+\int_{26}^{30} f(x)\,dx$$
$$=\int_0^2 f(x)\,dx+7\int_{-2}^2 f(x)dx$$
$$=1+7\times 2$$
$$=15$$

답 ⑤

055 $\int_0^2 f(x)\,dx=\int_{-2}^0 f(x)\,dx$ (∵ $f(-x)=f(x)$)

$$=\int_2^4 f(x)\,dx\ (\because f(x+4)=f(x))$$
$$=8$$

(나)에서 $f(x+4)=f(x)$이므로

$$\int_{-8}^4 f(x)\,dx=\int_{-8}^{-4} f(x)\,dx+\int_{-4}^0 f(x)\,dx+\int_0^4 f(x)\,dx$$
$$=3\int_0^4 f(x)\,dx$$
$$=3\left\{\int_0^2 f(x)\,dx+\int_2^4 f(x)\,dx\right\}$$
$$=3(8+8)$$
$$=48$$

답 48

056 $f(2+x)=f(2-x)$에서 함수 $y=f(x)$의 그래프는 직선 $x=2$에 대하여 대칭이므로

$$\int_1^2 f(x)dx=\frac{1}{2}\int_1^3 f(x)dx=3$$

$$\int_{-1}^1 f(x)dx=\int_3^5 f(x)dx=4$$

$$\therefore \int_{-1}^2 f(x)dx=\int_{-1}^1 f(x)dx+\int_1^2 f(x)dx$$
$$=4+3$$
$$=7$$

답 ②

참고

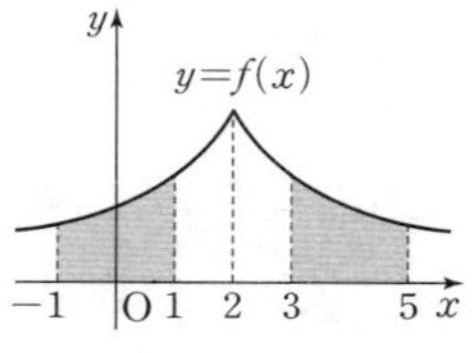

057 $f(2-x)=f(x)$이므로 함수 $y=f(x)$의 그래프는 직선 $x=1$에 대하여 대칭이다.

$\therefore \int_1^3 f(x)dx = \int_{-1}^1 f(x)dx$

$= \int_{-1}^2 f(x)dx + \int_2^1 f(x)dx$

$= \int_{-1}^2 f(x)dx - \int_1^2 f(x)dx$

$= 7-2$

$= 5$ 답 5

058 $f(2-x)=f(x)$이므로 함수 $y=f(x)$의 그래프는 직선 $x=1$에 대하여 대칭이다.

$\int_{-1}^1 f(x)dx = \int_1^3 f(x)dx = 3$

또 함수 $y=f(x)$는 모든 실수 x에 대하여 $f(x+4)=f(x)$이므로

$\int_{-5}^{-1} f(x)dx = \int_{-1}^3 f(x)dx$

$= \int_3^7 f(x)dx$

$= \int_7^{11} f(x)dx = 6$

이고, $\int_{11}^{13} f(x)dx = \int_{-1}^1 f(x)dx = 3$이다.

$\therefore \int_{-5}^{13} f(x)dx = 4\times 6+3=27$ 답 27

059 $\int_0^1 f(t)\,dt = k$ (k는 상수)로 놓으면

$f(x)=6x-k$

$k=\int_0^1 (6t-k)\,dt$

$=\left[3t^2-kt\right]_0^1$

$=3-k$

$\therefore k=\frac{3}{2}$

따라서 $f(x)=6x-\frac{3}{2}$이므로

$f(1)=\frac{9}{2}$ 답 ②

060 $\int_0^1 tf(t)dt=k$ (k는 상수)로 놓으면 $f(x)=4x^2+3x+k$

$k=\int_0^1 tf(t)dt$

$=\int_0^1 (4t^3+3t^2+kt)dt$

$=\left[t^4+t^3+\frac{k}{2}t^2\right]_0^1$

$=2+\frac{k}{2}$

$\therefore k=4$

따라서 $f(x)=4x^2+3x+4$이므로

$f(1)=11$ 답 11

061 $f(x)=3x^2+\int_0^1 (2x+1)f(t)dt$

$=3x^2+2x\int_0^1 f(t)dt+\int_0^1 f(t)dt$

$\int_0^1 f(t)dt=k$ (k는 상수)로 놓으면

$f(x)=3x^2+2kx+k$

$\therefore k=\int_0^1 (3t^2+2kt+k)dt$

$=\left[t^3+kt^2+kt\right]_0^1$

$=1+2k$

$\therefore k=-1$

따라서 $f(x)=3x^2-2x-1$이므로

$f(2)=12-4-1=7$ 답 7

062 일차함수 $y=f(x)$는 연속함수이므로

$f(x)=2x+\int_0^2 f(t)dt-\int_0^4 f(t)dt$

$=2x-\left\{\int_2^0 f(t)dt+\int_0^4 f(t)dt\right\}$

$=2x-\int_2^4 f(t)dt$

$\int_2^4 f(t)dt=k$ (k는 상수)로 놓으면

$f(x)=2x-k$

$\therefore k=\int_2^4 (2t-k)dt$

$=\left[t^2-kt\right]_2^4$

$=(16-4k)-(4-2k)$

$=12-2k$

$\therefore k=4$

따라서 $f(x)=2x-4$이므로

$f(2)=4-4=0$ 답 ③

063 $\int_0^1 tf'(t)dt=k$ (k는 상수)로 놓으면

$f(x)=4x^3-2x+k$

$f'(x)=12x^2-2$

$\therefore k=\int_0^1 t(12t^2-2)dt$

$=\int_0^1 (12t^3-2t)dt$

$=\left[3t^4-t^2\right]_0^1$

$=3-1=2$

따라서 $f(x)=4x^3-2x+2$이므로

$f(1)=4-2+2=4$ 답 4

064 $\int_0^2 g(t)\,dt=a$ (a는 상수) ……㉠

$\int_0^1 f(t)\,dt=b$ (b는 상수) ……㉡

로 놓으면 $f(x)=x+1+a$, $g(x)=2x-3+b$

$g(t)=2t-3+b$를 ㉠에 대입하면

$a=\int_0^2 (2t-3+b)\,dt$

$=\left[t^2-(3-b)t\right]_0^2$

$=-2+2b$

$\therefore a-2b=-2$ ……㉢

$f(t)=t+1+a$를 ㉡에 대입하면

$b=\int_0^1 (t+1+a)\,dt$

$=\left[\frac{1}{2}t^2+(1+a)t\right]_0^1$

$=\frac{3}{2}+a$

$\therefore a-b=-\frac{3}{2}$ ······㉣

㉢, ㉣을 연립하여 풀면

$a=-1,\ b=\frac{1}{2}$

따라서 $f(x)=x,\ g(x)=2x-\frac{5}{2}$이므로

$f(2)\times g(2)=2\times\frac{3}{2}=3$ 답 3

065 주어진 식의 양변에 $x=1$을 대입하면

$0=1+3+a \qquad \therefore a=-4$

즉, $\int_1^x f(t)dt=x^2+3x-4$

이 식의 양변을 x에 대하여 미분하면

$f(x)=2x+3 \qquad \therefore f(0)=3$

$\therefore a+f(0)=(-4)+3=-1$ 답 -1

066 주어진 식의 양변에 $x=1$을 대입하면

$0=1+a-3+5 \qquad \therefore a=-3$

즉, $\int_1^x f(t)dt=x^3-3x^2-3x+5$

이 식의 양변을 x에 대하여 미분하면

$f(x)=3x^2-6x-3$

$\therefore f(1)=3-6-3=-6$ 답 ①

067 주어진 식의 양변을 x에 대하여 미분하면

$f'(x)=\int_2^x (2t+3)dt+x(2x+3)$

$\therefore f'(2)=0+2\times7=14$ 답 14

068 $f(x)=\int_x^{x+1}(t^3+2t)dt$의 양변을 x에 대하여 미분하면

$f'(x)=\{(x+1)^3+2(x+1)\}-(x^3+2x)=3x^2+3x+3$

$\therefore \int_0^2 f'(x)dx=\int_0^2 (3x^2+3x+3)dx$

$=\left[x^3+\frac{3}{2}x^2+3x\right]_0^2$

$=8+6+6$

$=20$ 답 ④

069 $\int_0^1 f(t)dt=k$ (k는 상수)로 놓으면

$\int_0^x f(t)dt=x^3-2x^2-2kx$

양변에 $x=1$을 대입하면

$\int_0^1 f(t)dt=1-2-2k,\ k=-1-2k$

$\therefore k=-\frac{1}{3}$

따라서 $\int_0^x f(t)dt=x^3-2x^2+\frac{2}{3}x$이므로 양변을 x에 대하여 미분하면

$f(x)=3x^2-4x+\frac{2}{3}$

$\therefore f(0)=a=\frac{2}{3}$

$\therefore 60a=60\times\frac{2}{3}=40$ 답 40

070 $y=f(x)$가 $x-1,\ x-2$로 나누어떨어지므로

$f(1)=0$에서

$f(1)=1+a+b+\int_2^1 (3t^2-6t)dt$

$=1+a+b-\int_1^2 (3t^2-6t)dt$

$=1+a+b-\left[t^3-3t^2\right]_1^2$

$=a+b+3=0$ ······㉠

$f(2)=0$에서

$f(2)=8+4a+2b+\int_2^2 (3t^2-6t)dt$

$=8+4a+2b=0$

$\therefore 2a+b+4=0$ ······㉡

㉠, ㉡을 연립하여 풀면 $a=-1,\ b=-2$

$\therefore f(x)=x^3-x^2-2x+\int_2^x (3t^2-6t)dt$

$=x^3-x^2-2x+\left[t^3-3t^2\right]_2^x$

$=x^3-x^2-2x+(x^3-3x^2+4)$

$=2x^3-4x^2-2x+4$

$\therefore f(-2)=-16-16+4+4=-24$ 답 -24

071 $\int_a^x(x-t)f(t)\,dt=x^3+2x^2-3x-8$에서

$x\int_a^x f(t)\,dt-\int_a^x tf(t)\,dt=x^3+2x^2-3x-8$

양변을 x에 대하여 미분하면

$\int_a^x f(t)\,dt+xf(x)-xf(x)=3x^2+4x-3$

$\therefore \int_a^x f(t)\,dt=3x^2+4x-3$

다시 양변을 x에 대하여 미분하면

$f(x)=6x+4$

$\therefore f(2)=12+4=16$ 답 ②

072 $\int_1^x (x-t)f(t)dt=x^3-ax^2-7x+4$의 양변에 $x=1$을 대입하면

$0=1-a-7+4 \qquad \therefore a=-2$

$\int_1^x (x-t)f(t)dt=x^3+2x^2-7x+4$에서

$x\int_1^x f(t)dt-\int_1^x tf(t)dt=x^3+2x^2-7x+4$

양변을 x에 대하여 미분하면

$\int_1^x f(t)dt+xf(x)-xf(x)=3x^2+4x-7$

$\therefore \int_1^x f(t)dt=3x^2+4x-7$

다시 양변을 x에 대하여 미분하면

$f(x)=6x+4$

$\therefore f(1)=10=b$

$\therefore a+b=8$ 답 8

073 $\int_0^x (x-t)f'(t)dt=x^5$에서

$x\int_0^x f'(t)dt-\int_0^x tf'(t)dt=x^5$

양변을 x에 대하여 미분하면

$\int_0^x f'(t)dt+xf'(x)-xf'(x)=5x^4$

$\int_0^x f'(t)dt=\Big[f(t)\Big]_0^x=5x^4$

$\therefore f(x)-f(0)=5x^4$

$f(0)=3$이므로

$f(x)=5x^4+3$

$\therefore f(1)=5+3=8$ 답 8

074 $f(x)=\int_{-1}^x t(t-1)dt$의 양변을 x에 대하여 미분하면

$f'(x)=x(x-1)$

$f'(x)=0$에서 $x=0$ 또는 $x=1$

x	$\cdots$	0	$\cdots$	1	$\cdots$
$f'(x)$	+	0	−	0	+
$f(x)$	↗	극대	↘	극소	↗

함수 $y=f(x)$는 $x=0$일 때 극대, $x=1$일 때 극소이므로

$M=f(0)$

$=\int_{-1}^0 t(t-1)dt$

$=\int_{-1}^0 (t^2-t)dt$

$=\Big[\frac{1}{3}t^3-\frac{1}{2}t^2\Big]_{-1}^0$

$=-\Big(-\frac{1}{3}-\frac{1}{2}\Big)$

$=\frac{5}{6}$

$m=f(1)$

$=\int_{-1}^1 t(t-1)dt$

$=\int_{-1}^1 (t^2-t)dt$

$=2\int_0^1 t^2dt$

$=2\Big[\frac{1}{3}t^3\Big]_0^1$

$=\frac{2}{3}$

$\therefore M+m=\frac{5}{6}+\frac{2}{3}=\frac{3}{2}$ 답 $\frac{3}{2}$

075 $f(x)=\int_0^x (t-3)(t-a)\,dt$의 양변을 x에 대하여 미분하면

$f'(x)=(x-3)(x-a)$

$f'(x)=0$에서 $x=3$ 또는 $x=a$

$x=3$에서 극솟값 0을 가지므로 $x=a$일 때 극댓값을 갖는다.

$f(3)=\int_0^3 (t-3)(t-a)\,dt$

$=\int_0^3 \{t^2-(3+a)t+3a\}dt$

$=\Big[\frac{1}{3}t^3-\frac{3+a}{2}t^2+3at\Big]_0^3$

$=9-\frac{9(3+a)}{2}+9a$

$=\frac{9}{2}(a-1)$

즉, $\frac{9}{2}(a-1)=0$

$\therefore a=1$

따라서 극댓값은

$f(a)=f(1)$

$=\int_0^1 (t-3)(t-1)\,dt$

$=\int_0^1 (t^2-4t+3)\,dt$

$=\Big[\frac{1}{3}t^3-2t^2+3t\Big]_0^1$

$=\frac{1}{3}-2+3$

$=\frac{4}{3}$ 답 $\frac{4}{3}$

076 $f(x)=\int_0^x (t^2+at+b)dt$의 양변을 x에 대하여 미분하면

$f'(x)=x^2+ax+b$

$x=-1$에서 극댓값 $\frac{5}{3}$를 가지므로

$f'(-1)=1-a+b=0$

$\therefore a-b=1$ ……㉠

$f(-1)=\int_0^{-1} (t^2+at+b)dt$

$=\Big[\frac{1}{3}t^3+\frac{a}{2}t^2+bt\Big]_0^{-1}$

$=-\frac{1}{3}+\frac{a}{2}-b=\frac{5}{3}$

$\therefore \frac{a}{2}-b=2$ ……㉡

㉠, ㉡을 연립하여 풀면

$a=-2,\ b=-3$

$\therefore f'(x)=x^2-2x-3$

$=(x+1)(x-3)$

$f'(x)=0$에서 $x=-1$ 또는 $x=3$

즉, $x=3$일 때 극솟값을 가지므로

$f(3)=\int_0^3 (t^2-2t-3)dt$

$=\Big[\frac{1}{3}t^3-t^2-3t\Big]_0^3$

$=9-9-9$

$=-9$ 답 −9

077 $\int_0^2 f(x)\,dx=k$ (k는 상수)로 놓으면

$f(x)=x^3-\frac{9}{2}x^2+6x+2k$이므로

$$k=\int_0^2\left(x^3-\frac{9}{2}x^2+6x+2k\right)dx$$
$$=\left[\frac{1}{4}x^4-\frac{3}{2}x^3+3x^2+2kx\right]_0^2$$
$$=4-12+12+4k$$
$$\therefore k=-\frac{4}{3}$$

따라서 $f(x)=x^3-\frac{9}{2}x^2+6x-\frac{8}{3}$이므로

$f'(x)=3x^2-9x+6=3(x-1)(x-2)$

$f'(x)=0$에서 $x=1$ 또는 $x=2$

함수 $y=f(x)$의 증가, 감소를 조사하면 다음과 같다.

x	$\cdots$	1	$\cdots$	2	$\cdots$
$f'(x)$	+	0	−	0	+
$f(x)$	↗	극대	↘	극소	↗

즉, 함수 $y=f(x)$는 $x=1$일 때 극대이므로 극댓값은

$f(1)=1-\frac{9}{2}+6-\frac{8}{3}=-\frac{1}{6}$ 답 $-\frac{1}{6}$

078 $f(x)=\int_0^x (t^2-4t+a)dt$의 양변을 x에 대하여 미분하면

$f'(x)=x^2-4x+a$

함수 $y=f(x)$가 극댓값과 극솟값을 모두 가지려면 이차방정식 $f'(x)=0$이 서로 다른 두 실근을 가져야 하므로 판별식을 D라 할 때,

$\frac{D}{4}=4-a>0$ $\quad\therefore a<4$

따라서 자연수 a의 최댓값은 3이다. 답 ③

079 주어진 그래프에서

$f(x)=ax(x-6)=a(x-3)^2-9a$

라 할 수 있다. $y=f(x)$의 최솟값이 -3이므로

$-9a=-3$ $\quad\therefore a=\frac{1}{3}$

$\therefore f(x)=\frac{1}{3}x(x-6)=\frac{1}{3}x^2-2x$

한편 $F(x)=\int_0^x f(t)dt$의 양변을 x에 대하여 미분하면

$F'(x)=f(x)$

즉, $y=f(x)$는 $y=F(x)$의 도함수이다.

주어진 함수 $y=f(x)$의 그래프에서 $f(6)=0$이고 $x=6$의 좌우에서 $y=f(x)$의 값이 음에서 양으로 바뀌므로 $y=F(x)$는 $x=6$에서 극솟값을 갖는다.

따라서 구하는 극솟값은

$$F(6)=\int_0^6 f(t)dt$$
$$=\int_0^6\left(\frac{1}{3}t^2-2t\right)dt$$
$$=\left[\frac{1}{9}t^3-t^2\right]_0^6$$
$$=-12$$

답 -12

080 $f(x)=\int_0^x (t-1)(t-5)\,dt$의 양변을 x에 대하여 미분하면

$f'(x)=(x-1)(x-5)$

$f'(x)=0$에서 $x=1$ ($\because 0\le x\le 3$)

$0\le x\le 3$에서 함수 $y=f(x)$의 증가, 감소를 조사하면 다음과 같다.

x	0	$\cdots$	1	$\cdots$	3
$f'(x)$		+	0	−	
$f(x)$		↗	극대	↘	

따라서 $0\le x\le 3$에서 함수 $y=f(x)$는 $x=1$일 때 극대이면서 최대이므로 최댓값은

$$f(1)=\int_0^1 (t-1)(t-5)\,dt$$
$$=\int_0^1 (t^2-6t+5)\,dt$$
$$=\left[\frac{1}{3}t^3-3t^2+5t\right]_0^1$$
$$=\frac{1}{3}-3+5=\frac{7}{3}$$

답 $\frac{7}{3}$

081 $\int_0^x (x-t)f(t)\,dt=\frac{1}{2}x^4-3x^2$에서

$x\int_0^x f(t)\,dt-\int_0^x tf(t)\,dt=\frac{1}{2}x^4-3x^2$

양변을 x에 대하여 미분하면

$\int_0^x f(t)\,dt+xf(x)-xf(x)=2x^3-6x$

$\therefore \int_0^x f(t)\,dt=2x^3-6x$

다시 양변을 x에 대하여 미분하면

$f(x)=6x^2-6$

따라서 $y=f(x)$의 최솟값은 $x=0$일 때 -6이다.

답 -6

082 주어진 그림에서 $f(x)=k(x-2)(x-5)$ $(k<0)$라 할 수 있다.

$g(x)=\int_x^{x+1} f(t)\,dt$의 양변을 x에 대하여 미분하면

$$g'(x)=f(x+1)-f(x)$$
$$=k(x-1)(x-4)-k(x-2)(x-5)$$
$$=2k(x-3)$$

$g'(x)=0$에서 $x=3$

함수 $y=g(x)$의 증가, 감소를 조사하면 다음과 같다.

x	$\cdots$	3	$\cdots$
$g'(x)$	+	0	−
$g(x)$	↗	극대	↘

따라서 $y=g(x)$는 $x=3$일 때 극대이면서 최대이다.

$\therefore a=3$ 답 ②

083 $f(t)=t^3-2t^2+t+1$이고, $y=f(t)$의 한 부정적분을 $y=F(t)$라 하면

$$\lim_{x\to 2}\frac{1}{x-2}\int_2^x f(t)\,dt=\lim_{x\to 2}\frac{1}{x-2}\Big[F(t)\Big]_2^x$$
$$=\lim_{x\to 2}\frac{F(x)-F(2)}{x-2}$$

$=F'(2)$
$=f(2)$
$=8-8+2+1$
$=3$

답 ②

084 $f(t)=(2t-1)(3t+1)$이라 하고, $y=f(t)$의 한 부정적분을 $y=F(t)$라 하면

$$\lim_{x\to1}\frac{1}{x^2-1}\int_1^x (2t-1)(3t+1)\,dt$$
$$=\lim_{x\to1}\frac{1}{x^2-1}\int_1^x f(t)\,dt$$
$$=\lim_{x\to1}\frac{1}{x^2-1}\Big[F(t)\Big]_1^x$$
$$=\lim_{x\to1}\frac{F(x)-F(1)}{x^2-1}$$
$$=\lim_{x\to1}\left\{\frac{F(x)-F(1)}{x-1}\times\frac{1}{x+1}\right\}$$
$$=\frac{1}{2}F'(1)$$
$$=\frac{1}{2}f(1)$$
$$=\frac{1}{2}(2-1)(3+1)$$
$$=2$$

답 2

085 $f(t)=t^2+t-4$라 하고, $y=f(t)$의 한 부정적분을 $y=F(t)$라 하면

$$\lim_{x\to0}\frac{1}{x}\int_2^{2+x}(t^2+t-4)\,dt=\lim_{x\to0}\frac{1}{x}\int_2^{2+x}f(t)\,dt$$
$$=\lim_{x\to0}\frac{1}{x}\Big[F(t)\Big]_2^{2+x}$$
$$=\lim_{x\to0}\frac{F(2+x)-F(2)}{x}$$
$$=F'(2)$$
$$=f(2)$$
$$=4+2-4$$
$$=2$$

답 2

086 $f(x)=x^3-2x^2-1$이라 하고, $y=f(x)$의 한 부정적분을 $y=F(x)$라 하면

$$\lim_{h\to0}\frac{1}{h}\int_1^{1+3h}(x^3-2x^2-1)\,dx$$
$$=\lim_{h\to0}\frac{1}{h}\int_1^{1+3h}f(x)\,dx$$
$$=\lim_{h\to0}\frac{1}{h}\Big[F(x)\Big]_1^{1+3h}$$
$$=\lim_{h\to0}\frac{F(1+3h)-F(1)}{h}$$
$$=\lim_{h\to0}\left\{\frac{F(1+3h)-F(1)}{3h}\times3\right\}$$
$$=3F'(1)$$
$$=3f(1)$$
$$=3(1-2-1)$$
$$=-6$$

답 ①

087 $f(x)=3x^3-2x^2-x+1$이라 하고, $y=f(x)$의 한 부정적분을 $y=F(x)$라 하면

$$\lim_{h\to0}\frac{1}{h}\int_{2-h}^{2+h}(3x^3-2x^2-x+1)\,dx$$
$$=\lim_{h\to0}\frac{1}{h}\int_{2-h}^{2+h}f(x)\,dx$$
$$=\lim_{h\to0}\frac{1}{h}\Big[F(x)\Big]_{2-h}^{2+h}$$
$$=\lim_{h\to0}\frac{F(2+h)-F(2-h)}{h}$$
$$=\lim_{h\to0}\frac{F(2+h)-F(2)+F(2)-F(2-h)}{h}$$
$$=\lim_{h\to0}\frac{F(2+h)-F(2)}{h}+\lim_{h\to0}\frac{F(2-h)-F(2)}{-h}$$
$$=2F'(2)$$
$$=2f(2)$$
$$=2(24-8-2+1)$$
$$=30$$

답 30

088 $g(x)=\int_0^{x-2}\{(t-1)f(t)+3\}dt$라 하면 $g(2)=0$이고,
양변을 x에 대하여 미분하면
$g'(x)=(x-3)f(x-2)+3$

$$\therefore \lim_{x\to2}\frac{1}{x-2}\int_0^{x-2}\{(t-1)f(t)+3\}dt$$
$$=\lim_{x\to2}\frac{g(x)}{x-2}$$
$$=\lim_{x\to2}\frac{g(x)-g(2)}{x-2}$$
$$=g'(2)$$
$$=-f(0)+3$$
$$=-(-7)+3=10$$

답 10

089 $$\int_{-1}^1(1+2x+3x^2+\cdots+100x^{99})dx$$
$$=\int_{-1}^1(1+3x^2+5x^4+\cdots+99x^{98})dx+\int_{-1}^1(2x+4x^3+6x^5+\cdots+100x^{99})dx$$
$$=2\int_0^1(1+3x^2+5x^4+\cdots+99x^{98})dx+0$$
$$=2\Big[x+x^3+x^5+\cdots+x^{99}\Big]_0^1$$
$$=2\times50=100$$

답 ③

090 $f(-x)=-f(x)$에서 $y=f(x)$의 그래프는 원점에 대하여 대칭이므로

$$\int_{-a}^a f(x)dx=0$$
$$\int_{-2}^1 f(x)dx=\int_{-2}^{-1}f(x)dx+\int_{-1}^1 f(x)dx$$
$$=\int_{-2}^{-1}f(x)dx=-2$$
$$\therefore \int_{-2}^3 f(x)dx=\int_{-2}^{-1}f(x)dx+\int_{-1}^3 f(x)dx$$
$$=(-2)+6=4$$

답 4

091 $g(x)=xf(x)$라 하면 $f(-x)=f(x)$이므로
$g(-x)=-xf(-x)=-xf(x)=-g(x)$
따라서 $y=xf(x)$의 그래프는 원점에 대하여 대칭이므로
$\int_{-2}^{2} xf(x)\,dx=0$ 답 ③

참고
우함수와 기함수를 연산하면 다음과 같다.
(우함수)±(우함수)=(우함수)
(기함수)±(기함수)=(기함수)
(우함수)×(우함수)=(우함수)
(기함수)×(기함수)=(우함수)
(우함수)×(기함수)=(기함수)

092 함수 $y=f(x)$는 모든 실수 x에 대하여 $f(x+3)=f(x)$이므로
$$\int_{1}^{4} f(x)\,dx=\int_{4}^{7} f(x)\,dx=\int_{7}^{10} f(x)\,dx$$
$$=\cdots=\int_{97}^{100} f(x)\,dx=3$$
$$\therefore \int_{1}^{100} f(x)\,dx$$
$$=\int_{1}^{4} f(x)\,dx+\int_{4}^{7} f(x)\,dx+\int_{7}^{10} f(x)\,dx+\cdots+\int_{97}^{100} f(x)\,dx$$
$=33\times 3$
$=99$ 답 99

093 $f(2+x)=f(2-x)$이므로 함수 $y=f(x)$의 그래프는 $x=2$에 대하여 대칭이다.
$$\int_{2}^{5} f(x)dx=\int_{-1}^{2} f(x)dx$$
$$=\int_{-1}^{3} f(x)dx+\int_{3}^{2} f(x)dx$$
$$=\int_{-1}^{3} f(x)dx-\int_{2}^{3} f(x)dx$$
$=6-4$
$=2$
$$\therefore \int_{3}^{5} f(x)dx=\int_{3}^{2} f(x)dx+\int_{2}^{5} f(x)dx$$
$$=-\int_{2}^{3} f(x)dx+\int_{2}^{5} f(x)dx$$
$=(-4)+2$
$=-2$ 답 -2

094 $\int_{0}^{1} f(t)dt=k$ (k는 상수)로 놓으면
$f(x)=4x^3+3x^2+2k$
$$k=\int_{0}^{1} (4t^3+3t^2+2k)dt$$
$$=\Big[t^4+t^3+2kt\Big]_0^1$$
$=2k+2$ $\quad\therefore k=-2$
따라서 $f(x)=4x^3+3x^2-4$이므로
$f(0)=-4$ 답 ①

095 $xf(x)=2x^3-3x^2+\int_{1}^{x} f(t)\,dt$ ……㉠
양변에 $x=1$을 대입하면
$f(1)=2-3+0$ $\quad\therefore f(1)=-1$
㉠의 양변을 x에 대하여 미분하면
$f(x)+xf'(x)=6x^2-6x+f(x)$
$xf'(x)=6x(x-1)$
모든 실수 x에 대하여 성립하므로 $f'(x)=6x-6$
$f(x)=\int (6x-6)\,dx=3x^2-6x+C$
$f(1)=-1$이므로
$f(1)=3-6+C=-1$ $\quad\therefore C=2$
따라서 $f(x)=3x^2-6x+2$이므로
$f(2)=12-12+2=2$ 답 2

096 $\int_{1}^{x} (x-t)f(t)dt=x^3-x^2-x+1$에서
$x\int_{1}^{x} f(t)dt-\int_{1}^{x} tf(t)dt=x^3-x^2-x+1$
양변을 x에 대하여 미분하면
$\int_{1}^{x} f(t)dt+xf(x)-xf(x)=3x^2-2x-1$
$\therefore \int_{1}^{x} f(t)dt=3x^2-2x-1$
양변을 다시 x에 대하여 미분하면
$f(x)=6x-2$
$$\therefore \int_{0}^{2} f(x)dx=\int_{0}^{2} (6x-2)dx$$
$$=\Big[3x^2-2x\Big]_0^2$$
$=8$ 답 8

097 $f(x)=\int_{0}^{x}(t-1)(t-2)\,dt$의 양변을 x에 대하여 미분하면
$f'(x)=(x-1)(x-2)$
$f'(x)=0$에서 $x=1$ 또는 $x=2$

x	$\cdots$	1	$\cdots$	2	$\cdots$
$f'(x)$	$+$	0	$-$	0	$+$
$f(x)$	↗	극대	↘	극소	↗

즉, $y=f(x)$의 극댓값은 $f(1)$, 극솟값은 $f(2)$이므로
$$f(1)=\int_{0}^{1} (t^2-3t+2)\,dt=\Big[\frac{1}{3}t^3-\frac{3}{2}t^2+2t\Big]_0^1=\frac{5}{6}$$
$$f(2)=\int_{0}^{2}(t^2-3t+2)\,dt=\Big[\frac{1}{3}t^3-\frac{3}{2}t^2+2t\Big]_0^2=\frac{2}{3}$$
따라서 극댓값과 극솟값의 합은
$\frac{5}{6}+\frac{2}{3}=\frac{3}{2}$ 답 ②

098 $f(x)=\int_{x}^{x+1} (t^3-t)\,dt$의 양변을 x에 대하여 미분하면
$f'(x)=\{(x+1)^3-(x+1)\}-(x^3-x)$
$\quad=3x(x+1)$
$f'(x)=0$에서 $x=-1$ 또는 $x=0$
$-1\le x\le 1$에서 함수 $y=f(x)$의 증가, 감소를 조사하면 다음과 같다.

x	-1	$\cdots$	0	$\cdots$	1
$f'(x)$	0	$-$	0	$+$	
$f(x)$		↘	극소	↗	

$f(-1)=\int_{-1}^{0}(t^3-t)\,dt=\left[\frac{1}{4}t^4-\frac{1}{2}t^2\right]_{-1}^{0}=\frac{1}{4}$

$f(0)=\int_{0}^{1}(t^3-t)\,dt=\left[\frac{1}{4}t^4-\frac{1}{2}t^2\right]_{0}^{1}=-\frac{1}{4}$

$f(1)=\int_{1}^{2}(t^3-t)\,dt=\left[\frac{1}{4}t^4-\frac{1}{2}t^2\right]_{1}^{2}=\frac{9}{4}$

따라서 최댓값 $M=\frac{9}{4}$, 최솟값 $m=-\frac{1}{4}$이므로

$M-m=\frac{9}{4}-\left(-\frac{1}{4}\right)=\frac{5}{2}$ 답 $\frac{5}{2}$

099 (가)에서 양변을 x에 대하여 미분하면

$(4x+5)f(x)=3\int_{1}^{x}f(t)\,dt+3(x+2)f(x)$

$\therefore (x-1)f(x)=3\int_{1}^{x}f(t)\,dt$

다시 양변을 x에 대하여 미분하면

$f(x)+(x-1)f'(x)=3f(x)$

$\therefore (x-1)f'(x)=2f(x)$ ······㉠

$y=f(x)$의 최고차항을 ax^n ($a\neq0$인 상수, n은 자연수)이라 하면 $y=f'(x)$의 최고차항은 anx^{n-1}이므로 양변의 최고차항을 비교하면

$anx^n=2ax^n$

$\therefore n=2$ ($\because a\neq0$)

따라서 $f(x)=ax^2+bx+c$라 하면 (나)에서 $f(0)=1$이므로

$c=1$

즉, $f(x)=ax^2+bx+1$이고, $f'(x)=2ax+b$이므로 ㉠에 대입하면

$(x-1)(2ax+b)=2(ax^2+bx+1)$

$2ax^2+(b-2a)x-b=2ax^2+2bx+2$

양변의 계수를 비교하면

$b-2a=2b,\ -b=2$

$\therefore a=1,\ b=-2$

$\therefore f(x)=x^2-2x+1$ 답 $f(x)=x^2-2x+1$

100 $(x-1)f(x)=(x-1)^2+\int_{-1}^{x}f(t)dt$ ······㉠

㉠의 양변을 x에 대하여 미분하면

$f(x)+(x-1)f'(x)=2(x-1)+f(x)$

$(x-1)f'(x)=2(x-1)$ $\therefore f'(x)=2$

$\therefore f(x)=\int 2\,dx=2x+C$ ······㉡

㉠의 양변에 $x=-1$을 대입하면

$-2f(-1)=4$

$\therefore f(-1)=-2$

㉡에서 $f(-1)=-2+C=-2$이므로 $C=0$

$\therefore f(x)=2x$

$y=f(t)$의 한 부정적분을 $y=F(t)$라 하면

$\lim_{x\to0}\frac{1}{x}\int_{1}^{x+1}f(t)dt=\lim_{x\to0}\frac{F(1+x)-F(1)}{x}$

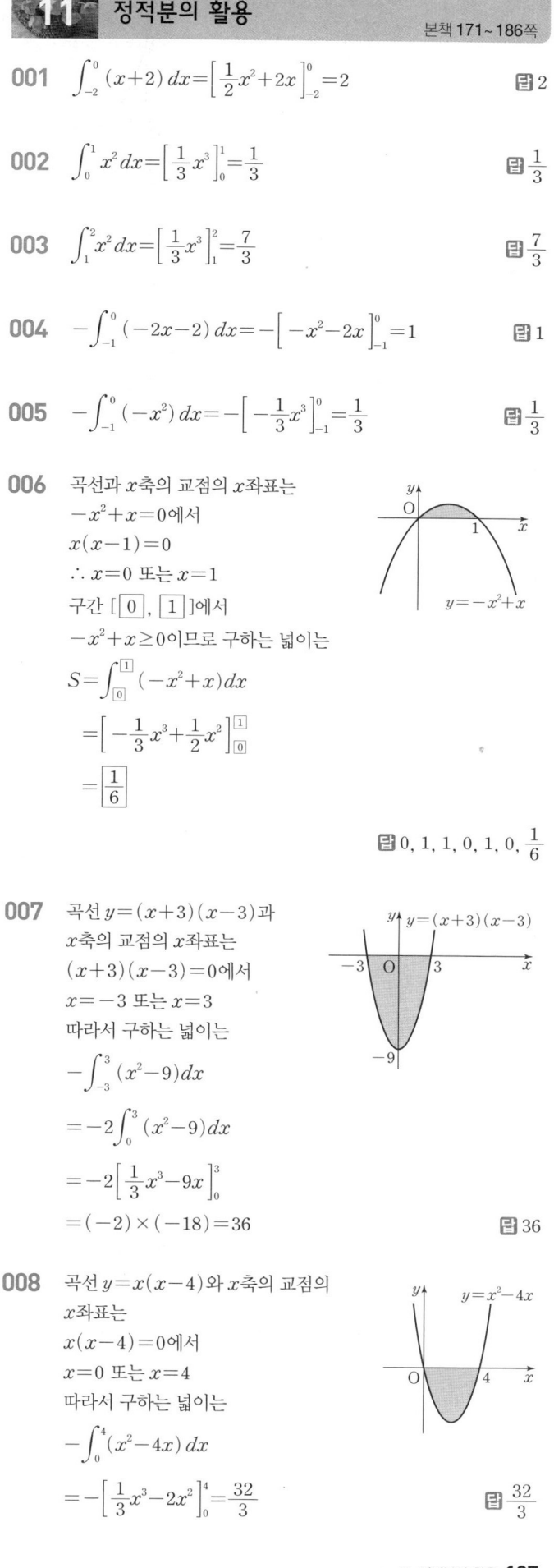

$=F'(1)$

$=f(1)$

$=2$ 답 2

11 정적분의 활용

본책 171~186쪽

001 $\int_{-2}^{0}(x+2)\,dx=\left[\frac{1}{2}x^2+2x\right]_{-2}^{0}=2$ 답 2

002 $\int_{0}^{1}x^2\,dx=\left[\frac{1}{3}x^3\right]_{0}^{1}=\frac{1}{3}$ 답 $\frac{1}{3}$

003 $\int_{1}^{2}x^2\,dx=\left[\frac{1}{3}x^3\right]_{1}^{2}=\frac{7}{3}$ 답 $\frac{7}{3}$

004 $-\int_{-1}^{0}(-2x-2)\,dx=-\left[-x^2-2x\right]_{-1}^{0}=1$ 답 1

005 $-\int_{-1}^{0}(-x^2)\,dx=-\left[-\frac{1}{3}x^3\right]_{-1}^{0}=\frac{1}{3}$ 답 $\frac{1}{3}$

006 곡선과 x축의 교점의 x좌표는

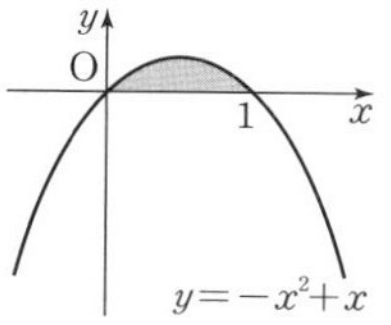

$-x^2+x=0$에서

$x(x-1)=0$

$\therefore x=0$ 또는 $x=1$

구간 [0 , 1]에서

$-x^2+x\geq0$이므로 구하는 넓이는

$S=\int_{0}^{1}(-x^2+x)dx$

$=\left[-\frac{1}{3}x^3+\frac{1}{2}x^2\right]_{0}^{1}$

$=\frac{1}{6}$

답 $0,\ 1,\ 1,\ 0,\ 1,\ 0,\ \frac{1}{6}$

007 곡선 $y=(x+3)(x-3)$과 x축의 교점의 x좌표는

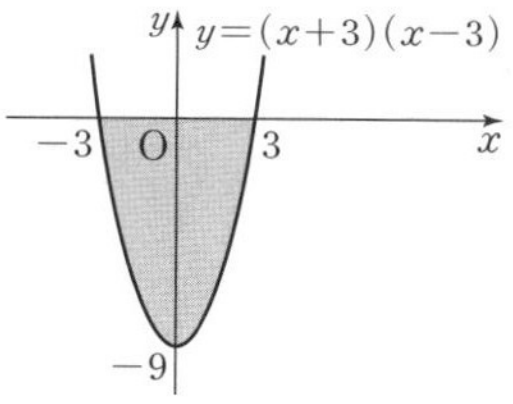

$(x+3)(x-3)=0$에서

$x=-3$ 또는 $x=3$

따라서 구하는 넓이는

$-\int_{-3}^{3}(x^2-9)dx$

$=-2\int_{0}^{3}(x^2-9)dx$

$=-2\left[\frac{1}{3}x^3-9x\right]_{0}^{3}$

$=(-2)\times(-18)=36$ 답 36

008 곡선 $y=x(x-4)$와 x축의 교점의 x좌표는

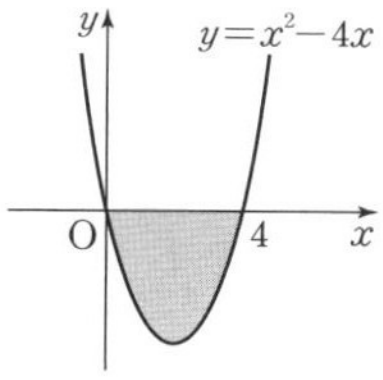

$x(x-4)=0$에서

$x=0$ 또는 $x=4$

따라서 구하는 넓이는

$-\int_{0}^{4}(x^2-4x)\,dx$

$=-\left[\frac{1}{3}x^3-2x^2\right]_{0}^{4}=\frac{32}{3}$ 답 $\frac{32}{3}$

009 곡선 $y=x^2-3x+2$와 x축의 교점의 x좌표는

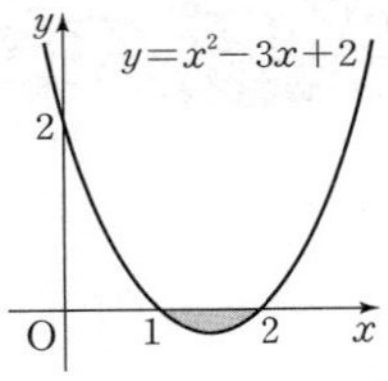

$x^2-3x+2=0$에서

$(x-1)(x-2)=0$

$\therefore x=1$ 또는 $x=2$

따라서 구하는 넓이는

$-\int_1^2 (x^2-3x+2)\,dx$

$=-\left[\frac{1}{3}x^3-\frac{3}{2}x^2+2x\right]_1^2$

$=-\left(\frac{2}{3}-\frac{5}{6}\right)=\frac{1}{6}$ 답 $\frac{1}{6}$

010 $\int_0^1 (-x+1)\,dx-\int_1^2 (-x+1)\,dx$

$=\left[-\frac{1}{2}x^2+x\right]_0^1-\left[-\frac{1}{2}x^2+x\right]_1^2$

$=\frac{1}{2}-\left(-\frac{1}{2}\right)=1$ 답 1

011 $-\int_{-1}^1 (x-1)dx+\int_1^3 (x-1)dx$

$=-\left[\frac{1}{2}x^2-x\right]_{-1}^1+\left[\frac{1}{2}x^2-x\right]_1^3$

$=2+2=4$ 답 4

012 $\int_0^1 (x^2-4x+3)\,dx-\int_1^3 (x^2-4x+3)\,dx$

$=\left[\frac{1}{3}x^3-2x^2+3x\right]_0^1-\left[\frac{1}{3}x^3-2x^2+3x\right]_1^3$

$=\frac{4}{3}-\left(-\frac{4}{3}\right)=\frac{8}{3}$ 답 $\frac{8}{3}$

013 $-\int_{-3}^{-2} (-x^2-x+2)\,dx+\int_{-2}^0 (-x^2-x+2)\,dx$

$=-\left[-\frac{1}{3}x^3-\frac{1}{2}x^2+2x\right]_{-3}^{-2}+\left[-\frac{1}{3}x^3-\frac{1}{2}x^2+2x\right]_{-2}^0$

$=\frac{11}{6}+\frac{10}{3}=\frac{31}{6}$ 답 $\frac{31}{6}$

014 곡선 $y=x^2-2x$와 직선 $y=x$의 교점의 x좌표는

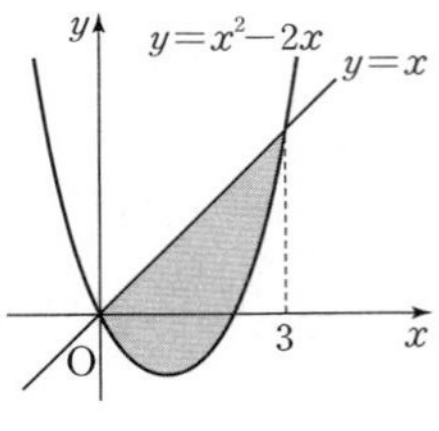

$x^2-2x=x$에서

$x^2-3x=0$

$x(x-3)=0$

$\therefore x=0$ 또는 $x=3$

따라서 구하는 넓이는

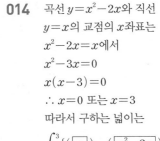

$\int_0^3 \{(\boxed{x})-(\boxed{x^2-2x})\}\,dx$

$=\int_0^3 (\boxed{-x^2+3x})\,dx$

$=\left[-\frac{1}{3}x^3+\frac{3}{2}x^2\right]_0^3=\boxed{\frac{9}{2}}$

답 x, x^2-2x, $-x^2+3x$, $\frac{9}{2}$

015 $\int_{-2}^1 \{(-x+2)-x^2\}\,dx=\int_{-2}^1 (-x^2-x+2)\,dx$

$=\left[-\frac{1}{3}x^3-\frac{1}{2}x^2+2x\right]_{-2}^1$

$=\frac{9}{2}$ 답 $\frac{9}{2}$

016 $\int_{-1}^1 \{(-x^2+x)-(x-1)\}\,dx$

$=\int_{-1}^1 (-x^2+1)\,dx$

$=\left[-\frac{1}{3}x^3+x\right]_{-1}^1=\frac{4}{3}$ 답 $\frac{4}{3}$

017 $\int_{-2}^2 \{(-x^2+1)-(-3)\}\,dx$

$=\int_{-2}^2 (-x^2+4)\,dx=2\int_0^2 (-x^2+4)\,dx$

$=2\left[-\frac{1}{3}x^3+4x\right]_0^2$

$=2\times\frac{16}{3}=\frac{32}{3}$ 답 $\frac{32}{3}$

018 곡선 $y=-x^2+6x$와 직선 $y=2x$의 교점의 x좌표는

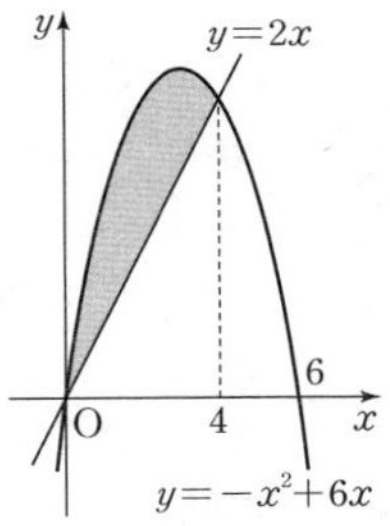

$-x^2+6x=2x$에서

$x^2-4x=0$, $x(x-4)=0$

$\therefore x=0$ 또는 $x=4$

따라서 구하는 넓이는

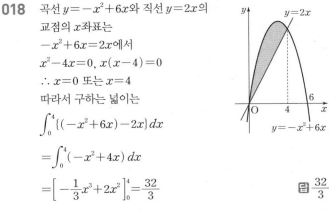

$\int_0^4 \{(-x^2+6x)-2x\}\,dx$

$=\int_0^4 (-x^2+4x)\,dx$

$=\left[-\frac{1}{3}x^3+2x^2\right]_0^4=\frac{32}{3}$ 답 $\frac{32}{3}$

019 곡선 $y=x^2-4x$와 직선 $y=x-4$의 교점의 x좌표는

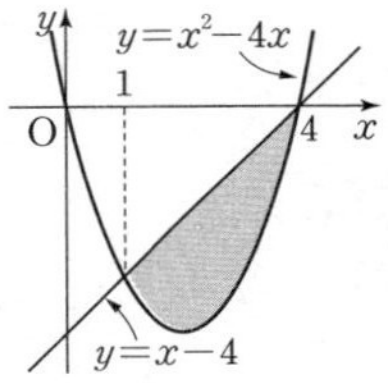

$x^2-4x=x-4$에서

$x^2-5x+4=0$, $(x-1)(x-4)=0$

$\therefore x=1$ 또는 $x=4$

따라서 구하는 넓이는

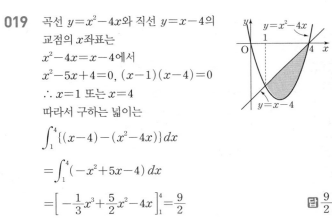

$\int_1^4 \{(x-4)-(x^2-4x)\}\,dx$

$=\int_1^4 (-x^2+5x-4)\,dx$

$=\left[-\frac{1}{3}x^3+\frac{5}{2}x^2-4x\right]_1^4=\frac{9}{2}$ 답 $\frac{9}{2}$

020 곡선 $y=-4x^2+6$과 직선 $y=-4x-2$의 교점의 x좌표는

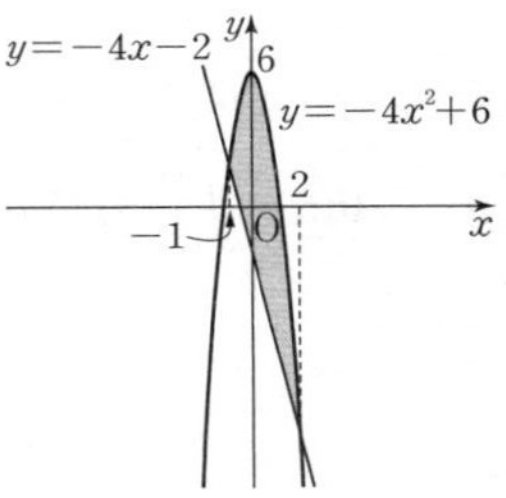

$-4x^2+6=-4x-2$에서

$-4x^2+4x+8=0$

$-4(x^2-x-2)=0$

$-4(x+1)(x-2)=0$

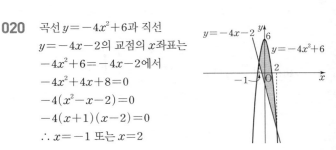

$\therefore x=-1$ 또는 $x=2$

따라서 구하는 넓이는

$\int_{-1}^{2}\{(-4x^2+6)-(-4x-2)\}dx$

$=-4\int_{-1}^{2}(x^2-x-2)\,dx$

$=-4\left[\frac{1}{3}x^3-\frac{1}{2}x^2-2x\right]_{-1}^{2}$

$=18$

답 18

021 두 곡선 $y=x^2-3x$, $y=-x^2+7x-8$의 교점의 x좌표는

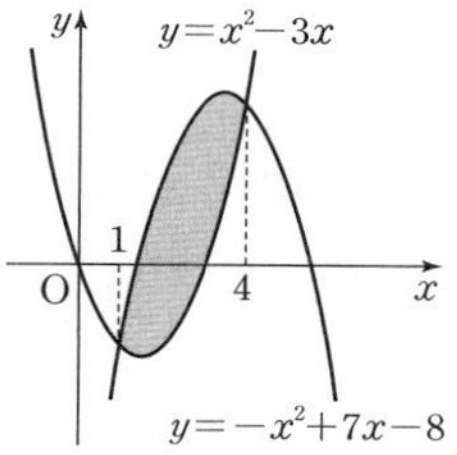

$x^2-3x=-x^2+7x-8$에서

$2x^2-10x+8=0$

$2(x-1)(x-4)=0$

$\therefore x=1$ 또는 $x=4$

따라서 구하는 넓이는

$\int_{1}^{4}\{(\boxed{-x^2+7x-8})-(\boxed{x^2-3x})\}dx$

$=\int_{1}^{4}(\boxed{-2x^2+10x-8})dx$

$=\left[-\frac{2}{3}x^3+5x^2-8x\right]_{1}^{4}=\boxed{9}$

답 $-x^2+7x-8$, x^2-3x, $-2x^2+10x-8$, 9

022 $\int_{1}^{3}\{(-x^2+4x-1)-(x^2-4x+5)\}dx$

$=\int_{1}^{3}(-2x^2+8x-6)\,dx$

$=\left[-\frac{2}{3}x^3+4x^2-6x\right]_{1}^{3}$

$=\frac{8}{3}$

답 $\frac{8}{3}$

023 $\int_{1}^{3}\{(-x^2+5x-4)-(2x^2-7x+5)\}dx$

$=\int_{1}^{3}(-3x^2+12x-9)\,dx$

$=\left[-x^3+6x^2-9x\right]_{1}^{3}$

$=4$

답 4

024 $\int_{0}^{2}\{(-x^2+4x)-x^2\}dx=\int_{0}^{2}(-2x^2+4x)\,dx$

$=\left[-\frac{2}{3}x^3+2x^2\right]_{0}^{2}$

$=\frac{8}{3}$

답 $\frac{8}{3}$

025 두 곡선 $y=x^2-8$, $y=-x^2$의 교점의 x좌표는 $x^2-8=-x^2$에서

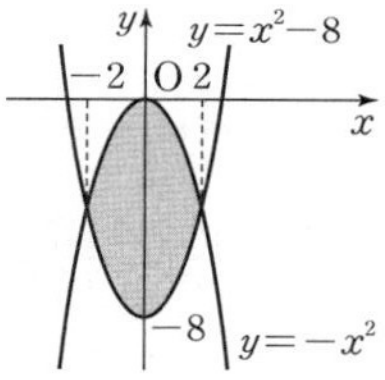

$2x^2-8=0$

$2(x+2)(x-2)=0$

$\therefore x=-2$ 또는 $x=2$

따라서 구하는 넓이는

$\int_{-2}^{2}\{-x^2-(x^2-8)\}dx$

$=\int_{-2}^{2}(8-2x^2)\,dx$

$=4\int_{0}^{2}(4-x^2)\,dx$

$=4\left[4x-\frac{1}{3}x^3\right]_{0}^{2}$

$=4\times\frac{16}{3}=\frac{64}{3}$

답 $\frac{64}{3}$

026 두 곡선 $y=2x^2-6$, $y=-x^2+3x$의 교점의 x좌표는

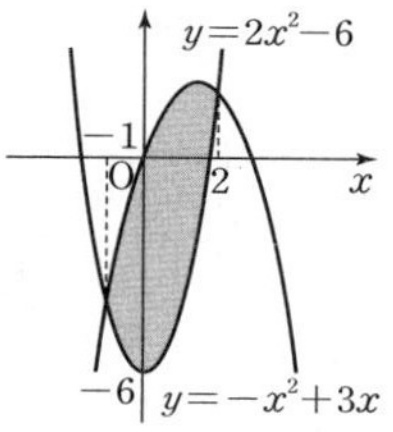

$2x^2-6=-x^2+3x$에서

$3x^2-3x-6=0$

$3(x+1)(x-2)=0$

$\therefore x=-1$ 또는 $x=2$

따라서 구하는 넓이는

$\int_{-1}^{2}\{(-x^2+3x)-(2x^2-6)\}dx$

$=\int_{-1}^{2}(-3x^2+3x+6)\,dx$

$=\left[-x^3+\frac{3}{2}x^2+6x\right]_{-1}^{2}$

$=\frac{27}{2}$

답 $\frac{27}{2}$

027 두 곡선 $y=x^2-1$, $y=-x^2-2x+3$의 교점의 x좌표는

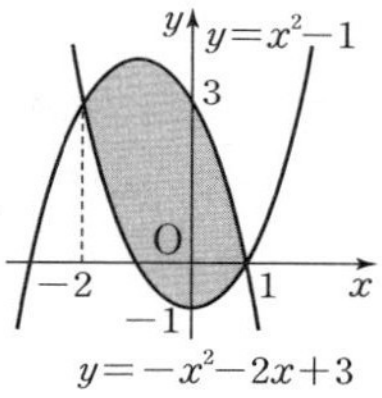

$x^2-1=-x^2-2x+3$에서

$2x^2+2x-4=0$

$2(x+2)(x-1)=0$

$\therefore x=-2$ 또는 $x=1$

따라서 구하는 넓이는

$\int_{-2}^{1}\{(-x^2-2x+3)-(x^2-1)\}dx$

$=\int_{-2}^{1}(-2x^2-2x+4)\,dx$

$=\left[-\frac{2}{3}x^3-x^2+4x\right]_{-2}^{1}=9$

답 9

028 시각 t에서 점 P의 위치를 $s(t)$라 하면

$s(t)=s(0)+\int_{0}^{t}v(t)\,dt$

이고 점 P가 원점에서 출발하였으므로 $s(0)=0$

따라서 시각 $t=2$에서의 점 P의 위치는

$s(2)=s(0)+\int_{0}^{2}(3t^2-6t)\,dt$

$=0+\left[t^3-3t^2\right]_{0}^{2}=-4$

답 -4

029 시각 $t=a$에서 $t=b$까지 점 P의 위치의 변화량은 $\int_{a}^{b}v(t)\,dt$ 이므로 시각 $t=1$에서 $t=4$까지 점 P의 위치의 변화량은

$\int_{1}^{4}(3t^2-6t)\,dt=\left[t^3-3t^2\right]_{1}^{4}=18$

답 18

030 시각 $t=0$에서 $t=4$까지 점 P가 움직인 거리는

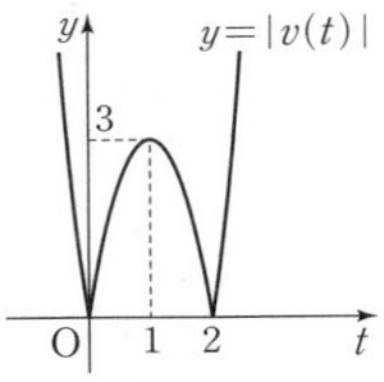

$\int_0^4 |3t^2-6t|\,dt$

$=\int_0^2 (-3t^2+6t)\,dt+\int_2^4 (3t^2-6t)\,dt$

$=\Big[-t^3+3t^2\Big]_0^2+\Big[t^3-3t^2\Big]_2^4$

$=4+20=24$

답 24

031 $v(t)=-t+2$이고, 시각 t에서의 점 P의 위치를 $s(t)$라 하면 시각 $t=1$에서의 점 P의 위치는

$s(1)=s(0)+\int_0^1 v(t)\,dt$

$=0+\int_0^1 (-t+2)\,dt$

$=0+\Big[-\frac{1}{2}t^2+2t\Big]_0^1$

$=0+\frac{3}{2}=\frac{3}{2}$

답 $\frac{3}{2}$

032 시각 $t=1$에서 $t=3$까지 점 P의 위치의 변화량은

$\int_1^3 v(t)\,dt=\int_1^3 (-t+2)\,dt$

$=\Big[-\frac{1}{2}t^2+2t\Big]_1^3$

$=\frac{3}{2}-\frac{3}{2}=0$

답 0

033 시각 $t=1$에서 $t=3$까지 점 P가 움직인 거리는

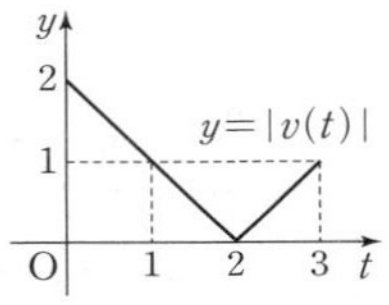

$\int_1^3 |-t+2|\,dt$

$=\int_1^2 (-t+2)\,dt+\int_2^3 (t-2)\,dt$

$=\Big[-\frac{1}{2}t^2+2t\Big]_1^2+\Big[\frac{1}{2}t^2-2t\Big]_2^3$

$=\frac{1}{2}+\frac{1}{2}=1$

답 1

034 곡선 $y=-x^2+2x$와 x축의 교점의 x좌표는 $-x^2+2x=0$에서

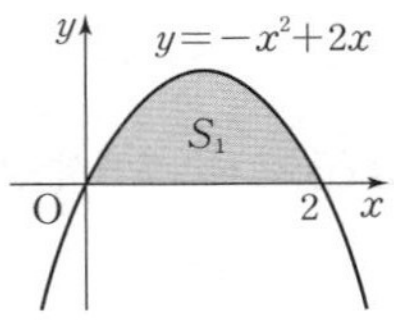

$x(x-2)=0$

$\therefore x=0$ 또는 $x=2$

$\therefore S_1=\int_0^2 (-x^2+2x)dx$

$=\Big[-\frac{1}{3}x^3+x^2\Big]_0^2$

$=\frac{4}{3}$

곡선 $y=3x^2-12$와 x축의 교점의 x좌표는 $3x^2-12=0$에서

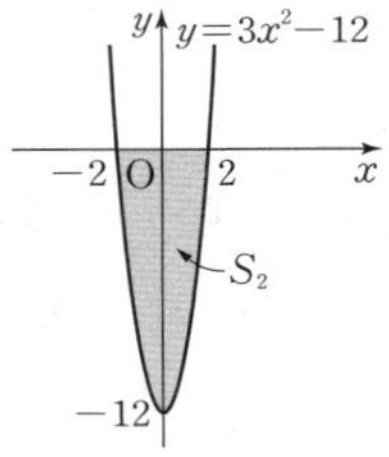

$x^2-4=0$

$(x+2)(x-2)=0$

$\therefore x=-2$ 또는 $x=2$

$\therefore S_2=-\int_{-2}^2 (3x^2-12)dx$

$=-2\int_0^2 (3x^2-12)dx$

$=-2\Big[x^3-12x\Big]_0^2$

$=-2\times(-16)=32$

$\therefore 3S_1+S_2=3\times\frac{4}{3}+32=36$

답 ③

다른 풀이

포물선 $y=-x(x-2)$와 x축으로 둘러싸인 도형의 넓이는

$S_1=\frac{|-1|\times(2-0)^3}{6}=\frac{4}{3}$

포물선 $y=3(x+2)(x-2)$와 x축으로 둘러싸인 도형의 넓이는

$S_2=\frac{3\{2-(-2)\}^3}{6}=32$

$\therefore 3S_1+S_2=36$

035 곡선 $y=x^3-2x^2-3x$와 x축의 교점의 x좌표는

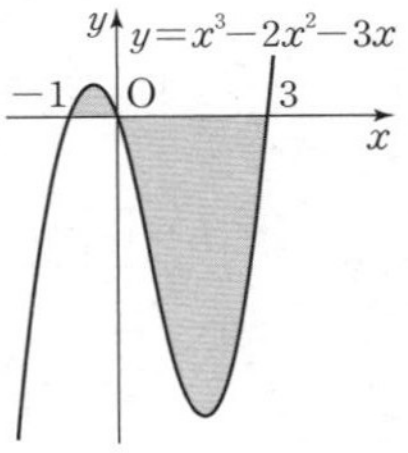

$x^3-2x^2-3x=0$에서

$x(x^2-2x-3)=0$

$x(x+1)(x-3)=0$

$\therefore x=-1$ 또는 $x=0$ 또는 $x=3$

따라서 구하는 넓이는

$\int_{-1}^0 (x^3-2x^2-3x)\,dx-\int_0^3 (x^3-2x^2-3x)\,dx$

$=\Big[\frac{1}{4}x^4-\frac{2}{3}x^3-\frac{3}{2}x^2\Big]_{-1}^0-\Big[\frac{1}{4}x^4-\frac{2}{3}x^3-\frac{3}{2}x^2\Big]_0^3$

$=-\Big(\frac{1}{4}+\frac{2}{3}-\frac{3}{2}\Big)-\Big(\frac{81}{4}-18-\frac{27}{2}\Big)$

$=\frac{71}{6}$

답 $\frac{71}{6}$

036 구간 $[-1, 0]$에서 $x^2+2x\le 0$, 구간 $[0, 1]$에서 $x^2+2x\ge 0$이므로 구하는 넓이는

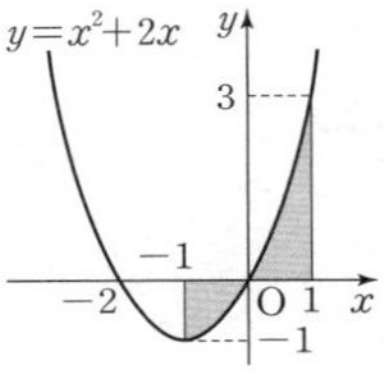

$\int_{-1}^1 |x^2+2x|dx$

$=-\int_{-1}^0 (x^2+2x)dx+\int_0^1 (x^2+2x)dx$

$=-\Big[\frac{1}{3}x^3+x^2\Big]_{-1}^0+\Big[\frac{1}{3}x^3+x^2\Big]_0^1$

$=\Big(-\frac{1}{3}+1\Big)+\Big(\frac{1}{3}+1\Big)=2$

답 2

037 곡선 $y=x^2-ax$ $(a>0)$와 x축으로 둘러싸인 도형의 넓이는

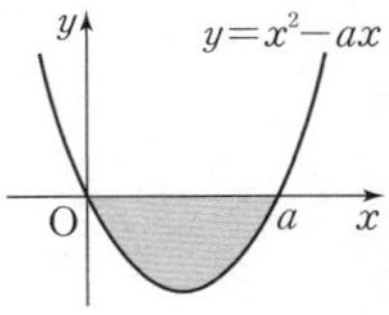

$-\int_0^a (x^2-ax)dx$

$=-\Big[\frac{1}{3}x^3-\frac{a}{2}x^2\Big]_0^a$

$=\frac{a^3}{6}$

$\frac{a^3}{6}=\frac{4}{3}$이므로 $a^3=8$

$\therefore a=2$

답 2

038 함수 $y=f(x)$의 그래프가 그림과 같으므로 구하는 넓이는

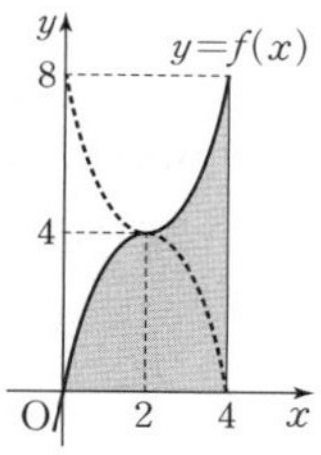

$\int_0^2(-x^2+4x)\,dx+\int_2^4(x^2-4x+8)\,dx$

$=\left[-\frac{1}{3}x^3+2x^2\right]_0^2+\left[\frac{1}{3}x^3-2x^2+8x\right]_2^4$

$=\left(-\frac{8}{3}+8\right)$

$+\left\{\left(\frac{64}{3}-32+32\right)-\left(\frac{8}{3}-8+16\right)\right\}$

$=16$

답 ③

039 $\int_3^x f(t)dt=x^3+kx^2$의 양변에 $x=3$을 대입하면

$27+9k=0$ $\therefore k=-3$

$\therefore \int_3^x f(t)dt=x^3-3x^2$

이 등식의 양변을 x에 대하여 미분하면

$f(x)=3x^2-6x$

함수 $f(x)=3x^2-6x$의 그래프와 x축의 교점의 x좌표는 $3x^2-6x=0$에서

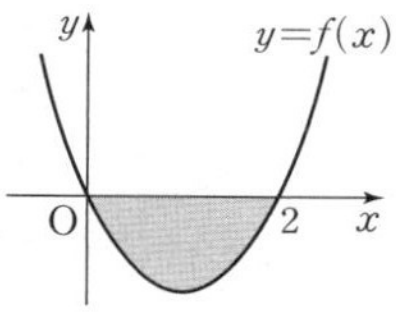

$3x(x-2)=0$

$\therefore x=0$ 또는 $x=2$

따라서 구하는 넓이는

$-\int_0^2(3x^2-6x)dx=-\left[x^3-3x^2\right]_0^2$

$=4$

답 4

040 $y^2=x+1$에서 $x=y^2-1$

따라서 구하는 넓이는

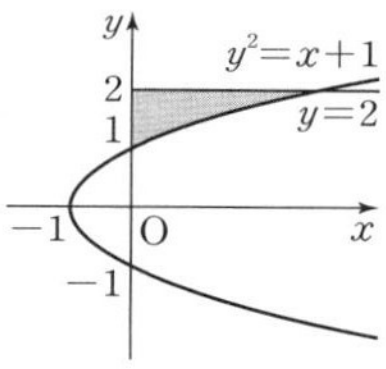

$\int_1^2(y^2-1)dy=\left[\frac{1}{3}y^3-y\right]_1^2$

$=\frac{4}{3}$

답 ④

041 $y=\sqrt{x}$에서 $x=y^2$ $(y\ge 0)$

그림에서 어두운 부분의 넓이는

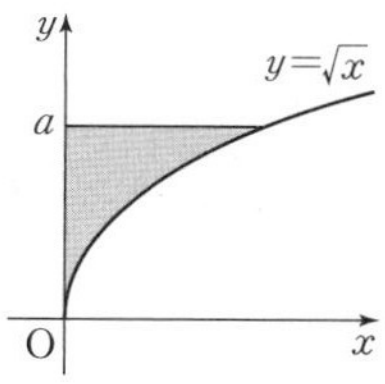

$\int_0^a y^2\,dy=\left[\frac{1}{3}y^3\right]_0^a$

$=\frac{1}{3}a^3$

$\frac{1}{3}a^3=\frac{1}{3}$에서 $a^3=1$

$\therefore a=1$

답 1

042 $x=y(y^2-1)$에서 $x=y^3-y$

따라서 구하는 넓이는

$\int_{-1}^1|y^3-y|\,dy=\int_{-1}^0(y^3-y)dy-\int_0^1(y^3-y)dy$

$=\left[\frac{1}{4}y^4-\frac{1}{2}y^2\right]_{-1}^0-\left[\frac{1}{4}y^4-\frac{1}{2}y^2\right]_0^1$

$=\frac{1}{4}+\frac{1}{4}=\frac{1}{2}$

답 $\frac{1}{2}$

043 곡선 $y=x^2-3x+7$과 직선 $y=2x+3$의 교점의 x좌표는

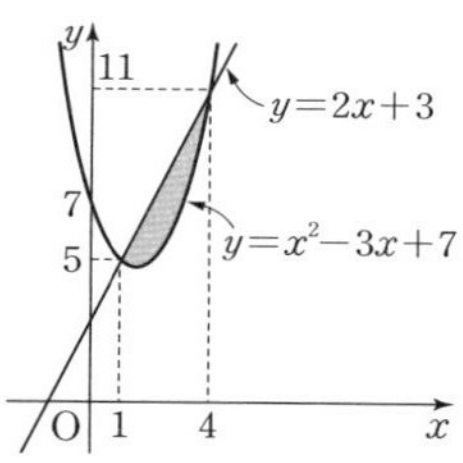

$x^2-3x+7=2x+3$에서

$x^2-5x+4=0$

$(x-1)(x-4)=0$

$\therefore x=1$ 또는 $x=4$

따라서 구하는 넓이 S는

$S=\int_1^4\{(2x+3)-(x^2-3x+7)\}dx$

$=\int_1^4(-x^2+5x-4)\,dx$

$=\left[-\frac{1}{3}x^3+\frac{5}{2}x^2-4x\right]_1^4$

$=\frac{9}{2}$

$\therefore 2S=9$

답 9

044 곡선 $y=x^3-8x$와 직선 $y=x$의 교점의 x좌표는

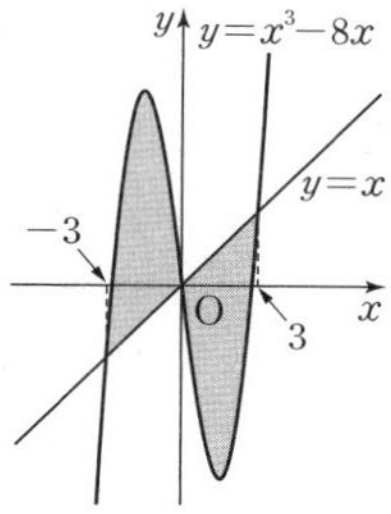

$x^3-8x=x$에서

$x^3-9x=0$, $x(x+3)(x-3)=0$

$\therefore x=-3$ 또는 $x=0$ 또는 $x=3$

따라서 구하는 넓이는

$\int_{-3}^0\{(x^3-8x)-x\}dx$

$+\int_0^3\{x-(x^3-8x)\}dx$

$=\int_{-3}^0(x^3-9x)dx+\int_0^3(-x^3+9x)dx$

$=\left[\frac{1}{4}x^4-\frac{9}{2}x^2\right]_{-3}^0+\left[-\frac{1}{4}x^4+\frac{9}{2}x^2\right]_0^3$

$=\frac{81}{4}+\frac{81}{4}=\frac{81}{2}$

답 ①

045 곡선 $y=x^2-3x+1$과 직선 $y=-x+k$의 교점의 x좌표를 α, β $(\alpha<\beta)$라 하면 그림에서 곡선과 직선으로 둘러싸인 도형의 넓이가 36이므로

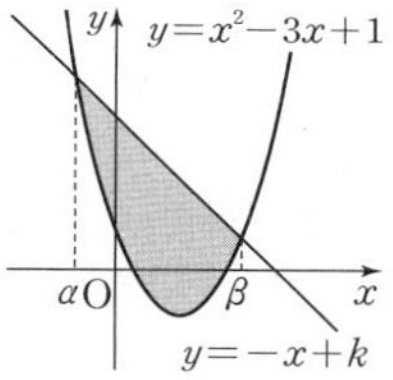

$\int_\alpha^\beta\{(-x+k)-(x^2-3x+1)\}dx$

$=\int_\alpha^\beta(-x^2+2x+k-1)dx$

$=\frac{1}{6}(\beta-\alpha)^3=36$

$(\beta-\alpha)^3=6^3$ $\therefore \beta-\alpha=6$ ……㉠

α, β는 $x^2-3x+1=-x+k$, 즉 이차방정식 $x^2-2x-k+1=0$의 두 근이므로 근과 계수의 관계에 의하여

$\alpha+\beta=2$, $\alpha\beta=-k+1$ ……㉡

㉠, ㉡에서 $\alpha=-2$, $\beta=4$이므로

$\alpha\beta=-k+1=-8$ $\therefore k=9$

답 9

046 두 곡선 $y=x^2-2x-5$, $y=-x^2+4x+3$의 교점의 x좌표는

$x^2-2x-5=-x^2+4x+3$에서

$2x^2-6x-8=0$

$2(x+1)(x-4)=0$

$\therefore x=-1$ 또는 $x=4$

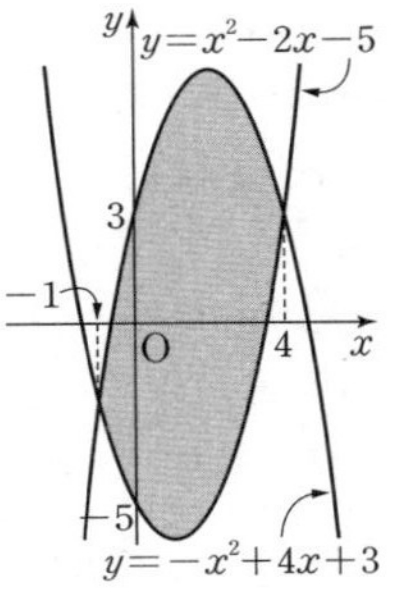

따라서 구하는 넓이는

$\int_{-1}^{4}\{(-x^2+4x+3)-(x^2-2x-5)\}dx$

$=\int_{-1}^{4}(-2x^2+6x+8)\,dx$

$=\left[-\frac{2}{3}x^3+3x^2+8x\right]_{-1}^{4}$

$=\frac{125}{3}$

답 ③

047 두 곡선 $y=x^3-3x^2+2x$, $y=x^2-x$의 교점의 x좌표는

$x^3-3x^2+2x=x^2-x$에서

$x^3-4x^2+3x=0$

$x(x-1)(x-3)=0$

$\therefore x=0$ 또는 $x=1$ 또는 $x=3$

따라서 구하는 넓이는

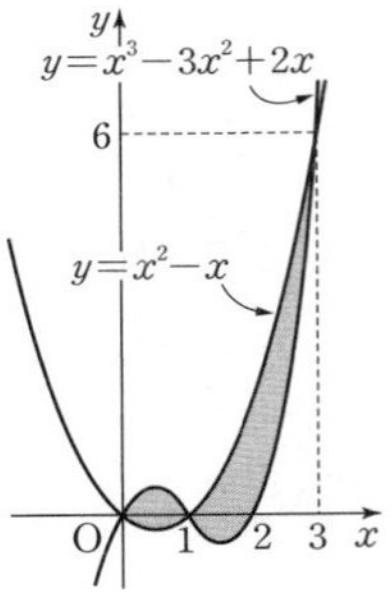

$\int_{0}^{1}\{(x^3-3x^2+2x)-(x^2-x)\}dx$

$+\int_{1}^{3}\{(x^2-x)-(x^3-3x^2+2x)\}dx$

$=\int_{0}^{1}(x^3-4x^2+3x)\,dx+\int_{1}^{3}(-x^3+4x^2-3x)\,dx$

$=\left[\frac{1}{4}x^4-\frac{4}{3}x^3+\frac{3}{2}x^2\right]_{0}^{1}+\left[-\frac{1}{4}x^4+\frac{4}{3}x^3-\frac{3}{2}x^2\right]_{1}^{3}$

$=\frac{37}{12}$

답 $\frac{37}{12}$

048 곡선 $y=x^2$을 x축에 대하여 대칭이동하면

$y=-x^2$

이 곡선을 다시 x축의 방향으로 -2만큼, y축의 방향으로 10만큼 평행이동하면

$y-10=-(x+2)^2$, $y=-x^2-4x+6$

$\therefore g(x)=-x^2-4x+6$

두 곡선 $y=x^2$, $y=g(x)$의 교점의 x좌표는

$x^2=-x^2-4x+6$에서

$2x^2+4x-6=0$

$2(x+3)(x-1)=0$

$\therefore x=-3$ 또는 $x=1$

따라서 구하는 넓이는

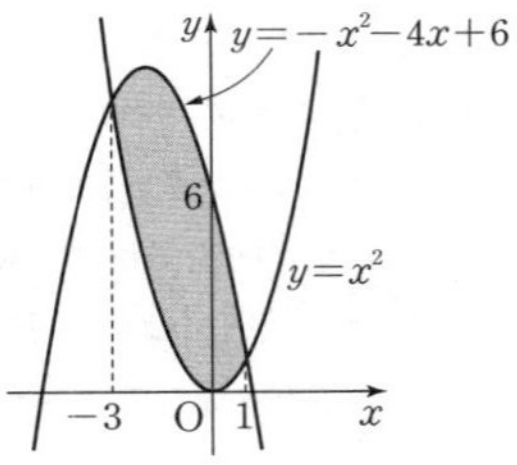

$\int_{-3}^{1}\{(-x^2-4x+6)-x^2\}dx$

$=\int_{-3}^{1}(-2x^2-4x+6)\,dx$

$=\left[-\frac{2}{3}x^3-2x^2+6x\right]_{-3}^{1}=\frac{64}{3}$

답 $\frac{64}{3}$

049 $g(x)=x^2-2x+1+a$이고

두 곡선 $y=f(x)$, $y=g(x)$와 y축 및 직선 $x=6$으로 둘러싸인 도형의 넓이가 24이므로

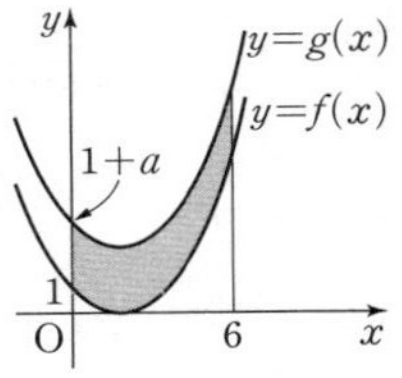

$\int_{0}^{6}\{(x^2-2x+1+a)$

$-(x^2-2x+1)\}dx$

$=\int_{0}^{6}a\,dx=\left[ax\right]_{0}^{6}=6a=24$

$\therefore a=4$

답 4

050 두 곡선이 $x=2$에서 접하므로

$f'(x)=3x^2-2(a+1)x+a$, $g'(x)=2x-a$에서

$f'(2)=g'(2)$, 즉

$12-4(a+1)+a=4-a$

$\therefore a=2$

즉, $f(x)=x^3-3x^2+2x$,

$g(x)=x^2-2x$이므로

두 곡선의 교점의 x좌표는

$x^3-3x^2+2x=x^2-2x$에서

$x^3-4x^2+4x=0$

$x(x-2)^2=0$

$\therefore x=0$ 또는 $x=2$

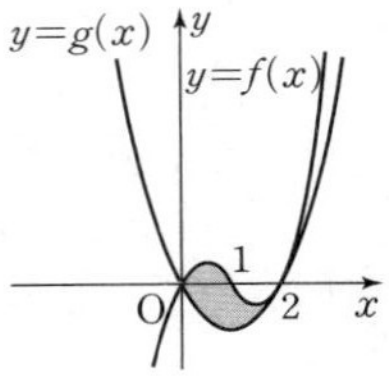

따라서 구하는 넓이는

$\int_{0}^{2}\{(x^3-3x^2+2x)-(x^2-2x)\}dx$

$=\int_{0}^{2}(x^3-4x^2+4x)\,dx$

$=\left[\frac{1}{4}x^4-\frac{4}{3}x^3+2x^2\right]_{0}^{2}$

$=\frac{4}{3}$

답 $\frac{4}{3}$

051 구하는 넓이는 사분원의 넓이에서 곡선 $y=-x^2-2x-1$과 x축 및 y축으로 둘러싸인 도형의 넓이를 뺀 것과 같으므로

$\frac{\pi}{4}-\int_{-1}^{0}(x^2+2x+1)\,dx=\frac{\pi}{4}-\left[\frac{1}{3}x^3+x^2+x\right]_{-1}^{0}$

$=\frac{\pi}{4}-\frac{1}{3}$

따라서 $a=4$, $b=3$이므로

$a+b=7$

답 ③

052 $y=x^2+1$에서 $y'=2x$이므로 이 곡선 위의 점 $(2, 5)$에서의 접선의 방정식은

$y-5=4(x-2)$

$\therefore y=4x-3$

따라서 구하는 넓이 S는

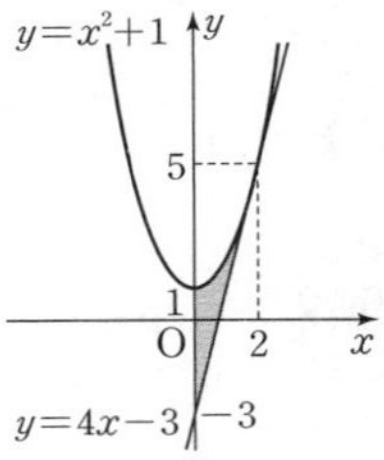

$S=\int_{0}^{2}\{(x^2+1)-(4x-3)\}dx$

$=\int_{0}^{2}(x^2-4x+4)\,dx$

$=\left[\frac{1}{3}x^3-2x^2+4x\right]_{0}^{2}=\frac{8}{3}$

$\therefore 6S=6\times\frac{8}{3}=16$

답 16

053 $y=x^3$에서 $y'=3x^2$이므로 이 곡선 위의 점 (1, 1)에서의 접선의 방정식은

$y-1=3(x-1)$

$\therefore y=3x-2$

접선 $y=3x-2$와 x축의 교점의 x좌표는

$3x-2=0$에서 $x=\frac{2}{3}$

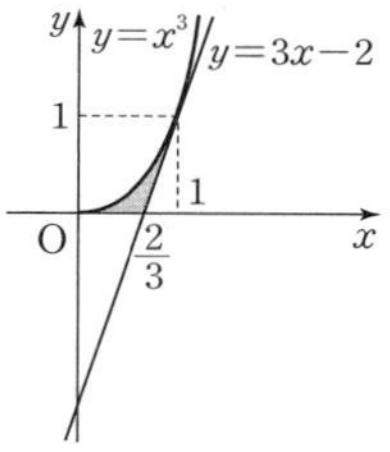

따라서 구하는 넓이는

$$\int_0^1 x^3\,dx-\int_{\frac{2}{3}}^1 (3x-2)\,dx=\left[\frac{1}{4}x^4\right]_0^1-\left[\frac{3}{2}x^2-2x\right]_{\frac{2}{3}}^1=\frac{1}{12}$$

답 $\frac{1}{12}$

054 $y=x^3-4x^2+2x+3$에서 $y'=3x^2-8x+2$이므로 이 곡선 위의 점 (0, 3)에서의 접선의 방정식은

$y-3=2(x-0)$ $\quad\therefore y=2x+3$

곡선 $y=x^3-4x^2+2x+3$과 직선 $y=2x+3$의 교점의 x좌표는

$x^3-4x^2+2x+3=2x+3$에서

$x^3-4x^2=0$

$x^2(x-4)=0$

$\therefore x=0$ 또는 $x=4$

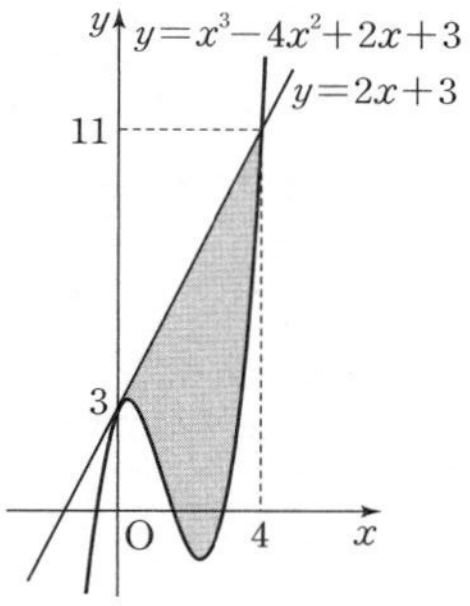

따라서 구하는 넓이는

$$\int_0^4 \{(2x+3)-(x^3-4x^2+2x+3)\}dx$$
$$=\int_0^4(-x^3+4x^2)dx$$
$$=\left[-\frac{1}{4}x^4+\frac{4}{3}x^3\right]_0^4$$
$$=\frac{64}{3}$$

답 ③

055 $y=x^3-x$에서 $y'=3x^2-1$이므로 점 O(0, 0)에서의 접선의 기울기는 -1이다.

따라서 점 O에서의 접선에 수직이고 점 O를 지나는 직선의 방정식은 $y=x$이다.

곡선 $y=x^3-x$와 직선 $y=x$의 교점의 x좌표는

$x^3-x=x$에서 $x^3-2x=0$

$x(x+\sqrt{2})(x-\sqrt{2})=0$

$\therefore x=-\sqrt{2}$ 또는 $x=0$ 또는 $x=\sqrt{2}$

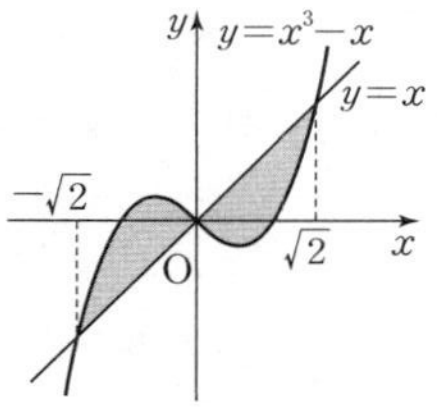

따라서 구하는 넓이는

$$2\int_0^{\sqrt{2}}\{x-(x^3-x)\}dx=2\int_0^{\sqrt{2}}(-x^3+2x)\,dx$$
$$=2\left[-\frac{1}{4}x^4+x^2\right]_0^{\sqrt{2}}$$
$$=2$$

답 2

056 $y=x^2$에서 $y'=2x$이므로 이 곡선 위의 점 (1, 1)에서의 접선의 방정식은

$y-1=2(x-1)$

$\therefore y=2x-1$

곡선 $y=ax^2-1$ $(a>0)$과 직선 $y=2x-1$의 교점의 x좌표는

$ax^2-1=2x-1$에서

$ax^2-2x=0$

$x(ax-2)=0$

$\therefore x=0$ 또는 $x=\frac{2}{a}$

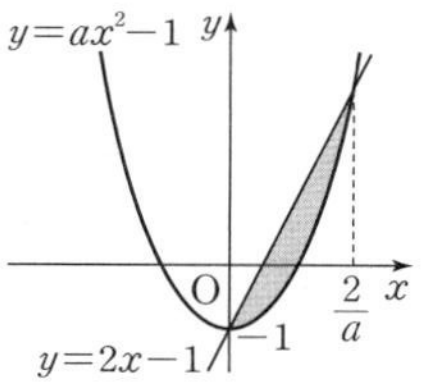

따라서 구하는 넓이는

$$\int_0^{\frac{2}{a}}\{(2x-1)-(ax^2-1)\}dx$$
$$=\int_0^{\frac{2}{a}}(2x-ax^2)dx$$
$$=\left[x^2-\frac{a}{3}x^3\right]_0^{\frac{2}{a}}$$
$$=\frac{4}{a^2}-\frac{8}{3a^2}$$
$$=\frac{4}{3a^2}$$

즉, $\frac{4}{3a^2}=\frac{16}{3}$에서 $a^2=\frac{1}{4}$

$\therefore a=\frac{1}{2}$ $(\because a>0)$

답 $\frac{1}{2}$

057 곡선 $y=x^2+2$ 위의 접점을 $(a,\ a^2+2)$라 하면 $y'=2x$에서 접선의 기울기는 $2a$이므로 접선의 방정식은

$y-(a^2+2)=2a(x-a)$

$\therefore y=2ax-a^2+2$

이 접선이 점 $(0,\ -2)$를 지나므로

$-2=-a^2+2$, $a^2=4$

$\therefore a=-2$ 또는 $a=2$

즉, 접선의 방정식은

$y=-4x-2$ 또는 $y=4x-2$

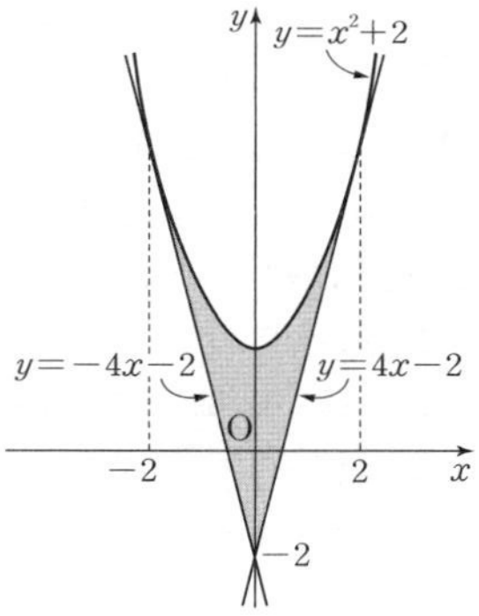

따라서 구하는 넓이는

$$2\int_0^2\{(x^2+2)-(4x-2)\}dx=2\int_0^2(x^2-4x+4)\,dx$$
$$=2\left[\frac{1}{3}x^3-2x^2+4x\right]_0^2$$
$$=\frac{16}{3}$$

답 ⑤

058 $y=|x^2-4|=\begin{cases} x^2-4 & (x\ge 2 \text{ 또는 } x\le -2) \\ -x^2+4 & (-2<x<2) \end{cases}$

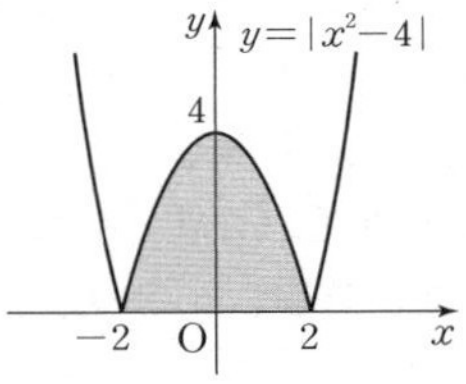

따라서 구하는 넓이는

$\int_{-2}^{2}(-x^2+4)dx=2\int_0^2(-x^2+4)dx$

$=2\left[-\frac{1}{3}x^3+4x\right]_0^2$

$=2\times\frac{16}{3}=\frac{32}{3}$

답 ④

059 $y=x|x-1|=\begin{cases} x(x-1) & (x\ge 1) \\ -x(x-1) & (x<1) \end{cases}$

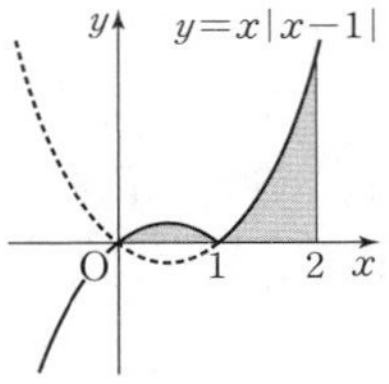

따라서 구하는 넓이는

$\int_0^1\{-x(x-1)\}dx+\int_1^2 x(x-1)\,dx$

$=\int_0^1(-x^2+x)\,dx+\int_1^2(x^2-x)\,dx$

$=\left[-\frac{1}{3}x^3+\frac{1}{2}x^2\right]_0^1+\left[\frac{1}{3}x^3-\frac{1}{2}x^2\right]_1^2$

$=\frac{1}{6}+\frac{5}{6}=1$

답 1

060 $y=\begin{cases} x^2-1 & (x\le -1 \text{ 또는 } x\ge 1) \\ -x^2+1 & (-1<x<1) \end{cases}$

이므로 함수 $y=x^2-1$의 그래프와 직선 $y=x+1$의 교점의 x좌표는 $x^2-1=x+1$에서

$x^2-x-2=0$, $(x+1)(x-2)=0$

$\therefore x=-1$ 또는 $x=2$

함수 $y=-x^2+1$의 그래프와 직선 $y=x+1$의 교점의 x좌표는 $-x^2+1=x+1$에서

$x^2+x=0$, $x(x+1)=0$

$\therefore x=-1$ 또는 $x=0$

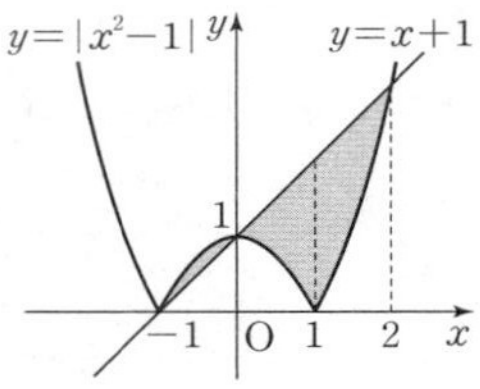

따라서 구하는 넓이는

$\int_{-1}^{0}\{(1-x^2)-(x+1)\}dx+\int_0^1\{(x+1)-(1-x^2)\}dx$

$+\int_1^2\{(x+1)-(x^2-1)\}dx$

$=\int_{-1}^{0}(-x^2-x)\,dx+\int_0^1(x^2+x)\,dx$

$+\int_1^2(-x^2+x+2)\,dx$

$=\left[-\frac{1}{3}x^3-\frac{1}{2}x^2\right]_{-1}^0+\left[\frac{1}{3}x^3+\frac{1}{2}x^2\right]_0^1$

$+\left[-\frac{1}{3}x^3+\frac{1}{2}x^2+2x\right]_1^2$

$=-\left(\frac{1}{3}-\frac{1}{2}\right)+\left(\frac{1}{3}+\frac{1}{2}\right)$

$+\left\{\left(-\frac{8}{3}+2+4\right)-\left(-\frac{1}{3}+\frac{1}{2}+2\right)\right\}$

$=\frac{13}{6}$

답 $\frac{13}{6}$

061 곡선 $y=(x-1)(x-a)$ $(a>1)$와 x축의 교점의 x좌표는 $(x-1)(x-a)=0$에서 $x=1$ 또는 $x=a$

그림에서 어두운 두 부분의 넓이가 서로 같으므로

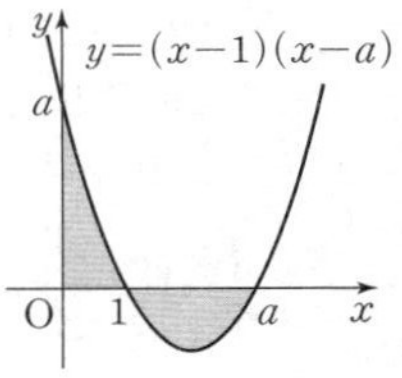

$\int_0^a(x-1)(x-a)\,dx$

$=\int_0^a\{x^2-(a+1)x+a\}dx$

$=\left[\frac{1}{3}x^3-\frac{a+1}{2}x^2+ax\right]_0^a$

$=-\frac{a^2(a-3)}{6}=0$

$\therefore a=3$ ($\because a>1$)

답 ③

062 곡선 $y=-x^2+4x$와 x축의 교점의 x좌표는 $-x^2+4x=0$에서

$x(x-4)=0$

$\therefore x=0$ 또는 $x=4$

$k>4$이므로 곡선 $y=-x^2+4x$와 직선 $x=k$는 그림과 같다. 어두운 두 부분의 넓이가 서로 같으므로

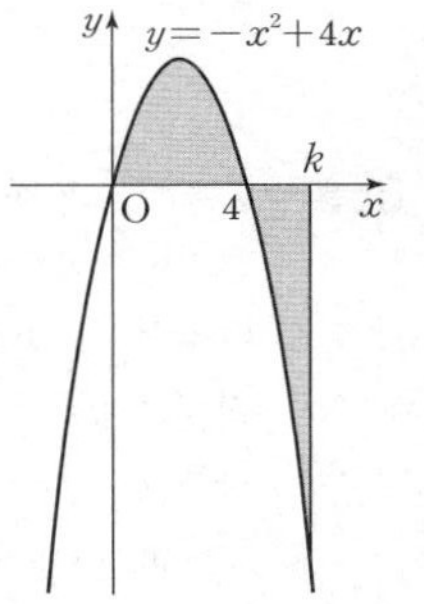

$\int_0^k(-x^2+4x)dx$

$=\left[-\frac{1}{3}x^3+2x^2\right]_0^k=0$

$-\frac{1}{3}k^3+2k^2=0$

$k^3-6k^2=0$, $k^2(k-6)=0$ $\therefore k=6$ ($\because k>4$)

답 6

063 곡선 $y=x^3-(a+3)x^2+3ax$와 x축의 교점의 x좌표는

$x^3-(a+3)x^2+3ax=0$에서

$x\{x^2-(a+3)x+3a\}=0$

$x(x-a)(x-3)=0$

$\therefore x=0$ 또는 $x=a$ 또는 $x=3$

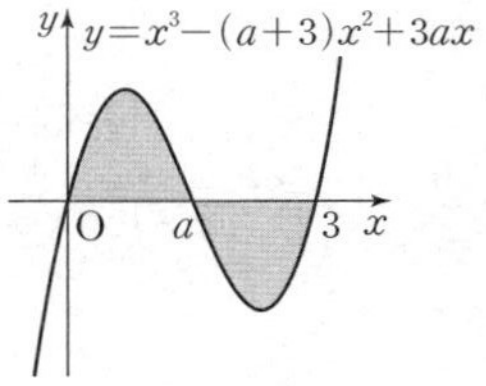

$0<a<3$이므로 곡선 $y=x^3-(a+3)x^2+3ax$는 그림과 같다.

어두운 두 부분의 넓이가 서로 같으므로

$\int_0^3 \{x^3-(a+3)x^2+3ax\}dx$

$=\left[\frac{1}{4}x^4-\frac{a+3}{3}x^3+\frac{3a}{2}x^2\right]_0^3=0$

$\frac{81}{4}-9(a+3)+\frac{27}{2}a=0$

$81-36(a+3)+54a=0$

$18a-27=0$

$\therefore a=\frac{3}{2}$ 답 $\frac{3}{2}$

064 곡선 $y=x^2(x-3)$과 x축의 교점의 x좌표는

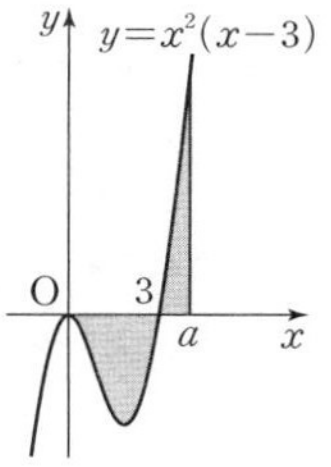

$x^2(x-3)=0$에서 $x=0$ 또는 $x=3$

$a>3$이므로 곡선 $y=x^2(x-3)$과 직선 $x=a$는 그림과 같다.

어두운 두 부분의 넓이가 서로 같으므로

$\int_0^a x^2(x-3)dx=\int_0^a (x^3-3x^2)dx$

$=\left[\frac{1}{4}x^4-x^3\right]_0^a=0$

$\frac{1}{4}a^4-a^3=0,\ a^4-4a^3=0$

$a^3(a-4)=0$

$\therefore a=4\ (\because a>3)$ 답 4

065 곡선 $y=x^2-2x+p$는 직선 $x=1$에 대하여 대칭이고 $A:B=1:2$에서 $2A=B$, 즉 $A=\frac{1}{2}B$이므로 그림에서 빗금친 부분의 넓이가 A와 같다.

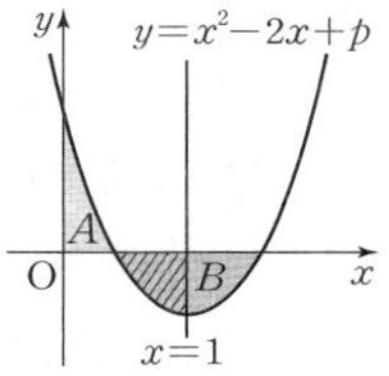

따라서 곡선 $y=x^2-2x+p$와 x축, y축 및 직선 $x=1$로 둘러싸인 두 도형의 넓이가 서로 같으므로

$\int_0^1 (x^2-2x+p)dx=\left[\frac{1}{3}x^3-x^2+px\right]_0^1$

$=\frac{1}{3}-1+p$

$=0$

$\therefore p=\frac{2}{3}$ 답 ②

066 색칠한 두 부분의 넓이가 서로 같으므로

$\int_0^2 \{ax(x-2)+x^2(x-2)\}dx$

$=\int_0^2 \{x^3+(a-2)x^2-2ax\}dx$

$=\left[\frac{1}{4}x^4+\frac{(a-2)}{3}x^3-ax^2\right]_0^2$

$=0$

$4+\frac{8(a-2)}{3}-4a=0$

$-4a=4 \qquad \therefore a=-1$ 답 -1

067 그림에서 곡선 $y=x^2-2x$와 x축으로 둘러싸인 도형의 넓이는

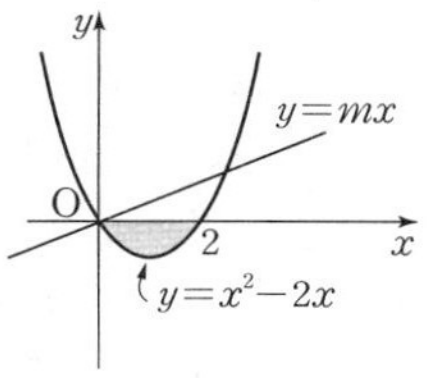

$-\int_0^2 (x^2-2x)\,dx=-\left[\frac{1}{3}x^3-x^2\right]_0^2$

$=\frac{4}{3}$

곡선 $y=x^2-2x$와 직선 $y=mx$의 교점의 x좌표는

$x^2-2x=mx$에서 $x(x-m-2)=0$

$\therefore x=0$ 또는 $x=m+2$

곡선 $y=x^2-2x$와 직선 $y=mx$로 둘러싸인 도형의 넓이는 $\frac{8}{3}$이므로

$\int_0^{m+2} \{mx-(x^2-2x)\}dx=\int_0^{m+2} \{-x^2+(m+2)x\}dx$

$=\left[-\frac{1}{3}x^3+\frac{1}{2}(m+2)x^2\right]_0^{m+2}$

$=-\frac{(m+2)^3}{3}+\frac{(m+2)^3}{2}$

$=\frac{(m+2)^3}{6}$

$=\frac{8}{3}$

$\therefore (m+2)^3=16$ 답 16

068 그림에서 곡선 $y=4x-x^2$과 x축으로 둘러싸인 도형의 넓이 S_1+S_2는

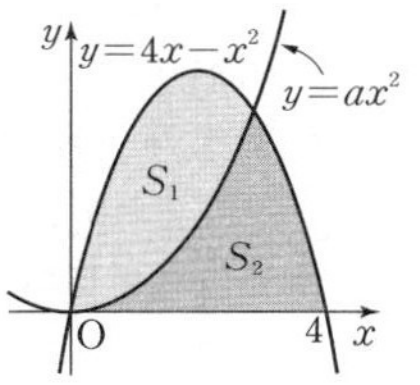

$S_1+S_2=\int_0^4 (4x-x^2)dx$

$=\left[2x^2-\frac{1}{3}x^3\right]_0^4=\frac{32}{3}$

$\therefore S_1=S_2=\frac{16}{3}$

두 곡선 $y=ax^2$, $y=4x-x^2$의 교점의 x좌표는

$ax^2=4x-x^2$에서 $(a+1)x^2-4x=0$

$(a+1)x\left(x-\frac{4}{a+1}\right)=0$

$\therefore x=0$ 또는 $x=\frac{4}{a+1}$

두 곡선 $y=ax^2$, $y=4x-x^2$으로 둘러싸인 도형의 넓이 S_1은

$S_1=\int_0^{\frac{4}{a+1}} \{(4x-x^2)-ax^2\}dx$

$=\int_0^{\frac{4}{a+1}} \{4x-(a+1)x^2\}dx$

$=\left[2x^2-\frac{(a+1)}{3}x^3\right]_0^{\frac{4}{a+1}}$

$=\frac{a+1}{6}\left(\frac{4}{a+1}\right)^3$

$=\frac{32}{3(a+1)^2}=\frac{16}{3}$

즉, $(a+1)^2=2$

$\therefore a=\sqrt{2}-1\ (\because a>0)$ 답 ①

069 점 $(1, 4)$를 지나는 직선을 $y=g(x)$라 하고, 이 직선의 기울기를 m이라 하면 직선의 방정식은

$y-4=m(x-1)$

$\therefore y=mx-m+4$

곡선 $y=x^2$과 직선 $y=g(x)$의 교점의 x좌표를 α, β $(\alpha<\beta)$라 하면 이차방정식 $x^2-mx+m-4=0$의 두 근이 α, β이므로 근과 계수의 관계에 의하여

$\alpha+\beta=m$, $\alpha\beta=m-4$

곡선 $y=x^2$과 직선 $y=g(x)$로 둘러싸인 도형의 넓이는

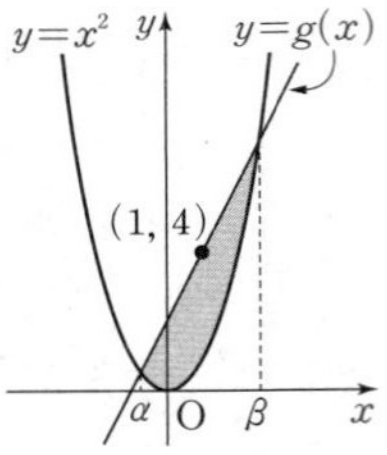

$\int_{\alpha}^{\beta}\{(mx-m+4)-x^2\}dx$

$=\frac{1}{6}(\beta-\alpha)^3$

이고

$(\beta-\alpha)^2=(\beta+\alpha)^2-4\alpha\beta$

$=m^2-4(m-4)$

$=(m-2)^2+12\geq 12$

$\therefore \beta-\alpha\geq\sqrt{12}$ $(\because \alpha<\beta)$

이므로 구하는 넓이의 최솟값은

$\frac{1}{6}\times 12\sqrt{12}=4\sqrt{3}$

답 $4\sqrt{3}$

070 두 곡선 $f(x)=x^2$ $(x\geq 0)$과 $g(x)=\sqrt{x}$는 직선 $y=x$에 대하여 대칭이므로 구하는 넓이는 곡선 $f(x)=x^2$ $(x\geq 0)$과 직선 $y=x$로 둘러싸인 도형의 넓이의 2배이다.

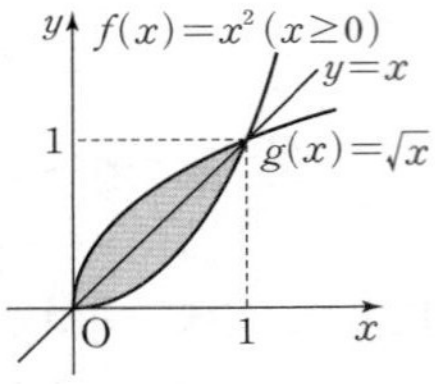

곡선 $f(x)=x^2$ $(x\geq 0)$과 $y=x$의 교점의 x좌표는 $x^2=x$에서

$x^2-x=0$, $x(x-1)=0$

$\therefore x=0$ 또는 $x=1$

따라서 구하는 넓이는

$2\int_{0}^{1}(x-x^2)dx=2\left[\frac{1}{2}x^2-\frac{1}{3}x^3\right]_0^1$

$=2\times\frac{1}{6}=\frac{1}{3}$

답 ②

071 함수 $y=f(x)$와 그 역함수 $y=g(x)$의 그래프는 직선 $y=x$에 대하여 대칭이므로

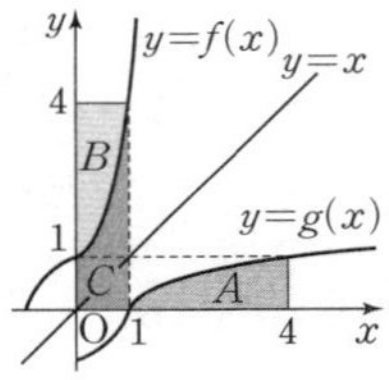

(A의 넓이)$=$(B의 넓이)

$\therefore \int_{0}^{1}f(x)dx+\int_{1}^{4}g(x)dx$

$=$(C의 넓이)$+$(A의 넓이)

$=$(C의 넓이)$+$(B의 넓이)

$=1\times 4=4$

답 4

072 두 곡선 $y=f(x)$와 $y=g(x)$는 역함수 관계이므로 구하는 넓이는 직선 $y=x$에 의하여 이등분된다.

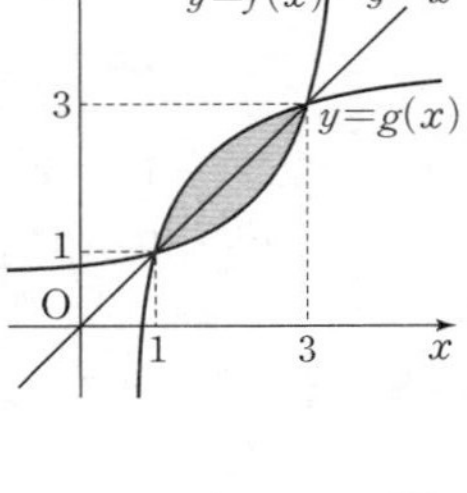

따라서 구하는 넓이는

$2\left\{\frac{1}{2}\times(1+3)\times 2-\int_{1}^{3}f(x)\,dx\right\}$

$=2\left(4-\frac{5}{2}\right)=3$

답 3

073 두 곡선 $y=f(x)$와 $y=g(x)$는 직선 $y=x$에 대하여 대칭이므로 그림에서 도형 A와 B의 넓이는 서로 같다.

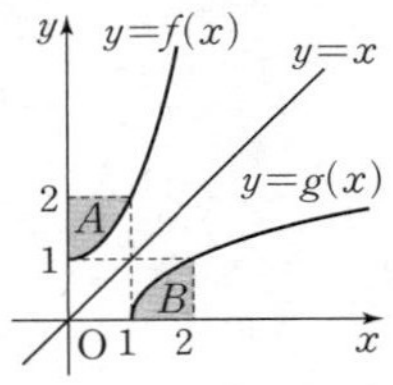

따라서 구하는 값은

$\int_{0}^{1}f(x)\,dx+\int_{1}^{2}g(x)\,dx$

$=\int_{0}^{1}f(x)\,dx+$(B의 넓이)

$=\int_{0}^{1}f(x)\,dx+$(A의 넓이)

$=1\times 2=2$

답 2

074 $f(x)=x^3+2x-2$에서

$f'(x)=3x^2+2>0$이므로 함수 $y=f(x)$는 실수 전체의 집합에서 증가하는 함수이다.

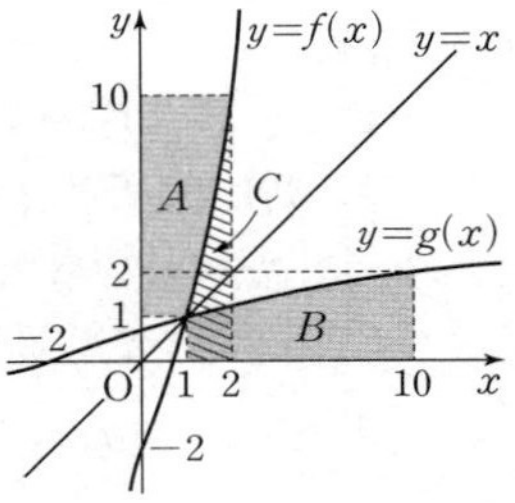

그림과 같이 두 함수 $y=f(x)$, $y=g(x)$의 그래프는 직선 $y=x$에 대하여 대칭이므로

(A의 넓이)$=$(B의 넓이)

$\therefore \int_{1}^{2}f(x)dx+\int_{1}^{10}g(x)dx$

$=$(C의 넓이)$+$(B의 넓이)

$=$(C의 넓이)$+$(A의 넓이)

$=2\times 10-1\times 1=19$

답 19

075 곡선 $y=f(x)$와 직선 $y=x$의 교점의 x좌표는

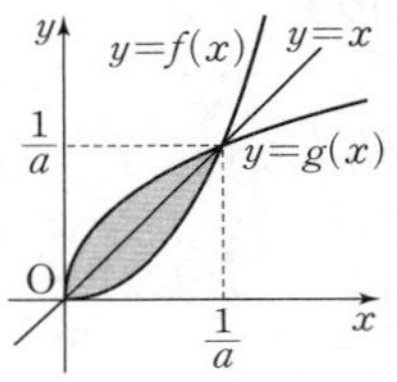

$ax^2=x$에서 $x(ax-1)=0$

$\therefore x=0$ 또는 $x=\frac{1}{a}$

곡선 $y=f(x)$와 직선 $y=x$로 둘러싸인 도형의 넓이는

$\int_{0}^{\frac{1}{a}}(x-ax^2)dx=\left[\frac{1}{2}x^2-\frac{a}{3}x^3\right]_0^{\frac{1}{a}}=\frac{1}{6a^2}$

두 곡선 $y=f(x)$, $y=g(x)$로 둘러싸인 도형의 넓이는 곡선 $y=f(x)$와 직선 $y=x$로 둘러싸인 도형의 넓이의 2배이므로

$2\times\frac{1}{6a^2}=3$

$\frac{1}{a^2}=9$, $a^2=\frac{1}{9}$

$\therefore a=\frac{1}{3}$ $(\because a>0)$

답 ④

076 $t=0$에서의 점 P의 위치가 0이므로 $t=3$에서의 점 P의 위치는

$0+\int_{0}^{3}(3t^2-4t+5)\,dt=\left[t^3-2t^2+5t\right]_0^3$

$=24$

답 ②

077 $t=0$에서의 점 P의 위치는 $x=1$이고, $t=1$에서의 점 P의 위치는 $x=4$이어야 하므로

$1+\int_{0}^{1}(2t+a)\,dt=1+\left[t^2+at\right]_0^1$

$=a+2=4$

$\therefore a=2$

답 2

078 두 점 P, Q의 시각 t에서의 위치를 각각 $x_P(t)$, $x_Q(t)$라 하면

$x_P(t)=\int_0^t (6t^2-2t+6)\,dt=\Big[2t^3-t^2+6t\Big]_0^t$

$=2t^3-t^2+6t$

$x_Q(t)=\int_0^t (3t^2+12t-4)\,dt=\Big[t^3+6t^2-4t\Big]_0^t$

$=t^3+6t^2-4t$

두 점 P, Q가 만나려면 $x_P(t)=x_Q(t)$이어야 하므로

$2t^3-t^2+6t=t^3+6t^2-4t$

$t^3-7t^2+10t=0,\ t(t-2)(t-5)=0$

$\therefore t=0$ 또는 $t=2$ 또는 $t=5$

두 점 P, Q가 출발 후 처음으로 다시 만나는 시각은 $t=2$이므로 그때의 위치는

$x_P(2)=x_Q(2)=24$ 답 24

079 점 P가 원점을 출발하여 5초 동안 움직인 거리는

$\int_0^5 |8-2t|\,dt=\int_0^4 (8-2t)\,dt-\int_4^5 (8-2t)\,dt$

$=\Big[8t-t^2\Big]_0^4-\Big[8t-t^2\Big]_4^5$

$=16+1=17$ 답 17

080 자동차가 정지하려면 $v(t)=0$이므로

$20-4t=0$에서 $t=5$

따라서 제동을 건 후 5초 동안 자동차가 달린 거리는

$\int_0^5 |20-4t|\,dt=\int_0^5 (20-4t)\,dt$

$=\Big[20t-2t^2\Big]_0^5$

$=50\,(\text{m})$ 답 ③

081 점 P가 다시 원점으로 돌아오는 시각을 $t=a$ $(a>0)$라 하면

$\int_0^a (6-2t)\,dt=\Big[6t-t^2\Big]_0^a$

$=6a-a^2=0$

$a(6-a)=0$에서

$a=6$ $(\because a>0)$

따라서 다시 원점으로 돌아올 때까지 움직인 거리는

$\int_0^6 |6-2t|\,dt=\int_0^3 (6-2t)\,dt-\int_3^6 (6-2t)\,dt$

$=\Big[6t-t^2\Big]_0^3-\Big[6t-t^2\Big]_3^6$

$=18$ 답 18

082 2분 이후의 속도는 $v(2)=4$이므로 출발 후 10분 동안 이 고속 열차가 달린 거리는

$\int_0^{10} |v(t)|\,dt=\int_0^2 \left(\frac{3}{4}t^2+\frac{1}{2}t\right)dt+\int_2^{10} 4\,dt$

$=\Big[\frac{1}{4}t^3+\frac{1}{4}t^2\Big]_0^2+\Big[4t\Big]_2^{10}$

$=3+32=35$ 답 35

083 출발 후 10초 동안 운행한 거리는

$\int_0^{10} \frac{1}{2}t\,dt=\Big[\frac{1}{4}t^2\Big]_0^{10}=25\,(\text{m})$

속도 $v(t)$의 그래프는 연속이므로

$\lim_{t\to 10-} \frac{1}{2}t=\lim_{t\to 10+} k=v(10)$

$\therefore k=5$

10초와 100초 사이에 운행한 거리는

$\int_{10}^{100} 5\,dt=\Big[5t\Big]_{10}^{100}=450\,(\text{m})$

100초에서 정지할 때까지 운행한 거리는

$\int_{100}^{120} \frac{1}{4}(120-t)\,dt=\frac{1}{4}\Big[120t-\frac{1}{2}t^2\Big]_{100}^{120}=50\,(\text{m})$

따라서 이 열차가 출발 후 정지할 때까지 운행한 거리는

$25+450+50=525\,(\text{m})$ 답 525 m

084 $x(t)=2t^3-6t^2-18t$에서 속도 $v(t)=x'(t)=6t^2-12t-18$

ㄱ. $v(2)=24-24-18=-18$이므로 속력은 18이다. (참)

ㄴ. $v(t)=6t^2-12t-18=6(t+1)(t-3)$에서 $v(t)=0$을 만족시키는 양수 t의 값은 3이고 $t=3$의 좌우에서 $v(t)$의 부호가 바뀌므로 운동 방향이 바뀐다. 즉, 점 P는 움직이는 동안 운동 방향을 한 번 바꾼다. (거짓)

ㄷ. 점 P가 출발 후 4초 동안 움직인 거리는

$\int_0^4 |v(t)|\,dt$

$=-\int_0^3 (6t^2-12t-18)dt+\int_3^4 (6t^2-12t-18)dt$

$=-\Big[2t^3-6t^2-18t\Big]_0^3+\Big[2t^3-6t^2-18t\Big]_3^4$

$=54+14=68$ (참)

따라서 옳은 것은 ㄱ, ㄷ이다. 답 ④

085 최고점에 도달하였을 때, $v(t)=0$이므로

$50-10t=0\quad \therefore t=5$

따라서 최고점에 도달하였을 때, 지면으로부터 물체까지의 높이를 h m라 하면

$h=20+\int_0^5 (50-10t)\,dt$

$=20+\Big[50t-5t^2\Big]_0^5$

$=20+(250-125)$

$=145\,(\text{m})$ 답 145 m

086 물체가 최고 높이에 도달하는 순간의 속도는 0이므로

$v(t)=98-9.8t=0\qquad \therefore t=10$

최고 높이에 도달할 때까지 물체가 움직인 거리는

$\int_0^{10} |v(t)|\,dt=\int_0^{10} (98-9.8t)dt$

$=\Big[98t-4.9t^2\Big]_0^{10}=490\,(\text{m})$

따라서 물체가 지면에 떨어질 때까지 움직인 거리는

$490+(490+30)=1010\,(\text{m})$ 답 ④

087 t초 후의 높이를 $x(t)$ m라 하면

$x(t)=\int_0^t (-10t+60)dt$

$=\Big[-5t^2+60t\Big]_0^t$

$=-5t^2+60t$

물체가 지면에 닿는 순간의 높이는 0 m이므로

$-5t^2+60t=0$, $t(t-12)=0$

$\therefore t=12$

따라서 12초일 때 물체가 지면에 닿으므로 그 순간의 속도는

$v(12)=(-10)\times12+60=-60\,(\mathrm{m/s})$

답 -60 m/s

088 주어진 그래프에서 $v(t)=-\frac{1}{3}t\ (0\le t\le6)$이므로

$t=4$에서의 점 P의 위치는

$$0+\int_0^4 v(t)\,dt=\int_0^4\left(-\frac{1}{3}t\right)dt=\left[-\frac{1}{6}t^2\right]_0^4=-\frac{8}{3}$$

답 $-\frac{8}{3}$

089 그림에서 $f(t)=2t-2$, $g(t)=-\frac{2}{3}t+2$이므로 두 점 P, Q의 t초 후의 위치를 각각 $x_P(t)$, $x_Q(t)$라 하면

$$x_P(t)=\int_0^t(2t-2)\,dt=\left[t^2-2t\right]_0^t=t^2-2t$$

$$x_Q(t)=\int_0^t\left(-\frac{2}{3}t+2\right)dt=\left[-\frac{1}{3}t^2+2t\right]_0^t=-\frac{1}{3}t^2+2t$$

두 점 P, Q가 만나려면 $x_P(t)=x_Q(t)$이어야 하므로

$t^2-2t=-\frac{1}{3}t^2+2t$에서

$\frac{4}{3}t^2-4t=0$, $t(t-3)=0$

$\therefore t=0$ 또는 $t=3$

따라서 두 점 P, Q는 원점을 출발한 지 3초 후에 다시 만난다.

답 3초

090 $t=5$에서의 물체의 위치는 그림에서 삼각형의 넓이 S_1에서 사다리꼴의 넓이 S_2를 뺀 것과 같으므로

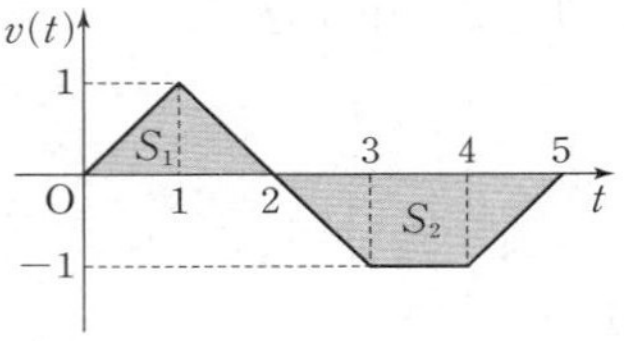

$$a=\int_0^5 v(t)\,dt=S_1-S_2$$

$$=\left(\frac{1}{2}\times2\times1\right)-\left\{\frac{1}{2}\times(1+3)\times1\right\}$$

$$=-1$$

$t=0$에서 $t=5$까지 물체가 움직인 거리는 삼각형의 넓이 S_1과 사다리꼴의 넓이 S_2를 합한 것과 같으므로

$$b=\int_0^5|v(t)|\,dt=S_1+S_2$$

$$=\left(\frac{1}{2}\times2\times1\right)+\left\{\frac{1}{2}\times(1+3)\times1\right\}$$

$$=3$$

$\therefore a+b=(-1)+3=2$

답 2

091 ㄱ. $t=5$의 좌우에서 $v(t)$의 부호가 바뀌므로 점 P는 운동 방향을 한 번 바꾼다. (참)

ㄴ. $t=8$에서의 점 P의 위치는

$$\int_0^8 v(t)\,dt=-\left\{\frac{1}{2}\times(5+2)\times2\right\}+\left\{\frac{1}{2}\times(2+3)\times2\right\}$$

$$=(-7)+5=-2$$

즉, 점 P의 위치는 -2이다. (거짓)

ㄷ. 점 P는 원점을 출발하여 $t=5$일 때까지 같은 방향으로 계속 움직이다가 $t=5$일 때, 방향을 바꾸어 출발점으로 돌아오고 있다. 따라서 $t=5$일 때, 원점으로부터 가장 멀리 떨어져 있다. (참)

따라서 옳은 것은 ㄱ, ㄷ이다.

답 ④

092 ㄱ. 가속도가 0인 순간은 속도 그래프에서 접선의 기울기가 0인 순간이므로 점 A는 가속도가 0인 순간이 존재하지 않는다. (거짓)

ㄴ. 평균 속력은 $\frac{(\text{이동한 총 거리})}{(\text{걸린 총 시간})}$이고, 걸린 총 시간은 세 점 모두 같으므로 이동 거리가 길수록 평균 속력이 빠르다.

한편, $t=30$일 때 세 점은 도착 지점이 같은데, 점 B는 출발할 때 반대 방향으로 움직이므로 두 점 A, C보다 많은 거리를 이동해야 한다.

따라서 점 B의 평균 속력이 가장 빠르다. (참)

ㄷ. 두 점 A, C의 속도 그래프와 t축으로 둘러싸인 도형의 넓이는 움직인 거리를 나타낸다. 그런데 두 점 A, C는 원점에서 같은 방향으로 출발하여 30초 후에 같은 지점에서 만나므로 움직인 거리는 같다. (참)

따라서 옳은 것은 ㄴ, ㄷ이다.

답 ⑤

093 구간 $[0, 1]$에서 $y\ge0$, 구간 $[1, 3]$에서 $y\le0$이므로 구하는 넓이는

$$\int_0^1(x^2-4x+3)dx-\int_1^3(x^2-4x+3)dx$$

$$=\left[\frac{1}{3}x^3-2x^2+3x\right]_0^1-\left[\frac{1}{3}x^3-2x^2+3x\right]_1^3$$

$$=\frac{4}{3}+\frac{4}{3}=\frac{8}{3}$$

답 ③

094 곡선 $y=-x^2+2x$와 직선 $y=-x$의 교점의 x좌표는

$-x^2+2x=-x$에서

$x^2-3x=0$, $x(x-3)=0$

$\therefore x=0$ 또는 $x=3$

따라서 구하는 넓이는

$$\int_0^3\{(-x^2+2x)-(-x)\}dx=\int_0^3(-x^2+3x)\,dx$$

$$=\left[-\frac{1}{3}x^3+\frac{3}{2}x^2\right]_0^3$$

$$=\frac{9}{2}$$

답 $\frac{9}{2}$

095 두 곡선 $y=x^3-2x$, $y=x^2$의 교점의 x좌표는 $x^3-2x=x^2$에서

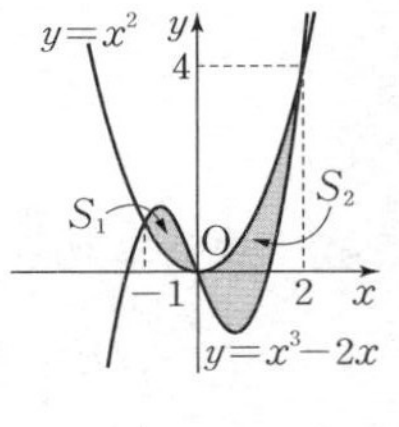

$x^3-x^2-2x=0$

$x(x+1)(x-2)=0$

$\therefore x=-1$ 또는 $x=0$ 또는 $x=2$

$S_1=\int_{-1}^{0}\{(x^3-2x)-x^2\}dx$

$=\int_{-1}^{0}(x^3-x^2-2x)\,dx$

$=\left[\frac{1}{4}x^4-\frac{1}{3}x^3-x^2\right]_{-1}^{0}=\frac{5}{12}$

$S_2=\int_{0}^{2}\{x^2-(x^3-2x)\}dx$

$=\int_{0}^{2}(-x^3+x^2+2x)\,dx$

$=\left[-\frac{1}{4}x^4+\frac{1}{3}x^3+x^2\right]_{0}^{2}=\frac{8}{3}$

$\therefore S_2-S_1=\frac{8}{3}-\frac{5}{12}=\frac{9}{4}$ 답 $\frac{9}{4}$

096 $y=x^3+1$에서 $y'=3x^2$이므로 이 곡선 위의 점 $(-1, 0)$에서의 접선의 방정식은

$y=3(x+1)$ $\therefore y=3x+3$

곡선 $y=x^3+1$과 직선 $y=3x+3$의 교점의 x좌표는 $x^3+1=3x+3$에서

$x^3-3x-2=0$

$(x+1)^2(x-2)=0$

$\therefore x=-1$ 또는 $x=2$

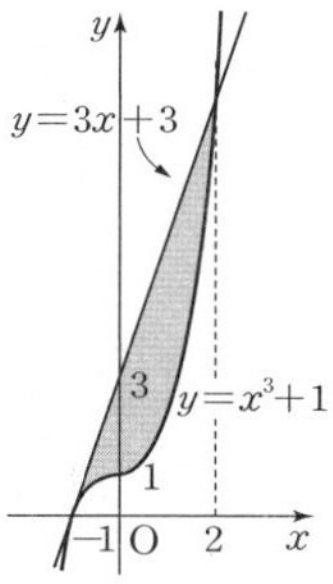

따라서 구하는 넓이는

$\int_{-1}^{2}\{(3x+3)-(x^3+1)\}dx$

$=\int_{-1}^{2}(-x^3+3x+2)dx$

$=\left[-\frac{1}{4}x^4+\frac{3}{2}x^2+2x\right]_{-1}^{2}$

$=\frac{27}{4}$ 답 ④

097 구하는 넓이는

$-\int_{0}^{1}3x(x-1)\,dx+\int_{1}^{2}3x(x-1)\,dx$

$=-\int_{0}^{1}(3x^2-3x)\,dx+\int_{1}^{2}(3x^2-3x)\,dx$

$=-\left[x^3-\frac{3}{2}x^2\right]_{0}^{1}+\left[x^3-\frac{3}{2}x^2\right]_{1}^{2}$

$=\frac{1}{2}+\frac{5}{2}=3$ 답 3

098 색칠한 두 부분의 넓이가 서로 같으므로

$\int_{0}^{3}\{(9-x^2)-k\}dx=\int_{0}^{3}(-x^2+9-k)dx$

$=\left[-\frac{1}{3}x^3+9x-kx\right]_{0}^{3}$

$=0$

$-9+27-3k=0,\ 18-3k=0$

$\therefore k=6$ 답 6

099 색칠한 부분의 넓이는 직선 $y=x$에 의하여 이등분된다.

따라서 구하는 넓이는

$2\times\left(\frac{1}{2}\times3\times3-\int_{0}^{3}f(x)\,dx\right)=2\times\left(\frac{9}{2}-3\right)=3$

답 3

다른 풀이

곡선 $y=f(x)$와 x축 및 직선 $x=3$으로 둘러싸인 부분의 넓이는

$\int_{0}^{3}f(x)dx=3$

곡선 $y=g(x)$가 $y=f(x)$의 역함수이므로

$y=g(x)$와 y축 및 직선 $y=3$으로 둘러싸인 부분의 넓이도 3이다. 따라서 색칠한 부분의 넓이는

$3\times3-3-3=3$

100 $t=a\ (a>0)$일 때, 점 P가 원점으로 다시 돌아온다고 하면 $t=0$에서 $t=a$까지 점 P의 위치의 변화량이 0이므로

$\int_{0}^{a}(-3t^2+2t+6)\,dt=\left[-t^3+t^2+6t\right]_{0}^{a}$

$=-a^3+a^2+6a=0$

$-a(a+2)(a-3)=0$

$\therefore a=3\ (\because a>0)$

따라서 3초 후에 원점으로 다시 돌아온다. 답 ②

101 공이 최고 높이에 도달하는 순간의 속도는 0이므로

$v(t)=30-10t=0$에서 $t=3$

따라서 공은 위로 쏘아 올린 지 3초 후에 최고 높이에 도달하므로 공을 쏘아 올린 지 2초 후부터 5초 후까지 공이 움직인 거리는

$\int_{2}^{5}|30-10t|\,dt$

$=\int_{2}^{3}(30-10t)\,dt-\int_{3}^{5}(30-10t)\,dt$

$=\left[30t-5t^2\right]_{2}^{3}-\left[30t-5t^2\right]_{3}^{5}$

$=5+20=25\,(\mathrm{m})$ 답 25 m

102 ㄱ. 점 P가 1초 동안 $v(t)=0$을 유지한 구간이 없으므로 점 P가 출발 후 1초 동안 멈춘 적은 없다. (거짓)

ㄴ. $v(t)$의 부호가 바뀔 때 점 P의 운동 방향이 바뀌므로 점 P가 운동 방향을 바꾸는 때는 $t=2$, $t=4$에서의 2번이다. (거짓)

ㄷ. $\int_{0}^{4}v(t)dt=0$이므로 점 P는 출발하고 나서 4초 후 출발점으로 되돌아온다. (참)

따라서 옳은 것은 ㄷ뿐이다. 답 ㄷ

103 S_1, S_2, S_3이 이 순서대로 등차수열을 이루므로

$2S_2=S_1+S_3$ ⋯⋯ ㉠

곡선 $y=f(x)$와 x축의 교점의 x좌표는

$x^2-5x+4=0$에서 $(x-1)(x-4)=0$

$\therefore x=1$ 또는 $x=4$

$\int_{0}^{k}f(x)\,dx=S_1-S_2+S_3$

$=2S_2-S_2\ (\because$ ㉠$)$

$=S_2$

$=-\int_{1}^{4}f(x)\,dx$

$=-\int_{1}^{4}(x^2-5x+4)\,dx$

$=-\left[\frac{1}{3}x^3-\frac{5}{2}x^2+4x\right]_{1}^{4}=\frac{9}{2}$ 답 $\frac{9}{2}$

104 $f(x)=x^2-4x+5=(x-2)^2+1$이므로

$g(x)=(x-k-2)^2+1$

한편, 두 곡선 $y=f(x)$, $y=g(x)$에 동시에 접하는 직선 l을 $h(x)$라 하면 $h(x)=1$

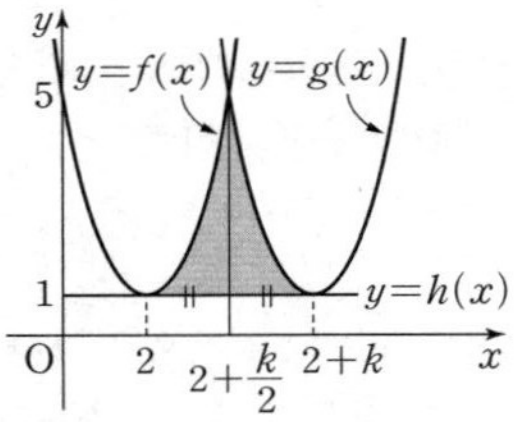

두 곡선 $y=f(x)$, $y=g(x)$의 교점의 x좌표를 α라 하면

$(\alpha-2)^2+1=(\alpha-k-2)^2+1$

$(\alpha-2)^2=(\alpha-k-2)^2$

$\alpha^2-4\alpha+4=\alpha^2+k^2+4-2k\alpha+4k-4\alpha$

$-2k\alpha+k^2+4k=0$

$\therefore \alpha=2+\frac{k}{2}$ $(\because k>0)$

$\alpha=2+\frac{k}{2}$는 두 곡선에서 두 꼭짓점의 중점의 x좌표이므로

두 곡선 $y=f(x)$, $y=g(x)$는 직선 $x=2+\frac{k}{2}$에 대하여 대칭이다.

위의 그림에서 어두운 부분의 넓이가 $\frac{16}{3}$이므로

$\int_2^{2+\frac{k}{2}}\{f(x)-h(x)\}dx=\frac{8}{3}$이고

$f(x)-h(x)=(x-2)^2$, 즉

$$\int_2^{2+\frac{k}{2}}(x-2)^2dx=\int_0^{\frac{k}{2}}x^2dx$$
$$=\left[\frac{1}{3}x^3\right]_0^{\frac{k}{2}}$$
$$=\frac{1}{3}\left(\frac{k}{2}\right)^3=\frac{8}{3}$$

$\left(\frac{k}{2}\right)^3=8$, $\frac{k}{2}=2$ $\quad\therefore k=4$ 답 4

참고

곡선 $y=(x-2)^2$은 곡선 $y=x^2$과 모양이 같으므로

$\int_2^{2+\frac{k}{2}}(x-2)^2dx=\frac{8}{3}$에서 구하는 k의 값은

$\int_0^{\frac{k}{2}}x^2dx=\frac{8}{3}$을 만족시키는 k의 값과 같다.